VINICIUS DE MORAES

O POETA DA PAIXÃO

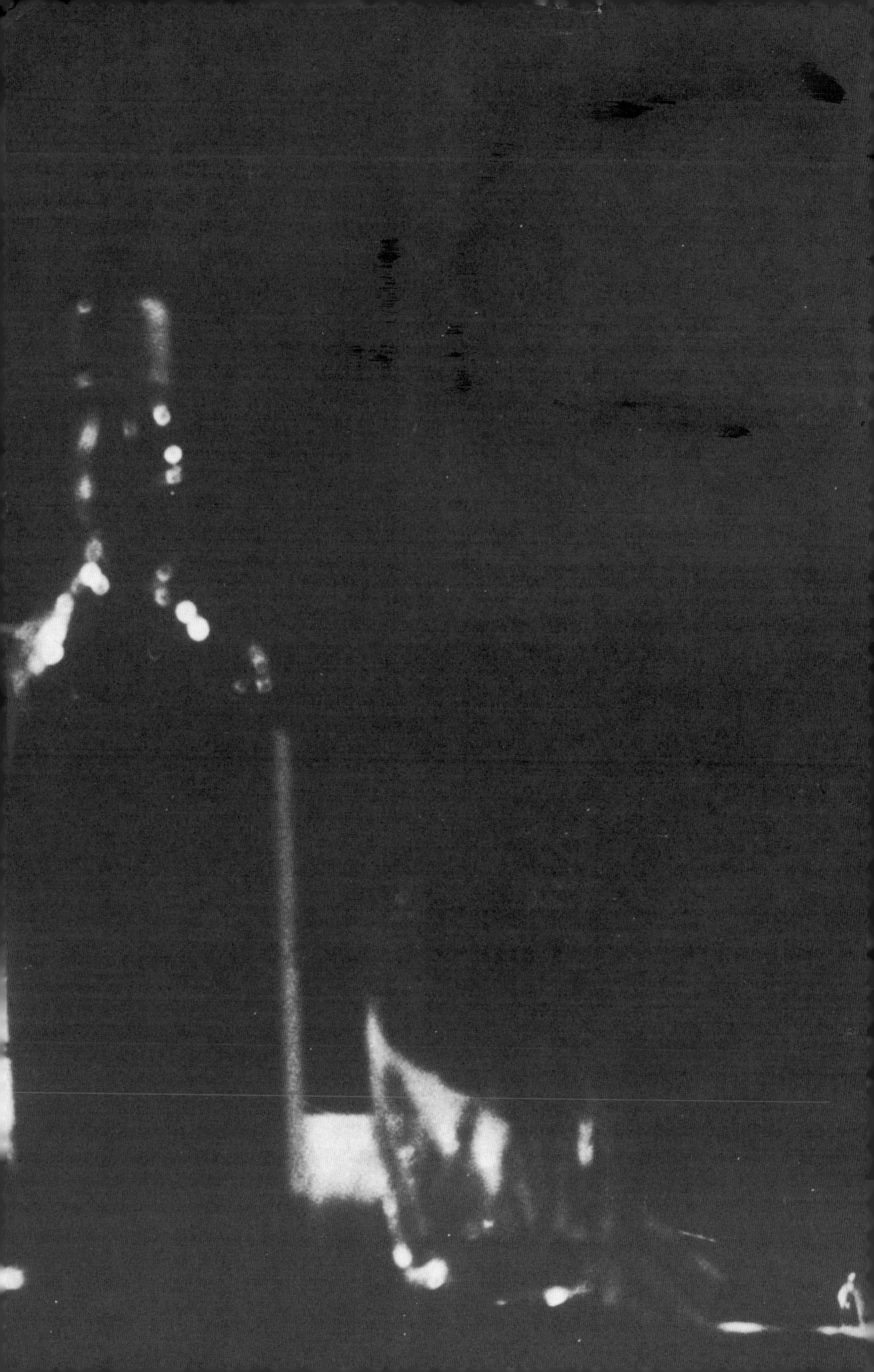

Esta edição foi possível graças
ao apoio do Programa do Artista Residente
da Universidade de Campinas (Unicamp)

VINICIUS DE MORAES

O POETA DA PAIXÃO
UMA BIOGRAFIA

JOSÉ CASTELLO

2ª edição
1ª reimpressão

COMPANHIA DAS LETRAS

Pesquisador-assistente:
Silvio Barsetti

Capa e projeto gráfico:
Hélio de Almeida

Fotos da capa:
Pedro de Moraes

Preparação:
Marcia Copola

Índice remissivo:
Beatriz Calderari de Miranda

Revisão:
Eliana Medeiros
Carmen S. da Costa
Touché! Editorial

Dados Internacionais de Catalogação na Publicação (CIP)
(Câmara Brasileira do Livro, SP, Brasil)

Castello, José
Vinicius de Moraes : o poeta da paixão / uma biografia / José Castello. — São Paulo : Companhia das Letras, 1994.

ISBN 85-7164-355-5

1. Moraes, Vinicius de, 1913-1980 I. Título.

93-3564 CDD-928.6991

Índices para catálogo sistemático:
1. Poetas brasileiros : Biografia 928.6991

1994

EDITORA SCHWARCZ LTDA.
Rua Tupi, 522
01233-000 — São Paulo — SP
Telefone: (011) 826-1822
Fax: (011) 826-5523

Em memória de Lygia Piranda Jurkiewicz e de Norberto Luis Bornéo,
as duas pessoas mais corajosas que conheci.
Espero me fazer digno da lição de destemor e de amor
à vida que ambos me legaram.

Comigo a natureza enlouqueceu
sou todo coração
Maiakovsky

ÍNDICE

PREFÁCIO

Biografia: o dicionário ensina que se trata da ''descrição ou história da vida de uma pessoa''. Uma viagem, portanto, através de um outro. E que supõe, de saída, uma ilusão: a do pleno conhecimento íntimo. Se não damos conta sequer de nós mesmos, o que autoriza um biógrafo a ter a ambição de dar conta de um outro? A tarefa do biógrafo começa, portanto, pela constatação de uma impossibilidade. Escrever uma biografia é — digamos logo — uma tarefa impossível.

Depois de encarar essa verdade, restam ao indivíduo que ainda insiste em se tornar biógrafo duas alternativas. Ou se apega à aridez dos documentos, ao rigor absoluto das palavras, à aparente objetividade de números, datas, cifras e assinaturas; e, fazendo pose de homem de ciência, ergue sua biografia sobre um amontoado de paradoxos que lhe trazem uma precária segurança, mas deixam escapar o principal — a saber, a alma do biografado. Ou reconhece sua impotência primordial, sua teimosia, sobretudo sua ousadia em se supor capaz de reconstruir o que para sempre está perdido — e tenta, a partir daí, dada de antemão alguma certeza de fracasso, se aproximar o mais possível do cerco de limitações, simulacros e vazios que se ergue em torno dessa figura chamada ''biografado''.

Neste prefácio, pretendo explicar por que escolho o segundo caminho — o do trato consciente da imperfeição. Vinicius de Moraes, com sua paixão pela transitoriedade e pelo risco, fundamentos de sua grande arte de viver, foi peça determinante nessa escolha. Biografias são, decididamente, de enlouquecer. No caso de uma biografia de Vinicius de Moraes, tudo fica ainda mais difícil. Ele foi um homem que viveu para se ultrapassar e para se desmentir. Para se entregar totalmente e fugir, depois, em definitivo. Para jogar, enfim, com as ilusões e com a credulidade, por saber que a vida nada mais é que uma forma encarnada de ficção. Foi, antes de tudo, um apaixonado — e a paixão, sabemos desde os gregos, é o terreno do indomável.

Carlos Drummond de Andrade, engomado em seu terno de burocrata e com sua vidinha metódica, disse, certa vez: ''Vinicius é o único poeta brasileiro que ousou viver sob o signo da paixão. Quer dizer, da poesia em estado natural''. Estava absolutamente correto. Confessou também, um dia: ''Eu queria ter sido Vinicius de Moraes''. Não teve vergonha de expor, ainda que tardiamente, sua inveja do amigo. Vinicius viveu — e escreveu — para romper a fronteira ilusória que separa a vida da imaginação. Isso confunde, mas também enriquece.

Os críticos literários, e mesmo seus companheiros de ofício, nunca souberam muito bem como lidar com ele. Eduardo Portella o viu como "o entroncamento da geração de 30 com a de 45". Ainda em busca de uma perspectiva crítica, o mesmo Carlos Drummond de Andrade, um dia, tentou enquadrá-lo assim: "Ele tem o fôlego dos românticos, a espiritualidade dos simbolistas, a perícia dos parnasianos (sem refugar, como estes, as sutilezas barrocas) e, finalmente, homem bem de seu tempo, a liberdade, a licença, o esplêndido cinismo dos modernos". Drummond, como Portella, também o descreve como uma espécie de poeta das encruzilhadas. Um "cavalo" da poesia — para pensar em termos do espiritismo que tanto seduziu Vinicius em sua fase baiana.

Otto Lara Resende, como de resto todo o Brasil, tentou instalá-lo na categoria improvável do "poeta carioca" — como se algo semelhante, afora o registro civil fixado pela polícia, pudesse existir. Disse: "Manuel Bandeira viveu e morreu com as raízes enterradas no Recife. João Cabral continua ligado à cana-de-açúcar. Drummond nunca deixou de ser mineiro. Vinicius é um poeta em paz com sua cidade, o Rio. É o único poeta carioca". Vinicius de Moraes soube, de fato, transportar o Rio de Janeiro para dentro da moldura de seus versos com uma habilidade ímpar. Mas enquadrá-lo na categoria vaga de "poeta carioca" é, no mínimo, reduzir a dimensão de sua poesia. É, mais que isso, folclorizá-la. Bem sabemos o quanto a imagem do Rio de Janeiro é construída com base em atributos folclóricos — que vão da sensualidade escaldante à malemolência, do clima de balneário à suspeita de uma desordem visceral. Foi com esses ingredientes que se compôs para Vinicius, então, a imagem falaciosa — e agressiva, ainda que essa não tenha sido a boa intenção de seus autores — do "poetinha". Imagem doce mas destrutiva — pois o diminutivo, embora carinhoso, tem como efeito uma espécie de morte civil em que o elogio da doçura se torna uma camisa-de-força.

Há sempre aqueles interessados em se apegar à árvore das influências literárias. Isso, sem dúvida, existe. Só que não se passa bem assim. A idéia naturalista de que os poetas saem uns dos outros, como frutos que se desdobram e flores que se multiplicam, produz mais confusão que esclarecimento. Devemos trabalhar também com ele — numa biografia, por princípio, nada deve ser jogado fora. Mas não para traçar genealogias, em busca de genes literários que passariam de pai para filho, e sim para tentar compor paralelos que, como trilhos, nos ajudem a seguir numa determinada direção. O próprio Vinicius, preso por muito tempo a esse procedimento genealógico, se apressou em dizer, certa vez, que sua grande "influência" foi Arthur Rimbaud. O poeta de *Uma estação no inferno* teria tido papel importante em sua passagem da poesia metafísica para a poesia do cotidiano. Teve. "Ele foi fundamental na minha retomada de contato com a realidade", Vinicius afirmou uma vez. Mas ele mesmo cita outras "influências passageiras", como Shakespeare, Camões, Rilke, Eliot. Cai, ele também, na armadilha sedutora das famílias literárias — fôrmas que, em geral, servem mais para iludir (pois a simplificação é sempre uma forma suave da mentira) do que para sinalizar caminhos. Outras vezes, o poeta cita William Blake, Verlaine, García Lorca, Leopardi e Jayme Ovalle. Ampara-se — como se precisasse disso — no brilho alheio. Ergue em torno de si uma cortina de imortais. Esconde-se.

João Cabral de Melo Neto, incomodado com o estilo farto do amigo, chegou a sugerir, em fins dos anos 60, que Vinicius fizesse uma dieta poética. "Você precisa 'emagrecer' poeticamente", sugeriu. Referia-se, por certo, à presença do espírito romântico na obra de Vinicius, que um poeta do concreto como João Cabral só poderia mesmo ver como "gordura", excesso. Vinicius de Moraes, enquanto isso, caminhava em direção oposta. Sempre quis "emagrecer", sim, mas da arrogância literária e dos inchaços vazios da intelectualização. Não é por outra razão que não gostava de um carpinteiro da língua como João Guimarães Rosa. "Ele só quer ser o Joyce brasileiro", lamentava. "Isso não é escrever."

Referências podem ser úteis quando iluminam, mas quase sempre inibem — e complicam. Para Vinicius, a poesia não é uma arte que se ergue sobre conceitos, mas sobre emoções. Não é uma arte intelectual, mas sensorial. Daí sua conexão inevitável com a experiência íntima. Um dia, ele se autodefiniu assim: "Sou um labirinto em busca de uma saída". Tem, portanto, noção bastante clara do entroncamento em que sua alma se enrosca. Sabe que não deve, e não pode, abrir mão dessa encruzilhada — não pode se "simplificar", se reduzir a essa ou àquela paternidade —, sob pena de se perder de si mesmo. Sabe que há um elemento autônomo na arte, que se traduz psicologicamente por uma compulsão. E que é esse impulso para a beleza, e não a habilidade para "fazer versos", que dá a marca do poeta. Para que alguém se torne poeta, não basta rabiscar versos, não basta manejar com mestria a língua, não basta ser erudito, não basta "escrever bem". Não é o livro publicado que autoriza a identidade de ninguém. Numa carta datada de 1977 que Vinicius guardou como um tesouro, sua amiga francesa Marie-Christine Richard definiu por ele: "Qui ne risque rien, n'a rien". A poesia, para Vinicius, é a arte do risco. Ou bem o poeta coloca tudo em jogo, ou não merece esse nome. Novamente a paixão se torna um elemento fundamental. Pois, para Vinicius de Moraes, poesia sem paixão podia ser tudo — menos poesia.

Um dia, já do alto de seus sessenta anos, Vinicius disse a Marta Rodriguez, sua oitava mulher: ''Eu acho que a criação é uma compulsão do homem para imitar Deus. É um ato de inveja. De inveja e de competição no plano do espírito''. A declaração pode parecer, aos apressados, uma recaída tardia nas fantasias religiosas que lhe marcaram a juventude, passada entre padres jesuítas e poetas metafísicos. Não é bem assim. Quando diz ''Deus'', Vinicius não está mais no campo restrito e pré-moldado do religioso. Não se refere a ''Deus'' como a entidade superior de um mito, mas como um sinônimo para a perfeição. Quando fala em ''espírito'', ou em ''alma'', também não se deve supor que essas palavras guardem qualquer ranço católico, espírita ou de qualquer outro dogma. Nessa biografia também haverá muitas referências a ''alma'' e ''espírito''. Essas palavras, do mesmo modo, não devem ser confundidas com os conceitos religiosos que lhes deram origem. ''Espírito'' para Vinicius de Moraes — e, em conseqüência, para nós aqui — é o imaterial. É tudo aquilo que escapa à lógica da matéria e à coleira da razão: a ''compulsão'' à poesia, as emoções sensuais, a paixão, o inconsciente. Tudo aquilo que jamais conseguiremos pegar — e de que, no entanto, jamais nos livraremos.

O que torna Vinicius de Moraes um grande poeta é a percepção desse lado obscuro do homem. E a coragem de enfrentá-lo. Vinicius parte, desde o princípio, dos temas fundamentais: o mistério, a paixão e a morte. Temas, é verdade, sobre os quais a maior parte das religiões também se ergue. Mas que, nem por isso, podem ser considerados propriedade restrita de sacerdotes, rabinos e pais-de-santo. Temas, na verdade, sérios demais para ficar nas mãos obsequiosas da religião. Não é por acaso que Vinicius de Moraes inicia seu percurso como um poeta da metafísica: afora a circunstância, determinante, de ter se formado num colégio de padres, ele parece saber, desde o início, que o poético está no indistinto. No mistério. Na imperfeição. Que outra coisa é seu impulso apaixonado por tantas mulheres senão uma atração irresistível pelo desconhecido?

Aqui é preciso tentar entender de que maneira mistério e amor se entroncam. A grande aventura de Vinicius foi deslocar o mistério do domínio do dogma espiritual para o território do humano. Não em direção ao mistério fantasioso dos esotéricos, mas sim rumo àquele guardado nas miudezas do cotidiano, nas vacilações da carne e na imperfeição do homem. Quando Vinicius fala em ''alma'', não pensa certamente nessa metade imaterial do ser humano a que as religiões atribuem o toque de Deus e o dom da imortalidade. Fala de algo absolutamente mortal — algo eterno, apenas, enquanto dura — que aparece sobretudo no amor e, mais ainda, em sua forma extrema: a paixão. Mas que também aparece na amizade, na música, na poesia e na morte.

A poesia de Vinicius começa com um voto de resignação ao desconhecido, ao obscuro, ao vazio. Isto é, à fraqueza humana. As religiões também dizem que, no princípio, eram as trevas. Tanto o catolicismo como a poesia se erguem a partir do dom da palavra. Só que, enquanto as religiões tratam a palavra como um artefato de controle do obscuro, a poesia não está interessada em qualquer tipo de dominação (embora exija técnica, habilidade e mestria). Não resolve o enigma construindo dogmas e abstrações paradisíacas. Topa com a estranheza de frente e se deixa impregnar por ela. E nos devolve, ainda mais intrigados, mas também mais fortalecidos, à vida.

A diferença é que a poesia, ciente do vazio essencial do humano, ergue sobre ele — como uma ponte lançada sobre um abismo — o humano. Aqui está outra chave para se compreender Vinicius de Moraes: é por meio dessa descoberta da poesia como o toque primordial do homem que ele chega à celebração da vida. "Os poetas estão faltando, porque estão faltando homens em geral", diz numa entrevista quatro anos antes de morrer. "E os homens estão com medo da vida." Está dada, aqui, a conexão entre poesia e vida, laço sem o qual toda a vida e toda a obra de Vinicius desmoronam. Desde os anos 70, o meio intelectual brasileiro passou a sofrer de uma ojeriza à vida. A forte influência das teorias estruturalistas, e depois pós-modernistas, promoveu uma perversão: desumanizou a arte. Ergueu um altar ao abstrato. E criou a norma da aversão ao humano. As biografias, em conseqüência, passaram a ser vistas como um gênero do campo da fofoca, do mundanismo, da bisbilhotice. Passaram a ser encaradas como futilidade que se deve tratar, no mínimo, com desconfiança.

Tentar fazer uma biografia de Vinicius de Moraes é, desde logo, desistir da idéia de que a poesia se passa nos livros e a vida se restringe à crueza do chão. Drummond — ainda Drummond — disse dele, numa definição inapelável: "Foi o único de nós que teve vida de poeta". Quando deixa a poesia em segundo plano para se tornar show-man da MPB, para viver nove casamentos, para atravessar a vida viajando, Vinicius está exercendo, mais que nunca, esse poder que Drummond descreve, sem conseguir dissimular sua imensa inveja. Vinicius de Moraes nunca superou, ao contrário do que supôs, esse conflito essencial. Nunca o "resolveu" — e essa é a vantagem que leva sobre a maioria dos poetas do século. Mudou, sim, e por várias vezes, de perspectiva. Atravessou a vida como um camaleão, absorvendo os matizes dos vários mundos em que esteve, das várias mulheres que amou, dos muitos amigos do peito que adotou como irmãos. Talvez ninguém tenha idealizado tanto os poderes do álcool quanto ele. Disse várias vezes que só gostava do mundo "depois da segunda dose". A bebida lhe dava um "a mais" sem o qual o mundo parecia fútil e desinteressante.

Disse, também, que ela lhe dava a sensação de ''poder tudo''. Quer dizer: ela encobria a imperfeição e lhe dava a sensação passageira, mas inebriante, do absoluto. O amor ao álcool não deixa de ser, para Vinicius, uma forma de religião. Embora tenha sido, também, um vício que o destruiu. Mas paradoxos nunca o intimidaram.

Claro que todo biógrafo, em particular o biógrafo de um morto, está desde o início preso a certa malha de versões. Rede cheia de furos e de malogros, de suposições e de falsificações, que muitas vezes sustenta o que não interessa, e deixa escapar o que é essencial. A reconstrução do passado, mesmo quando manejada pelas mãos metódicas dos historiadores, é, ela também, mais uma forma — disfarçada — de ficção. Mais que a reconstituição literal dos diálogos, das declarações, da minúcia dos fatos, importa investir na remontagem do espírito que os precedeu. Todo poeta que merece esse nome, como Vinicius de Moraes, sabe que o mundo não se pega exatamente pelas palavras.

Essa biografia pretende, antes de tudo, iniciar o desmonte do mito adocicado, mas sinistro, sob o qual a imagem de Vinicius de Moraes foi sempre comprimida — quando não destruída. O mito do ''poetinha''. Quem primeiro o tratou assim foi o compositor e cronista Antonio Maria, a quem Vinicius chamava, por sua vez, de ''o meu Maria'', brincando com o estranhamento provocado por um possessivo masculino anteposto a um nome atribuído ao feminino. Maria, que se tornou um de seus amigos mais importantes, usou o diminutivo por certo como expressão de afeto. Fazia uma réplica ao próprio Vinicius, um homem que passou a vida expressando seu amor pelas pessoas por meio do artifício lingüístico dos diminutivos. Tomados por ele, é bom insistir, como modo de engrandecimento. No outro extremo da vida do poeta, também com a intenção sincera de uma homenagem, Chico Buarque — em parceria com Toquinho, em ''Samba para Vinicius'' — cantou: ''Poeta, poetinha, camarada...''. Nunca mais Vinicius escapou desse destino. E, é bom frisar, nunca demonstrou qualquer desejo de escapar.

À revelia tanto dos amigos quanto dele próprio, a expressão ''poetinha'' traz uma carga inevitável de depreciação e de menosprezo. Registra uma visão infantilizada do poeta — que ele tantas vezes, ao longo da vida, se apressou em confirmar. Trouxe efeitos que extrapolam essas circunstâncias pessoais. Não é por acaso que a universidade brasileira se ''esquece'' de Vinicius de Moraes, tratando-o, freqüentemente, como alguém pouco digno do olhar acadêmico — isto é, como um ''poeta menor''. Não é por outra razão, ainda, que, antes do esforço recente da Companhia das Letras em republicar sua obra de modo ordenado e inteligente, ela estava dispersa por várias casas editoriais. Ao recusar o mito do ''poetinha'', essa biografia não pode cometer o erro de ignorar as circunstâncias que lhe deram vida, que o difundiram e que o justificaram. Vinicius dizia que gostava de diminutivos "porque nada no diminutivo faz mal". Uma biografia de Vinicius de Moraes tampouco pode fugir das lendas e até do folclore que sempre revestiram sua vida. Ao contrário, deve partir dessas lendas e desses mitos folclóricos para enfrentá-los. A questão não é aniquilar as fantasias, mas tentar, por meio de seus relatos, extrair-lhes alguma perspectiva. Tirar do folclore e da mentira os nacos mais preciosos da verdade.

Novamente, deparamos com o poeta das encruzilhadas: versões díspares, relatos contraditórios, incongruências aparecem, de ponta a ponta, em sua história de vida. Vinicius foi, sem dúvida, um grande ator. Soube atuar sobre a realidade com esperteza, tirando sempre proveito das circunstâncias e jamais renegando o poder de ilusão que as palavras detêm. Drummond estava certo: autor de alguns dos mais belos poemas da língua portuguesa, Vinicius de Moraes espalhou sua poesia pela realidade. Fez da poesia vida. "Atuou", magnificamente, como poeta. Provou que a autenticação de um poeta não é dada somente pelos versos que escreve, mas pelo olhar poético com que é capaz de envolver o mundo a seu redor. Ampliou, assim, o conceito de poesia retirando-o do domínio restrito dos gêneros literários e espalhando-o pelo mundo real.

Suas nove mulheres oficiais — Tati de Moraes, Regina Pederneiras, Lila Esquerdo Boscoli, Nelita de Abreu, Lucia Proença, Cristina Gurjão, Gesse Gessy, Marta Rodriguez e Gilda de Queirós Mattoso —, seus quatro grandes parceiros — Tom Jobim, Carlos Lyra, Baden Powell e Toquinho —, as cidades em que viveu — Rio, Salvador, Oxford, Los Angeles, Paris, Montevidéu —, seus poemas, letras de músicas, peças de teatro, crônicas, roteiros de cinema e até romances malsucedidos atestam, por si, a amplitude dessa atuação. "A poesia é tão vital para mim que ela chega a ser o retrato de minha vida", Vinicius disse uma vez. "Portanto, julgar minha poesia seria julgar minha vida. E eu me considero um ser tão imperfeito... " Aqui, sem perceber, ele nos fornece o dispositivo central de acesso a sua obra: a incompletude. Vinicius foi o poeta da imperfeição. Seu tema, por excelência, é a antiutopia. Isto é, o limite do homem diante de seus desejos. Vinicius de Moraes escreveu — e viveu — para testar as fronteiras do humano. Por isso, e por nenhuma outra razão, foi um grande poeta.

O roteiro das paixões traça o melhor perfil do poeta. Entre 1938 — quando está com 24 anos — e 1950, ele vive seu primeiro e mais longo amor com Beatriz Azevedo de Mello Moraes, a Tati. Ela lhe dá dois filhos: Susana e Pedro. E representa na vida do poeta a busca do equilíbrio e do amadurecimento. O encontro, irrevogável, consigo mesmo. Tati é uma mulher severa, forte, resistente. Consegue conter a tempestade interior de Vinicius e aplacar as ameaças internas — desenhadas em cenário gótico — que traz do Colégio Santo Inácio e da influência decisiva, embora mórbida, de Octavio de Faria. Com Tati, o mundo deixa de ser habitado por anjos sinistros, mulheres perigosas e serpentes malditas. Ela representa o amor solar — o amor pela claridade. No período inicial vivido em Oxford, quando ainda é paixão, o amor por Tati o torna, em definitivo, poeta. Depois, em contrapartida, o lança no primeiro grande período estéril de sua vida, que tem seu apogeu nos anos sadios, mas pouco inspirados, passados em Los Angeles.

Um intervalo curtíssimo, mas desestabilizador, o joga nos braços de Regina Pederneiras. Não se trata de uma paixão plena. Regina é a musa que pela primeira vez o retira da comodidade do amor e o conduz ao reino da transgressão. Com ela, o amor se transforma numa forma de perigo. Vinicius tem de enfrentar a mentira e o ciúme. O amor se faz sofrimento, drama.

Lila Esquerdo Boscoli, com quem Vinicius de Moraes vive entre 1951 e 1956, representa a paixão pela beleza aguda e pelo desconcerto. O poeta se deixa hipnotizar pela feminilidade pura: diante de Lila, a claridade se torna excessiva e, ao invés de iluminar, cega. É a experiência primeira do amor extremo, em que o homem busca uma mulher não para se encontrar, mas para se perder. Pela primeira vez o poeta prova o luxo da grande paixão. Lila lhe dá duas filhas: Luciana e Georgiana. A seu lado, em particular na temporada passada em Paris, Vinicius retoma o vigor da poesia. E, despindo pela primeira vez os protocolos diplomáticos e a farda de intelectual, prepara a opção decisiva pela música popular.

Lucinha Proença, com quem ele vive entre 1957 e 1962, na maturidade dos quarenta anos, lhe traz aquela que foi, provavelmente, a paixão em estilo mais clássico. Não é por acaso que justamente para ela o poeta tivesse escrito o seu *Para viver um grande amor*. Lucinha liga a firmeza ao mistério. Ele se sente protegido e desafiado ao mesmo tempo. A seu lado, o camaleão Vinicius de Moraes agora se transforma num refém. O amor deixa de ser, em definitivo, um ato voluntário para se assemelhar a um seqüestro da alma. Surge, como contraponto, o poeta da Bossa Nova. Vinicius vive, então, a plenitude — esse estado inebriante que se prolonga do gozo à catástrofe — e não se poupa.

Ao lado de Nelita de Abreu Rocha, entre 1962 e 1967, Vinicius exercita, desde o princípio, a difícil arte da fuga. Foge para a Europa, conhece o pleno sucesso internacional com "Garota de Ipanema", atira para todos os lados — e, muitas vezes, para nenhum. A paixão pelo álcool se agrava, com as seqüelas inevitáveis. Beber é, para ele, um modo de se tornar invisível. Nelita é uma moça bela, mas desprotegida (é a "menina com uma flor"), e o poeta, diante dela, se entrega ao descontrole e à onipotência. Começa, num cenário interior adequado aos tempos escuros implantados pelo regime militar de 64, uma temporada de escapes e subterfúgios, em que a paixão se torna, mais que nunca, uma forma de obsessão. Todos os raios desabam sobre Nelita. A fuga deve ser tomada, aqui, também em seu sentido musical: a de variações repetitivas sobre um mesmo tema. O poeta, sem outros recursos, imita a si mesmo. Mas não perde o sentido da beleza.

Cristina Gurjão oferece ao poeta um amor morno e desesperançado. E até violento, que termina em passos de guerra. Que combina com o regime de medo implantado, no mesmo ano, pelo ato institucional nº 5, com que os militares terminaram de amordaçar o Brasil. Vinicius, debilitado pela perseguição política e pela época de baixa para a MPB, se resigna. Pela primeira vez, se oferece à mulher com um amor passivo. O poeta, num retrocesso, nela parece buscar algo da Grande Mãe. É Cristina, ativa e dura com seu espírito de camponesa, que conduz o amor. E, como ele mesmo descreverá mais tarde, ele entra em sua "fase negra". Cristina Gurjão será uma corajosa testemunha desse período.

O amor pela baiana Gesse Gessy, inaugurado em 1969, aos 55 anos do poeta, significa, antes de tudo, a busca do rejuvenescimento. Gesse — com seu misticismo, sua sensualidade primitiva, seu physique de feiticeira — o desafia. O poeta vive essa paixão como uma forma de exílio. Muda-se para Itapuã, à época uma espécie de Katmandu dos pobres com seus hippies e seu fascínio pelo tropicalismo. Empurra o passado para trás, mas avança rumo a uma utopia: a do retorno. Alia-se a Toquinho, um rapaz que podia ser seu neto. Troca as boates de luxo por shows promovidos, sob a vigilância da polícia, pelos diretórios acadêmicos. Entrega-se às volúpias da terra. Transfigura-se: veste-se com estranhas batas, freqüenta terreiros de candomblé, adota um visual *beat*, que tem seu altar erguido às margens da lagoa de Abaeté. Muitos amigos, e certamente os inimigos, dirão que o poeta decaiu. Mas a decadência, aqui, deve ser encarada como uma busca de simplificação, e como um artifício para desprezar a futilidade e buscar o vital. Vinicius se exila no sonho.

A relação de amor com a argentina Marta Rodriguez, vivida entre 1976 e 1977, traz a marca da serenidade. Mas também do impossível. Gesse Gessy, com sua voluptuosidade e seu casulo de mistérios, o exauriu. Marta surge como a possibilidade de paz encarnada numa menina suave e gorducha. O amor deixa de ser encontro para se tornar ilusão. A própria Marta nunca pôde entender, inteiramente, o que fazia a seu lado. Marta é o desejo impossível de Vinicius. Amam-se, mas o amor agora se torna voracidade. O que o poeta deseja não é mais a paixão, mas a salvação. A morte começa a rondá-lo.

Gilda de Queirós Mattoso representa, por fim, a chegada ao definitivo. Também é uma menina. Mas sabe exercitar o amor pleno, em que a paixão não é um fim, mas apenas um início. Ela o acompanha, sem fraquejar, até os braços da última musa: a morte. Oferece-se ao poeta como uma síntese. Vinicius a olha e está tudo ali, resumido numa pequena mulher. Sabe o peso que lhe traz. E que esse peso não só a engrandece, mas também o eleva. Chega a seu máximo e, por isso, a morte — que o pega deitado em sua banheira num amanhecer de 1980 — parece ter, apesar de sua face horrível, alguma coerência.

A carreira cheia de rupturas também reflete esse gosto pelo desvio e pela encruzilhada. Começa como poeta metafísico, impregnado por temas e conflitos espirituais. Depois, levado pela mão de homens ásperos como o poeta Manuel Bandeira e o escritor americano Waldo Frank, torna-se um poeta do chão. Chefia, no posto de guru, a revolução da Bossa Nova. Mais tarde, na trilha aberta por Baden Powell e Carlos Lyra, chega à música de fundo social. Depois do golpe militar de 64, passa a mexer com canções mais metafóricas, para enfrentar os rigores da censura. Basta pensar na ''Marcha de Quarta-Feira de Cinzas''. Torna-se, por fim, em plena Salvador, uma espécie de feiticeiro. Também na arte, o poeta é um mutante. Um mestre da metamorfose.

Vinicius de Moraes se faz especialista, além de tudo, no lado mais delicioso da imperfeição: o humor. Gosta de rir — e gosta, sobretudo, de rir de si mesmo. Entrega-se às situações que a vida lhe apresenta com a franqueza de um menino. Diverte-se. Uma biografia de Vinicius é, também, a biografia de um grande humorista. De um homem que adora estar de bem com a vida e que, mesmo nos momentos extremos de agonia, encontra um caminho inesperado, um recurso engraçado, uma piada para sobreviver.

A vida de Vinicius foi um emaranhado de histórias que se conectam, se desmentem e se estranham. Personagens entram e saem, tornam-se protagonistas e logo depois se transformam em obscuras figurantes, num ritmo frenético. Mulheres se esbarram e disputam um mesmo coração. Parceiros se multiplicam, exercitando a arte do encontro e do desencontro. Amigos lhe emprestam bons pedaços de suas almas. Há cenas impagáveis, em que o humor se transforma na forma mais sofisticada da coragem. Há também muitos fracassos, situações extremas, golpes. Há um poeta *dark*, seduzido pela morte, desesperançado a lutar dentro de si contra o poeta do amor e da paixão. Há um poeta *gótico*, transtornado pela degradação e pela morbidez. Amor e morte se tornam, então, as duas faces de um mesmo mistério. Há um homem, chamado Vinicius de Moraes, que não consegue viver sem um grande amor. Há, sobretudo, luta. Vinicius morre em 1980, a caminho dos 67 anos, deitado em sua banheira. A história que aqui tentamos relatar é fragmentada, cheia de cenas imprecisas, tomada por paradoxos e pontuada por interrogações. A vida de Vinicius de Moraes se conjuga no imperfeito. No mais que imperfeito que autentica a arte.

P A R T E 1

POESIA REMOTA

AOS DE CASA

Vinicius de Moraes

Este caderno é meu. E é proibido
Arrancar ''issozinho'' do caderno
Pra quem tiver a ''ursada'' cometido —
— Caldeiras de aço líquido — no inferno!

Quem de ''papel'' tiver necessidade
Por ''aperto'' ou razões outras quaisquer
Há muitas papelarias na cidade
Ou cá na Gávea mesmo, se quiser.

Mas bulir neste bloco eu não permito
Não façam tal ''papel'' porque eu me irrito
A cleptomania é um feio vício!

Não é usura não. A coisa é nossa
Temos o mesmo sangue, a mesma bossa:
— Somos oficiais do mesmo ofício!

(sem data)

1

O ar está cheio de murmúrios misteriosos. Uma tempestade de primavera desenha uma moldura lúgubre em torno da chácara do coronel Antonio Burlamaqui dos Santos Cruz, na rua Lopes Quintas, Gávea. Imensa chácara, atravessada ao fundo por um rio e que se prolonga até o sopé do Corcovado. Venta. Numa pequena casa de um pavimento na fronteira do terreno com a rua, Lidia, de dezenove anos, filha mais velha do coronel e casada com seu ex-professor de francês, Clodoaldo Pereira da Silva Moraes, dá à luz seu segundo filho. No quintal, contorcidas por uma tempestade de primavera, carambolas e mangas são arrancadas dos galhos. As portas do casarão não suportam a força da ventania e tremem. Uma das janelas do quarto, com as travas rompidas, é contida com dificuldade. O cenário, obscuro e claustrofóbico, evoca um romance gótico reeditado nos trópicos. Nele, trêmulo como se o vento invadisse seu corpo e o sacudisse por dentro, Vinicius de Moraes nasce. Estamos no dia 19 de outubro de 1913.

Uma lenda familiar diz que o bebê é tão franzino e feio que, ao vê-lo, sobressaltada, a mãe volta o rosto em direção à parede. Outra lenda, essa de fundo médico, relata que, por conta da tempestade, o bebê contrai uma bronquite que o perseguirá por toda a infância. Ela será o álibi materno para a superproteção. E uma explicação, insuficiente, para a sensibilidade aguçada do menino. Dizem, ainda, que o pequeno Vinicius aprendeu a cantar antes de falar. Uma influência da mãe, que gasta suas tardes ao piano arriscando tangos argentinos — seu preferido é o ''Caminito'' —, foxtrotes e valsas de Ernesto Nazaré. Lidia segue o exemplo da mãe, Celestina, outra pianista exaltada de quem a família jamais esquecerá as interpretações intempestivas, decoradas por arpejos e glissandos, da valsa-tema para o seriado *Judex*, que o cineasta francês Louis Feuillade rodou em 1916. Vinicius cresce num ambiente de histórias frágeis, calcadas em fatos arrumados ao sabor das fantasias que os legitimam. A imaginação governa. É uma família de homens sensíveis e mulheres impressionáveis. As ilusões vêm pelo sangue.

A família tem uma ascendência luxuosa. Num posto remoto da árvore genealógica de Vinicius de Moraes, sob névoas do romantismo, aparecem príncipes da Nerícia, da Casa da Turíngia, e o capitão geral de Rodenburg,

Suécia, Henrique van Neumann. Há sangue alemão trazido por d. Georg André de Seiblitz, que chegou a Portugal em companhia de Carlos VI, naturalizou-se português em 1722 e tornou-se capitão de cavalaria da Corte de Lisboa sob d. João V, o Magnânimo. O Arquivo Nacional da Torre do Tombo, em Lisboa, registra o casamento, a 8 de junho de 1705, de d. Georg André com a alemã Anna Barbosa Ignatia von Lossio, um dos momentos-chave na trama dos ancestrais. Personagens de uma história repleta de brasões e de heróis, eles, com seu sangue azulado, afinam o destino do poeta.

O passado de Vinicius está trançado tanto por amores moderadamente incestuosos, que uniam primos e faziam famílias se desdobrarem dentro de si mesmas, como por uma teia de arriscadas miscigenações. A mistura do sangue alemão com o sueco deságua nas veias da bisavó paterna de Vinicius, Anna Barbosa de Lossio e Seiblitz, poeta nascida no Rio de Janeiro em 1830 e morta aos 47 anos — avó de seu pai, Clodoaldo. Anna é casada com o historiador, médico e escritor Alexandre José de Mello Moraes, que foi um político de mediano prestígio no Império; filha do desembargador d. Nuno Eugenio de Lossio e Seiblitz — portanto, tataravô de Vinicius — e neta do marechal-de-campo d. Jorge Eugenio de Lossio e Seiblitz, que foi governador de Pernambuco. Sua ascendência, decorada por intelectuais e políticos, a conduziu à influência espiritual da duquesa de Caxias, uma dama piedosa e de nervos frágeis que lhe revelou o gosto pela poesia.

Quando o duque de Caxias parte para o comando das tropas brasileiras na Guerra do Paraguai, a bisavó de Vinicius, tomada por furor cívico pomposo e antecipando, apesar da disparidade de estilos, o futuro reservado ao neto, chuleia alguns versos: "Parabéns, meu Brasil! ergue-te ufano!/ Que esta glória que tens é tanta glória/ Que a fama augusta gravará risonha/ Com letras d'ouro na futura história". Tempos depois, inflamada pelas vitórias do general no Chaco e em retórica ainda mais voluntariosa, ela prossegue: "Ilustre general, invicto herói!/ Inda mais uma vez ecoou-te a glória!/ Inda mais uma vez salvaste a pátria!/ Inda mais uma vez gritas — vitória!". Seu livro mais lírico e piedoso é *A história da Santa Virgem*, de 1869.

Vinicius, desde menino, ouvirá relatos nebulosos a respeito dessa bisavó. Ela deixará no futuro poeta uma idéia perigosa, contra a qual ele terá que lutar por toda a vida: a de que a poesia é, antes de tudo, um exercício de exaltação. Na morte da duquesa de Caxias, sua madrinha espiritual, Anna presenteia o duque com um dramático poema batizado "A voz da saudade", uma caixa de lugares-comuns que começa assim: "Silêncio! que um bravo chora/ Sobre este túmulo curvado/ Um bravo que nunca teve/ De medo o rosto turvado". Escreveu também *O sagrado caminho da cruz*, *Os cantos religiosos* e *A história minuciosa da Santíssima Virgem Mãe de Nosso Senhor Jesus Cristo*, além de uma apaixonada vida do próprio Cristo. Antecipa com esses livros a relação intensa entre poesia e religião, lirismo e purgação, que marcará os primeiros versos do bisneto Vinicius de Moraes. Morre de uma febre fulminante, provocada por uma erisipela, que a leva em menos de três dias. Anna tem o primeiro enterro na história da Corte acompanhado por mulheres — até ali proibidas de participar dos ritos fúnebres.

O avô materno de Vinicius, Antonio Burlamaqui dos Santos Cruz, despachante da prefeitura do Rio, traz no Burlamaqui o calor do sangue italiano. O coronel — o título é apenas uma reverência a seu mau humor, não corresponde a qualquer patente militar — é um homem áspero, com porte de gigante, que vive tomado por acessos de cólera. Durante seus surtos de indignação, costuma quebrar os móveis da casa; mas logo depois é visto a um canto, sorumbático, ensopado nas próprias lágrimas. Um dia, ao ver uma cozinheira insultar sua mulher, é tomado por uma raiva mais radical e, possesso, ergue a criada do chão e a lança, como um dardo, pela janela. A mulher, Celestina, que os netos batizam de Vó Cestinha, detona em seu peito explosões de ciúme doentio. Não permite sequer que ela se afaste para cumprir os afazeres domésticos, preocupação simétrica ao horror que Vó Cestinha cultiva pelas tarefas de cozinha. Quando a cozinheira desaparece, ele usa de sua amizade íntima com os proprietários da Fábrica de Tecidos Corcovado e convoca uma operária para substituí-la. É prontamente atendido pelos amigos, que, hipnotizados por sua pose de coronel, costumam se deixar tratar como subalternos.

Nas festas que promove em sua chácara, o coronel obriga a mulher a exilar-se todo o tempo ao piano, entregue a suas valsinhas, para que nenhum aventureiro ouse desfrutar de sua companhia — nem ela se deixe distrair com os perigos da conversa masculina. Numa dessas reuniões, um visitante mais ousado tem o desplante de levar sua cadeira até a beira do piano para "ouvir" melhor a performance da dona da casa. O avô de Vinicius não pensa duas vezes: sem avisar, arrasta o pobre coitado, congelado naquela cadeira que seu carrasco transforma em precário cadafalso, até o olho da rua. O coronel só adoça o espírito quando se põe a cantar baladas românticas em um empolado italiano. Sua favorita é "Musica proibita", de Paolo Tosti. Tem um tórax imenso e um vozeirão que, mesmo melodioso, continua assustador. Vive em luta com problemas cardíacos, somatização de sua fúria, que um dia o matarão.

Vó Cestinha, na verdade Celestina Wamosy de Macedo, traz em suas veias um filete de sangue húngaro, herança de seu avô, outro de sangue argentino, legado pela avó. Haveria ainda um cálice de sangue índio, deixando traços enfáticos, como bochechas arrebitadas sob olhos salientes, nos rostos de alguns dos descendentes — entre eles, Vinicius. Tem os cabelos castanhos enroscados numa imensa trança que vai até as pernas, o pescoço comprido e os olhos dourados. Uma beleza agressiva, quase acintosa, que lhe dá ares de cigana. A chácara da Gávea guarda uma estufa de begônias, um viveiro de pássaros, um galinheiro habitado por faisões, um lago e até uma vaca de estimação. O café da manhã é servido numa mesa de pedra, do lado de fora da cozinha, em frente da qual o pequeno Vinicius, vestido com seu camisolão, pode ser visto afundado em um banco, atrapalhado em passar manteiga nas fatias de fruta-pão que acabam de sair do forno. Carambolas, cajás-mangas, nêsperas, sapotis colorem a mesa de desjejum do futuro poeta. A infância, nessas manhãs adocicadas pelos mimos da avó, se parece com a perfeição.

As letras também vêm inscritas em outros sangues. O bisavô paterno Alexandre José de Mello Moraes foi autor de ingênuas cantigas de amor. A avó paterna, Maria da Conceição de Mello Moraes, Vó Neném, professora catedrática e diretora de escola, cultiva idéias progressistas. Também escreve versos, sofríveis, quase sempre em linguagem indignada. Tem idéias libertárias que assustam o marido. Seu poema mais famoso, ''A lei do divórcio'', tramado em linguagem panfletária, faz uma defesa veemente do direito à separação. Raramente consegue levar a termo seus projetos literários. Quando Vinicius, muito mais tarde, se tornar pai pela primeira vez, a vaidosa bisavó decidirá homenagear a bisneta com um ''Poema para Susana''. Um dia, no café da manhã, apresenta a um enternecido Vinicius os primeiros versos de sua obra: ''A tua boca mimosa/ Parece um botão de rosa/ Quando vai desabrochando'', recita. Cala-se. Um silêncio constrangedor se instala. Vinicius se enche de coragem e pede: ''Continue. Está lindo''. Com a face tomada por um vermelho infantil, a avó admite: ''Não posso mais. Eu não consigo sair daí''. Morreu sem concluir seu poema, mas com o coração atravessado de nobres intenções.

Seu marido, o avô Anthero Pereira da Silva Moraes, funcionário público municipal, é latinista. É um homem cético, apegado à tradição e ao conhecido. E profundamente desconfiado do presente. Traz a poesia — que aqui deve ser entendida como uma forma pedante da teimosia — entranhada no sangue. Seu pai, Antonio, teve uma das mortes mais estúpidas de que se tem notícia. Aposentado, passa a velhice num casarão de Botafogo apoquentando os dias da mulher, Ainha. E aplicando beijos ousados nas empregadas. Um dia, Ainha o pega agarrado a uma cozinheira. Não fala nada: arrasta seus móveis para um quarto vizinho, passa a dormir sozinha e nunca mais dirige uma só palavra ao marido. Ainda mais atormentado pela solidão, ele passa a se permitir costumes estranhos, como o de fazer a sesta deitado sobre o muro que cerca a casa. Tem, por conta disso, uma morte digna dos contos de fadas que lia, embaralhando fantasias em lembranças dispersas da juventude, para os netos. Todos em casa o advertem dos riscos inerentes a esse hábito: ''Olhe que o senhor tem um sono pesado e é capaz de cair'', insistem. Dá sempre a mesma resposta, em tom que mistura o desaforo com a bazófia: ''Se eu cair, isso é só da minha conta''. Uma tarde, cumprindo o destino anunciado pelos filhos, entra em um sono mais agitado — sabe-se lá decorado por que pesadelos — e cai do muro.

Quebra-se todo e vegeta por longos meses numa cama até, finalmente, morrer. Morre uma morte poética e cômica que Vinicius, muito mais tarde, recordará com risadas envergonhadas mas incontroláveis.

O filho Anthero herdou sua teimosia, que Vinicius, mais uma vez, tomará como uma forma encabulada de poesia. Quando rapaz, o poeta chamará o avô Anthero para acompanhá-lo a uma matinê de cinema. ''Não vou. Por favor, não insista'', o avô desconversa. ''O senhor não gosta de cinema?'', o poeta ainda tenta. ''Não é que não goste. Eu não acredito.'' Vinicius, estupefato, não consegue crer no que ouve: ''Mas é claro, meu avô. São histórias inventadas, histórias de ficção...''. Anthero, insatisfeito porque não se faz entender, resolve esclarecer de uma vez: ''Tolices, meu filho. Patacoadas de jornal. Tudo isso é bobagem. Cinema não existe, aquilo tudo são bonecos pintados sobre uma tela de pano''. Monarquista radical, o avô Anthero tem um retrato de d. Pedro II, e não um crucifixo, na cabeceira da cama. Na família, conta-se que, um dia, ele dividiu o palanque de uma festa cívica com Quintino Bocayuva, o republicano e polemista brilhante que chegou a chanceler. Já se passavam vinte anos da queda do Império. Apesar disso, ao ser apresentado a Bocayuva, o avô Anthero não conseguiu uma pergunta melhor para se apresentar: ''Como o senhor fez aquilo com o nosso imperador?'', disparou, carregando no ''aquilo'', enquanto apertava, quase enojado, as mãos do chanceler.

Quando o bisavô de Vinicius morreu, Vó Neném decidiu dar alforria a todos os escravos da família. Mas eles, habituados à vida de servidão, não sabiam mais viver sozinhos. Ficaram onde estavam — não por opção, mas por paralisia. O cenário da casa de Botafogo parece, agora, uma página arrancada da literatura modernista. Há um galo batizado Rui Barbosa, um preto velho guardado no quarto dos fundos como um talismã — o pequeno Vinicius, reverente às suas rugas, o trata por seu Atanásio — e meia dúzia de crioulas espertas na cozinha recheando o cotidiano com suas conversas picantes. São comandadas por uma certa sinhá Luísa, que se sobrepõe às outras não pela hierarquia, mas pela retórica atarantada. Todos, descendentes heróicos dos tempos da escravidão e impotentes para abandonar o passado, que os persegue como uma sentença. Filhos de escravos que, apegados aos Moraes por laços de afeto, mesmo alforriados preferem permanecer, quase amontoados, nos fundos do terreno. O pequeno Vinicius se impressiona, em particular, com seu Atanásio, um homem imenso com os pés chatos como um par de panquecas, que só calçou sapatos uma vez na vida e, mesmo assim, por poucas horas: no dia de seu casamento. A casa dos avós parece uma rústica máquina do tempo em que gerações distantes se cruzam, se divertem e se consolam. É barulhenta e ensolarada. A vida, estridente, transborda.

O gosto pelas letras pode ser detectado, ainda, no tio-avô Alexandre José de Mello Moraes, irmão de Vó Neném. Nascido em Feira de Santana, na Bahia, ele tem inesperados cabelos louros e olhos azuis, mais parecendo um alemão. Mas o sotaque baiano carregado, para que ninguém se engane. Poeta romântico entranhado pela atmosfera tropical, teve muitos de seus versos musicados por compositores de Feira de Santana e de Salvador. Versos acalorados e derramados, como convém a um arauto da boemia. Na juventude, torna-se companheiro de noitadas de Castro Alves, com quem freqüenta as rodas noturnas de Salvador. Entendem-se às mil maravilhas, mas permanecem em patamares diferentes no campo da poesia.

O gosto mais sóbrio pelas línguas mortas fica como herança para Clodoaldo, o pai de Vinicius, que também se torna doutor em latim. Quando Vinicius nasce, em 1913, o pai acaba de completar trinta anos. Metódico, escolhe o nome dos filhos como um exercício de reverência a sua língua favorita. Lygia, a irmã mais velha, nascida em 1911, vem com o ''y'' que lhe empresta nobreza. O nome Laetitia, com sua grafia latina, trouxe mais tarde muitos problemas à filha mais nova — três anos mais moça que Vinicius —, freqüentemente chamada de ''d. Laê-ti-tia''. O caçula, cinco anos mais jovem que ele, é batizado Helius, numa citação da personagem homônima da mitologia, o filho de Hipérion afogado pelos Titãs. Vinicius de Moraes, originalmente, é registrado como Marcus Vinitius — com o *t* latino —, e o nome é uma homenagem do pai ao *Quo vadis* — o clássico filmado pela primeira vez em 1912 pelo italiano Enrico Guazzoni, primeira adaptação para o cinema do romance do polonês Henryk Sienkiewicz, publicado em 1895.

Aos nove anos, o poeta abandona o Marcus, troca o ''t'' de Vinitius por um ''c'' e desiste do Cruz e Mello. A mudança é registrada em cartório, na rua São José, no centro do Rio, sob a escolta da irmã Lygia. O menino, ali, pressente o poeta. Na base da certidão de nascimento, a seu pedido, o tabelião anota: ''Leia-se Vinicius de Moraes''. Está feito. Deixa para trás o gosto paterno pela retórica empolada e pela erudição excessiva. Passa a amar mais ainda, em contrapartida, o pai-poeta, que se prepara para lhe transmitir o gosto por Júlio Verne e, mais tarde, por Machado de Assis.

O mito resistente de que seu nome completo é Marcus Vinitius da Cruz e Mello Moraes, desmentido pela carteira de identidade que carregará ao longo da vida, passa a ser, apenas, um efeito da literatura sobre a realidade. No poema ''Saudação a Vinicius de Moraes'', que aparece pela primeira vez em seu livro *Mafuá do malungo* — com primeira impressão feita, em preciosa aventura artesanal, na prensa caseira de João Cabral de Melo Neto, em Barcelona, com tiragem de apenas 110 exemplares —, Manuel Bandeira escreverá: ''Marcus Vinicius/ Cruz de Moraes,/ Eu não sabia/ Que no teu nome/ Tu carregavas/ A tua cruz/ De fogo e lavas''. Basta um verso — e o mito toma a forma de verdade. Vinicius baniu de seu nome também o ''da Cruz e Mello'' a ele atribuído por Bandeira que, mesmo mentindo, soube tirar da falsificação um efeito lírico. O poema termina assim: ''Marcus Vinicius/ Cruz de Moraes/ (Mello também)./ De cruz a cruz/ Eu te saú-

IMAGENS REMOTAS

O avô Anthero, sempre desconfiado do presente, teve um papel decisivo na infância de Vinicius.
A irmã Lygia foi, desde muito cedo, a sua sombra.

do!''. Por mais que o truque seja explicado e desmentido pela família e pelo próprio Vinicius, a versão poética suplanta o registro legal. O poeta, encampando o mito, chegará a citar, em muitas entrevistas, o ''da Cruz e Mello'' como parte de seu nome. Bandeira está correto. Em poesia, a verdade quase sempre atrapalha.

Vinicius é um menino feio, com os olhos verdes brilhando numa cabeça alongada e desproporcional a seu corpo delicado. Desde cedo, tem um olhar distante — que a família, mais tarde, diagnosticará, novamente, como outro sintoma da poesia. Cresce subindo em árvores, de pés sujos, seguido de perto pela irmã Lygia, que é loura e tem olhos azuis. Clodoaldo, o pai, é um homem tímido. Deixará para sempre na memória de Vinicius a imagem difícil de um homem talvez excessivamente modesto, que se transforma muitas vezes — por doçura, e não por indiferença — em um pai omisso. O poeta se cria numa família de seresteiros e boêmios, dos quais o protótipo parece ser seu tio Henriquinho (Henrique de Mello Moraes), delegado de polícia, boêmio e doze anos mais velho que Vinicius. Henriquinho é amigo de Bororó — Alberto Simões, o compositor e violonista —, e mais tarde carregará o sobrinho para intermináveis serestas, tornando-se assim seu iniciador na arte da boemia. Vive cercado de namoradas: atrizes, coristas de teatro, vedetes. Numa palavra: mulheres, àquela época, suspeitas. Quando visita os irmãos, deixa as acompanhantes, horas a fio, a esperá-lo do lado de fora da casa. Mantém uma fronteira indevassável entre a família e o mundo exterior. Tio Henriquinho se formará, tardiamente, advogado. Será colega de turma de Vinicius na faculdade.

No lado materno da família, Vinicius de Moraes encontrará outro espelho no tio Niboca, ou Annibal Santos Cruz, irmão caçula de sua mãe e apenas seis meses mais velho que ele. Tio Niboca é um compositor bissexto. Sua obra mais famosa é o ''Diz que tem'', interpretado um dia por Carmen Miranda. Desde menino, carregará o jovem Vinicius para aventuras no mínimo perigosas. Há a noite heróica em que decide transformar um lençol e um par de cordas em um pára-quedas para se lançar do telhado de casa. Quebra a clavícula. Outra vez, desaparece por vários dias. Depois de vasculhar toda a vizinhança, a família o encontra no picadeiro do Circo Olimecha, contracenando — sabe-se lá em que língua e com que recursos — com um velho palhaço espanhol. Trazido de volta pelas orelhas à presença paterna, explica: aos oito anos de idade, achava que já era hora de sair de casa e arrumar uma profissão. Tio Niboca lega a Vinicius o gosto pelo risco e pelo imprevisível, que serão dois atributos preciosos para um poeta fixado no enfrentamento da paixão. No fim da adolescência, rapazolas exibidos e meio tolos, ele e o poeta se tornarão amigos quase inseparáveis.

A poesia vem ainda mais de perto. O pai de Vinicius escreve poemas acanhados e metódicos, no rastro dos pós-parnasianos e dos pós-simbolistas, com sua nostalgia trágica e sua obsessão pela rima. Amigo de Olavo Bilac, não cede aos argumentos do poeta para que publique seus versos. Morre inédito. É um homem apressado — anda depressa, fala depressa, come depressa. Nos fins de tarde, Vinicius o verá chegar a passos largos, atravessando a penumbra dos lampiões a gás, depois de pular do bonde com rispidez. Muito mais tarde, tentando fixar no pai a imagem do poeta que Clodoaldo evitou ser, descreve em versos: ''[...] Teus ombros possantes/ Se curvavam como ao peso da enorme poesia/ Que não realizaste''. O pai chega sempre carregado com mil embrulhos de mantimentos. É um homem manso, que jamais levanta a voz diante dos filhos, o rosto áspero desenhado pela barba grossa e marcado por sulcos de infelicidade. Um homem exigente e apressado apenas consigo mesmo. Essa velocidade aparece também nos poucos versos que rabiscou — e escondeu como se fossem provas de um crime —, quase sempre motivados pelas circunstâncias. Talvez por isso não veja sentido em publicar: para ele, poemas devem, antes de tudo, ter utilidade — ou bem não têm valor algum. Essa convicção se agrava se justaposta a outra, paradoxal, nele não menos arraigada: a de que a poesia é uma atividade fútil. Luta contra a própria placidez buscando apoio em coisas práticas. Coisas do chão. As mesmas que, muito depois, fascinarão seu filho.

Em 30 de janeiro de 1909, Clodoaldo toma coragem e, arquivando seu gosto pelas rimas fortes, escreve uma carta pragmática aos pais de Lidia pedindo a moça em casamento. Tenta se conter. É dado a arroubos românticos: faz suas serestas, toca berceuses e baladinhas antigas ao piano, conhece o próprio gosto pelo exagero. Meticuloso e tomado pelo medo de errar, ousa exibir sua paixão: ''Ela é meiga, inteligente, trabalhadora e honesta: tem os requisitos necessários para ser uma boa esposa''. Sobre si mesmo, procurando injetar otimismo nos futuros sogros, diz: ''Julgo que de mim não têm motivos de repulsa. Tenho me portado tal qual sou: não procurei iludi-los. Estou mais ou menos encarreirado e isso é questão de dias. O trabalho nunca me atemorizou, ao contrário, tem me feito surgir para a luta, mais robusto e mais viril''. Os atributos mais enfáticos, porém, são destinados aos pais da moça: ''Terei alegria em adorá-los como pais, bons para mim, meigos como os que tenho e, para o novo filho, abrindo os paternos braços''. A carta agrada. Os pais de Vinicius, enfim, se casam.

Lidia, a mãe do poeta, é exímia pianista. Parece não conter dentro de si uma reserva quase fulminante de felicidade e passa seus dias cantando. Costuma sair com d. Celestina, ao lado de quem ainda parece uma adolescente, para as compras. Vão no bonde puxado a burro até a rua do Ouvidor, e terminam a tarde, metodicamente, numa mesa de chá da Confeitaria Colombo. Tomam o bonde de volta sempre antes das cinco da tarde, hora em que as ruas são assaltadas pelos boêmios, pelas coristas de teatro e pelos intelectuais de alma empenada como Emílio de Menezes e o poeta Olavo Bilac, com seu bigode aprumado e seu zelo obstinado pela forma. Fogem.

As crianças têm o hábito severo de levantar com o despertador às quatro horas da manhã: seguindo recomendação médica e acompanhadas por três tios da mesma idade, se arrumam para a praia. Vão no carro conversível do avô rumo à praia da Urca. Laetitia, a Chuzinha, como a chamam numa elipse de Chuchuzinha, é a mais mimada e vai no banco da frente ao lado do orgulhoso motorista. Chegam à praia com o céu ainda escuro e, sob as estrelas, se metem nas águas grossas da baía. A família foge das cocotes — isto é, as prostitutas da região — que costumam chegar, com seus maiôs longos mas escandalosos para a época, por volta do meio-dia. Bem antes disso, as crianças já estão arrumadas no carro, enxutas e vestidas, para a viagem de volta. A família está salva.

Vinicius está com um ano de idade quando seus pais se mudam para a casa dos avós paternos, na rua Voluntários da Pátria, em Botafogo. O avô Anthero e a Vó Neném são primos em primeiro grau. O menino se guarda sob as asas nervosas da pequenina avó, uma mulher elétrica que aspira à onipresença e parece sugar para si, em uma mistura de piedade e êxtase, todo o sofrimento da família. Vó Neném é baixinha, tem um rosto comum, mas um par de pernas magnífico. Pudica, anda sempre com saias mais longas que as exigidas pela moda, para esconder o que tem de mais belo. O avô Anthero, além de monarquista radical, é um competente fazedor de quindins e bons-bocados, e leitor obstinado dos folhetins de Michel Zevaco, que recita em voz alta para excitar a imaginação dos netos. Não dispensa paçoquinhas com ovo e as sete malaguetas. Sua casa faz pensar nos velhos sobrados da Bahia — estado que, no futuro, marcará fundo a vida de seu neto. Vinicius anda sempre vestido com longos camisolões brancos de flanela, que lhe emprestam às vezes a aparência de anjo — a família prefere ver assim —, às vezes de menina.

A família terá outros três endereços em Botafogo: sempre casas de um pavimento, as janelas debruçadas sobre a rua, a vida concentrada numa área interna cercada por clarabóias ou, extremo oposto, num porão obscuro. Residências típicas dessa sombra do Rio antigo que Botafogo soube conservar. Duas tias — Anayd, a tia Don Don, e Aspásia, a tia Paija — enchem Vinicius de mimos. Anayd, que é madrinha de Laetitia, ainda faz um esforço a favor da moderação e do equilíbrio. Aspásia não faz esforço algum. Se põe um bolo no forno, metade é para Vinicius, e só a outra será dividida entre a trupe de sobrinhos. Vinicius, para sorte dos irmãos, é desde cedo generoso: às escondidas, trata sempre de repartir sua imensa metade com eles. Aspásia se encanta ainda mais. Num ensaio biográfico que fará muitos anos depois para a *Poesia completa & prosa* de Vinicius de Moraes, publicada em 1968 pela editora Nova Aguillar, a irmã Laetitia dará sua sentença: ''Não fosse a excelente matéria-prima de que é feito, ela o teria transformado ou num monstro de egoísmo ou num maricas''. Pode-se fisgar aqui uma

ARTE DE SONHAR

Desde menino, Vinicius aprendeu a sonhar acordado. Tia Aspásia sempre se desdobrou para transportar esses sonhos infantis para o mundo real.

sombra, arcaica e doce, da inveja — que, na infância, é o disfarce envergonhado para o amor fraterno.

Há o tio Claudinho, um menino amuado e caladão que se tornará um obscuro funcionário da prefeitura, a intrigar os sobrinhos com um segredo: guarda a sete chaves na cômoda de seu quarto uma coleção de miudezas de papelaria — borrachas, raspadeiras, cartões-postais, latinhas. Quinquilharias inúteis, mas encantadas, que o transformam, aos olhos dos meninos, em um rapaz poderoso. Vinicius, naturalmente, é o mais hipnotizado por esses segredos, que se tornam perigosa tentação. No mesmo ensaio, Laetitia dirá, numa demonstração do quanto Vinicius é mitificado pela família: "[...] para mim, a raspadeira encontrada anos mais tarde na mesa de estudos de Vinicius não chegou lá por meios legítimos. Terá sido esse — se realmente o foi — o único deslize, em matéria de honestidade, jamais cometido por Vinicius".

A infância transcorre serena e cheia de pequenos mistérios. Vinicius tem, constantemente, sua imaginação posta à prova pelos tios mais velhos. A matéria bruta da infância, sem que a família tenha consciência disso, começa a ser talhada. É um menino endiabrado, que não consegue ficar quieto e gosta de mandar. Está sempre imerso, entretanto, num turbilhão de fantasias que, seguramente, começam a servir como o pântano disforme de sustos, impressões e imagens imprecisas em que, aos poucos, a poesia desabrochará.

2

Lidia cai doente. Os médicos identificam um tumor benigno no útero e ela se submete a uma cirurgia, bem-sucedida, com o renomado dr. Pedro Ernesto. O médico aconselha recolhimento e banhos de mar. A família se muda, então, para uma casa alugada na praia de Cocotá, ilha do Governador. Vinicius e Lygia permanecem em Botafogo, na casa dos avós paternos, por causa dos estudos. Passam, porém, os fins de semana e as férias na ilha. Viajam na barca que parte da praça XV, faz uma primeira escala no bairro do Zumbi, a segunda na praia de Cocotá, onde saltam, e que termina sua rota na Freguesia. As duas crianças fazem o percurso final, entre a estação das barcas e a casa, de bonde.

A casa materna servirá ao poeta, mais tarde, como um arquétipo da felicidade primitiva — uma felicidade sem excessos, mas também sem complicações. A doença de Lidia coincide com uma fase de gastos altos e de dificuldades econômicas. Clodoaldo faz malabarismos para controlar o orçamento da família, e a felicidade, nessa época, deve ser encontrada em satisfações mais simples. A alegria doméstica se expressa em pequenas coisas: num piano fechado, as teclas protegidas pela longa tira de flanela; no assoalho encerado com afinco — sem que o cuidado baste para encobrir a ameaça de decadência expressa em meia dúzia de tacos soltos —; nos rostos irmãos que se olham, embaçados, dos porta-retratos. Vinicius, com a imaginação sempre em fogo, encontra uma alma guardada em cada um desses objetos. Muitos anos depois, descreverá "o licoreiro magro, a bandeja triste, o absurdo bibelô" que, subitamente humanizados como em um desenho animado, o acompanham em sua solidão de menino.

A praia de Cocotá, paisagem desolada colorida por pequenas casas de pescadores, faz pensar num pedaço do Éden deslocado para o subúrbio. A ilha do Governador ainda não está ligada ao continente pela ponte, e suas praias ainda não estão poluídas. Vinicius, sempre rápido na hora de encontrar amigos, se liga a dois gêmeos — Mário e Quincas. Meninos humildes e crédulos que tomam fantasias e exageros ao pé da letra e que, fascinados com a imaginação desgovernada do pequeno Vinicius, logo o transformam em herói. A história que mais os excita é o relato, minucioso e pontuado por provas duvidosas, do dia em que ele teria sido contemplado com uma aparição da Virgem Maria. Cada vez que a história é repetida, os gêmeos se arrepiam de espanto. Mas não se cansam de ouvi-la. Vinicius, sob a máscara cínica e compungida de garoto mais esperto, se delicia. É entre esses amigos ingênuos e doces que ele confirma os primeiros traços de sua alma de poeta. O silêncio da baía de Guanabara estimula os primeiros versos — quase sempre pastiches mal-ajambrados de poemas roubados das gavetas do pai. Anos mais tarde, no poema "Ilha do Governador", em reconhecimento a sua perplexidade, escreverá: "Eu mostrava meus sonetos aos meus amigos/ — eles mostravam os grandes olhos abertos".

A família se apequena, contém os gastos, mas não se queixa da vida. Nada de essencial falta. Vinicius é, cada vez com mais intensidade, rondado pela poesia. O pai esconde seus poemas, mas sempre deixa escapar versos anotados em papel de embrulho ou à margem de um jornal. Muitas vezes, o menino simplesmente assalta as gavetas paternas em busca de inspiração. A timidez do pai, que o leva a guardar a poesia a sete chaves, aumenta a magia que envolve a arte de fazer versos. Tempos depois, Vinicius lê pela primeira vez um poema nas páginas do *Tesouro da juventude*. Assusta-se com o que lê, pois até ali pensava que a poesia era uma arte praticada unicamente pelo pai. Aos poucos entende que aqueles rabiscos que a avó Neném passa tanto tempo montando em velhos cadernos também são versos. Nas páginas do *Tesouro da juventude*, começa a descobrir os parnasianos, os simbolistas, os grandes sonetistas. Olavo Bilac, Raimundo Correa e, sobretudo, Castro Alves são alguns nomes que logo se fixam em sua memória.

Um dia, ganha do avô materno um caderno preto de capa dura que batiza — em castiço latim — de "Arca da Fé". Assim: "Foedeus Arca". Empresta-lhe o subtítulo de "Obras completas". Está com apenas dezesseis anos. Nele passa a copiar, e por algumas vezes a imitar, os poetas que lê. Esses exercícios de caligrafia poética serão decisivos em sua formação literária. Copiando, Vinicius incorpora os trejeitos, a sonoridade das rimas e mesmo os vícios que, mais tarde, terá de ultrapassar. Cria seus próprios obstáculos e descortina os primeiros limites de seu território poético. Desde cedo, um tema se destaca: o amor. Amor à mãe, à família, aos amigos — mas logo também à mulher. Vinicius, pelo atalho das palavras, se depara com a paixão. Os sentimentos abrigados pelos versos logo se espalharão pelo cotidiano, chegando aos bancos da escola e às praias desertas da ilha do Governador.

Os primeiros amores já trazem sinais do fervor, do estilo asfixiado, dos calores próprios às grandes paixões de adulto. Estamos em 1922, o ano sagrado dos modernistas. Numa pequena sala de aula da Escola Afrânio Peixoto, na rua da Matriz, em Botafogo, ao largo das diabruras de Oswald de

Andrade e sua gangue de vanguardistas, os alunos do terceiro ano primário assistem à aula em devotado silêncio. Vinicius é um menino desengonçado e magro, sentado na terceira fila, ao lado da irmã Lygia, que é dois anos mais velha que ele. Tira sempre vantagens de sua presença protetora. Passa semanas insistindo para que a irmã namore um menino que não a interessa, chamado Delfino. Lygia prefere o belo Caio, mas Vinicius insiste em desviá-la de amor. Nesse pedido não há qualquer prenúncio do romantismo que, logo, o assaltará como um destino. Ao contrário, as razões que apresenta à pequena Lygia são de ordem prática. Vinicius é um péssimo aluno em matemática, Delfino é o melhor aluno da turma nessa matéria. Pragmático, argumenta com a irmã: ''Se você o namorar, ele me dará cola''. Isso enfurece a menina, mas ele insiste em suas razões pragmáticas. Lygia, desde cedo decidida e peremptória, não cede a seus argumentos. Vinicius e Delfino passam as aulas infernizando a vida do pobre Caio com piadinhas estúpidas e estocadas com bolinhas de papel. O poeta já sabe o que quer.

Vinicius é um menino branquinho, mais baixo e desprotegido que a pequena Lygia; com o cabelo cortado à inglesa — reto, com franjinha na altura das orelhas —, enormes olhos verdes que contrastam com a boca cheia de vazios por causa da mudança de dentição. É aluno regular, nem brilhante nem problemático, e tem um comportamento contido. Os dois irmãos se sentam em frente de uma menina doce e quieta chamada Maria Cacimira. A pequena Cacy, como a tratam, tem cabelos castanhos e lisos, também com franjinha, é pouco mais alta que Vinicius e exibe um temperamento lento, entre o tímido e o preguiçoso. Compensa a preguiça, porém, com a alma esperta e a inteligência afiada. Sempre apegada a detalhes, ela logo se encanta com as penas Mallat, próprias para a escrita vertical, que Vinicius — dois anos mais novo que ela — gosta de exibir em sala. Ele logo compreende que, nas Mallat, tem uma arma infalível de sedução. Um dia, com uma delas, escreve uma poesia de amor para Cacy:

Quantas saudades eu tenho
de ti oh flor primorosa
Que em tudo és gentil e meiga
Que em tudo és tão graciosa.

Oh quantas saudades quantas
de ti meu bem lá se vão
Como uma garça voando
Cerrando o meu coração

Se eu pudesse descrevê-las
Oh quantas, quantas não são!

Lygia

Vinicius

Laetitia

Helius

Clodoaldo

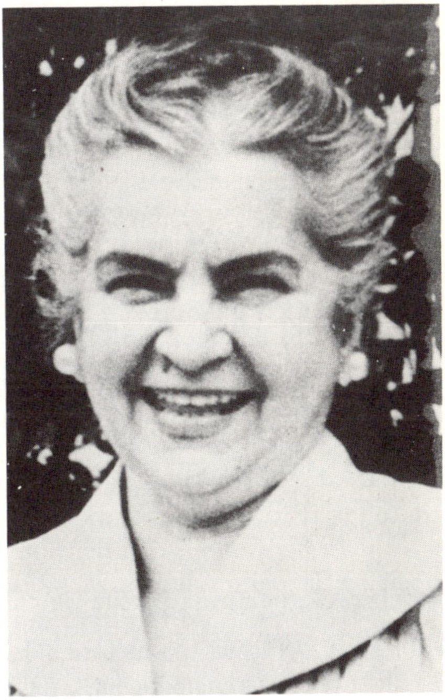

Lídia

IMPERFEIÇÃO

Sob a imagem do menino bem-comportado,
que compõe o quadro de uma família feliz ao lado
dos pais e dos irmãos,
o coração de Vinicius ferve.

Mas só de ti, são só tuas
Cacizinha do coração

Feita pelo poeta Vinicius de Moraes
Rio, 8/11/1922

Dobra o papel com cuidado e, evitando o olhar severo de Lygia, se prepara para passá-lo a seu amor. A irmã — antecipando um estilo entre o zeloso e o possessivo que adotará em relação ao poeta ao longo de toda a vida — se adianta e arranca a folha de sua mão. Os dois se engalfinham e, na luta, o poema se rasga, mas Vinicius por fim o recupera. A professora — Zuleika Autran, moça afetuosa que atravessará a vida do poeta como uma imagem arquetípica da mulher ideal — intervém e os irmãos silenciam. Pouco depois, já a salvo da irmã, o poeta remenda o papel rasgado e faz duas alterações que atestam sua determinação em negociar, mas também em provocar. Risca a contragosto o ''Cacizinha'' do último verso e o substitui por ''Filhinha'', garantindo assim o anonimato de sua paixão. A assinatura, à qual acrescenta, furioso consigo mesmo, o adjetivo *burro*, fica agora assim: ''Feita pelo poeta burro Vinicius de Moraes''. Com essa segunda modificação, ele se purga e também se vinga.

Muitos anos depois, em 1950, na noite em que, no seu posto de vice-cônsul do Brasil em Los Angeles, recebe num telefonema em plena madrugada a notícia da morte de seu pai e, ato contínuo, se põe a escrever a ''Elegia na morte de Clodoaldo Pereira da Silva Moraes, poeta e cidadão'', ele confessa: o poema a Maria Cacimira, de aparência precoce para um menino de nove anos, na verdade era um plágio adaptado de um poema que copiara dos escritos poéticos do pai. ''[...] A mim me deste/ O primeiro verso à namorada. Furtei-o/ De entre teus papéis: quem sabe onde andará...'', admite, o coração distendido pela dor do luto.

Dez dias depois da briga com a irmã, enchendo-se de coragem, ele entrega a Cacy um santinho que ilustra a natividade de Cristo. No verso, anota: ''Lembrança do teu queridinho namorado, Vinicius de Moraes. Rio, 18/11/1922, Brasil''. Nas férias de fim de ano, que se iniciam logo depois, ele parte para a casa dos pais, na ilha do Governador, e se esquece de Cacy.

Vale a pena, aqui, fazer um vôo rasante sobre o tempo para perseguir o destino desse primeiro amor. Doze anos depois, Maria Cacimira de Albuquerque Cordovil recebe pelo correio um exemplar autografado de *O caminho para a distância*, o primeiro livro de poemas de Vinicius, datado de 1933. Dias antes de embarcar para Oxford, em 1938, onde cursará literatura inglesa, Vinicius dará uma conferência sobre Charles Chaplin nos salões da Associação dos Artistas Brasileiros, no centro do Rio. Cacy vai ouvi-lo, mas, discreta, acomoda-se na última fila. O poeta a reconhece e, no fim da palestra, vai cumprimentá-la. Conversam sobre a Inglaterra e ela conta que já tem também um livro publicado, *A raça* (1932), pela José Olympio. Em meados dos anos 50, voltam a se encontrar, acidentalmente, na Cinelândia e Vinicius fala, orgulhoso, de sua mulher Tati. Só em 1956, na véspera da estréia do *Orfeu da Conceição*, o célebre musical assinado por Vinicius e Tom Jobim, no Teatro Municipal, Cacy — já agora Maria Cacimira Vicente de Carvalho, e nora do poeta Vicente de Carvalho — assiste na TV Tupi a um programa de variedades. Vinicius testemunha, diante das câmeras, um rapaz sendo sabatinado sobre sua vida. ''Como surgiu o talento poético de Vinicius de Moraes?'', pergunta o apresentador. O rapaz, sem vacilar, explica que ele se apaixonara por uma colega de colégio, roubara um poema do pai para oferecer à namorada, mas depois — envergonhado — decidira tornar-se poeta de verdade para jamais precisar roubar versos dos outros.

Cacy, que só agora se dá conta de que, de fato, foi a primeira namorada de Vinicius, pega o telefone e liga para os estúdios da Tupi. ''É possível falar com o Vinicius de Moraes?'', pergunta. ''Diga a ele, por favor, que é a namoradinha dos nove anos.'' Vinicius já tinha deixado a sede da Tupi e não recebe o recado. Só se revêem, pela última vez, em 1977, ano em que Vinicius lota o Canecão com um grande show. Os filhos de Cacy a convencem a ir assistir ao espetáculo levando, na bolsa, o original, guardado como uma jóia, do poema de amor escrito por Vinicius em 22. Na saída, os bastidores estão muito tumultuados, Cacy esbarra nos seguranças e não consegue falar com o poeta. Deixa, apenas, um breve recado subscrito com seu telefone. No dia seguinte, à tarde, o telefone de sua casa toca. É Vinicius. ''Você é a Cacy Cordovil da Escola Afrânio Peixoto? '', ele pergunta, ainda sem acreditar. Como resposta, irrecusável, ela começa a recitar: ''Quantas saudades eu tenho/ de ti oh flor primorosa...''. Vinicius logo a acompanha e os dois recitam, juntos, o poema até o fim.

No fim da conversa, Vinicius avisa que deixará uma mesa reservada em nome de Cacy para aquela noite e que deseja vê-la ao fim do show. Assim que desliga o telefone, ela vai a uma loja comprar o elepê *Tom, Vinicius, Toquinho e Miucha*, gravado ao vivo no Canecão, e o leva para pedir um autógrafo. Chega ao Canecão protegida por uma sobrinha, uma nora e uma amiga. Quando entra nos camarins, ao fim do espetáculo, um Vinicius estupefato a abraça e beija. Ele a apresenta a Gilda Mattoso, sua nona e última mulher, e depois autografa o disco: ''Para Cacy — minha primeira namorada — que lindo! que maravilha! que coisa tão carinhosa! — que saudades! que tudo! — 56 anos depois! — e que se prolonguem até o infinito! eu te amo! Rio, dezembro de 1977 — Vinicius''. Cacy e Gilda se olham. A primeira e a última musa do poeta estão frente a frente. O círculo se fecha.

Muitas outras namoradas, quase todas tragadas mais tarde pelo esquecimento, povoarão a infância do poeta. O desfiladeiro de amor tem sua dobra ainda nos bancos da Escola Afrânio Peixoto. Logo depois de Cacy, o menino Vinicius transfere seu amor para a pequena Yeda Autran, filha da professora Zuleika. Yeda é companheira de carteira da desolada Cacy, e por isso essa primeira traição toma dimensões mais graves. Mas esses namoros de escola ainda se passam na esfera da ingenuidade e da brincadeira. A primeira a se entregar, de fato, aos apelos amorosos de Vinicius, de quem ganha possivelmente o primeiro beijo, é a menina Marina, filha de uma família humilde de pescadores, vizinhos de seus pais na praia do Cocotá. Vinicius se aproxima, primeiro, de seu irmão Augusto, um jovem pescador robusto que estuda clarinete. Têm a mesma idade — perto de treze anos — e o mesmo gosto pela música. Tudo fica mais fácil. A menina tem, ainda, dois irmãos gêmeos: Mário e Quincas.

No poema "Marina", peça do livro *Poemas, sonetos e baladas*, que o poeta publicará aos 33 anos, ele assim a descreve: "Na navalha dos mariscos/ Teus pés corriam ariscos/ Valente menina!". Mas não são, mais, brincadeiras inocentes o que os atrai: "Tinhas uns peitinhos duros/ E teus beicinhos escuros/ Flauteavam valsas". O poeta já é um rapaz esperto, que sabe o que deseja: "Eu procurava, no frio/ De tuas calças/ E te adorava; sentia/ Teu cheiro a peixe, bebia/ Teu bafo de sal". A menina, com a mesma determinação que o seduz, a ele resiste. "Mas sempre te libertavas/ Com doidas dentadas bravas/ Menina fidalga!", relata. E, grato à nobreza de Marina, ele conclui: "Foste minha companheira/ Foste minha derradeira/ Única aventura?/ Que nas outras criaturas/ Não vi mais meninas puras/ Menina pura". A força do poema atesta sua fascinação.

Na coluna semanal que escreverá nos anos 50 para o semanário *Flan*, da *Última Hora*, Vinicius deixará novamente registrada sua paixão por Marina. A crônica se chama "A ilha" e sai publicada na edição de 16 de agosto de 1953. Nela, a ilha do Governador é apresentada ao leitor como um pedaço do Éden, e — o poeta adverte — não deve ser confundida pelos apressados com outras ilhas quaisquer. Afirma, peremptório: "Segundo a geografia, ilha é um pedaço de terra cercado de água por todos os lados. Mas não a Ilha. A Ilha fica muito acima de qualquer definição". O argumento decisivo que o poeta ostenta ao final para defender a condição especial que atribui à ilha do Governador é justamente a presença de sua Marina. "Marina que brincava comigo e era minha namorada!", recorda. "Marina sempre salgada de mar! Marina brava, Marina meiga, Marina líquida a refletir nos grandes olhos jazentes o céu noturno da Ilha todo plantado de loucas estrelas em meditação."

É também na ilha do Governador que o jovem Vinicius experimenta, pela primeira vez, as delícias do amor carnal. A experiência se dá, durante as férias de verão, com a enigmática Rosário, uma mulata humilde que vive na praia do Cocotá e é cinco anos mais velha que ele. Diferença, àquela altura, essencial, pois Vinicius é um rapazote de quinze anos, enquanto Rosário é uma opulenta mulher de vinte. A primeira noite do poeta está descrita, sem rodeios, no poema "Rosário", datado do fim dos anos 30 e publicado

PRIMEIRO AMOR

Na escola primária, em 1922,
o poeta encontra a primeira paixão: Cacy.
Na foto de turma,
ela ocupa o lugar central (no detalhe),
vigiada por Lygia (de colar).

também em *Poemas, sonetos e baladas*. É um amor fugidio. A família, ao deparar anos mais tarde com o poema, o tomará apenas por um mito. Rosário, tenha ou não esse nome, é a figura que o poeta construiu para representar sua iniciação sexual. O poema traz a dupla marca do êxtase e da perdição, cisão que já transtornava a mente de Vinicius. ''E eu que era um menino puro/ Não fui perder minha infância/ No mangue daquela carne!'', começa. ''Dizia que era morena/ Sabendo que era mulata/ Dizia que era donzela/ Nem isso não era ela/ Era uma moça que dava.'' O primeiro ato de amor é travado como uma batalha em pleno mar, sob a lua imensa e fixa, que o poeta — transtornado pela excitação — toma por esverdeada. Um gramofone toca ao longe e aumenta o sentimento de irrealidade. ''Onde suas mãos de alga/ Sobre meu corpo boiavam/ Trazendo à tona águas-vivas/ Onde antes não tinha nada.'' O casto Vinicius, a mente por certo tumultuada por admoestações severas vindas do passado, se deixa conduzir. ''Ergueu a saia de um gesto/ Por sobre a perna dobrada/ Mordendo a carne da mão/ Me olhando sem dizer nada.'' De repente, lhe surge: ''Como uma anêmona na água/ A coisa que se movia/ Ao vento que a farfalhava''. Beija as coxas de Rosário, que lhe deixam nos lábios um gosto de cana-brava. Extasia-se com o cheiro de amarugem, o travo amargo que descobre no amor feminino. Ainda se debate, entre os movimentos da carne, com um freio que lhe repuxa a alma: ''E eu baixinho me entregava/ Com medo que Deus ouvisse/ Os gemidos que não dava!''. Aquela será a primeira e a última noite com Rosário, o que o enche de angústia: ''Mas foi só naquela noite!/ Passava dando risada/ Carregando os peitos loucos/ Quem sabe para quem, quem sabe?''. Sente, pela primeira vez, o ciúme a lhe triturar o coração.

O amor só se instalará nele como uma doença bem mais tarde, quando Vinicius entrar para a faculdade. Viverá, primeiro, um amor precário com uma mulata pálida chamada Sara Varanda, que mora em Botafogo, se veste como uma dama e adora se exibir em festas. Será breve. O amor merecerá esse nome, pela primeira vez, quando ele se deparar meses depois com Antonia — uma jovem mulher cujo sobrenome desaparece no abismo do tempo. Em ''A infância do poeta'', poema inédito que escreve em maio de 1937 em São Paulo, ele cantará o amor por uma jovem paulista que foi, pode-se afirmar, sua primeira grande paixão. A bela Antonia é uma moça fechada e desconfiada. Tem 21 anos, Vinicius está com 22. Aluna zelosa de piano e de solfejo, vive sob o impacto de uma severa vigilância dos pais, formados no mais estreito espírito conservador de Barretos, interior de São Paulo. Quando Vinicius vai a São Paulo visitá-la, eles só admitem que ela saia com o namorado quando escoltados por algum parente. O poeta arrasta consigo, quase sempre, a obstinada Lygia que, mesmo casada — com Adriano Correia Bandeira, um descendente distante de Joaquim Nabuco, com quem viverá por seis anos —, acaba cedendo aos apelos do irmão e o acompanha no papel de zelosa governanta. No dia em que a família de Antonia é apresentada a Vinicius, bombardeia o rapaz, sem qualquer cerimônia, com um interrogatório meticuloso sobre sua vida pessoal. O casal não faz boa cara quando ele, empolgado, se apresenta como ''poeta''. No dia seguinte, Antonia se vira para o pai, temerosa, e pergunta: ''E então? Gostou dele?''. Recebe uma resposta maçante e definitiva: ''Esse rapaz não é para você. Poetas não têm futuro''.

''A infância do poeta'', pegada mais nítida deixada por Antonia na obra de Vinicius, é um poema em 26 versos, extensos e palavrosos, que começa assim: ''A minha namorada é tão bonita, tem olhos como besourinhos do céu/ Tem olhos como estrelinhas marrom que parecem estar sempre balbuciando aos passarinhos.../ É tão bonita, chama-se Antonia, tem um cabelo fino, uma boina vermelha e um passinho de não-me-toque''. Aos 23 anos, quando o escreve, o poeta Vinicius de Moraes afina sua visão da poesia como uma arte para retratistas. Ao longo do poema, sabe-se que Antonia toca peças de Bach ao piano, sibila os esses, faz coleção de cactos e é excelente aluna em aritmética e contraponto. A moça tem um temperamento fugidio: ''Dá a impressão de que vai entrar de repente por uma nuvem adentro''. Vinicius, tragado pelos ventos metafísicos da juventude, não pode deixar de idealizá-la: ''A minha namorada é uma pequena princesa cigana, é uma nossasenhorazinha, é uma legenda de vitral''. E mais: ''Dêem-lhe uma espada, toma São Paulo sem uma morte, conserta tudo, dêem-lhe uma agulha faz um crochê/ Dêem-lhe uma pena faz um poema, dêem-lhe um teclado faz uma aurora''. Por fim, cedendo aos ímpetos machistas que nunca o abandonarão, reclama: ''Dêem-lhe um dedo de razão, Jesus! faz uma briga...''. Para, numa fantasia excessiva em que a perfeição da mulher amada toma formas ameaçadoras, arrematar: ''É ou não é formidável a minha Joana d'Arquezinha?...''. Vinicius, prisioneiro de seu próprio medo, pode agora — por intermédio daquela mulher-heroína — se libertar. Mas ainda não será dessa vez.

Há um segundo poema dedicado à mesma Antonia, batizado ''Patético'', que o poeta termina com uma dedicatória dramática: ''Para a Antonia: Um poema da minha saudade e da minha tristeza, daquele velho tempo em que a vida tentou separar a única coisa realmente maior que há na vida: o amor — oferece, do seio do céu, o Vinicius''. O tom é ameaçador. Evoca a dedicatória de um morto, quem sabe de um suicida. O poema, que fala da saudade, é também cheio de ameaças: ''Ah, meu amor! Por que a saudade está me chamando para a noite?/ [...] / Talvez eu esteja prisioneiro de um destino atroz — liberta-me!/ Talvez eu esteja sofrendo um instante atroz — liberta-me!''. O fecho é definitivo: ''Estrelas que dormem trazei-me o seu sonho. — Mas quem bateu na minha janela?/ — Foi o grito dos trens partindo da tristeza de uns para a alegria de outros/ — Foi o grito do além pedindo o orvalho das madrugadas para a carne dos infelizes''. Não é preciso dar outras provas. O primeiro grande amor de Vinicius é uma paixão tensa, sobrecarregada de ameaças, em que a dor se sobrepõe ao prazer e é, talvez, o motivo mesmo da paixão. Vinicius parece falar da fronteira que separa o amor das trevas. Precisará viver ainda bastante para chegar à claridade.

3

Não se pode entender o modo intenso, mas difícil, com que Vinicius desde cedo se relaciona com o amor sem fazer uma viagem paralela através de sua formação religiosa, que o pega por dentro como uma segunda inundação. Ainda é um menino. Em casa, Vinicius exibe um temperamento mais agitado e destemperado, que o deixa sempre disposto para tudo. Nas brincadeiras de quintal, é ele quem chefia os irmãos. Eles o tratam como "o Braço de Aço", depois de o eleger comandante de uma quadrilha especializada em roubar moedas guardadas para troco pelos pais e tios, para financiar as brincadeiras. Num rascunho do cinéfilo do futuro, Vinicius inventa o jogo da silhueta — encenações de lutas de boxe e de cenas de tiroteio passadas, contra a luz, atrás de um lençol. Esse teatro de sombras, que Vinicius dirige com pose e em que é sempre o ator principal, é exibido à família e aos amigos da vizinhança. O ingresso individual custa duzentos réis. Sua estréia precoce no negócio dos espetáculos vai bem até que um dia, num arroubo de vaidade, ele decide ser o protagonista de uma performance batizada "Adão no Paraíso". A avó Neném fica chocada com a indumentária própria aos tempos do Éden — o nu frontal. Nem a proteção do lençol a amansa. O teatro de sombras do jovem Vinicius é proibido para sempre.

Mas logo esse menino agitado tem pela frente um embate com forças que o apequenam e o abatem. Chegou o momento da descoberta do espírito. Não importa aqui o nome que se prefira dar a essa aventura interior, que pode ser vista tanto como uma crise metafísica quanto como a queda primeira no abismo sem fundo da introversão. Quando entra para o Colégio Santo Inácio, de padres jesuítas, aos onze anos de idade, a inocência e a leveza começam a dividir espaço com a angústia e o conflito interior. Vinicius chega ao Santo Inácio desarmado. Crédulo, feliz, vulnerável. A igreja dos jesuítas, na rua São Clemente, com suas colunas de mármore erguidas como calcanhares divinos fincados entre os pecadores, lhe parece muito maior do que realmente é. O menino pisa devagar na penumbra, mal pode erguer os olhos para o altar. A religião, para aqueles padres cinzentos habituados a tecer a fé com o fio do medo, só se impõe pela intimidação.

A fé não é uma questão de persuasão, mas de medo. Deve-se temer a Deus para, só depois, amá-lo.

Para sobreviver a esse primeiro embate com o mistério, que a religião circunstancialmente encarna, o jovem Vinicius impõe a si mesmo uma cisão. Conserva a imagem do rapaz luminoso, que pratica esportes, namora com ousadia e não perde a chance de dedilhar um violão. Mas, como se a vida se desdobrasse em seu avesso, cultiva um outro Vinicius obscuro, que se sente continuamente vigiado por forças superiores e para quem a vida, apesar de toda a exuberância, está erguida sobre um abismo de estranhamento e de morbidez. Grande parte dessa severidade logo se concentra na figura do padre Leonel Franca, seu primeiro confessor. Nascido em São Gabriel, no Rio Grande do Sul, o padre Franca é um jesuíta recém-ordenado que, no vigor de seus trinta anos, não poupa seus discípulos com lições de autodisciplina e de transcendência. É um dos líderes do Centro Dom Vital (CDV), fundado em 22 por Jackson de Figueiredo em colaboração com o arcebispo do Rio, d. Sebastião Leme Cintra, para combater a expansão das idéias modernistas e anarquistas que assaltam as elites. Morrerá jovem, aos 55 anos, em 1948, mas deixará uma obra extensa, que culmina com a chegada ao posto de primeiro reitor da Pontifícia Universidade Católica, a PUC, do Rio. Ajoelhado no confessionário sinistro do padre Leonel Franca, o jovem Vinicius amarga os primeiros conflitos íntimos que logo desaguarão nos poemas metafísicos e contorcidos de sua primeira fase.

Nas mesas do Santo Inácio, o poeta se exercita cada vez com mais obstinação. Com seu colega Renato Pompéia da Fonseca Guimarães — sobrinho de Raul Pompéia — passa longas semanas trabalhando no poema a quatro mãos "Os acadêmicos", um épico em dez cantos, de inspiração camoniana, que serve como um entre os muitos rascunhos na formação do poeta de estirpe clássica que se tornará, uma década depois, um dos mais competentes sonetistas que a língua portuguesa já teve. Envolve-se em quase todas as atividades de formação artística propostas pelos padres. Nas aulas de teatro, encena quadros de martírio dos santos e peças religiosas em que o pecado, a culpa e o castigo tomam forma de arte. Passa a cantar no coral da igreja durante as missas de domingo, solene, e se destaca pela atenção que dedica aos ensaios. Padre Alvarenga, o maestro do coro de dezesseis alunos, é paciente mas rígido. Suas músicas preferidas são a "Ave Maria", "Panis Angelicus" e "Queremos Deus", hinos de fé entoados com disciplina militar. Não por outra razão, Vinicius logo descobre que os jesuítas se vêem como soldados de Deus. Seus amigos mais próximos nas aulas de canto são Murilo Bastos Belchior (futuro presidente do Instituto Brasil—Estados Unidos), Renato Pompéia da Fonseca Guimarães (futuro corretor de imóveis) e Moacir Veloso Cardoso de Oliveira (futuro ministro do Traba-

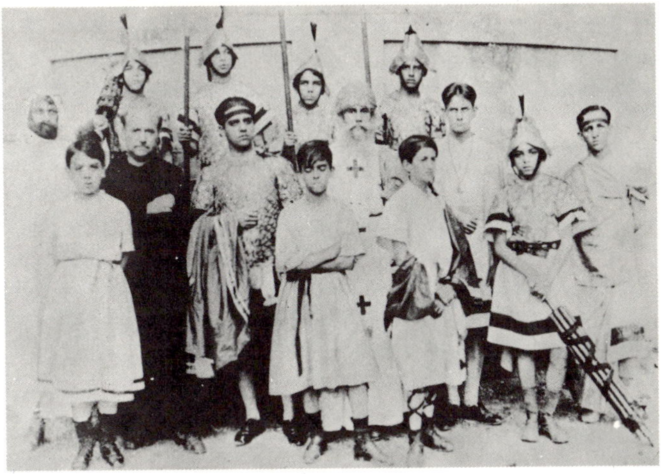

ALMA DIVIDIDA

Já nos primeiros rascunhos de artista,
no palco do Santo Inácio,
o jovem Vinicius — sério e amuado —
começa a viver o paradoxo que confunde
arte e religião.

lho). Vinicius de Moraes é um dos poucos que, no futuro, seguirá a vocação da música. Os outros se afinam apenas para fugir do castigo. Ensaiam na capela do colégio, vestidos com seus uniformes cáqui e acompanhados por um velho órgão.

O Vinicius luminoso, que prefere a luz do sol e as coisas do chão, sobrevive no rapaz que começa a estudar violão. Aos catorze anos, com os irmãos Paulo, Haroldo e Oswaldo Tapajós, forma um conjunto musical que se apresenta em festas do colégio e na casa de amigos. Com os irmãos Tapajós compõe aos quinze anos de idade suas duas primeiras músicas: a melodiosa ''Canção da noite'' e o foxtrote ''Loura ou morena'', ambas criadas já com a intenção explícita de exaltar as virtudes femininas e que se tornarão, depois, músicas de sucesso. É o letrista. Paulo Tapajós e Vinicius passam a prestar o serviço militar, juntos, no CPOR. São companheiros inseparáveis. Um dia, após cavar trincheiras e realizar uma longa marcha, a dupla se inspira no toque de recolher para fazer a melodia de ''Canção da noite'', a mais conhecida da parceria. Os irmãos Tapajós moram na rua Arnaldo Quintela, a seis quarteirões do colégio. Paulo Tapajós se casará catorze anos depois e terá uma filha, Dorinha, que antes de morrer, no início dos anos 90, cantará por oito anos no Quarteto em Cy. Vinicius combina o porte de rapaz atlético com um charme, ainda difuso mas já sedutor, de poeta misterioso. Começa a fumar.

O poeta e os irmãos Tapajós deixam algumas músicas inacabadas, ou simplesmente inéditas. Entre elas, ''Viva a malandragem'', composta em 1930. A letra, escrita por Vinicius de Moraes, diz:

Ai! eu vou me pirá
Não quero trabalhá
Malandro eu nasci
Sou malandro já se vê
Malandro hei de morrer

A malandragem é bem boa
Pra ninguém padece
Um copinho de cachaça
E a gente esquece
A vida de vagabundo
É a melhor vida que existe
[sai de casa
Na rua ninguém é triste

Tem muito hotel na
[cidade
Mas eu cá por mim
Mais do que esse luxo
[todo
Amo botequim
Uma mulata sambando
Deixa a gente sem
[coragem e por isso
Viva e viva a
[malandragem

Outra música inédita de Vinicius e Haroldo Tapajós, sem data, é ''Um passeio ao Leblon''. A letra revela, pela primeira vez, um tema dos mais insistentes na produção literária e musical de Vinicius: sua paixão pelo Rio de Janeiro.

Um passeio ao Leblon
nós dois juntos, que bom
é a baratinha Packard
na avenida a voar...
Bangalôs ao luar
ventos brandos no mar
você bem encostada em mim
e a praia grande, sem fim...

Curvas feitas a mais de cem
toda a curva nos junta bem
e depois quando a reta vier
há de haver o que houver...

Namorados passando
voz de rádio cantando
e aquele par que passou
e na esquina dobrou?
A idéia não é má
um passeio ao Joá
ou se você quiser, meu bem
podemos ir mais além

Mas você meu benzinho é louca
Leva a dar-me beijos na boca
inda um dia de comoção
eu perco a direção

E então quem sabe lá
o que acontecerá
olhe que uma queda ao luar
bem pode nos machucar!...

Um dia, estimulado por colegas de sala, seleciona alguns versos nos quais sente mais confiança e os leva ao poeta João Lira Filho, em busca de um veredicto positivo. É reprovado. Lira Filho lê os poemas com atenção, mas dá um parecer negativo: aconselha Vinicius a parar de escrever e buscar seu talento em outro lugar. João Lira Filho está errado, mas está certo. Os versos que o jovem Vinicius escreve nessa época remota são confusos e empolados, ou ingênuos em demasia. Mas, com um faro mais apurado, pode-se diagnosticar neles os primeiros sinais indiscutíveis de talento — ou, pelo menos, de determinação.

Em ''O caso Sacco e Vanzetti'', escrito em 27, aos treze anos, sob o impacto do noticiário dos jornais, o jovem Vinicius exibe — em oito quintetos — sua atração pelo anarquismo, sua paixão nascente pela música, seu gosto pelo humor e, mais que tudo, o romantismo ostensivo que marcará toda a sua obra. Promete, ainda — promessa que um dia se cumpre —, um dom nascente pela arte de narrar. O poema, numa linguagem que evoca o improviso, começa assim: ''O caso que eu vou contar/ Foi dado em Massachusetts/ E foram protagonistas/ Dois famosos anarquistas:/ Um é Sacco, outro é Vanzetti''. Descreve, então, Vanzetti com sua viola, Sacco tocando pistom sob a janela da morena Anabella, numa serenata de despedida. ''Mas, devido à berraria/ E à grande gritaria/ Não se ouviu o menor som'', continua. Para arrematar, ainda possuído por seu humor de menino: ''O Sacco

A ti, maior bem da minha vida!
Minha mãe!
Meu amor!

Obras

Completas

Vinicius Moraes

-1929-

EXAGEROS

Aos dezesseis anos, Vinicius reúne seus primeiros versos em um caderno batizado, precocemente, de "Obras completas". Também no esporte ele tenta, ansioso, se ultrapassar.

ficou em fúria/ Do pistom não ficou caco/ Vendo o outro a confusão/ Fica logo qual leão/ mete... a viola no Sacco''.

O mesmo esforço para combinar poesia e relato bem-humorado aparece em ''Compra lícita'', poema escrito no mesmo ano. Aqui aparecem os primeiros traços do cronista que, por várias décadas, colecionará leitores entusiasmados em alguns dos principais jornais do Rio. Vale a pena exibi-lo por inteiro:

O Antonio foi comprar
Algum pão na padaria
Para o irmãozinho, doente
Que numa cama jazia.

''Quanto custa o pão, padeiro?''
''O pão é só um vintém.''
''Mas, espera aí, que é isso?
Esse peso o pão não tem.''

''Ora essa, meu menino!!!
O que é que isso tem a ver?
Se o pão é menos pesado
Custa menos a comer.''

O menino calmamente
A mão no bolso botou
Logo, logo com presteza
E meio vintém tirou.

''O que é isso meu menino?
Falta cá dinheiro; ouviu?''
O menino nada disse.
Cruzou os braços, sorriu.

''O senhor não vê, padeiro
Se está dinheiro a faltar
Quem lucra mais é o senhor
Custa menos a contar.''

Essa ingenuidade, essa visão precária e dócil do mundo logo, porém, é invadida com violência pelas pressões da formação religiosa. No ano seguinte, o tom da poesia escrita por Vinicius — aos catorze anos de idade — já mudou. Basta ler um poema como ''Padre Nosso'', em que a simbiose arriscada entre poesia e religião já aparece no título. O poema, na verdade, é uma transcrição quase literal da clássica oração dos católicos na forma de catorze versos. Nada mais. Uma escrita já bem mais afiada, que toca a religião para ironizá-la — exemplo eloqüente da alma dividida do rapaz —, aparece tempos mais tarde num poema como ''Enigma'', dedicado a seus colegas de colégio que sente, igualmente, como companheiros de infortúnio diante das pressões espirituais. "Enigma" é, também, um soneto que — guardadas as proporções do tempo — mostra um grau bastante razoável de sofisticação. Merece ser lido:

Orientador e chefe dest'...ação
En bon...heur nos dirige no trabalho
E abandonando a estrada pelo atalho
Tem-se sempre mostrado sá...cristão

Corpo pequeno, grande coração
Não o abate o "acadêmico" vergalho
Homizia e dá público agasalho
A toda causa... que demonstra... ação!

Bondade, creio bem do sá...ser...dote
Modesto, sem querer que ninguém note
Só pratica atos bons (maus... sem querer!)

Daí agora trabalho a vossa mente
Pois que havereis de achar, forçosamente
Haveis de achar. — Quiçá poderá ser!?...

Ainda no período do Colégio Santo Inácio, Vinicius passa a se deslumbrar com a literatura de Júlio Dantas, o polígrafo português que se destacou por sua dramaturgia — composta sempre em estilo rígido e acadêmico. O poeta se inspira nele para escrever sua primeira peça de teatro, batizada *Três amores*, que evoca a Santa Ceia. Trata-se de uma cópia, medíocre, de *A ceia dos cardeais*, peça que Júlio Dantas publicou em 1902. Passa a ler, ainda, Guerra Junqueiro e Guilherme de Almeida. Nessa época, também, nasce sua paixão pelo cinema. Está quase com quinze anos e ajudará na edição do tablóide *O Fan*, que o clube editará entre 1928 e 1930. Amor que será exacerbado, mais tarde, em duas ocasiões: quando se tornar, na faculdade, amigo do romancista Octavio de Faria, e depois, já diplomata de carreira, quando se mudar, nos anos 50, para Los Angeles a fim de ocupar o posto de vice-cônsul do Brasil.

As proezas se dão, também, em outros setores da vida. Durante uma viagem a Belo Horizonte, em 1926, o tio Henriquinho o leva, pela primeira vez, a um bordel. Vinicius começa, a partir dessa primeira experiência, a lidar com aquele que nos anos seguintes será seu problema mais difícil: o da conciliação dos imperativos da carne com as restrições do espírito. Nessa luta interior, o poeta verdadeiro começa a nascer.

DIANTE DO MESTRE

Octavio de Faria, tomado por uma paixão platônica pelo jovem Vinicius, se transforma em seu primeiro e definitivo mestre. O poeta precisará, mais tarde, negá-lo para chegar a si mesmo.

PARTE 2

O RASTEJAR DA SERPENTE

OCTAVIO

Vinicius de Moraes

Torce a boca, olha as coisas abstrato
Percorre da varanda os quatro cantos
E tirando do corpo um carrapato
Imagina o romance mil e tantos...

Logo após olha o mundo e o vê morrendo
Sob a opressão tirânica do mal
E como um passarinho, vai correndo...
Escrever um tratado social

É amigo de um ''braço'' na poesia
E de um outro que é só filosofia
E de um terceiro, romancista: veja

Quanto livro a escrever ainda teria
O ditador Octavio de Faria
Sob o signo cristão da nova Igreja...

[illegible]

[illegible] Castilho de Paris, os três criadores do Clube [illegible] Cláudio Mello [illegible] de quinta em quinta nos fundos de [illegible]. Entre [illegible] com dezenas de nomes célebres, os três amigos inauguraram a sede do primeiro [illegible] Club da América do Sul. Há um quarto sócio-fundador: Almir de Castro.

1

Em 1930, com dezessete anos incompletos, Vinicius entra para a Faculdade de Direito do Catete. Ainda é um rapaz ingênuo, que age mais pelos reflexos do instinto que pelo pensamento. Um rapaz preso, de um modo quase infantil, à formação espiritual aplicada pelos jesuítas. No fim de 29, essa doce e frágil fé na religião se expressa na troca de correspondência com o padre Arlindo Vieira, jesuíta severo, um de seus professores prediletos no Santo Inácio, que se encontra em Roma em missão eclesiástica. Vinicius escreve ao padre uma breve carta manifestando saudades e interesse por sua aventura romana. E desculpa-se pelo tempo sem contato que lhe parece — premido pela culpa que a Igreja nele tanto estimulou — uma prova imperdoável de desatenção.

Padre Arlindo, ao contrário, é caudaloso na resposta e bem menos escrupuloso na avaliação que faz do ex-aluno. E enfático, para que não paire qualquer dúvida, nos elogios. ''Pode crer, meu bom Vinicius, no sincero e profundo afeto que lhe consagro'', escreve. ''E que, ao invés do que lhe parece, nunca recebi de você o menor desgosto.'' Pede que o rapaz, contra todas as dificuldades da vida diária, não deixe de freqüentar a Congregação Mariana. Trata-o como filho predileto mais que como discípulo. Despede-se, com recomendações para o irmão de Vinicius: ''Um afetuoso abraço no meu querido Helius, para o qual junto a esta uma lembrancinha''.

É esse menino mimado e ainda seduzido pelos dengos da Igreja que desembarca para a aventura espiritual bem mais árdua que será jogada, com lances arriscados, no Catete. Aproxima-se então de amigos que marcarão, como coadjuvantes de uma difícil ruptura rumo à vida adulta, sua juventude e sua maturidade. Um trio inseparável logo se forma: o estudante de engenharia Plinio Sussekind Rocha, o estudante de medicina Cláudio Mello e o futuro romancista Octavio de Faria, os três vindos do Colégio Zacarias — e, como Vinicius, apaixonados por cinema. Cláudio Mello tem um laboratório de química montado nos fundos de sua casa. Entre tubos de ensaio e vidros com líquidos de nomes difíceis, os três amigos inauguram a sede do primeiro Chaplin Club da América do Sul. Há um quarto sócio-fundador: Almir de Castro.

O cineclube enfrenta desde cedo imensas dificuldades; com raríssimos filmes à disposição, os rapazes praticamente se limitam a ler e debater idéias, o cinema servindo mais como estímulo para a leitura. Falam, lêem e escrevem mais do que assistem a filmes. Com as cabeças fervilhando de projetos que não têm um leito para crescer, decidem por fim lançar a revista *O Fã*. Dedicada à produção cinematográfica, ela terá apenas oito números e será mais uma forma, indireta, de os amigos manifestarem seu amor pelo cinema. É uma aventura bastante cara: embora seja uma revista artesanal, seu preço de capa é quatro vezes o de um jornal diário.

Logo depois do lançamento de *O Fã*, o meticuloso Almir de Castro vai a uma banca na agitada Galeria Cruzeiro — localizada sob o Hotel Avenida, na avenida Central — e pede um exemplar para checar a qualidade da distribuição. O jornaleiro italiano, um velho conhecido de Almir, ao ver o preço de capa de *O Fã* não se contém e ironiza, brandindo um exemplar como se mostrasse uma jóia preciosa: ''Questo nobre giornale?''. Almir se irrita, mas é obrigado a engolir a brincadeira. Mais tarde, o tablóide *O Fã* toma a forma de revista e se sofistica — mas nunca perderá o aspecto e o espírito amadores.

Na Faculdade de Direito, as atividades mais importantes se passam fora das salas de aula. Mais exatamente no Centro Acadêmico Jurídico Universitário, o CAJU. Trata-se de uma espécie de confraria de alunos mais aplicados, fundada em 1928 pelo estudante Vicente Chermont de Miranda — um dos rapazes mais compenetrados da faculdade —, que tem por objetivo programático se contrapor à leviandade acadêmica e ''levar o Direito a sério''. Os membros do CAJU se reúnem para se ajudar nas pesquisas e nos estudos e, inevitável, competir intelectualmente.

Os candidatos devem apresentar uma tese a ser julgada pelos membros fixos. Octavio de Faria, para ser aceito, escreve uma dramática dissertação sobre a desordem no mundo moderno, que nunca publicou. Mário Vieira de Mello é admitido com uma tese sobre Friedrich Nietzsche, que se tornará, a partir dali e durante toda a sua vida, um de seus temas de estudo prediletos. Quando Vinicius se candidata ao CAJU, propõe uma tese sobre Domingos Fernandes Calabar, o herói pernambucano que enfrentou os holandeses. Não apresenta o trabalho. Na última hora, aparece com um ensaio sobre o suicídio na civilização moderna. Depois, o substitui por outro sobre d. João VI. Não parece saber o que quer. É admitido.

Nesse início dos anos 30, todos os rapazes mais brilhantes da Faculdade do Catete, influenciados por uma onda antimodernista, adotam ideologias de direita. Os livros de pensamento marxista — ou maximalista, como se dizia — chegam ao Brasil, em sua maioria, apenas nas versões francesas. O movimento comunista ainda não se desvinculou da tradição anarquista e floresce com mais força no cenário do proletariado que começa a nascer. Os jovens de elite têm, ao contrário, uma ''identificação literária'' com a direita. A direita está na moda, seja pelo viés nacionalista, pela influência da renovação católica, seja, mais radicalmente, pela adesão inflamada aos princípios do integralismo. Nem todos são católicos praticantes; o brilhante aluno Américo Jacobina Lacombe, por exemplo, declara-se publicamente agnóstico, mas ainda assim adota o tomismo como orientação de vida. O tomismo, sistema filosófico de são Tomás de Aquino e de seus seguidores que tenta conciliar os dogmas do cristianismo com os princípios da filosofia de Aristóteles, expressa com seus paradoxos os dilemas em que se debatem aqueles jovens espertos e perplexos; a luta entre as imposições irracionais da carne e o poder sensato da razão.

Esses jovens tomistas se opõem, antes de tudo, ao marxismo e, por tabela, aos vanguardistas paulistas de 22. É preciso lembrar aqui que 1922 é um ano-chave: além da Semana de Arte Moderna, abriga a fundação do Partido Comunista Brasileiro e da revista *A Ordem*, da direita católica. Efeitos um pouco retardados, no país, do desfecho da Primeira Grande Guerra, em 1918. Lançam-se, ali, as raízes dos debates que, até hoje, atormentam a consciência do país. Basta lembrar que foi também em 1922, num aparte na Câmara dos Deputados, que Gilberto Amado, com a voz embargada pela coragem, declara: "O liberalismo está morto". Os alunos do Catete ainda vivem na sombra dessa virada produzida em 22. Mas os anos 30 trazem, em acréscimo, os primeiros ventos mais fortes que ajudarão a compor, no país, a alma dos simpatizantes do nazi-fascismo. Em 1930, na função de preceptor de um filho de Alfredo Egydio Aranha — o primo de Osvaldo Aranha —, Plínio Salgado (um jovem na faixa dos 35 anos) passa uma temporada na Europa. Volta encantado com a Itália pré-fascista. Plínio é grande amigo do poeta Augusto Frederico Schmidt, um jovem sensível e influenciável treze anos mais moço que ele. Por intermédio de Schmidt, Plínio Salgado chega aos jovens do CAJU, onde faz sua pesca para a formação de quadros da Ação Integralista Brasileira. O país se atualiza. As idéias se sofisticam e, embaladas pelos ventos europeus, se radicalizam.

Maquiavel e o Brasil, o primeiro livro de Octavio de Faria, publicado em 1931 pela Schmidt Editora, é uma defesa do fascismo. *Destino do socialismo*, o segundo, que sai em 1933 pela Ariel, é um panfleto antimarxista. Anos depois, a mente mais arejada pelo pós-guerra, Octavio decidirá que não os quer nunca mais reeditados. O grupo de Octavio de Faria — Vicente Chermont, Almir de Castro e Vinicius de Moraes — se contrapõe, numa perspectiva mais caseira, ao segmento minoritário de alunos esquerdistas liderados por Lebelta Rodrigues de Brito, um estudante raivoso já nessa época ligado a Luís Carlos Prestes. Lebelta tem como braço direito Francisco Mangabeira, que mais tarde se converterá ao catolicismo. Ao grupo de Chermont, do outro lado da quadra ideológica, pertencem, ainda, alunos brilhantes como Edgar de Azevedo — filho de Arnolfo Azevedo, o presidente da Câmara dos Deputados e amigo essencial de Júlio Prestes —, Plinio Doyle

Silva, Antonio Galloti, Gilson Amado e Almir Bonfim de Andrade, que no último ano da faculdade fará publicar o livro *A verdade contra Freud*, um libelo contra a penetração da psicanálise no meio intelectual brasileiro. Mais novos, mas igualmente atuantes, lá estão San Thiago Dantas, Darcy Roquete Vaz e Hélio Vianna.

O grupo dominante do CAJU, porém, logo se racha em duas facções antagônicas: a primeira, mais realista e pragmática, liderada por San Thiago Dantas, nascido em 1911; a outra, mais introvertida e esotérica, sob a liderança de Octavio de Faria, nascido em 1908 — cinco anos, portanto, mais velho que Vinicius de Moraes. Quando entra para a faculdade, aos dezesseis anos de idade, San Thiago Dantas é obrigado a se submeter a um trote. Deve falar para uma sala de aula cheia — e a sério — sobre "a importância do pincenê no nariz dos homens adultos". Ninguém imagina que ele possa resistir à brincadeira por mais de dez minutos. Enganam-se. Fala por duas horas diante de uma platéia imersa em silêncio e sai, por fim, sob aplausos. É um mestre da palavra. Octavio de Faria, ao contrário, é tímido, reservado, fechado em si mesmo. Vive constrangido por dilemas íntimos, tem dificuldades em se comportar com espontaneidade, não dá conta dos próprios sentimentos e parece sempre metido numa camisa-de-força que ninguém — exceto ele mesmo — pode ver. Essa camisa-de-força existe, só que ela não o prende pelos braços, mas sim pela alma. E, para dizer mais claramente, pelo sexo. Tentando intelectualizar seus conflitos, em que os impulsos da carne torturam as decisões espirituais, Octavio atravessa as noites mergulhado nos livros.

Os debates mais acalorados se passam depois das aulas, madrugada adentro, nos bares da Faculdade do Catete. Numa mesa de cervejaria se faz, certa noite, a primeira reunião de pauta da *Revista de Estudos Jurídicos e Sociais*, que se torna a voz oficial do CAJU. A revista é editada pelo vaidoso Gilson Amado, que superdimensiona o prestígio de seu posto de diretor editorial e passa a circular pelos corredores da Faculdade do Catete como uma espécie de guru. Sai a cada seis meses e dura apenas quatro números. A edição mais polêmica é a de número 3, que traz como matéria principal um pretensioso "Inquérito de sociologia brasileira" assinado pelos "inimigos" Octavio de Faria e San Thiago Dantas, mais Américo Jacobina Lacombe, que funciona a essa altura como uma espécie de mediador, aplicado e bem-sucedido, entre as duas correntes. O ensaio, na verdade, só pode ser entendido se visto como peça na luta dos alunos direitistas contra a congregação de professores, dominada pelo comunista Edgardo de Castro Rebello.

Os alunos não engolem as preferências do prof. Edgardo Rebello por professores de formação marxista. Em particular, não aceitam a escolha de um intelectual socialista como Hermes Lima para a cadeira de Introdução à Ciência do Direito, em detrimento do outro candidato apoiado pelos alunos, Alceu de Amoroso Lima. Persistente, Alceu se candidata de novo quan-

UM SEDUTOR

Entre os colegas de quartel
(agachado com um cigarro na boca),
metido em um terno impecável,
ou no traço de Juanita Blank,
Vinicius se esmera na arte de seduzir.

do abre uma vaga para a cadeira de Economia Política. Inscreve-se, então, com um ensaio sobre economia política inspirado na encíclica *Rerum novarum*, de Leão XIII, mas o escolhido, outra vez, é o marxista Leônidas de Resende.

Episódios como esses só servem para fortalecer nos alunos a convicção de que os momentos mais importantes de sua vida acadêmica devem se passar fora das salas de aula, e que eles devem bancar por sua conta e risco o rumo dos estudos. Vinicius de Moraes é, nesse caso, um aluno típico. Jovem brilhante, ele não tem, no entanto, qualquer interesse no curso que freqüenta. Passa com Octavio de Faria horas a fio em conversas abissais e nevoentas, que lhe parecem muito mais sensatas que o debruçar-se em compêndios de lei. Um dia, maravilhado com Octavio, comenta com Chermont: "Ele tem uma inteligência superior. Você acredita que ele entendeu Kant, e não apenas tentou lê-lo como todos nós?". Chermont, que divide com Vinicius o mesmo sentimento em relação a Octavio, tenta resumir a perplexidade de ambos: "O que acontece é que o Octavio não se deixa enganar pelas coisas da superfície. Ele é um homem da profundidade".

Há uma diferença fundamental entre Octavio de Faria e San Thiago Dantas, os dois líderes intelectuais do CAJU: San Thiago é um rapaz extrovertido e falante, habilitado para grandes performances. Fala bem, sem vacilar ou tropeçar no próprio raciocínio. Exibe-se de forma quase intimidatória para os colegas de grêmio. Seus inimigos dizem que ele é convencido e doutoral; não se abala com essas críticas, que atribui mais à incompetência intelectual dos adversários que à inveja. Na verdade, seus argumentos não têm a mesma sofisticação intelectual que aqueles destilados por Octavio de Faria. Ao contrário de San Thiago, Octavio tem uma fala sedutora, mas prolixa e tortuosa. Muitas vezes, se perde nos próprios argumentos, sempre adornados por mistérios e interrogações. É um rapaz feio, desajeitado, que encanta os colegas mais pelo que esconde do que pelo que mostra. San Thiago é um homem da retórica e da performance; Octavio é um homem da contenção e do segredo — características que estimulam a imaginação dos colegas a respeito do quanto ele sabe mas não diz. Tem um perfil mais para ser mitificado que admirado. Os dois não podem mesmo se entender.

No segundo ano da faculdade, Vinicius, cada vez mais envolvido pelas atividades do grupo, se torna tesoureiro do CAJU. Controla, com objetividade exemplar e rigor, os sócios em atraso no pagamento das mensalidades ao grêmio. Na primeira lista de devedores que manda publicar, não tem nenhum pudor em fazer constar seu próprio nome, ao lado de uma das dívidas mais altas. É um rapaz respeitado pelos colegas, que nem por isso deixam de enxergar nele certo exotismo. Sua passagem pelo cargo de tesoureiro é polêmica. No fim do ano, o chefe da tesouraria do CAJU, Plinio Doyle, desaconselha, em relatório interno, a permanência de Vinicius de Moraes no posto que ocupa. Diz expressamente: "Do sr. Vinicius de Moraes, só podemos aconselhar a sua não-continuação no cargo. Ele apresenta relatórios confusos e atrasados''. Para, mais adiante, concluir: ''É muito desorganizado''. Em 1931, quando entra para o Centro de Preparação de Oficiais do Exército, o CPOR, o poeta passa a desfilar pelos corredores do Catete com sua farda militar, adornada — sem qualquer timidez — com uma brilhosa fita azul da Congregação Mariana Nossa Senhora das Vitórias, a que se filiou. As atividades de congregado mariano e a submissão rigorosa aos princípios religiosos não são, para Vinicius, questão de modismo. São o efeito de uma formação espiritual massacrante sobre um temperamento frágil, uma forma de protesto contra o esquerdismo dominante, e servem, além disso, para conter medos arcaicos que ainda agora o assaltam com violência.

Vinicius é um rapaz impressionável e hipersensível, que se deixa tomar por temores ferozes e imprecisos. Tem, por exemplo, verdadeiro pavor de fantasmas. Um dia, assustado, procura Américo Jacobina Lacombe e se abre: ''Hoje não estou nada bem. Ontem vi um fantasma''. O amigo junta suas forças, procura manter a serenidade diante do que, para ele, é apenas um delírio e propõe: ''Não terá sido um sonho?''. Vinicius, muito sério e levemente pálido, prossegue: ''Não, sonho, não. Eu estava na varanda de casa, quando um assombrado apareceu. Ele veio em minha direção e atravessou a rede em que eu estava deitado. Depois, sumiu''. Américo Lacombe ainda insiste: ''Não terá sido mesmo um pesadelo, Vinicius? Algumas vezes, no sono leve, nos confundimos''. O rapaz nega essa hipótese. E acrescenta: ''O pior de tudo é que não tenho a menor idéia de quem ele era''. Américo, tenso, encerra a conversa por ali.

Um colega kardecista tenta, certa vez, convencê-lo a trabalhar aquilo que seria sua mediunidade aguçada nas mesas de um centro espírita. ''Não é coisa para ser tratada em centro'', Vinicius recusa. ''Esses fantasmas vivem lá em casa, atravessam paredes e existem mesmo. Não preciso ir a um centro espírita para falar com um deles.'' Vinicius é, a essa altura, um rapaz tímido mas alegre, que consegue ser expansivo quando deixa o medo de lado e se descontrai. Faz o tipo esportivo e reservado. Nas horas vagas, pratica jiu-jítsu na conceituada academia do prof. Hélio Grace, que começou a freqüentar aos dezessete anos para aumentar os bíceps e que o torna um rapaz do tipo parrudo e brigão. No furor das lutas, sofre uma ruptura no menisco, acidente que provocará dores que o atormentarão por longo tempo. E atribui, mais tarde, à educação truculenta ministrada por Hélio Grace certa instabilidade emocional, que diagnostica — médico de si mesmo como todo hipocondríaco — como ''distúrbios do vago-simpático''. Um dia, na volta da academia, toma o ônibus com dois companheiros de luta. Constrangido, como se fizesse uma pergunta que afetasse a honra do amigo, um deles toma coragem e arrisca em voz baixa: ''Vem cá, me disseram que você está escrevendo poesia. Não é verdade, é?''. Vinicius, a língua travada pelo medo, só consegue responder: ''Eu?''.

A partir dali, sempre que se vê em apuros, ou é tomado pela ansiedade, se declara vítima de uma doença incurável chamada "vagotonia", que os dicionários definem como uma instabilidade vasomotora, acompanhada de obstipação ou ativação salivar e intestinal. Durante muito tempo, faz rendoso uso secundário da doença que se atribui, usando-a como argumento para escapar de situações indesejáveis. No futuro, exorbitará desse método e deixará, muitas vezes, os amigos e as mulheres em sobressalto.

O cético Américo Jacobina Lacombe custa a crer quando Vinicius anuncia que está preparando uma coletânea de poemas, que viria a ser *O caminho para a distância*, seu primeiro livro, a ser publicado em 1933 pela Schmidt Editora. "Tente outra coisa", Américo aconselha. "Você é inteligente, mas não tem jeito algum para poeta. Para ser poeta é preciso ser sonhador e viver com a cabeça nos ares. Você é realista demais para isso." Vinicius, felizmente, não leva em conta os conselhos do amigo. *O caminho para a distância*, seu livro de estréia, toma o rumo deliberado da "poesia do espírito", com versos devastados por dilemas metafísicos e misticismos. Traz poemas que se afinam, com rigor, com a reação espiritualista que se esboça, aqui e ali, ainda dispersa, aos cânones de 22.

Não fica, porém, nisso. Em *O caminho para a distância*, há também uma inquietação diante da matéria, da carne, do mundo real que pode ser tomada como um primeiro sinal do lirismo que revolverá, como uma tempestade benigna, toda a obra do poeta. Aqui se deve registrar uma influência que é, nessa primeira fase, decisiva: a de Augusto Frederico Schmidt. Mais adiante, outras influências nítidas poderão ser a ela encadeadas: a do chileno Pablo Neruda, do espanhol Federico García Lorca, do mexicano Amado Nervo, homens que escreveram igualmente movidos pela exaltação e pelo ardor. Com o segundo livro, *Forma e exegese*, publicado aos 21 anos, ganhará o Prêmio Filipe de Oliveira, que lhe renderá a fortuna de cinco contos, mas também uma crítica violenta assinada por Otávio Tarquínio em *O Jornal* — primeira ferida narcísica de que terá de tratar.

A vida acadêmica faz o poeta crescer. Em frente à faculdade, ao lado do Hotel América, onde os estudantes de outros estados costumam se hospedar, há um pequeno café. Lá, os rapazes do CAJU se reúnem diariamente para discutir filosofia, política, literatura. Vinicius ingressa em um mundo de "homens sérios", universo de rapazes orgulhosos e sinceros que, o ego inchado pelo debate intelectual, pairam com suas mentes esgarçadas uns bons centímetros acima da vida real. Praticam, então, uma espécie de vagabundagem culta: atravessam noites em claro nas mesas de bar, circulam pelas tabernas da rua Conde Lage, na Lapa, provocam as mulheres da noite com sua galanteria erudita. Freqüentam os cinemas, jogam sinuca nos intervalos das sessões, vasculham livrarias. E discutem, discutem sem parar — sobre política, filosofia, arte, moral, religião. Sobre nada. Os mais velhos — Gilson Amado, Américo Jacobina Lacombe, San Thiago Dantas, Octavio de Faria — exercem grande fascínio sobre os mais novos — como Augusto Rocha, Mário Vieira de Mello, José Arthur da Frota Moreira, Antonio Galotti, Vinicius de Moraes. É nessas noitadas boêmias que Vinicius sucumbe em definitivo à influência intelectual de Octavio de Faria, o rapaz feio e inflamado que tem o prazer de seduzir seus colegas pela alma.

Juntos, devoram o *Zaratustra*, de Friedrich Nietzsche — que lêem mais como se fosse um poema que um tratado de filosofia —, submergem nas contorções intelectuais realizadas por Blaise Pascal para a defesa do jansenismo e do cristianismo, e se perdem nos argumentos românticos e nos sentimentos trágicos de Sören Kierkegaard — mesmos autores que, lidos na Europa de forma ainda mais perversa, ajudam a formar as raízes do pensamento fascista. Vinicius se inspirará em Kierkegaard no momento de batizar seu livro *O caminho para a distância*, impressionado pela tese do pensador dinamarquês de que o desespero é apenas um reflexo da distância de Deus. Em noites marcadas por álcool, muita fumaça e olheiras profundas, eles misturam citações filosóficas com marcas indeléveis de uma rígida formação religiosa e namoram, cada vez com menos pudor, o integralismo. Repelem a poesia de inspiração social e olham com profunda desconfiança um poeta com a alma plantada no cotidiano, como Manuel Bandeira.

As questões do direito, na verdade, têm cada vez menos importância. Vinicius é cada vez mais um aluno relapso e avoado, que sobrevive apenas graças ao clima excessivamente liberal que vigora na faculdade. Chega a redigir algumas provas nas mesas do café da faculdade, entre copos de cerveja e pratos de torresmo — e quem lhe dita as respostas, com um misto de meticulosidade asseada e sedução discreta, é Octavio de Faria. A confraria, com alma mafiosa, se ajuda e se protege. No primeiro ano da faculdade, estimulado por esse clima de euforia e autoconfiança exagerada, ele começa a escrever poemas que, pela primeira vez, considera inteiramente seus. Antes, só exibia aos amigos mais íntimos alguns versos de aprendizagem — como uma adaptação encabulada que escreveu, à sua maneira, do ''Navio negreiro'', de Castro Alves. Desde menino, copiava obsessivamente poetas portugueses publicados pelo *Tesouro da juventude*, espécie de bíblia do jovem culto na primeira metade do século, e esmerava-se na arte arriscada do pastiche. Julgava-se um copista quase inescrupuloso; agora decide que se tornou poeta — e se autoriza a todo tipo de aventura intelectual.

Começa a abrir, mesmo reservado e algo inseguro, novos horizontes. Torna-se amigo de Prudente de Moraes, Neto — a quem substituirá, aos 23 anos, no posto de censor cinematográfico do Ministério da Educação, cargo que ocupará somente para exibir sua assinatura ao pé do certificado oficial que antecede as projeções, pois jamais censurará filme algum. Prudente de Moraes, Neto, o levará para um mundo alternativo às rodas literárias do Catete. Escreve letras de samba sofríveis e é amigo de Ismael Silva. Os três costumam fazer longas caminhadas noturnas da Galeria Cruzeiro, no centro, até a Zona Sul, seguidos muitas vezes por Octavio de Faria e José Arthur da Frota Moreira. Zé Arthur, que se tornará mais tarde deputado federal e líder do Partido Trabalhista Brasileiro, mereceu de Vinicius o apelido de Romancista a Vir. Explique-se: o poeta via nele uma vocação imensa, não realizada, para a ficção.

A Faculdade do Catete servirá como um cenário material em que o poeta explicitará seu drama e seus paradoxos. Nela, seus conflitos se exacerbam, e eles também encontram terreno fértil onde desaguar. Seja na conversa interminável com os amigos, seja na alma do poeta que, enfim, se alarga.

2

Octavio de Faria, essa figura-chave na formação de Vinicius, é um homem atravessado por paradoxos. Um jovem de coração exaltado e cabeça sempre quente. Poucos intelectuais brasileiros levaram os conflitos do catolicismo a um ponto tão radical e doloroso quanto ele. E aproximaram de modo tão devastador o espírito do chão. Octavio de Faria é mais um católico da doutrina, um teólogo, um homem que pensa a vida a partir do dogma, do que um praticante dos ritos espirituais. Lê Fiodor Dostoievski, Sören Kierkegaard, Blaise Pascal e, sobretudo, o romancista e memorialista francês Léon Bloy — a quem chega pelas mãos zelosas de Alceu de Amoroso Lima. Antes de descobrir Bloy, Octavio já era fascinado por Georges Bernanos, escritor francês que explodiu em 1926 depois de publicar o magnífico *Sous le soleil de Satan*.

Fascina-se sobretudo por aquelas páginas em que Bernanos retrata Anatole France, disfarçado em padre, por detrás da palhinha de um confessionário. Tem enorme atração também pelo Julien Green que, sob o pseudônimo de Théophile Delaporte, escreveu o *Panfleto contra os católicos da França*. Em Léon Bloy, ele admira, antes de mais nada, a sofisticação intelectual e a pretensão de entrar no catolicismo pela porta dos humildes. A rebeldia que transforma a religião em forma de luta. Léon Bloy tem uma dupla fase de místico e de poeta. É um polemista ardente, que trava combates violentos contra a mediocridade do pensamento. Um cavaleiro andante do sobrenatural. Para ele, o acesso a Deus passa necessariamente pela poesia e pela confissão. Poucos escritores se expuseram tanto e isso deixa o introvertido Octavio perplexo. Bloy faz, sobretudo, a defesa do direito inalienável do escritor de fazer perguntas às quais não sabe, ou não pode, responder. A leitura de Léon Bloy deixa Octavio ainda mais difuso e enigmático.

Octavio tem, além disso, uma paixão fervorosa pelos gregos. É um grego, com seu amor refinado pela beleza masculina, de que, contra todo o moralismo reinante, não aceita abrir mão. Os conflitos que a religião exacerba em sua mente não abatem sua coragem. É um homem determinado e confiante. A alma grega o leva a se interessar pelos esportes, particularmente pelo futebol. Freqüenta o campo do Fluminense Futebol Clube, em

Laranjeiras, a dois passos de sua casa, onde chega ao posto de diretor social. Adora se ver cercado de rapazes saudáveis e belos. Depois, passa horas atormentado, atingido por uma tristeza funda que, um dia, seu amigo Antonio Carlos Villaça definirá, num insight poético genial, como ''um cansaço da alma''.

Trava uma espinhosa batalha interior. O duelo entre o catolicismo romano e a atmosfera grega se faz cada vez mais sangrento. Torna-se, então, para fugir das cobranças interesseiras e dos interrogatórios sórdidos, um solitário. Octavio de Faria — não se pode ver de outro modo — é um herói de seu tempo. Vinicius, um rapaz sensível que sabe distinguir seus desejos e preconceitos dos sinais emitidos por sua sensibilidade especial, se deixa fascinar. Octavio passa a viver uma grande paixão platônica pelo poeta. Vinicius, sem uma consciência clara a respeito dos sentimentos com que Octavio o envolve, se entrega a uma relação perigosa. E, mesmo conservando rigidamente os limites que não deseja ultrapassar — e que não ultrapassa —, tira proveito desse amor. Octavio se torna um mestre — e não é só Vinicius quem o segue. Um bando de rapazes sensíveis, uns mais espertos, outros mais carentes, o acompanham pelos corredores da faculdade e pelas mesas bolorentas dos bares do Catete.

Há entre eles a presença suave de Augusto Frederico Schmidt, dois anos mais velho que Octavio, a quem conheceu entre as prateleiras da Livraria Católica, fundada por Jackson de Figueiredo na rua Rodrigo Silva, no centro do Rio. Schmidt — que deixará também sulcos profundos na face do jovem Vinicius — não faz direito; na verdade, nem sequer completou o curso ginasial, que abandonou pela metade no Colégio São Bento. É um intuitivo. Aos dezesseis anos, torna-se caixeiro-vassoura da tradicional Casa Barbosa Freitas — na época, apenas um pequeno armarinho. É demitido por se recusar a pegar um botão de madrepérola que o gerente lusitano, um estabanado, deixa cair no chão. Mais tarde explica a um colega: ''Você sabe, eu sempre fui gordo. Não posso me abaixar com facilidade. Se o fizesse, rasgaria o fundilho das calças''. Pouco depois dos vinte anos, Schmidt se torna gerente de uma serraria em Nova Iguaçu, em plena Baixada Fluminense. Mantém-se, por longo tempo, preso a atividades bem pouco poéticas. A poesia, indiferente às imposições do mundo concreto, lhe cresce por dentro, como um segundo coração.

Quando lança seu primeiro livro, *Canto do brasileiro*, em 1928, já escreve nas águas do contramodernismo. Em 1930, mesmo ano em que Vinicius ingressa na Faculdade de Direito, Schmidt lança seu terceiro livro de poemas, *Pássaro cego*, que começa assim: ''Sinto clamar em mim vozes tristes, chorando./ Sinto gritar em mim longos martírios/ Que não sofri''. O que parece uma confissão envergonhada de altruísmo ao fim do poema se revela a constatação de uma dor interior: ''Sou como um pássaro cego voando na eterna escuridão./ No entanto a escuridão está em mim somente./ Sei que fora de mim há um clima diferente,/ Sei que há céu azul, supremas claridades,/ E que as trevas estão nos meus olhos apenas''.

Suas torturas, porém, são bem mais delicadas que aquelas guardadas no peito de Octavio de Faria — e talvez por isso Vinicius o encare, até sua morte, como uma espécie de antídoto poético contra a angústia. Em 30, Schmidt lança sua própria revista católica, a *Pelo Brasil*, que logo fracassa. O negócio em Nova Iguaçu também entra em falência. O mundo parece desabar. Não sabe lidar muito bem com a realidade. Marques Rebêlo, certa vez, escreve sobre ele: ''O Schmidt dramatiza tudo. Se perde dez cruzeiros, diz que perdeu dez contos. Quando ganha 5 milhões diz que ganhou cinco cruzeiros''. Vinicius de Moraes logo se apega a Schmidt, um homem que, apesar de seu peso monumental, parece sempre flutuar, como um anjo obeso, alguns palmos acima da mediocridade do solo.

Há também Mário Vieira de Mello, que se aproxima de Octavio menos pela veia católica e mais pela paixão por Nietzsche. Mário não se deixa tocar nem pelos dilemas metafísicos que a religião estimula, nem pelos calores politizados do movimento de renovação católica. Teve formação cristã, mas a mantém sob firmes rédeas. Um ano mais velho, foi colega de Vinicius nos bancos cinzentos do Colégio Santo Inácio, mas nunca se deixou impressionar pela cenografia lúgubre assinada pelos jesuítas. Quando chega à Faculdade de Direito, reencontra o poeta. Vinicius e José Arthur da Frota Moreira — que fez o mesmo percurso de ambos, do Santo Inácio ao Catete — o apresentam a Octavio de Faria. Tornam-se grandes amigos.

Para entender Octavio de Faria, é preciso também tomar distância e observar melhor o cenário do catolicismo brasileiro na primeira metade do século. Em 1922, em pleno coração da aventura modernista, um grupo de católicos renovadores chefiados no Rio pelo sergipano Jackson de Figueiredo funda o Centro Dom Vidal, entidade que tem como eminência parda o arcebispo do Rio de Janeiro, d. Sebastião Leme Cintra, e que expressa suas teses nas páginas da rabugenta *A Ordem*, revista mensal que se torna uma espécie de bíblia na nova Igreja. O grupo se opõe a Oswald de Andrade, Mário de Andrade e sua trupe de modernistas, lançados por ele no balaio comum e insensato dos ''esquerdistas disfarçados de vanguardistas''. E não esconde suas flagrantes simpatias pelo nascimento do fascismo.

Em 1928, Jackson de Figueiredo morre e Alceu de Amoroso Lima o substitui na direção de *A Ordem*. Promete, desde logo, uma política editorial mais liberal que a de seu antecessor. Mantém-se neutro em relação à Revolução de 30 e à Revolução Constitucionalista de 32. Busca a sensatez e o equilíbrio. Tal posição lhe rende bons dividendos: o Centro Dom Vidal — CDV — passa a receber subsídios governamentais, se filia à Coligação Católica Brasileira — de que Alceu também se torna presidente — e consegue, do ministro Lindolfo Collor, do Trabalho, a permissão para a criação de sindicatos católicos. Além disso, o Congresso Nacional aprova parte das ''emendas religiosas'' defendidas pelo grupo, sendo a mais importante delas a obrigatoriedade da educação religiosa nas escolas.

O CDV radicaliza suas posições: passa a apoiar ostensivamente o integralismo e o movimento monarquista. Vinicius, que não se filia a ele, tem entretanto ligações profundas com esses militantes raivosos e exaltados. Para começar, o CDV surge nos bastidores intelectuais da PUC do Rio, na época em que ela tem como reitor o padre Leonel Franca. Até iniciar um período de declínio nos anos 40, época em que o novo cardeal do Rio, d. Jaime de Barros Câmara, se torna um opositor virulento de Alceu, o CDV reina absoluto sobre o cenário do pensamento católico brasileiro. Terá um período de decadência maior a partir de 1951, quando passa a ser dirigido por Gustavo Corção, um pensador radical que pagará com o isolamento o preço de sua teimosia. Dele, Oswald de Andrade dirá, em 53, que parece ser a versão tropical de um Erik Satie solitário e triste com que esbarrou, certa vez, no Quartier Latin, amolecido pelos seus setenta anos e abandonado por todos os amigos. Corção, autor do belo e esquecido romance *Lições de abismo*, de 1950, celebrizou-se por suas máximas raivosas, disparadas ao sabor da hora contra tudo e contra todos. Acusado de retrógrado, um dia declara: ''Faço questão de não ser jovial''. Acusado de reacionário, rebate: ''Sou contra a justiça social''. E, questionado certa vez a respeito de suas posições anticomunistas, assim se define: ''Se um comunista entrar por essa porta, eu o mato''. O estilo virulento e sem meias palavras com que Corção dirigiu a entidade até 1963 levou o CDV ao ocaso. Muitos anos depois, um Vinicius já convertido aos ideários da esquerda dirá a seu respeito: ''Corção é o reacionário no seu grau mais elevado. Este é o ser humano que para mim não existe, este é o verdadeiro marginal, é um ser humano que deixa de me interessar''. Mas muitas águas ainda rolarão até o poeta ser capaz de emitir essa opinião numa entrevista a *O Pasquim* nos anos 70.

O jovem Vinicius tem sua alma formada nos bastidores desse vespeiro espiritual. Devora teorias antagônicas, ouve vozes que entoam cânticos incompatíveis, se deixa perturbar. Confunde crescimento com confusão. Quando encontra Octavio de Faria, rapaz mais esperto e mais audacioso, ele lhe parece ser um porto seguro. Passa com ele, e alguns amigos mais íntimos, longas temporadas de reflexão no sítio da família Faria, em Campo Belo, entre Itatiaia e Penedo, para difíceis sessões de depuração espiritual. Os amigos lêem poemas em voz alta, debatem filosofia, dão longas caminhadas, especulam — sobre tudo. Nada lhes escapa, como se, eleitos para alguma missão especial, devessem controlar e ditar o destino do mundo. Atravessam longas horas se questionando, se acusando, se purgando como loucos torturadores. Desejam matar o ''burguês'' que cada um carrega dentro de si e, para isso, todos os métodos, mesmo as devassas espirituais mais cruéis, parecem válidos. Pretendem derrotar os apelos da carne e, num salto viril rumo ao espírito, se tratam desde logo como heróis.

Algumas décadas depois, Vinicius de Moraes, relembrando essas sessões de autotortura intelectual em Campo Belo, dirá: "Eu era um teleguiado do Octavio. Era uma matéria, que ele estava plasmando, formando". Muito tempo terá de passar, entretanto, até ele poder definir as coisas desse modo. A verdade é que Octavio, com seu brilho e sua dedicação, o cega. Mesmo sem corresponder aos apelos afetivos do amigo mais velho, Vinicius não consegue escapar de sua órbita. Um dia, numa tentativa extrema, Octavio resolve lhe dar um automóvel. Está caminhando com Mário Vieira de Mello e relata sua decisão de comprar o presente. "Não faça isso", lhe diz Mário. "Você está indo longe demais." Octavio, um homem lúcido que sabe ouvir os outros, cai em si. E desiste, muito a contragosto, do carro. Tentará outros métodos, bem mais delicados e tortuosos. Não renunciará facilmente.

Aqui vale dar um salto prospectivo de meio século. Só o tempo pode clarear, melhor, a origem de grande parte das angústias que paralisam o romancista. Severo como um pai inclemente, um homem governa o interior de Octavio: Alceu de Amoroso Lima. Sua presença discreta, mas massacrante, toma formas definitivas no dia da morte de Octavio. Em 17 de outubro de 1980, pouco mais de três meses depois de Vinicius de Moraes morrer, Octavio de Faria chega ao Clube Ginástico Português, no centro do Rio, para um almoço da União Brasileira de Escritores. Antes de subir, apoiado em sua indefectível bengalinha, posta-se na porta do edifício à espera de um boy que vem apanhar sua coluna para a *Última Hora*. O escritor católico Antonio Carlos Villaça, seu amigo de longa data, desembarca de um táxi e o cumprimenta. "Você vai chegar atrasado", adverte o imenso e doce Villaça. "Não tem importância, não me espere. Eu me viro", Octavio responde. Quando o autor de *A tragédia burguesa* sobe, minutos depois, encontra o salão cheio. Mesmo assim, consegue se acomodar num bom lugar entre os 120 convidados.

O almoço transcorre normalmente, agitado e monótono como se pode esperar de uma recepção oficial. Durante a sobremesa, um senhor toma repentinamente do microfone instalado para discursos e, num tom burocrático para evitar o pânico, pergunta: "Há algum médico presente?". A sala é atravessada por intenso e inútil burburinho. Numa salinha ao lado, Octavio de Faria está esticado num sofá. O relações-públicas da Editora José Olympio, Adelardo Cunha, ampara a cabeça do escritor em seu colo. A romancista Nélida Piñon lhe faz compulsivos carinhos nos cabelos. Escritores, poetas, críticos de arte se acotovelam para mimá-lo. Octavio de Faria está morto. Tinha graves problemas cardíacos, mas apesar disso continuava a beber muito. Teve morte súbita. Tão repentina e delicada que muitos dos presentes chegam a duvidar do que acontece. Vera Pacheco Jordão, mulher do editor José Olympio, por exemplo, atrasada para embarcar num vôo rumo a Paris, onde pretende comemorar seus setenta anos, deixa o clube sem acreditar na notícia. ''Morto coisa nenhuma'', comenta com uma amiga na portaria. ''Eu o vi. Ele se sentiu mal e está dormindo.'' O destino é irônico: uma semana depois, ela morrerá dormindo num hotel da capital francesa.

Um grupo de amigos, liderados pelo jornalista paulista Henrique Alves e pelo escritor Antonio Carlos Villaça, conduz o caixão de Octavio até a Academia Brasileira de Letras, onde ele é velado, com toda a pompa, na sala dos poetas românticos. A tensão se agrava quando chega Alceu de Amoroso Lima, o cunhado do morto. Os dois se conheciam desde 1913, quando Octavio de Faria — nascido em 1908 — tinha apenas cinco anos e Alceu, nascido em 1893, quase vinte. Naquela época, Alceu ainda não se chamava Tristão de Athayde — pseudônimo que adotou em 1919 quando se tornou crítico literário, e com que se celebrizou. A longa convivência faria, aos olhos leigos, prever uma reação emocionada de Alceu — que, no entanto, entra na sala com o rosto gélido, o olhar transverso, uma contenção que beira a aridez da indiferença. Octavio, que era um homem baixinho, parece menor ainda ali deitado em seu caixão. Diante da imponência de Alceu, parece a ponto de sumir. Como se partisse certo de que o cunhado, a quem tanto admirava, nunca de fato o aceitou. Com que cautela, agora, Alceu de Amoroso Lima se aproxima desse cadáver, com que frieza quase desumana. Naquela postura gélida, naquela distância estudada, está tudo dito: o conflito que atravessou duas vidas e a solução que nem a morte, que iguala todas as coisas, soube trazer. Alceu atuou, desde cedo, como uma espécie de censor interior de Octavio. O mais grave: o romancista poucas vezes conseguiu se rebelar contra esse domínio. Sempre o aceitou — como a um vício. A frieza de Alceu diante de seu cadáver é a síntese dessa luta perdida. A marca de uma divisão que Vinicius, no frescor de sua juventude, sem nenhuma consciência disso, incorporou sem poder digerir a contento — e ela lhe arrancou, além de muitos cabelos, fartos nacos da alma em formação. Grandes poetas, porém, não se fazem sem profundos sangramentos. Vinicius, mais uma vez, saberá tirar partido do sofrimento e crescer.

3

Em outubro de 1932, Vinicius publica pela primeira vez um poema. Chama-se "A transfiguração da montanha" e aparece nas páginas austeras de *A Ordem*, revista católica fundada pelo pensador sergipano Jackson de Figueiredo. Continua, pois, em mãos perigosas. *A Ordem* é, a essa altura, dirigida por Tristão de Athayde. Ainda guarda, porém, o espírito radical a ela emprestado por seu fundador. Jackson de Figueiredo Martins, rapaz agitado e furioso nascido em 1891, em Aracaju, morreu precocemente aos 37 anos, em 1928, e foi o mais virulento e dramático pensador católico do país no início do século. Influenciado pelas idéias de Blaise Pascal — filósofo cujas idéias digeriu do modo que bem entendeu, usando seus textos mais como tábuas de um mandamento que como estímulo à reflexão —, Jackson de Figueiredo se converte ao catolicismo em 1918. Logo começa a escrever compulsivamente. Seus artigos pregam, em essência, o primado da vida sobre a ortodoxia cristã.

O que a princípio pode parecer uma idéia estimulante, a primazia da vida em detrimento da rigidez espiritual, na mente de Jackson de Figueiredo se transforma numa construção ortodoxa ainda mais cruel. Jackson de Figueiredo pensa que a religião deve deixar de ser apenas um dogma a ser adotado e praticado nos rituais de fé, para se tornar antes de tudo uma "maneira de viver". Deve ser introjetada como um conjunto de normas impiedosas que regem cada ato do indivíduo. Jackson de Figueiredo quer integrar natural e sobrenatural. Acredita no poder da razão para promover esse casamento, bastando para isso que o homem use raciocínios de ferro para dominar os instintos baixos da carne e a miséria da condição humana. Torna-se um homem severo, que preza a rigidez hierárquica, defende o respeito meticuloso à ordem e à tradição e chega a exercer o posto de "censor de imprensa" durante o governo Artur Bernardes.

A religião vista assim como o jovem Vinicius a adota passa a ser uma espécie de tortura interior. Agora não basta ter fé, é preciso ser digno da fé. Não basta aceitar a existência de Deus, é preciso lutar por essa aceitação — e o inimigo a ser enfrentado não é mais um demônio impreciso e distante, mas uma instância nefasta que está dentro de cada um de nós. Não basta ser cristão, é preciso viver como cristão. Tudo se torna, pois, mais tortuoso e mais difícil. Jackson de Figueiredo empresta ao cristianismo um destino trágico, pois a carne sempre impõe suas razões cruéis, seus desejos descontrolados, seu fogo, e ao homem resta lutar por algo que, em princípio — e no princípio está o pecado original —, já perdeu.

''A transfiguração da montanha'', longo poema de 152 versos, é um retrato meticuloso da paisagem mística que envolve Vinicius de Moraes na juventude. Poema bíblico, composto como um reflexo poético dos Evangelhos e escrito em tom profético e professoral, começa assim: ''E uma vez Ele subiu com os apóstolos numa montanha alta/ E lá se transfigurou diante deles./ Uma auréola de luz rodeava-lhe a cabeça/ Ele tinha nos olhos o paroxismo das coisas doces/ Sua túnica tinha a alvura da neve/ E nos seus braços abertos havia um grande abraço a toda a humanidade / A natureza parou estática''. É, como se pode ver, uma oração disfarçada em poema. Primeiro, descreve a grandeza de Deus, para, em seguida, fazer a narrativa da queda em que o homem se lança para o pecado e a perdição. ''Depois tudo mudou/ O mundo girou sempre, andou sempre/ O mundo judeu errante./ Não parava na catástrofe'', descreve, emprestando ao mundo o caráter de um inferno encarnado. E, mais adiante, exibe sua visão pessimista e derrotada do ser humano: ''O tigre desperta e mata tudo/ Mata os pequeninos que choram de medo/ Mata as mães que têm os olhos despertos nas grandes noites da vida''. É um poema desolado, que exibe uma visão terminal do homem, um ser sem solução e sem saída.

Por fim, em um terceiro bloco de versos, o poeta aponta o caminho da salvação, encarnado em homens que ''[...] tinham dentro da roupa preta que os vestia/ A alma branca dos que são os bem-aventurados de Deus''. Os versos escorrem, então, numa linguagem quase oficial, que pode ser recitada — sem retoques — no púlpito de qualquer catedral: ''A pedra enorme/ Era a própria força espiritual de são Pedro/ Posta na matéria/ A base/ A pedra da Igreja/ E em cima, Ele, Senhor de todas as coisas/ Belo e agigantado/ Olhando as coisas embaixo/ Com o olhar bom do que foi Homem/ Com o amor do que [...] o único Deus./ Senhor!''. Não é preciso ser um especialista em poesia para entender que, a essa altura, o poeta está a um passo da completa conversão. A montanha — esse homem de pedra, gélido e paralisado pelo Mal — só se transfigura na conversão. Pode-se imaginar, aqui, a intensidade das torturas interiores que a essa altura massacram o jovem Vinicius. A poesia, para ele, mais que arte, é ascese. É um caminho de acesso à pureza impossível.

Vinicius não publicará mais em *A Ordem*, mas continuará a ser tratado pelos editores da revista como um queridinho da Igreja. No número de novembro de 1933, *A Ordem* publica um longo ensaio assinado por Jonatas Serrano, na seção ''Letras Católicas'', que comenta a estréia do poeta com *O caminho para a distância*. O articulista primeiro destaca a importância do livro na "época da libido insidiosa e mais temível, ainda sob aparências científicas de irresistibilidade; a época da seminudez pseudo-estética e ainda mais provocante que a desnudez total". Combate a expansão da eugenia, da higiene e da educacão física ("quantos pseudônimos para uma realidade que não se confessa!") e as associa ao bolchevismo, à exacerbação das doutrinas marxistas e ao culto de Lenin. E, encantado com os suplícios metafísicos que pontuam o primeiro livro de Vinicius, comete sua interpretação: "É a guerra a que o poeta concita os fortes, e a luta que depreca ao Jehovah, senhor dos exércitos, é evidentemente a resistência do Espírito à invasão da Matéria, o prélio sagrado contra a segunda Sodoma".

Dois anos mais tarde, quando, no número de dezembro de 1935, Jonatas Serrano se põe a comentar *Forma e exegese*, o segundo livro de Vinicius de Moraes, os elogios já se mesclam, porém, com alguma dúvida: "É livro mais pensado, mais trabalhado, saído mais da Inteligência que da pura Emoção", diagnostica. Para afirmar um pouco depois: "Aqui e ali, a observação psicanalítica, as associações eruditas, mais ou menos subconscientes, perturbam a beleza da poesia pura. [...] Desde o título, a complicação erudita e perturbadora se manifesta". Reclama da "má erudição", que certamente esfria os arroubos da fé, e que "são termos científicos, sem o encanto da sugestão poética". Dá exemplos precisos: versos como "cheios da euforia do vento" ou "pelo misterioso tropismo subitamente carregados" o incomodam imensamente, pois a escolha de "euforia" e de "tropismo", para ele, denota apenas um cientificismo errático, uma forma lamentável de esnobismo. Reclama, ainda, das referências mais diretas aos dilemas sexuais: "É, positivamente, de mau gosto um genuíno poeta, como Vinicius de Moraes, pagar o seu tributo a esse realismo serôdio que devera ter ficado sepulto com o século de Zola e que uns rapazes de hoje, para chamar a atenção, fingem que é novidade".

Aponta erros ("Por que Damas? Não será Damasco?"), faz críticas à métrica do poeta ("Quisera eu, entretanto, que houvesse na métrica de Vinicius de Moraes maior variedade, maior liberdade, como no seu primeiro livro") e conclui: "O tom geral da obra é de inquietação e de angústia, de anseio de libertação. Mas a vida é mais do que isto, embora seja isto em larga porção". O Vinicius de *Forma e exegese* já não desperta o mesmo encanto nos teóricos da Igreja oficial.

Os poemas que Vinicius escreve na juventude, manuscritos em letras asssépticas e engomadas, como as provas de fim de ano de um aluno premiado, guardam muitas vezes o mesmo tom solene e moralista. Há um manuscrito a lápis, sem título, que ele deixou inédito e que inicia assim: "É terrível, Senhor! Só a voz do prazer cresce nos ares./ Nem mais um gemido de dor, nem mais um clamor de heroísmo./ Só a miséria da carne e o mundo se desfazendo na improdutividade./ É terrível, Senhor! Desce teus olhos. As almas sãs clamam a tua misericórdia. Elas crêem em ti. Crêem na redenção do sacrifício''. O jovem Vinicius escreve com culpa e tomado pelo medo de errar. Pede a Deus que venha salvá-lo, pois sabe que sozinho poderá também sucumbir aos apelos do Mal. Agita-se na luta contra o inevitável. O poema parece, de fato, uma oração. Tem a estrutura de uma prece, um apelo desesperado às forças do Bem. Lemos o poema em silêncio, mas quase podemos ouvir Vinicius bradando em voz alta. Não parece existir para ser lido, mas para ser gritado.

Em dezembro de 1932, quando Vinicius está com dezenove anos, outro poema vem ajudar a compreender o estado de espírito desse rapaz aflito. ''Bellum omnia contra omnes'', conjunto de sextetos manuscritos em letra impecável, é também uma oração, mas não tão piedosa. Um apelo desesperado a Deus, que já guarda, porém, sinais evidentes de desânimo e de desamparo. ''Senhor! Tudo é blasfêmia e tudo é lodo./ Vós não vedes, Senhor, não vedes, todo/ Esse povo a sofrer?/ Deixai por um momento a Igreja Santa/ A iniqüidade do pecado é tanta/ Que Roma vai morrer!'', diz o poeta sem conseguir dissimular sua raiva e seu desencanto. Agora, já não basta se submeter a Deus — é preciso sacudi-lo, também, de seu marasmo grandioso. Vinicius pega Deus pela garganta, aponta o mundo concreto que desmorona diante dele e, sem qualquer pudor, o chama à razão. O poeta é pessimista: ''Bem sei, Senhor Meu Deus, que melhor sorte/ Fora findar a espécie pela morte/ No horror sem fim do caos!'', confessa.

As idéias integralistas e pré-fascistas de que Vinicius se embebeda nas mesas de bar do Catete, onde Octavio de Faria desempenha o papel de barman espiritual, invadem a religião. ''Bellum omnia contra omnes'' é, no fim das contas, um apelo à ação de um Deus-guerreiro, que troque a piedade pela luta, a bondade pela coragem, a pureza pelo sangue. ''Sou blasfemo, talvez, Senhor, mas digo/ Que em lugar do chicote do castigo/ Destes ao ser — a cruz;/ Que em vez de um César fálico e guerreiro/ Erguendo um mundo novo de um lameiro/ Quisestes ser — Jesus!'' O poeta clama, portanto, por uma segunda reencarnação. Só que não mais voltada para a salvação piedosa, mas para a guerra.

Estamos diante de uma transformação sutil, mas preciosa. A religião, tomada pelo sentido prático que Jackson de Figueiredo lhe empresta, se torna agora um instrumento de luta. O Mal é expulso para fora e o homem, que antes era um ser torturado, agora se transforma num torturador. A religião masoquista, regida pelo martírio interior, se transfigura numa religião sádica, que empresta fundamento à moral de destruição. Os versos finais são eloqüentes: ''Escutai, Senhor Deus, a imensa grita/ Da humanidade sofredora e aflita/ Que morre no pavor!/ — Dai-lhe a morte no campo de batalha/ — Dai-lhe sangue vermelho por mortalha/ — Dai-lhe a guerra, Senhor!''.

Mas o jovem Vinicius não é um poeta petrificado pelos temas religiosos. Em tom grandiloqüente, bastante próximo do desastroso, compõe poemas de exaltação à humanidade — como o ''Beethoven'', prolixo poema de

91 versos datado de março de 1933. ''Beethoven'' é escrito para enobrecer o heroísmo, mas também para lamentar sua escassez. ''O heroísmo das almas era uma antiga lenda/ Que os poetas cantavam, mas não possuíam'', se queixa. Descreve um mundo vazio de homens especiais, um deserto de heróis, que só se altera quando surge um gênio do porte de Ludwig van Beethoven. É um poema-exaltação, que não mede palavras, nem poupa adjetivos enfáticos. A poesia tem, aqui, uma função de sagração: ''E o mundo julgou se assombrar/ Deu-lhe um lugar entre os grandes espíritos/ Ele que foi o maior espírito entre todos!''.

Vinicius não embarca nesse projeto poético, porém, sem perder a autocrítica. Novamente se tortura, agora em busca de maior rigor com seus próprios versos. Em 33, escreve o dramático ''Desolação'', que abre com uma epígrafe pessimista de Augusto Frederico Schmidt: ''Que pode amar, Senhor, depois que viu a Morta?''. São versos — medonhos — sobre a incapacidade de amar, destino que tem como origem, mais uma vez, o pecado. ''Vive no meu remorso mme. Butterfly, a pequenina'', escreve. ''Eu aquele que violou a grande alma inquieta de Ema Bovary'', continua. O poema, datilografado com certo cuidado, não chega a lugar algum. À margem — e à mão — Vinicius anota: ''Impublicável''.

O poeta se debate, tantas vezes, num cipoal de lugares-comuns. Em ''Da fidelidade'', manuscrito em 35, diz simplesmente, no verso inaugural: ''Há alguma coisa maior que nós mesmos que é a fidelidade a nós mesmos''. Não é preciso seguir adiante. Basta saltar ao último verso, tão melancólico quanto o primeiro: ''Fidelidade, lírio, anjo, mar de pureza!''. Em ''O eleito'', escrito em Itatiaia em outubro de 1937 — lembremos que ele já é, aqui, um homem que acaba de fazer 24 anos —, o poeta trabalha com reminiscências. Chega a versos como estes: ''Quem jamais poderá dizer o medo louco/ O indizível pavor de voltar que me vinha/ De transpor a porta, olhar minha avó velhinha/ E meu finado avô, que adormecera um pouco''. Há versos não muito brilhantes, manuscritos apressadamente, entre grifos e rabiscos, como um ''Poema feito para chegar aos ouvidos de santa Teresa'', em que — do alto de seus 24 anos de idade — consegue escrever: ''Não quero ir pro inferno/ Santa Teresinha/ Quero é ir pro céu/ Que é boa terrinha/ Mas se eu for pro céu/ Você me procura?/ Você me namora,/ Santa Teresinha?/ Você me namora, hein, santa Teresinha?''. Há, por fim, rascunhos de sonetos não muito inspirados que ajudam a compor a agenda de derrotas de um poeta em sua luta para acertar. Vale aqui apresentar um exemplo por inteiro:

MÃE

Mãe... vocábulo perfeito
Mais belo nunca se viu
Nas letras impõe respeito
Mas abençoa no til.

Mãe... uma só consoante
Unida a duas vogais.
A imagem da dor constante
No espelho do amor demais.

Mãe... três letras somente
Porém, que infinitamente
Singular substantivo

Que nunca se vai esquecer
Por quem se pode morrer
E a quem se deve estar vivo...

Vinicius de Moraes sempre escreverá muito — e, quase sempre desprovido de qualquer senso crítico a respeito de si mesmo, guardará praticamente tudo o que escrever. Seu imenso acervo de documentos, doados pela família após sua morte à Fundação Casa de Rui Barbosa, do Rio, é um emaranhado de papéis em que preciosidades se misturam a erros lamentáveis ou até vergonhosos. Se for realizada sem preconceitos, uma viagem através desse acervo — espécie de negativo do poeta — nos dá acesso privilegiado à luta visceral que Vinicius de Moraes travou, ao longo de toda a vida, com as palavras. Não há nenhum demérito especial em seus exageros e seus imensos tropeços. Pelo contrário, há coerência. Vinicius dedicou sua vida a provar que a felicidade é um destino cercado de muitos acessos — e que importa apenas a ela chegar, sem se discutir o mérito do caminho. Se esse é um lugar-comum — e é, mas Vinicius de Moraes não tinha medo de clichês; ao contrário, sempre os enfrentou como reservas desprezadas de vitalidade —, nunca se perturbou com isso. Pode-se gostar ou não do destino que ele deu à poesia. Isso é um problema íntimo de cada leitor. Não se pode negar, porém, a radicalidade de seu caminho.

4

Uma longa carta escrita por Octavio de Faria para Vinicius de Moraes, datada de 15 de dezembro de 1932, dá o tom definitivo da relação, profunda e difícil, entre os dois amigos. A carta de Vinicius que a gerou se perdeu. Pouco antes de morrer, em 1980, Octavio de Faria queimou todas as cartas de cunho mais pessoal que recebera ao longo da vida. Deixou apenas aquelas menos prolixas, mais formais ou menos comprometedoras. Pode-se, contudo, imaginar algumas coisas a respeito das cartas expedidas por Vinicius para o amigo em Itatiaia. O poeta, em geral, via as cartas mais como peças literárias — como se já estivesse pensando na análise severa de um futuro historiador da poesia — do que como instrumentos de intimidade e confissão. Sua correspondência se parece muito com aquela escrita, por exemplo, por um Guimarães Rosa; expressa menos uma necessidade vital de comunicação e mais um jogo de estilo e de autodefesa. Nas cartas, Vinicius não consegue esconder seu egocentrismo exacerbado e seu temperamento algo pernóstico. Ao se defender, apegando-se à indiferença e ao distanciamento, expõe um lado menos agradável que, certamente, nem imagina ter.

Há, talvez, um paralelo a arriscar aqui entre Vinicius de Moraes e Machado de Assis. Analogia — perigosa como toda analogia — que não pode excluir as diferenças brutais existentes entre os dois. Machado era mulato, epilético, teve uma infância muito pobre. Consegue estudar, bota um colarinho, deixa as barbas crescerem para esconder as feições amulatadas, casa-se com uma portuguesa de nível social mais alto. Passa a viver, e a se ver, como um gentleman. Envergonha-se cada vez que os amigos mais chegados apontam seqüelas irreversíveis e indisfarçáveis do passado que pretende morto. Tem vergonha de si mesmo.

Vinicius também teve uma infância com fases de pobreza — é verdade, não tão extrema — e uma alma de carola de que, logo, se envergonhará. Mas, ao contrário de Machado, não transforma seu passado num "problema". Para isso, desenvolve um ar desabusado, uma pose arrogante de alguém a quem a vida já não impressiona com seus enigmas. Sempre que um amigo o procura para desabafar um problema, diz algo assim: "Fique calmo. Tudo o que o preocupa não tem a menor importância''. É um modo de consolar, mas é também uma maneira de exibir certa imunidade diante do real. De exibir autoconfiança e orgulho. No futuro, ''apagará'' a relação decisiva que tem com Octavio de Faria com a mesma empáfia com que Machado ''apagou'' a relação que teve com a madrasta. Nesse ponto, estará de fato traindo o romancista. O mundo do ''se'' é sempre um pântano escorregadio, mas, muito provavelmente, sem a influência magnética de Octavio de Faria, Vinicius de Moraes não viria a ser Vinicius de Moraes.

Mas, antes de tratar da ''Carta de 1932'', como passaremos a chamar essa peça-chave da relação de Vinicius com Octavio, devemos entender melhor o cenário afetivo que a gerou. É o ano inaugural de uma divisão que marcará, para sempre, a vida de Vinicius de Moraes. Além de o poeta iniciar sua trajetória nas páginas de *A Ordem*, ele tem suas primeiras músicas (''Loura ou morena'' e ''Doce ilusão'', compostas em parceira com Haroldo Tapajós) gravadas em disco, inaugurando a carreira de compositor. A cisão entre o poeta erudito imantado pela metafísica e o músico popular que se transformará em show-man se instala. Há uma subdivisão nesse percurso: enquanto escreve poemas sedentários e paquidérmicos, como ''Bellum omnia contra omnes'' — que permanecerá inédito até sua morte —, dá início a uma linhagem de poemas leves e cortantes, na linha da circunstância e da homenagem, dedicados tanto a amigos próximos como a ídolos longínquos, tais como ''Marlene'' (a atriz Marlene Dietrich) e ''Mário''(o amigo Mário Vieira de Mello), face mais afetiva da arte do verso de que jamais abrirá mão.

Dois poetas, já a essa altura, lutam entre si no interior do mesmo Vinicius. Basta se debruçar com atenção sobre sua poesia para que ambos se revelem. ''Bellum omnia contra omnes'' é um longo poema de 156 versos divididos em 26 sextetos, escrito em dezembro de 32. Conserva o clima indefinido entre a poesia grandiloqüente e a oração piedosa que marca ''A transfiguração da montanha'', e aponta para um Vinicius em parte ainda incapaz de distinguir arte de religião. Começa assim: ''Senhor Deus! Mais um século vos grita!/ Esta voz que reboa imensa e aflita/ Traz um desejo atroz./ Será que ela, Senhor, já chega tarde,/ Ou será que ela implora um Deus covarde,/ Um Deus que não sois vós?''. Nele, o poeta se debate na luta entre os impulsos da carne e da cobiça e, em oposição, os apelos da culpa e da castidade emitidos pelo espírito; e se tortura em versos desesperançados como estes: ''Bem sei, Senhor Meu Deus, que melhor sorte/ Fora findar a espécie pela morte/ No horror sem fim do caos!''. Vinicius, o fatalista, enfrenta a luta, mas de antemão já a dá por perdida. Num monólogo dirigido ao Cristo, o poeta desespera e lamenta que nem a passagem de um Deus encarnado pelo planeta tenha servido para afastar o homem do ódio, do crime e do pecado. Vê o mundo desabar diante de si e, o choque transformado em pavor, implora a Deus, em nome da humanidade, por uma se-

FALSA OPÇÃO

Ao se formar em direito, no Catete, o poeta já sabia que seu destino não estava nos tribunais. A faculdade serviu, somente, para afiar sua alma.

gunda chance: ''O século vos chama, ó Deus clemente/ No caos que impera, como que ele sente/ A hecatombe final!''. Prossegue, cada vez mais grandiloqüente: ''Tudo é apatia, tudo. O movimento/ Cessou na angústia horrível do momento/ Parou na convulsão!''.

De posse desse diagnóstico sombrio a respeito do destino do homem — que não combina, de modo algum, com o rapaz musculoso que coleciona namoradas, compõe foxtrotes, se embriaga com amigos em bares da Lapa e pratica esportes agressivos —, Vinicius procura reagir e faz um enfático e viril apelo final: ''Escutai, Senhor Deus, a imensa grita/ Da humanidade sofredora e aflita/ Que morre no pavor!/ — Dai-lhe a morte no campo de batalha/ — Dai-lhe sangue vermelho por mortalha/ — Dai-lhe a guerra, Senhor!''. Ao poeta se sobrepõe, aqui, o rapaz brigão que investe parte de suas esperanças políticas no integralismo e no fascismo; e que pretende usar a religião como instrumento de luta — não importa se contra a ação do demônio expressa nos apelos da carne ou contra a ''decadência burguesa'' contida na fraqueza e na apatia — para virilizar a humanidade.

Ao contrário, nos poemas de homenagem o que emerge, antes de tudo, é um Vinicius doce e embriagado pelos afetos, que escreve para seduzir. É verdade que, ainda aqui, a tristeza e uma morbidez suave não o abandonam. Leia-se, por exemplo, o soneto dedicado a Marlene Dietrich:

Iria ver-te sempre — e te diria
Do mistério que tens na carne clara
Depois te beijaria a boca rara
Num beijo triste como uma agonia.

Ficaria — o olhar morto, a fala
avara
Vendo-te nua, à luz do novo dia
Iria a ti e alegre choraria
Nesse pranto sem fim que nunca
pára.

Com teus lábios meu pranto
enxugarias
E para consolar-me contarias
Um qualquer e inocente
estratagema

E eu me riria tolo e satisfeito,
Mas... sou um estudante de
Direito
E tu... és uma artista de Cinema.

Nesse soneto à atriz e cantora berlinense, que a essa altura já se consagrou, ao lado de Emil Jannings, o grande galã do cinema mudo dos anos 20, como o anjo sedutor de *The blue angel*, ela se torna simultaneamente objeto de cobiça e motivo de desilusão. Musa impossível, que deve ser adorada à distância pelo tolo estudante do Catete, um jovem perdido em suas divagações egoístas e pequenos sonhos burgueses, Marlene simboliza, agora com roupagem hollywoodiana, a mulher ideal e intocada que, alguns anos antes, no Santo Inácio, era encarnada pela Virgem Maria. O congregado mariano ainda não morreu, apenas trocou o endereço do paraíso de Roma para Los Angeles. Nas homenagens mais íntimas aos amigos, Vinicius deixa escorrer, de modo ainda mais explícito, a angústia ingênua que o assalta.

Ainda dominado pelos dilemas metafísicos que o imobilizam desde a temporada no inferno com os jesuítas, o jovem Vinicius — agora mais politizado pela convivência com os colegas de faculdade e mais autoconfiante — dá um segundo nome a Satã: ele agora é o "burguês", um ser desprezível e narcisista que não habita apenas as instâncias tenebrosas do inferno mas que sobrevive — incógnito — no interior de cada homem. Octavio de Faria, sem que o poeta precise saber disso, é novamente o demiurgo que modela e manipula a alma alheia como um baralho de cartas. E o jovem Vinicius, seu objeto de adoração preferido. O catolicismo renovado, que Octavio adota como norma de vida e transfere a Vinicius como legado precoce, transforma a luta entre o Bem e o Mal numa batalha íntima, travada à meia-luz, nos bastidores da mente e do coração. Luta sangrenta — que logo começa a se alastrar, também, pelo mundo exterior — na qual cada homem está sozinho diante de sua consciência e em que resta, como último recurso, a vigilância zelosa dos amigos.

Nessa época, Vinicius escreve pelo menos dois sonetos em que esse cenário aparece com clareza: ''Mário'', a Mário Vieira de Mello, e ''José'', a José Arthur da Frota Moreira. Vale aqui comparar os dois tercetos finais. ''Mário'' termina assim: ''E às vezes, Carnaval, cai na folia/ E passeia porrado pela orgia/ Sob o signo pagão do deus Mammon''. ''José'', por sua vez, tem o seguinte fecho: ''Antes ir os cinemas percorrendo/ Namorando, sofrendo, andando e lendo/ Colocado entre Deus e entre Mammon''. A figura de Mammon, símbolo de um poder demoníaco que submete o homem e é incompatível com o amor a Deus, aparece tanto em Lucas (''o injusto e iníquo Mammon''), como no Talmude. Em Mammon, a perversidade está sempre associada ao modo malvado como se adquire, se aumenta e se emprega a riqueza. Mammon, portanto, é o deus ''burguês'' que Vinicius, numa salada conceitual que mescla teses do cristianismo com versículos de sociologia, pretende agora desafiar. A luta se torna, entretanto, um exercício doloroso de introversão, porque Mammon não paira em algum lugar do infinito, mas tem a alma do poeta como morada.

5

As longas sessões de estudo e meditação que Octavio e Vinicius passam juntos no sítio de Campo Belo criam o cenário propício para uma aproximação. Sempre sob o olhar vigilante de amigos do Catete como Mário Vieira de Mello e Almir de Castro, o apaixonado Octavio não tem espaço para expor claramente o que sente. Nem seria de seu temperamento, que é sempre extremamente reservado. Estamos, além disso, nos anos 30, distantes ainda três décadas da Revolução Sexual. Octavio deve engolir em seco seus sentimentos. Sublimá-los sob a capa da amizade profunda, do companheirismo desinteressado, do papel de irmão mais velho que serve a Vinicius como mestre.

Mas a paixão está viva. Aqui também é preciso, para clarear melhor essas afirmações, dar um outro salto no tempo. Octavio de Faria entrou para a história da literatura brasileira como o autor do monumental *A tragédia burguesa*, conjunto de quinze romances entrelaçados, à moda de Proust, que começou a escrever em 1932 e só deu por encerrado em 1978, dois anos antes de morrer. Por 53 anos, dois dos romances que compõem esse imenso painel literário permaneceram inéditos: o oitavo, batizado *Atração* ou *Os malditos — I*, e o décimo, denominado *A montanheta* ou *Os malditos — II*. Só foram, finalmente, incorporados a *A tragédia burguesa* em 1985, quando a editora Pallas, em convênio com o Instituto Nacional do Livro (INL), lançou uma edição da obra em quatro volumes, num total de 4500 páginas em letras miúdas.

Não se tratou de um ato de censura, mas de autocensura. Octavio de Faria escreveu *Atração* entre 1932 — mesmo ano, portanto, da longa e definitiva carta a Vinicius de Moraes — e 1937. Guardou-o a sete chaves por quase duas décadas. Em fins dos anos 50, decidiu publicá-lo. Quando os originais já estavam no prelo da editora José Olympio, um grupo de amigos, comandados pelo crítico literário João Etienne Filho, demoveu-o da idéia. Pagou uma pesada indenização à editora, mas recuperou o livro como peça de sua estrita privacidade.

O que há de tão terrível e constrangedor em *Atração*? *A tragédia burguesa*, obra escrita segundo uma ótica e uma moral absolutamente maniqueístas, tem duas personagens-chave. Branco Barros, para cuja construção Octavio — sem qualquer preocupação com a modéstia — se inspirou basicamente em si mesmo, representa o Bem. Pedro Borges, espécie de anti-Octavio, é o representante do Mal. O maniqueísmo é tão forte e esquemático que, antes de ser batizado Pedro Borges, o romancista o chamava de Preto Borges... A prova está nas páginas dos dezessete cadernos manuscritos do *Diário* de Octavio de Faria, que o escritor legou ao advogado e amigo Ariovaldo Miranda Dumiense com a instrução expressa de que fossem queimados. Ariovaldo, um Max Brod à brasileira, preferiu, felizmente, não respeitar o desejo do romancista. Pacientemente, vem datilografando há seis anos o longo *Diário*, sem saber ainda que destino lhe dar.

Há uma terceira personagem importante na *Tragédia*: Ivo Freitas, que representa o lado mais humano, mais íntimo e, por que não, mais animal do autor. Octavio de Faria seria a soma de Branco Barros — sua persona, sua face pública — mais Ivo Freitas — seu lado obscuro e carnal. Há, por fim, uma quarta personagem-chave, Roberto Dutra, o protagonista de *Atração* e de *A montanheta*, sobre quem recai a parte mais intolerável e mais grave: a do amor homossexual. *Atração* é, em essência, o relato dos conflitos em que Roberto Dutra se vê afogado quando descobre seu desejo sexual por outros homens. Desejo não enfrentado e mal resolvido, já que, no capítulo final, Roberto, cedendo à confusão e ao medo, se casa com uma mulher. Quando Octavio de Faria decidiu não publicar *Atração*, esse capítulo final foi transposto para o romance seguinte, *O retrato da morte*, transformando-se em sua abertura. *A montanheta*, por sua vez, é a trágica história da lua-de-mel de Roberto Dutra com sua mulher Silvinha. O casal se refugia em um sítio chamado A Montanheta para viver seu amor. Lá, porém, Roberto depara com o caseiro Ivan, um homem rude e desonesto por quem se apaixona perdidamente. O romance é a história do triângulo Roberto—Silvinha—Ivan, charada amorosa sem saída que termina com o suicídio de Roberto.

O recatado Octavio de Faria, sem perceber, deixou escapar o que parece o principal: o romance *Mundos mortos*, que abre *A tragédia burguesa*. Peça essencial, aqui, para a compreensão de sua paixão desmedida por Vinicius. E para uma reflexão sobre o modo como esse amor — que o poeta não entendeu como tal, tomando o fogo da paixão como manifestação enfática de mestria — marcou a formação de Vinicius de Moraes. *Mundos mortos* é não apenas a história, mas um verdadeiro hino em louvor à personagem Carlos Eduardo Freitas, irmão de Ivo Freitas — o Octavio obscuro. Carlos Eduardo é, seguramente, a única personagem absolutamente imaculada, perto da perfeição, ao longo de toda a *Tragédia*. Seus colegas, embevecidos, o chamam de "o Anjo". Pois bem: Carlos Eduardo, parecem não restar dúvidas, "é" Vinicius. *Mundos mortos* relata a história do amor que Roberto Dutra nutre, secretamente, por ele. Roberto tem quinze anos, Carlos Eduardo tem treze. O discreto Octavio usa, portanto, dois disfarces: coloca seu amor na pele de Roberto Dutra e recua a ação em uma década. As duas personagens estudam no mesmo colégio — Octavio e Vinicius, na mesma faculdade. Roberto e Carlos Eduardo, ao contrário de Octavio e Vinicius, não são amigos. Seu encontro mais íntimo se dá numa partida decisiva de um campeonato escolar de pingue-pongue, em que Roberto, muito mais esperto, massacra seu amor. Um pano de fundo ingênuo, quase pueril, atenua os rigores da paixão.

No desfecho de *Mundos mortos*, Carlos Eduardo — que promete, durante todo o romance, transformar-se na personagem central de *A tragédia burguesa* — tem um destino improvável e inesperado: vai atravessar a avenida Rio Branco, no centro do Rio, e é atropelado por um táxi. Está agonizando esticado no asfalto quando, como que surgido do nada, aparece Pedro Borges, o protagonista que na *Tragédia* representa o Mal. É Pedro quem sustenta sua cabeça nos minutos finais e o vê expirar. A morte estúpida de Carlos Eduardo e essa aparição supostamente acidental de Pedro no posto de anjo anunciador é sintomática: enquanto escreve *Mundos mortos*, Octavio de Faria vê sua relação com Vinicius de Moraes desabar. O desfecho do romance, pode-se facilmente perceber, é a sombra de um outro desenlace: o da relação profunda entre o autor e o poeta. A essa altura, é possível conjeturar sem grande margem de erro, o jovem Vinicius já não pode mais deixar de perceber o tipo de sentimentos que Octavio de Faria alimenta a seu respeito. É claro, se apavora. E — decepcionado — rompe com o mestre, por quem passa a se sentir manipulado e traído. Não será por outra razão que, no último verso do soneto "Octavio" (não confundir com o "Soneto a Octavio de Faria", escrito em 1939, em Oxford, e publicado em *Poemas, sonetos e baladas*, livro de 46), Vinicius escreverá: "Quanto livro a escrever ainda teria/ O ditador Octavio de Faria/ Sob o signo cristão na Nova Igreja...". Dois aspectos aqui se destacam: o uso do futuro do pretérito do indicativo — teria — aponta para um futuro que agora está rompido, isto é, que não irá mais se realizar; para algo, portanto, que já morreu. O substantivo *ditador*, que no manuscrito original aparece sobreposto a outra palavra rabiscada com força e por isso ilegível, indica sem margem para dúvidas os sentimentos de revolta que o poeta nutre, agora, pelo antigo mestre. Infelizmente, o original não está datado.

6

Octavio de Faria fez questão de dar sumiço, antes de morrer, em todas as cartas que recebeu de Vinicius. Suas cartas ao poeta, hoje guardadas no acervo da Fundação Casa de Rui Barbosa, no Rio, transformam-se assim num longo monólogo. Entre elas, a mais preciosa é, sem dúvida, a ''Carta de 1932''. O tema do ''burguês'' — e da necessidade da luta contra aquele ''burguês'' que os rapazes do Catete enxergam como uma face sinistra da alma dentro de cada ser humano — é a chave dessa carta. Manuscrita em letra elegante ao longo de cinqüenta páginas de papel branco, ela é uma resposta aos comentários feitos por Vinicius de Moraes aos primeiros escritos — ainda dispersos — de *A tragédia burguesa*, batizados por Octavio, na época, de *Morte de um burguês*. E inspirados, secretamente, no próprio Vinicius.

Octavio começa reclamando da timidez do poeta, que falou o tempo todo do amigo e não de si mesmo, ''como (não é mágoa) era natural e como eu realmente esperava e desejava''. Prossegue, sem qualquer pudor, com suas queixas: ''Mais do que a sua opinião me interessava no caso a reação que o livro conseguisse provocar em você. Isto é, mais do que o que você achasse (opinião), o que você sentisse (reação)''. Octavio está claramente mais interessado em Vinicius que em seu próprio livro — que serve apenas como pretexto para uma aproximação, como um álibi para que o poeta destranque os fechos da clausura espiritual em que se isola e, por fim, fale de si. Um pedido evidente de entrega. Continua suas reclamações: ''Sua carta me deu a impressão de que você estava me fazendo um favor [...]: o de falar de coisas minhas sem quase se meter no meio''. E finaliza suas queixas: ''Direi que a achei muito bonita e muito inteligente e pouco abandonada e pouco amiga''. Para, insinuante, arrematar: ''Mas deixemos esse adjetivo perigoso...''. Há, portanto, um risco a ser enfrentado, um apelo perigoso que Vinicius evita. Um limite que Octavio deseja ultrapassar e do qual o poeta deseja fugir. Um desencontro que tortura o romancista e o faz escrever, num desabafo, a imensa carta.

Por detrás do tema do ''burguês'', que domina não só o livro de Octavio, mas toda a ''Carta de 1932'', ressalta — como chave do enigma que os dois não ousam tocar — o tema do prazer. *Morte de um burguês*, explica seu autor, fala de um homem que "veio morrendo — morrendo à vida burguesa, a essa vida vulgar de satisfação com um certo número de prazeres e de comodidades". Vinicius protesta, argumentando que Octavio jamais foi um burguês; e que o livro parte, em conseqüência, de hipóteses irreais. Octavio contra-ataca: "A sua idéia de que eu nunca tenha sido burguês é muito generosa, mas não é exata. Foi a vida que matou em mim o burguês que queria viver bem-conceituado e situado". Chega a revelar: "Tive na infância o sonho confessado de querer ser juiz do Supremo e o inconfessado de ser presidente da República". Esse burguês, porém, entrou em agonia: "Quando você me conheceu já o burguês agonizava velozmente", diz o romancista. Para ele, o burguês só morre pelo esforço individual e pelo sofrimento. Escandaliza-se, portanto, quando Vinicius o julga um iluminado inato. E procura comprometer o poeta com sua metamorfose. Não perde a chance de atribuir um lugar especial a Vinicius em sua luta contra o burguês que o habitava: "Você o ajudou tanto a morrer que eu não sei mesmo como lhe explicar". Revela-se e, ato contínuo, seduz. O elogio pode ser prazeroso, mas é também massacrante.

Vinicius diz que, se há a morte do burguês, há sua substituição por um "aristocrata de espírito". Octavio não concorda e, como prova, apresenta um soneto assinado pelo próprio Vinicius de Moraes. "Revolta", o sexto poema de *O caminho para a distância*, guarda alguns dos mais belos versos que Vinicius de Moraes escreveu. E é, talvez, aquele que reflete mais abertamente a luta entre os apelos da carne e as razões do espírito que atormentam o jovem poeta durante esse tempo que, mais tarde, será visto como sua "fase metafísica". Vale a pena relembrá-lo:

Alma que sofres pavorosamente
A dor de seres privilegiada
Abandona o teu pranto, sê contente
Antes que o horror da solidão te invada.

Deixa que a vida te possua ardente
Ó alma supremamente desgraçada.
Abandona, águia, a inóspita morada
Vem rastejar no chão como a serpente.

De que te vale o espaço se te cansa?
Quanto mais sobes mais o espaço avança...
Desce ao chão, águia audaz, que a noite é fria.

Volta, ó alma, ao lugar de onde partiste
O mundo é bom, o espaço é muito triste...
Talvez tu possas ser feliz um dia.

''Revolta'' é um poema-limite entre o poeta metafísico, imerso em um mundo decorado por anjos sinistros e espíritos severos, e o poeta do chão acossado pela imagem de mulheres ardentes e de paixões avassaladoras. Aqui, pela primeira vez, ainda que na forma de versos, as coisas do alto sucumbem diante da força irresistível das coisas do chão. A solução do conflito — que passará não pela morte do ''burguês'', como o jovem Vinicius parece julgar, mas pela ''morte'' do grande pai representado por Octavio de Faria — ainda está distante; mas o poeta já consegue vislumbrar o seu perfil. Consegue antever uma saída. O protótipo dessa libertação está naquela experiência extrema que ele, ainda tomado pela culpa e pelo espectro do pecado, denomina — numa linguagem bíblica, que iguala a vida concreta ao fogo dos infernos — ''o rastejar da serpente''.

Octavio de Faria não esconde seu ceticismo quanto à eficácia dessa opção pela experiência mundana. ''Se não me engano alguns dias depois você fazia a experiência do 'rastejar da serpente' e, não podendo se aclimatar, fugia para Itatiaia para viver alguns poucos dias do que eu creio que se pode chamar, sem exagerar: a vida pelo espírito'', aponta, como um pai rabugento a repreender seu filho. Octavio, nesse ponto, é severo e até rude. Detecta com precisão o conflito em que o poeta se afoga e, sem meias palavras, procura manejar as peças do embate a seu favor. Prega uma ética do esforço e da esperança, um lento e doloroso processo de aproximação ao futuro ideal sintetizado na idéia de uma aristocracia espiritual. E, no rastro do pensamento do filósofo francês Henri Bergson — um cavaleiro da metafísica contra a hegemonia do kantismo e do positivismo, que está então no esplendor espiritual de seus 73 anos —, pensa que não são todos os homens que são livres, mas apenas alguns.

A batalha intelectual entre os dois amigos se trava no seguinte ponto: Vinicius, onipotente, quer crer que ambos já galgaram o topo da aristocracia do espírito e que ''burgueses'', agora, são os outros; Octavio, ao contrário, defende a idéia de que o homem não é livre para se libertar da carne quando quer, e que, por isso, deve admitir que a luta contra os apelos da carne é uma luta sem fim. Uma batalha interminável. Diz, expressamente: ''Ora, me parece que você vê um homem terrivelmente livre, tão livre que eu não sei onde você o encontrou. Tão livre que já me parece um homem já libertado da carne. Eu não conheço esse homem...''. A carne, para o romancista, é um destino do qual o homem não pode se libertar. Deus entregou o homem a ela sem lhe dar, em contrapartida, qualquer chance de se defender. ''Deus lançou os homens no mundo com essa carga. Deu-lhes pouca capacidade de serem livres para a força prodigiosa de instinto sexual que pôs no homem. Entregou-o à carne sem defesa possível'', diz. A única defesa que resta ao homem contra os apelos da carne é o embrutecimento, o ''fazer sem pensar''. Octavio sintetiza: ''Para o comum dos homens, a prática da carne não é sofrimento, ou caminho de aperfeiçoamento. É fraqueza, é hábito, é não-resistência a uma ocasião que se oferece ou a uma vontade que dá''. Prossegue: ''Um pouco de vergonha depois e a recordação do prazer para agir na próxima ocasião. É inútil querer ver aperfeiçoamento nisso''.

Aqueles que aspiram à aristocracia do espírito formam uma elite, corajosa, que ao contrário se dispõe à luta. Octavio pensa que essa luta deve se basear em dois pontos: a aceitação do destino trágico inerente ao ser humano e a clareza de propósitos e de estratégias. Protesta, então, contra as posições ambíguas de Vinicius — um rapaz que ora escreve ''Revolta'' e, com isso, opta pela entrega ao ''rastejar da serpente'', ora se refugia no sítio de Octavio, em Itatiaia, em busca de sessões de purificação. ''Ninguém se contradiz mais do que você nesse terreno'', lamenta. ''Sua posição diante de certos problemas — especialmente desse que nos preocupa — é para mim quase um mistério.'' Ironiza o poeta ao lembrar que ele, ora grita aos quatro ventos que sua religião é a carne, ora se nega a acompanhar os amigos nas matinês dos shows de revista ''para não se sujar''. Melhor do que ninguém, Octavio de Faria fisga o drama interior do jovem Vinicius, destrincha-o com lucidez quase cruel e põe o rapaz, à força, diante do espelho. Acusa-o de pregar uma coisa e viver outra. Portanto, de dissimular e de mentir. E se diz atingido diretamente por essa ambigüidade: ''A confusão que sua instabilidade moral provoca em mim é terrível'', reclama. Teme que os paradoxos que Vinicius faz questão de exibir sejam, apenas, disfarces para encobrir a ironia e a falsidade. Sente-se inseguro: ''Por vezes tive a impressão de que certas coisas você dizia para caçoar depois de eu ter levado a sério'', confessa. Atordoado pela paixão que deposita no poeta, sente-se acuado e até mesmo manipulado. Apesar disso, promete não incomodar o rapaz com novas cobranças e lamentações: ''Dificilmente você me verá fazer de novo uma daquelas reclamações que tanto deviam lhe ter apoquentado em outros tempos''.

Mas não abre mão do papel de psicólogo, nem perde a chance de manipular a seu modo a carga de afetos e de ideais que Vinicius deposita em sua pessoa — como um neurótico em transferência com seu psicanalista. Psicólogo, pai, irmão mais velho, herói. Octavio de Faria tem plena consciência dos papéis que representa na vida do amigo — com a mesma paixão obtida por um grande ator em sua cena. Aproveita, então, para atuar nos espaços que lhe são destinados. Para ''analisar'' o jovem Vinicius, vai buscar, novamente, o apoio de Henri Bergson, e em particular de sua ''Lei do duplo frenesi''. Segundo ela, as sociedades progridem condicionadas a dois estados diametralmente opostos: o ''frenesi espiritual'' e o ''frenesi materialista''. Desculpa-se por exibir erudição: ''Perdoe-me a citação de Bergson, mas o seu 'caso' me parece tão esse que não pude resistir''. O ''dr.'' Octavio admite que, muitas vezes, só se progride quando se consegue ir ao extremo, isto é, ao estado ondulante do frenesi, em que se salta de uma fronteira a outra. Ao seu olhar, entretanto, Vinicius tem a ousadia de subverter a eficácia dessa lei bergsoniana. ''Por mais que você fale de 'caminho de libertação' e até de 'movimento para cima — para a libertação', eu não consigo ver na sua vida sexual senão movimento para baixo, fuga à libertação'', diagnostica. Octavio protesta argumentando que, para o poeta, conhecer uma mulher não é viver o encontro de duas pessoas aperfeiçoadas no sofrimento — mas ''apenas'' um prazer imenso. Já não se controla e escreve, agora, no estilo de um pastor que redige seu sermão: ''Você se atira para ter prazer. Lambuza-se, suja-se, arrasta-se durante alguns dias como a tal serpente de 'Revolta' — e vem, então, a reação, o 'frenesi' do espírito que você humilhou e renegou, o horror da carne que, por menos que você o confesse, não pode deixar de sentir como qualquer criatura superior''.

Vinicius diz sempre a Octavio que almeja elevar, espiritualizar o sexo; Octavio o denuncia como um mentiroso e rebate dizendo que, na verdade, o poeta não consegue enfrentar as crises de serpentismo que, volta e meia, o assaltam. E que, depois, se justifica tentando enobrecer a vida sexual. Octavio de Faria é ortodoxo: para ele, o progresso espiritual vem da reação ao sexo, de seu aniquilamento, e não da espiritualização do sexo, de sua elevação, como Vinicius pretende fazer. Sempre dentro da perspectiva dualista de Bergson, que opõe o espírito à matéria, Octavio afirma que o poeta ainda não sabe o que é o sexo: ''Tenho a impressão de que você ainda não viveu o que tem de viver nesse terreno''. E ameaça, sem controlar a ironia: ''A sua grande luta vai ser quando você tiver a carne à mão (se não lhe repugna a expressão) — essa amante a que você tanto aspira''. Fuzila: ''Aí é que vamos ver qual é o frenesi que vence''. Vai mais longe: suspeita dos sentimentos que o poeta nutre pelas mulheres e diz não poder imaginar qual será a atitude de Vinicius diante de um grande amor. E, muito menos, diante de uma paixão. ''Sua recusa diante do amor, se não viesse de quem vem, eu a classificaria de vulgaridade sentimental'', analisa. ''Sei que você não é isso — e é por isso que não o compreendo bem nesse ponto.''

Fica claro, aqui, que Octavio pede a Vinicius, em essência, uma coisa: que se arrisque no amor, que corra o risco radical de uma paixão, que se entregue — ou admita de vez que não está preparado para esses sentimentos extremos. Acusa o amigo de se fechar em si mesmo. ''Você se fecha, se defende a qualquer abertura maior, a qualquer sentimento que venha nesse sentido.'' E amplia o espectro de suas acusações, extrapolando o papel de psicólogo e tomando ares de crítico literário: ''Até sua poesia se ressente disso''. Para concluir, ameaçador: ''Sua grandeza futura, não só poética, como grandeza de alma, me parece que depende essencialmente dessa vitória sobre seu egoísmo ou, muito melhor ainda, sobre o seu indiferentismo geral diante da vida''. O tiro, agora, é fatal, pois Octavio põe em xeque a vida do amigo como um todo, devassa toda a sua intimidade, colocando-o — sem qualquer cerimônia — contra a parede.

O ''dr.'' Octavio volta, por fim, a tomar ares freudianos e se põe a analisar um ato falho do poeta: o fato de ele ter comentado, em sua carta, cada um dos capítulos de *Morte de um burguês* em particular, mas saltando aquele capítulo batizado ''O pecado contra a carne''. Ironiza: ''Esquecimento, simplesmente?''. Quase podemos ouvir seu risinho inconfundível ao fundo... E, em relação ao capítulo batizado ''Notas sobre a amizade'', volta a ironizar: diz que Vinicius a ele se refere com uma frase ''cujo sentido me escapou''. E, mordaz, desconversa: ''Mas não convém mexer nisso''.

Octavio, por fim, se confessa por longas páginas discorrendo sobre seus conflitos espirituais, seu desejo mas também seu receio de mostrar *Morte de um burguês* a Tristão de Athayde — com quem terá, ao longo da vida, uma relação pontuada por admiração e conflito — e chega, por fim, a uma ousada tese em que defende a aproximação de Deus pela negação de Deus, isto é, pela blasfêmia. ''A blasfêmia, para mim, é melhor que a ausência de Deus — ou a ausência de preocupação de Deus'', expressa. Em outras palavras: o ódio é superior à indiferença. Octavio de Faria, agora, fala de Deus; mas é bom lembrar que, ao longo de toda a carta, sua maior reclamação é a respeito do formalismo e da indiferença de Vinicius. O que está, de fato, dizendo? Pode-se especular que ele também talvez prefira o ódio de Vinicius à indiferença de Vinicius — e é significativo verificar como, sem perceber, ele se coloca aqui no lugar destinado a Deus. Vinicius terá razão ao dizer, muitas décadas depois, que diante de Octavio se sentia como uma massa amorfa sendo moldada pelas mãos de seu criador...

A ''Carta de 1932'' termina com uma escrupulosa discussão a respeito da masturbação, que hoje soa risível. Dominado pela timidez, como se mexesse no caldeirão em que Satã assa seus condenados, Octavio de Faria escreve: ''Convém sobretudo abordar um assunto mais delicado para mim e para que peço não só toda a sua amizade, como todo o seu esquecimento (capacidade de esquecer, digamos, mais compreensivelmente)''. Ele se refere ao capítulo batizado ''Senhor, eu chamarei'', dedicado à discussão do onanismo. Explica-se: ''É a luta pela libertação dessas desgraças ocasionais (sob a fórmula que os técnicos classificam como simulação do coito — uma vez que a prática masturbatória comum, desde o princípio, me tenha enojado ao ponto de nunca a ter usado) que 'Senhor, eu chamarei' procura''. Vinicius, em sua carta, sugere que nesse capítulo tudo está descrito muito claramente; teme que, com ele, o leitor entenda que Octavio faz a apologia do onanismo. Octavio divide essa dúvida com o poeta, mas teme que a supressão do capítulo, pura e simples, seja um ato de insinceridade. Difícil saber, aqui, qual dos dois age com mais escrúpulos e pruridos.

No desfecho, Octavio de Faria incentiva Vinicius de Moraes a terminar seu primeiro livro de poemas — *O caminho para a distância*, de 1933. Oferece gentilmente seus préstimos: ''Quer tentar? Você ditando e eu copiando à máquina, numas duas horas se faz tudo''. Desfia algumas críticas. Não gosta, por exemplo, do título dado ao poema ''Introspecção'' (''Nuvens lentas passavam/ Quando eu olhei o céu/ [...]''), que será o quarto do livro. Sugere títulos alternativos: ''Nuvens lentas passaram...'', ''Quando eu olhei o céu'', ou ''Dor da treva'', ou simplesmente ''Treva'', e se justifica: ''São todos da natureza: título sintético, e eu não gosto desse gênero de títulos para versos''. E, ampliando a crítica, aconselha: ''Nunca um título estranho ao poema como o que você arranjou e como costuma arranjar''.

Encerra a carta fazendo uma defesa veemente da sinceridade — o que é, novamente, um apelo para que Vinicius se confesse e se entregue. ''Eu só compreendo carta escrita com essa sinceridade'', determina, para logo em seguida ameaçar: ''Acho mesmo que, do contrário, não há o menor interesse em manter correspondência''. Desculpa-se: ''Não é que eu exija ou queira exigir de sua parte essa mesma sinceridade abandonada, mas é que de minha parte só sei escrever assim''. E finaliza com uma declaração: ''Vou entregá-la daqui a alguns minutos para não ter tempo de relê-la e para não ceder à tentação de fazer outra, menos impertinente e menos abandonada''.

Não podemos entender de outro modo: seu amor está declarado. Só Vinicius, fascinado pela grandeza do amigo e sem ter a coragem de conduzir seu pensamento para emoções que lhe causariam repulsa e horror, não pode entender isso. Dias depois, fazem uma viagem de volta, na carona de um caminhão, de Itatiaia ao Rio. Octavio está calado, fechado em si mesmo. Vinicius, distraído, divaga. Na descida da serra, o romancista — sufocado pela paixão que não tem forças para declarar — pensa, pela primeira vez, em suicídio. O abismo está à sua frente, chamando por ele. O caminhão desce, agora, a parte mais íngreme da serra. Num impulso, Octavio, que está sentado à janela, força a porta da cabine para se atirar. Alguma coisa prende a porta, que não cede. Vinicius o olha em pânico e o agarra pelos ombros. Octavio resiste um pouco, mas depois lança a cabeça para trás e fecha os olhos. Está encharcado de suor. Desiste. Decide aceitar que perdeu Vinicius. Ou melhor: que nunca o teve. Não trocam uma só palavra até chegarem ao Rio.

Octavio de Faria deixará como herança dessa longa introspecção — envolta por amor — em torno de Vinicius um livro, *Dois poetas*, publicado em 1935. Trata-se de um estudo paralelo entre as obras nascentes de Vinicius de Moraes e de Augusto Frederico Schmidt. É seu esforço derradeiro para submeter a paixão platônica aos freios da razão.

TATI

Ao encontrar Tati
(com Susana no colo),
Vinicius finalmente se depara
com um amor real.

P A R T E 3

O ESCÂNDALO DA CARNE

REDONDILHAS PRA TATI

Vinicius de Moraes

Sem ti vivo triste e só
(Bastasse o que já sofri...)
Sem ti sou ermo, sou pó
Sou tristeza por aí...
Sem ti... ah, dizer-te a ti!
Mas se me cerra o gogó
Como se tivesse aqui
Um naco de pão-de-ló!
Sem ti sou pena de Job
Sou ovo de juriti
Sem ti sou carandaí
Tamandaré, Mossoró
Sem ti sou um qüiproquó
Um oh, um charivari
Sem ti, sou de fazer dó
Sou de fazer dó-ré-mi
Meu benzinho de totó
Meu amor de tatuí.

* * *

Mas sou forte, não reclamo
Sou bravo como Peri
— Não, mulher, já não te amo!
(É brincadeira, hem, Tati...)
Tati, Tatuca, Tatica
Onde ficou minha tática
Perdi toda a velha prática...
Esta vida é uma titica.
Ah, garota, francamente
Nem sei mais o que pensar
És tu que estás tão presente

Ou eu que fui me casar?
Não posso, Tati, te juro
Não posso viver sem ti
Tu és meu cantinho escuro
Meu verso por descobrir
És meu eterno oxalá
Em terra de alibibi
És meu trecho de Zola
Repassado por Delly
És Totonha, Tatiana
Tereza, e nunca Tati
És extrato de lavanda
Rotulado por Coty
Beatriz?... mas quem és tu
Para Dante abandonar?
Sereis um merci bocu
De praga de pai Exu
Para cima de moá?

* * *

Não! Tu és como o penedo
E eu... como a onda do mar
És a sombra do arvoredo
E eu... pastor a descansar
Sou o ouvido, és o segredo
És a luta, eu sou a paz
És Beatriz Azevedo
E eu Vinicius de Moraes.

1

Contrariando o destino trágico vaticinado por Octavio de Faria em *Mundos mortos*, Vinicius de Moraes desce, finalmente, ao chão para praticar, em sua plenitude, sua doce vida de serpente. Anos mais tarde, relembrando esse desfecho, dirá: "Fui salvo pela mulher". Não há dúvida que sim. Com a entrada da mulher em cena, agora não mais como um ser ideal e inatingível, mas como um ser de carne, osso e coração, começa a nascer o grande poeta brasileiro do amor. Para ser mais exato: poeta da paixão. A diferença pode parecer supérflua, mas é essencial. A paixão não é apenas o princípio do amor, ou o amor em sua forma mais intensa, ou ainda o amor quando ele se aproxima da cegueira e até da loucura. A paixão é amor, mas é também sofrimento. Os alemães têm um substantivo perfeito para defini-la: *Leidenschaft*. Tem duplo significado: "paixão" e "sofrimento". A língua alemã, com seu jogo de nuances, também passa a ser o melhor veículo para revelar, com acuidade, a face dupla daquela outra musa que atormentará a vida de Vinicius de Moraes até o fim: a poesia. *Dichtung*, em alemão, significa "poesia", mas significa também "compressão". Paixão e sofrimento, poesia e compressão: a língua revela que, na vida, nada é de graça.

O poeta sabe aceitar esse paradoxo. E está disposto a pagar seu preço. O amor e a poesia em Vinicius são, desde o princípio, drama. Território do conflito, da luta íntima, da exasperação. Só bem mais tarde, quando ele se tornar o poeta-chefe da Bossa Nova, a paixão se atenuará num gênero de sensualismo. Seus críticos mais severos apontarão, então, a renúncia à transcendência e à erudição como prova indiscutível da "decadência" do poeta. Como se a paixão, essa escalada íngreme através dos dispositivos mais secretos da alma, devesse conduzir sempre, como nas tragédias, a um destino traiçoeiro. Nunca, como se dá com Vinicius, e nos termos que ele mesmo estabelecerá numa definição certeira, à "calma no seio da paixão". Até lá, ele será o poeta do duplo. Agora, porém, a mulher não está mais encoberta pela cortina do espírito. A carne se sobrepõe à alma — que passa a ser, então, o sopro que faz o humano se mover. Com a entrada da música em cena, a partir da Bossa Nova, só então se entregará plenamente à orgia da carne.

O poeta ainda tem que viver muito para chegar a esse destino. Tentemos, aqui, acompanhá-lo em sua escalada rumo à plenitude do amor carnal — quando por fim se livra de um mundo decorado por musas sensuais e damas intrigantes mas gélidas. Em 1936, aos 23 anos, Vinicius de Moraes conhece Manuel Bandeira — homem que se tornará uma figura-chave em sua vida. Encontram-se, casualmente, na casa de Afrânio de Mello Franco. Vinicius está na varanda, durante uma reunião social, observando uma lagartixa que desce pela parede. Agacha-se para examiná-la melhor. Bandeira entra e intriga-se com aquele rapaz ali acocorado, os olhos fixos na cerâmica que recobre a varanda, como se olhasse o nada. ''O que você está vendo de tão interessante aí?'', Bandeira pergunta, sem esconder o ar debochado e esperando, no mínimo, uma piada como resposta. ''Uma lagartixa. Como as lagartixas são esquisitas'', diz, sem se voltar para Bandeira. Passam a discutir, acaloradamente, a respeito da estranheza do réptil que, agora, se esconde sob um imenso vaso. Tornam-se amigos. Bandeira o carregará, mais tarde, para outras aventuras ao rés do chão. Atravessarão noites a fio circulando pela Lapa, recitando versos marotos sobre os night-clubs e as prostitutas, irmanados na descoberta das pequenas coisas do mundo real. Bandeira se torna o ''poeta, pai, áspero irmão'', a quem ele se referirá ao longo da vida com uma mistura de reverência e orgulho. Vinicius também o chamará de ''paizinho'', inaugurando com ele o gosto pelos diminutivos com que irá decorar, até a morte, seu amor pelos amigos.

Ainda não sabe bem que destino dar a sua vocação de escritor. Um último reflexo da influência de Octavio de Faria aparece quando Vinicius decide ser, ele também, um romancista. A paixão por Antonia não o levou a nada. Inspirado pela dor do amor impossível, o dramático Vinicius se põe a escrever um romance, do gênero confessional, batizado *Antonia*. Sua primeira experiência em um estilo literário que lhe será, sempre, bastante adverso. Os originais chegam a ter cerca de trezentas páginas manuscritas. O rapaz os guarda a sete chaves, em seu quarto de solteiro, como se fossem uma confissão de culpa e não uma peça de literatura. Ninguém o lê. Quando rompe o namoro com Antonia, desiste do romance — prova de que os dois eram, para ele, uma só coisa. Guardará esses originais, secretamente, por quase uma década. Em meados dos anos 40, Vinicius encontra o romance no fundo de uma gaveta e começa, desanimado, a ler. Tem a pior das impressões. Vai ao banheiro, espalha as páginas pela pia e acende um fósforo.

Antonia é, apesar do namoro fracassado e do romance infeliz, uma experiência decisiva. Mas ainda falta o centro de tudo: aquela que será, de fato, sua primeira mulher. Numa tarde do ano de 1938, o primeiro grande amor faz sua aparição. Um Vinicius levemente desiludido, triste, chega para um drinque na casa do arquiteto e pintor Carlos Leão. Vem acompanhado pelo poeta Murilo Mendes — um homem de alma mágica, a quem Rubem Braga definiria depois como natural ''de Juiz de Fora e do mundo da lua'' — e pelo médico Pedro Nava, que muito mais tarde se fará também um grande escritor. O poeta está com 24 anos. Acaba de publicar *Novos poemas*, seu quarto livro, pela José Olympio, e se dedica, compulsivamente, a escrever sonetos. É um ano de grandes encontros. Dias antes, na casa de Augusto Frederico Schmidt, um poeta já consagrado sempre metido em seu par de calças folgadas que lhe emprestam a aparência de um balão, ele conhece Jayme Ovalle — poeta que nele deixará marcas profundas. Vinicius é um rapaz que cultiva o hábito de distribuir sua alma aos amigos. E que sabe escolher esses amigos. A generosidade apenas o engrandece.

Vinicius começa a sair cada vez mais de si. Amadurece. Carlos Leão, que é amigo de Cândido Portinari e se torna sócio de Oscar Niemeyer e de Lúcio Costa, faz da sua casa um ponto de encontro obrigatório de intelectuais e artistas. Terá grande influência sobre Vinicius. Trabalhou com o arquiteto suíço Le Corbusier, por quem o poeta é fascinado e em quem se inspirará para escrever o poema ''Azul e Branco'', poema em louvor do edifício do Ministério da Educação, no Rio, que se tornou célebre pela repetição — ao estilo modernista — dos versos ''Azul e Branco/ Azul e Branco/ Azul e Branco...''. Carlos Leão tem, ainda, uma bela casa de descanso no morro do Cavalão, em Niterói, em que o poeta passará pastosos fins de semana, e que irá lhe inspirar a ''Balada do Cavalão'', em que dirá: ''E a vida passa depressa/ No morro do Cavalão/ Entre tantas flores, tantas/ Flores tontas, parasitas/ Parasitas da nação''.

Vinicius chega à casa de Carlos Leão sempre meio tímido, e se instala num sofá, na companhia daqueles homens mais velhos e mais sábios. E, deixando-se embalar pela conversa, se perde em divagações. Agora se dá conta de que está diante de uma moça esperta chamada Beatriz Azevedo de Mello, a Tati, irmã mais nova de Ruth, a mulher do anfitrião. Tati, que mora em São Paulo, passa uns dias de férias com a irmã. Vinicius se encanta de imediato, mas se mantém discreto. Sabe esperar. Semanas depois, numa viagem a São Paulo, ele é convidado para uma das célebres macarronadas na casa de Cândido Portinari. Já munido de segundas intenções, aceita — e sugere ao dono da casa que chame Tati, uma moça que freqüenta com desembaraço os salões intelectuais paulistas e que não teve vergonha de lhe dizer, claramente, que não conhece seus poemas.

A essa época, Tati lê os modernistas — Oswald de Andrade, Mário de Andrade e Raul Bopp, que mais tarde a transformará em personagem de seu célebre *Cobra Norato*. Portinari, solidário, promove o encontro ''casual'', que levará o poeta aos braços de sua primeira grande paixão. Quando o pintor convida Tati para a arapuca e avisa que Vinicius estará presente, ela — com sua franqueza habitual — admite: ''Não conheço seus livros. Só conheço a assinatura dele, que aparece nos cartazes da censura apresentados antes dos filmes''. Mesmo que não goste de admitir isso, Vinicius ostenta a imagem pública de censor, posto em que trabalhou por um breve tempo no início de 1938, em substituição a Prudente de Moraes, Neto. Nesse período, não censurou um único filme. É um rapaz reservado e cheio de superstições. Freqüenta, às escondidas, o vidente armênio Sana Khan, que atende num consultório da Galeria Cruzeiro — e chegou, mais de uma vez, a ''ler'' o futuro de Getúlio Vargas. Sai sempre tonto com as visões indefinidas que Sana Khan tenta transmitir em seu português arranhado. Não sabe se crê ou não crê — mas volta.

Tati, que está noiva de um rapaz da alta burguesia paulista, tem uma paixão fulminante por Vinicius. É moça independente, que superou com força os mimos que a cercaram desde menina. A casa de seu pai é freqüentada pela intelectualidade paulista, que a enche de afagos e de presentes. Monteiro Lobato, um dos mais assíduos, é tão encantado por ela que chega a batizar uma personagem de seu *As reinações de narizinho*, um doce peixinho vermelho, de Tati. Foi mais longe: inspirou-se em Tati, mais precisamente em seu delicioso narizinho arrebitado — que ela, nos anos 50, destruirá com uma plástica de gosto duvidoso a que se submete nos Estados Unidos —, para compor sua Narizinho. Os pais, quando querem irritá-la, chegam a dizer: ''Essa menina nem parece nossa filha. Mais parece filha do Lobato...''. Essa menina rica, que estudou na Europa, nunca se deixou vencer pelas facilidades da vida. Desde cedo, zelosa de sua independência, se dedica a trabalhar como tradutora. Tem um ar levemente arrogante, usa com desembaraço expressões difíceis e até modernosas e, por mais que se esforce para isso, não perde os ares nobres que lhe foram passados pela formação requintada.

Contra a vontade de sua família, e já siderada pelo charme de Vinicius, ela rompe o noivado. Seus pais vêem o poeta como um rapaz perdido em sonhos improváveis, que trabalha meio vagamente como jornalista, nunca usou seu diploma de direito e tem uma vida sem rumo. Além de tudo, tem essa mania, que só poucos conseguem transformar em vocação: a poesia. Temem pelo futuro da filha, que nas mãos do noivo rejeitado parecia tão promissor. Vinicius, porém, se torna um poeta maduro, embora ainda se sinta hesitante diante de um figurão como Carlos Drummond de Andrade, a quem passa a invejar pelo tratamento especial que recebe do editor. Acha que José Olympio, que em 38 edita seus *Novos poemas*, no íntimo, não gosta do que ele escreve.

Sente-se leve e feliz sem a proteção pesada de Octavio de Faria, mas ainda não consegue manejar a vida com desembaraço. Para complicar as coisas, Vinicius recebe a primeira bolsa do Conselho Britânico dada a um brasileiro para estudar língua e literatura inglesa no Magdalen College, da Universidade de Oxford. Um presente, mas também um problema a mais. Logo chega o momento da partida para a Inglaterra. Tati não pode acompanhá-lo de imediato, pois precisa, primeiro, desmanchar em definitivo o noivado e, depois, se acertar com a família. O poeta viaja em agosto, a bordo do *Highland Patriot*, numa travessia lenta que lhe inspira poemas como "A estrelinha polar". Deixa, a contragosto, a bela Tati para trás. Os dois se casam por procuração e às escondidas, já que o Magdalen College, uma instituição erguida sobre o severo espírito inglês, só distribui bolsas para homens solteiros. A instituição, no mais rígido espírito machista, não gosta de mulheres atrapalhando.

O poeta passa momentos de difícil solidão. Vive com uma bolsa, bastante razoável, de mil libras, mas tem um tutor inflexível a quem deve apresentar, semanalmente, um ensaio literário. Algumas vezes, sufocado, sente-se não numa universidade de letras, mas num quartel literário em que Keats, Shelley, Eliot têm seus retratos dependurados nas paredes, ameaçadores como generais. Um de seus raros amigos é o inglês Reginald Maudling, quatro anos mais moço que ele, que também estuda em Oxford. Um rapaz aplicado, que trinta anos depois chegará ao posto de ministro de Estado.

No Natal de 1938, está sozinho em Paris. Sem alternativas, resolve atravessar a noite bebendo num bar de Montparnasse. Senta-se ao balcão, ao lado de um marinheiro também afundado na solidão e no álcool. Perde-se em divagações melancólicas. De repente, o imenso marujo se ergue da cadeira, joga a cabeça para trás e, num só golpe, engole todo o conteúdo de seu copo. Sai cambaleando, sem dar tempo aos outros homens, que como Vinicius ali destilam seu amargo Natal, de compreender o que se passa. Só o alcançam já do lado de fora do bar, caído em meio ao frio, o rosto voltado para o céu e os punhos fechados. Está morto. Vinicius, transtornado, deixa o bar em disparada — como se tentasse escapar do fantasma do marinheiro. Atravessa Montparnasse como um fugitivo, até que passa a ouvir, em tom rascante, o riso quase histérico de uma mulher.

O drama se transforma, subitamente, em jogo. O riso muda de direção, ora mais baixo, ora mais agudo. Parece se esconder dele, como um animal tentando se livrar da fúria de seu caçador. Por fim, o poeta depara com uma estranha mulher loura, vestida de preto da cabeça aos pés. Ela está embriagada e ri convulsivamente. Ao seu lado, oferecendo-se como um objeto, uma anã que lhe serve de muleta. Vinicius, num ímpeto, se abraça à dama de negro. Ela declara o seu nome, Carmaine, e os dois — enlaçados sabe-se lá por que forças — começam a chorar. Por fim, a mulher o larga e desaparece na noite.

O poeta relatará essa história aos amigos, anos mais tarde, como um emblema de sua aventura européia. Depois de uma juventude superprotegida por mestres categóricos e companheiros fiéis, Vinicius, como que num exercício de iniciação para a longa viagem sentimental que apenas inaugura com Tati, precisa atravessar primeiro a experiência radical da solidão. Aquela mulher triste e histérica a rir nas ladeiras de Montparnasse, e a transformar magicamente seu riso em choro, fica para ele como um retrato impreciso, mas inesquecível, dessa travessia. Agora, o poeta parece estar pronto para se entregar a sua primeira musa.

Pouco tempo depois, Tati sai de São Paulo meio fugida e desembarca na Inglaterra. Para evitar suspeitas, ela se instala em Londres, e não em Oxford, num minúsculo estúdio localizado no terceiro andar de um casarão do bairro de Chelsea. Vinicius passa seus fins de semana na capital e Tati, nos outros dias, dá escapadas até Oxford para se encontrar com ele. Para vê-la, o poeta foge de seu quarto de estudante saltando da janela até o telhado e dali improvisando canos e adornos da parede como degraus, o que fortalece a aura heróica e romântica que envolve o casamento. Foge duas ou três noites por semana para vê-la. Sai às pressas pelas vielas de Oxford, escolhendo as mais estreitas, em que os carros não transitam e em que, portanto, a audácia de seus perseguidores — pois acha sempre que há um batalhão de inspetores raivosos à sua caça — tem mais chance de fracassar. As portas da universidade se fecham, com tranca automática, pontualmente à meia-noite. Reabrem às sete da manhã. Durante o dia, os alunos têm ampla liberdade de ir e vir. Sempre que volta de Londres, Vinicius é obrigado a esperar o dia amanhecer para poder entrar "normalmente" em seu abrigo.

Poucas vezes sai sozinho. Numa delas, assiste a um concerto de Serghei Rachmaninoff, o compositor russo que morreria em 43, e volta transtornado com o romantismo que escorre de suas composições. Rachmaninoff será, por toda a vida, um de seus compositores preferidos. No mais, lê e escreve. As noites passadas no quarto de Tati em Chelsea o levarão a escrever a magnífica "A última elegia", desfecho de uma série iniciada com "Elegia quase uma ode", fechando seu quarto livro, *Cinco elegias,* obra de transição entre a fase metafísica e a poesia do cotidiano publicada pela Pongetti em 43. O poema, refletindo com precisão a alma dividida de seu autor, mistura versos em português e em inglês, guarda pastiches sofisticados de William Shakespeare e torna-se célebre pelos famosos versos que retratam o cenário opressivo de suas escaladas noturnas em busca do amor, guardados em suas *Cinco elegias*.

Afora essas escapadas cinematográficas, Vinicius vive em Oxford uma fase de silêncio e reclusão. O Magdalen College está instalado num prédio de alma gótica, e o quarto do poeta tem uma atmosfera ameaçadora. Para conter a angústia, ele atravessa as noites copiando, ou recriando em português, muitos dos 154 sonetos de amor e de auto-análise que William Shakespeare publicou em 1609, no rastro dos ensinamentos de Petrarca. "Não me sinto nada bem no meio daqueles fantasmas todos", reclama constantemente com Tati. "Só o Shakespeare me acalma." A companhia de William Shakespeare termina sendo uma peça decisiva na formação do poeta — e, em particular, do sonetista. O soneto se torna, logo, a viga mestra sobre a qual se faz, em definitivo, poeta. Muitos anos depois, recordando es-

ESCOLA DE POETAS

Nos bancos de Oxford, Vinicius escreve sonetos e apura a escrita.

ses exercícios decisivos praticados no espaço claustrofóbico do soneto, ele dirá: ''O soneto é uma prisão sem barreiras, sem grades. Só dentro da prisão que ele encerra se pode atingir a liberdade maior''. Aprende que, para alçar vôo com os versos, precisa do constrangimento imposto pelo rigor. E que a liberdade máxima só se atinge quando lidamos com limites férreos. Em Oxford, produz compulsivamente. Ritmo veloz que manterá quando voltar ao Brasil e que só estancará no momento em que, em 46, alçado ao posto de vice-cônsul em Los Angeles, partir com a família para longa temporada em Hollywood, onde será seduzido em definitivo pelo cinema e pelo jazz.

Há poemas menos inspirados mas que trazem registros esparsos de sua vida em Oxford, como ''A espantosa ode a são Francisco de Assis'', imensa charada de 138 versos, só publicada depois de sua morte, que guarda confissões assim: ''Quatro livros escrevi — e sou tão moço! e não compreendo de mim/ Senão que sou cruel com a mulher e que minha angústia não tem fim''. Nesse poema de tom queixoso, Vinicius mistura o português com o inglês, e usa a língua inglesa para emprestar mais veracidade às paisagens que pinta de sua vida como estudante na Inglaterra. Surgem, então, retratos esparsos, mas curiosos: ''Just now I have been in a bleary party in the Magdalen's College/ And there was an armenian and a japonese and all the others/ Good inocent people, drinking some liquor in their rooms/ And I was a bloody phanton between them, so help me God!'', diz, numa tentativa de registrar sua solidão.

Faz grande esforço, em boa parte frustrado, para transpor para o papel o cenário de seu exílio. Um ''Soneto a Oxford'', inacabado, começa assim: ''Oh Oxford, prende o sol em tuas pontas/ Góticas; dormem divinas harmonias/ Em tuas torres puras e sombrias/ E em teus jardins de grandes flores tontas/ O eterno farfalhar de Christ Church Meadows/ E as mesmas águas trêmulas do Ices/ Enchem meu coração da antiga fé/ Dos bardos...'' — mas o poeta não consegue ir adiante. O ''Soneto de Oxford'', que será incluído no *Livro de sonetos* (lançado pela Livros de Portugal quase vinte anos depois, em 1957), mescla o magnetismo da cidade que o abriga com a paixão por Tati. Escreve o ''Sonetinho a Portinari'', as ''Duas canções de silêncio'' e conclui a ''Elegia desesperada'', iniciada um ano antes no silêncio de Itaipava.

E deixa, insatisfeito, muitos outros poemas sem nome pelo caminho. Versos que jamais publicará. Eles guardam, no entanto, parte importante das impressões que agitaram Vinicius de Moraes em sua temporada inglesa. Servem, aqui, como resíduos bastante luminosos de um tempo que ficou, quase todo, obscuro. Num deles (''Deram-me fogo ao gesto terno...'') surgem recordações apaziguantes do Brasil: ''E ao sol das doze em Ouro Preto/ A minha jovem normalista/ De pele branca e trança preta/ Sumiu de minha vista''. No nevoento mês de novembro, ainda mais entristecido, escreve um soneto, e sem título, que guarda — sem nomeá-lo — o gosto de um amor:

Quando me ergui, ela dormia, nua
E sorriu, em seu sono desmaiada
Tinha a face longínqua e iluminada
E alto, seu sexo sugava a Lua.

Toquei-a, ela fremiu, gemeu, na sua
Doce fala, e bateu a mão alçada
No ar, e foi deixá-la guardada
Sob a nádega fria, forte e crua.

Tão louca a minha amiga, linda e louca
Minha amiga, em seu branco devaneio
De mim, eu de amor pouco e vida pouca.

Mas que tinha deixado sem receio
Um segredo de carne em sua boca
E uma gota de leite no seu seio.

Em dezembro, rascunha um poema em duas línguas, que inicia assim: ''I need a poet/ To sing me a show/ Minha luz ficou aberta/ Minha cama ficou feita/ Minha alma ficou deserta/ Minha carne insatisfeita''. Expressa nele não só sua solidão, mas o medo que sente de, nela perdido, perder-se a si mesmo. A tristeza diante da alegria compulsiva do Natal o leva a escrever, dias depois, um verso assim: ''Teu nome é Mary? — Merry Christmas!'', que aparece ao pé de um manuscrito em grande parte incompreensível. A solidão se transmuta em morbidez. Com o espírito abatido, e tomado pelo cenário gótico que o cerca, rascunha um poema sofrível que descreve algo assim: ''E um grande túmulo veio/ Se desvendando no mar/ Boiava ao sabor das ondas/ Que o não queriam tragar/ Tinha uma laje e uma lápide/ Com o nome de uma mulher/ Mas de quem era esse nome/ Nunca o pudera''. Mais que poema, ele se parece com o relato de um pesadelo em que a distância de Tati se confunde com a morte. Vinicius se ampara na poesia, como numa muleta, e isso nem sempre resulta em bons poemas.

No balanço geral, apesar dos tropeços e dos muitos versos que deveria ter queimado, a temporada na Inglaterra é muito positiva. Cabe lembrar que é em Londres, onde Tati se abriga no bairro de Chelsea, que ele escreve sua magnífica ''A última elegia'', além de um soneto da qualidade do ''Soneto de Londres''. Oxford é o berço de alguns de seus mais belos sonetos, entre eles os ''Quatro sonetos de meditação'', o ''Soneto do maior amor'', o ''Soneto de véspera'', o ''Soneto de agosto'' e o ''Soneto de Carnaval''. A temporada inglesa, iniciada como um acidente benigno tramado pelo destino, se encerrará, do mesmo modo, subitamente. Só que, dessa vez, às expensas de um desastre.

2

Vinicius tem uns dias de folga e o casal aproveita para visitar Paris. Hospedam-se no hotel Saint-Thomas d'Aquin, na rue Prés-Aux-Clercs, no coração do Quartier Latin. Estamos na antevéspera da guerra, mas o poeta e Tati jamais respiraram com tanta liberdade. Uma noite, enquanto sobem a escada do hotel devorando duas dúzias de *éclairs* de chocolate e café, ouvem gritos em nítido português. O pintor Di Cavalcanti e sua Noemia estão hospedados um andar acima. Eufóricos, descem para uma noitada. Os quatro se unem para conquistar a cidade. Vão ao Louvre ver as estátuas gregas transformadas pela luminosidade da noite. Diante da Vênus, Vinicius emudece. Depois, a um canto, confessa a Di Cavalcanti: ''Senti uma coisa muito forte. Uma coisa física. Tati não pode saber, porque eu a traí em pensamento''. Ainda é o rapazote, formado nos moldes estreitos dos jesuítas, que de algum modo nele sobrevive.

Dias depois, o casal vem andando pelo boulevard des Italiens, quando o pior acontece. Uma dezena de jornaleiros ambulantes surge, sabe-se lá de onde, gritando o início da Grande Guerra. A rua silencia e os rostos se crispam. Só se ouve a voz nervosa dos jornaleiros, aves encapotadas anunciando a morte. Vinicius relataria, anos depois, em uma crônica publicada em *O Jornal*: ''Em um minuto, Paris parou de viver. No minuto seguinte, havia mulheres que tomavam automóveis às pressas, homens que corriam para casa, velhos que balançavam a cabeça desolados''. Naquela noite, o poeta pretendia voltar ao Louvre para rever a sua Vênus. O museu está fechado. Na porta do Saint-Thomas d'Aquin, a velha hoteleira os recebe ensopada em lágrimas. Vinicius, paralisado diante daquele choro doce, passa os olhos pela rua completamente desolada. Diria mais tarde: ''Pequena rua humilde, perdida no Quartier, cheia de lojas coloridas — todo o pânico da guerra como que se havia depositado em ti''.

O casal não pode mais retornar à Inglaterra. Deve, agora, fugir do avanço das tropas alemãs. Vinicius e Tati partem então para Lisboa, onde pretendem pegar um navio de volta ao Brasil. Mas o clima de guerra já está por toda parte. A travessia da Espanha é tormentosa. A cada estação, a composição é assaltada por multidões de espanhóis desesperados que, inutilmente, também desejam fugir. Tati, a cada parada, se abraça ao marido. Não suporta ver. Por fim, chegam a Portugal. Em Lisboa, no calor da fuga, a mulher suspeita que está grávida. Não pode confirmar. A história, apesar disso, se acelera.

Acidentalmente, nas ruas de Lisboa, esbarram com o escritor Oswald de Andrade, que também foge da guerra acompanhado de sua mulher, Barbara. Quando Tati o apresenta a Vinicius, ele o examina de alto a baixo e, sem resistir, pergunta: ''Ah, então você é aquele poeta que faz aqueles poemas de olho-oito?''. Oswald se referia ao longo barco a remo para oito tripulantes usado em competições náuticas — tão longos, para ele, quanto os caudalosos versos do Vinicius de Moraes metafísico. Os dois casais passam 45 dias esperando pela partida do navio *Angola*, que fará sua primeira travessia transatlântica. Aproveitam para descansar e, na medida do possível, se divertir. Oswald, que também estivera na Europa em 14, recorda que naquele tempo remoto só se sentia a presença da guerra no front. Agora, não: o combate pode ainda estar longe, mas o sentimento da guerra está por toda parte. O mundo encolheu. Por mais que se ande, a sensação é a de que se está, sempre, no mesmo lugar.

De passagem pelo Estoril, enquanto aguarda o navio partir, Vinicius de Moraes escreve aquele que talvez seja o mais famoso poema de sua obra: o ''Soneto de fidelidade'' — dedicado, naturalmente, a Tati. E que se celebrizará pelo terceto final, que guarda uma das mais belas definições do amor já produzidas pela língua portuguesa: ''Eu possa me dizer do amor (que tive):/ Que não seja imortal, posto que é chama/ Mas que seja infinito enquanto dure''. Esses versos descrevem, com precisão espantosa, a essência da visão que o poeta terá do amor ao longo de toda a vida: uma experiência avassaladora, superior, que traz a sensação de eternidade mas que necessariamente — como tudo o que é sentido pelo homem — acaba.

Os versos lhe trarão, em contrapartida, no futuro, uma polêmica com o dicionarista Aurélio Buarque de Holanda. Muitos anos depois, em um café paulista, Aurélio lhe dirá: ''Seu soneto é belíssimo. Mas ele estragou o meu dicionário''. Refere-se ao verso: ''Que não seja imortal, posto que é chama'', em particular à expressão ''posto que'', usada por Vinicius com um sentido explicativo (''porque é chama'', entende-se), mas por Aurélio entendida apenas no sentido concessivo (sinônimo de ''ainda que''). O poeta ainda tentará se defender das argumentações do dicionarista: ''Fiz essa escolha por causa da métrica e do som. Sou um poeta, não um gramático'', dirá. Aurélio será taxativo: ''Não importa. Meu dicionário está estragado''. Terá toda a razão. Mas a vida existe, tantas vezes, para desmentir os dicionários. Apesar do verbete no Aurélio, ''posto que'' é uma expressão usada, hoje, comumente, como explicação e não como concessão. A poesia supera a norma.

A viagem de volta também é tensa e decepcionante. O navio faz quase toda a travessia do oceano com as luzes apagadas, para se defender do ataque de submarinos. Em alto-mar, apesar dos cuidados, o barco é detido para inspeção por um submarino alemão. Vinicius sente a guerra em torno de si. Refugia-se no regaço de Tati, que dirá mais tarde a Susana, nascida em agosto de 40: "Você, minha filha, foi feita no mar". O casal se consola com os amigos, como Raimundo Castro Maia e o conde Pereira Carneiro, com quem atravessa as noites discutindo sobre a maldade humana, expressa agora naquela guerra inaceitável.

Em 1940, Vinicius e Tati estão de volta ao Rio. Continuam mantendo contato com o casal Oswald de Andrade. O poeta se encanta com Tati e a enche de gentilezas. Ao lhe dar, um dia, o exemplar de luxo número 247 da edição limitada em 299 exemplares de seu *Primeiro caderno de poesia*, de 1929, Oswald de Andrade, com seu gosto pelo chiste e pelos jogos de palavras, autografa: "Pra ti, Tati, tá!". O livro tem uma capa assinada por Tarsila do Amaral e traz, entre os poemas, desenhos que Oswald fez do próprio punho.

Tati foi criada nos mais rígidos padrões de formação europeus, mas tem o espírito vanguardista. Estudou por nove anos no Colégio Sion, dirigido por freiras severas e carismáticas. Saiu de lá, efeito previsível, indisposta com a religião, sentimento que logo se transformou em simpatia cada vez maior pelo ideário comunista e ateu. Em Oxford, tem algumas discussões desgastantes com Vinicius depois de descobrir que o marido nutre uma admiração discreta, mas sólida, pelo integralismo e pelos alemães. As coisas só não se complicam porque um dia, decidida a não deixar que a política ponha seu casamento em perigo, ela chama Vinicius para uma conversa franca e diz: "A partir de hoje, não conversaremos mais sobre política. Não podemos nos entender mesmo, então para que conversar?". A regra é seguida à risca pelos dois. O casamento está salvo até aí, ainda que a família de Tati torça o nariz diante dessa união. João Carlos de Mello, pai de Tati, um bem-sucedido exportador de café, nasceu em Londres. O pai dele, o almirante Custódio José de Mello, o monarquista que bombardeou a igreja da Lapa dos Mercadores, no centro do Rio, durante a Revolta do Aquidabã — uma rebelião da Marinha contra o governo de Floriano —, foi adido cultural do Brasil na Inglaterra. A família, com o sangue refinado pelo estilo inglês, não pode aceitar um poeta como marido de Tati, que fica um tanto solitária. Na volta ao Rio, ela tem que se adaptar a uma vida precária e cheia de restrições. O casal aluga, de saída, um pequeno apartamento na rua das Acácias, na Gávea. Não há muito dinheiro.

Vinicius sobrevive como crítico de cinema de *A Manhã*, mas a maior parte de seu tempo é dedicada aos estudos com vistas ao exame de admissão ao Itamaraty. Opta pela diplomacia menos por vocação, e mais para tentar organizar suas finanças. A mãe de Tati, discretamente, ajuda com uma mesada para os gastos com a pequena Susana, a primeira filha do casal, que acaba de nascer. Muitas vezes, Vinicius — atropelado pelo rigor dos estudos — não tem tempo para ir ao cinema e Tati vai em seu lugar. Assiste aos filmes e escreve as críticas que, depois, o marido apenas assina. Outras vezes, quem escreve por ele é Mário Vieira de Mello, que, com um espírito mais elitista, carrega um pouco nas tintas contra a estética de Hollywood. Depois de duas ou três críticas de Mário assinadas por Vinicius de Moraes, o poeta chega a receber uma carta de advertência da Metro. Vinicius, que é pego pela notícia em meio a uma viagem a Belo Horizonte, telefona para Mário assustadíssimo. ''Como você fez isso, Mário?'', quer saber. O amigo contra-ataca: ''Não fiz nada demais. Escrevi o que escrevi porque nunca pensei que você fosse se sujeitar a uma simples produtora''. Os problemas que Vinicius terá com os produtores americanos — e que mais tarde lhe custarão a cabeça na *Última Hora* de Samuel Wainer — começam, na verdade, com essas críticas que Mário escreve por ele. Continua a aceitar a ajuda desinteressada do amigo, mas pressente que aquilo não acabará nada bem.

As diferenças entre Vinicius e Mário se tornam mais explícitas no dia em que Vinicius recebe amigos para um jantar em homenagem a Orson Welles, que está em visita ao Rio de Janeiro. Durante os drinques que antecedem o jantar, os convidados, tomados pela euforia que o visitante lhes desperta, aproveitam para ''entrevistar'' Welles. Aos poucos, se irritam com seu esnobismo. ''O que o senhor tem visto de bom ultimamente?'', desejam saber. ''Não vou muito ao cinema'', são obrigados a ouvir. Prosseguem, mantendo a calma: ''O que o senhor pensa de Charles Chaplin?''. Welles, com aquele ar blasé que jamais abandonará, limita-se a dizer: ''Nunca vi um filme do sr. Chaplin''. Insistem mais uma vez: ''Que novos diretores têm surgido em Hollywood?''. Orson Welles chega ao limite do mau humor: ''Não conheço novos diretores'', responde em tom pouco entusiasmado. Os amigos de Vinicius começam a se decepcionar. Mário Vieira de Mello, sempre mais explícito em seus sentimentos, decide expressar esse desânimo. Vira-se para Almir de Castro e, em português, mas em alto e bom som, comenta: ''Esse cara não entende nada de cinema''. No dia seguinte, Vinicius lhe telefona irritado: ''Como você diz uma coisa dessas, Mário!''. Tem que ouvir: ''Você está deslumbrado com esse americanão. Não adianta nem explicar''. O poeta não consegue moderar sua decepção com o amigo. Não pode ouvi-lo.

Só depois de aprovado no exame de seleção para o Itamaraty — àquela época ainda organizada pelo DASP, pois o Instituto Rio Branco só seria criado em 46 — o poeta terá um posto fixo no Patrimônio Histórico do Brasil, levado pelo amigo Rodrigo Mello Franco. Nesse posto, aguarda a nomeação para a carreira diplomática. A idéia de se candidatar ao Itamaraty vem do companheiro e futuro embaixador Lauro Escorel. O amigo, que é paulista, conhece Vinicius logo depois de completar dezoito anos. Quem os apresenta é o amigo comum Francisco Luís de Almeida Salles. Em São Paulo, em meados

dos anos 30, os três criam o hábito de se reunir para sessões de leitura em voz alta de versos famosos. Antonio Candido e Roland Corbisier também freqüentam esses pequenos saraus. Lauro Escorel se arrepia com a ligação profunda que une o poeta a Octavio de Faria, em especial depois que este publica seu polêmico ensaio *Maquiavel e o Brasil*, em que propõe um projeto de inspiração mussoliniana para o país. Apesar dessas diferenças, Lauro e Vinicius se gostam muito. As diferenças são sempre esquecidas.

Vinicius se candidata ao Itamaraty, pela primeira vez, em 1940. Costuma estudar, de início, com Roberto Assunção. Vão juntos todas as tardes para a praia de Ipanema a fim de aproveitar o sol mais ameno, carregados de livros e apostilas. Estudam até o anoitecer. Só interrompem o estudo para que Vinicius vá a uma confeitaria saborear um de seus vícios — quem sabe, causa primeira do diabetes que, muito depois, o matará: um enorme prato de figos em calda com creme de leite. Os exames acontecem e Vinicius é reprovado. A causa: as provas não devem ser assinadas, e ele assina o exame de francês. Duas versões: para alguns, o episódio comprovaria o espírito distraído do poeta, sempre flutuando dois ou três palmos acima do real; para outros, seria uma prova de sua esperteza — sentindo que não seria aprovado, o poeta "se esquece" das normas do concurso, assina o teste de francês e, com isso, escapa da reprovação por nota. Os colegas comentam, com maldade: "O Vinicius é poeta até na hora de mentir". Agora já acompanhado de Lauro Escorel, e sem Roberto Assunção, que foi aprovado, começa a estudar para o exame do ano seguinte.

Lauro já está casado, tem dois filhos pequenos, não encontra calma para se concentrar nos estudos dentro de casa. Bate cedo no apartamento de Vinicius em busca de abrigo e companhia. Quase sempre, ainda o encontra dormindo. Tem a paciência de acompanhá-lo no café da manhã e, só depois, se trancam num quarto para estudar. Concentram-se nos cadernos de gramática portuguesa, à época um exame decisivo. Vinicius passa a ter lições de português com o prof. Antônio Houaiss, que a essa altura mantém um pequeno cursinho preparatório para as provas do DASP numa sala em cima do Cineac-Trianon, no centro do Rio. Vinicius e Lauro estão corretos em suas prioridades. São ambos aprovados no início de 42.

A nomeação, no entanto, demora. O governo de Getúlio Vargas dá preferência àqueles escolhidos mediante um "concurso de títulos", eufemismo para designar a avaliação dos melhores pistolões. A nomeação só sai em dezembro de 43. Tornam-se, por fim, terceiros secretários e vão estagiar na Divisão Cultural da Secretaria de Estado. Nesse período, Lauro Escorel passa a freqüentar com assiduidade a casa de Vinicius para longas noitadas de conversa fiada e uísque esquentadas pela presença constante de intelectuais prolixos como Murilo Mendes, Jorge de Lima, Moacyr Werneck de Castro e Carlos Lacerda.

Freqüentam, também, as domingueiras de fim de tarde na casa do escritor, crítico de arte e comunista romântico Aníbal Machado, no número 487 da rua Visconde de Pirajá, onde ele vive há quarenta anos. Lá se pode esbarrar tanto com uma porta-bandeira anônima metida em sua saia de lantejoulas, como em visitantes estrangeiros do porte do diretor francês Jean-Louis Barrault, do escritor Albert Camus, do poeta chileno Pablo Neruda, ou do bailarino Jean Babille. Todas essas personagens se misturam com intelectuais e artistas inquietos como Dante Milano, Goeldi, Di Cavalcanti, Tônia Carrero — que ainda é Mariinha Thiré —, Portinari e Guignard. Não são exatamente reuniões literárias. Começam em geral no início da noite, depois da saída do Jóquei. Conversa-se sobre a guerra, sobre política, sobre samba — muito pouco sobre arte e menos ainda sobre literatura. Nesses encontros informais, mas sempre muito agitados, o serviço se resume a refrescos melados e prosaicos docinhos. No máximo, uma batidinha de maracujá acompanhada por biscoitos. Nas primeiras domingueiras, Aníbal Machado serve aos visitantes uma farta feijoada. A popularidade torna impossível sustentar o hábito. Depois de muita conversa, os mais desinibidos se põem a dançar em plena sala de jantar com as filhas do escritor, que sempre convidam algumas amigas. A mais animada delas se tornará, mais tarde, a atriz e dramaturga Maria Clara Machado.

As portas costumam ficar mais abertas do que devem. Uma noite, a domingueira recebe a visita de uma trupe de atores do Teatro Experimental do Negro, que se apresenta como um grupo baiano recém-chegado ao Rio. Agitados e desinibidos, os atores negros se servem de batidas, provam os docinhos, dançam com as meninas e, por fim, sacam seus revólveres. Não são atores, são ladrões. Carregam dinheiro, jóias e o que encontram de bebida alcoólica. Deixam os convidados em fila indiana, voltados para a parede. E frente a frente com sua própria ingenuidade. Nem esse episódio encerra o clima liberal que rege as domingueiras de Aníbal. Às vezes, Maria Clara e Vinicius dão uma escapada até o jardim para compor, a quatro mãos, poemas engraçados para crianças. Só. Nenhuma linha preciosa, ou pincelada inesquecível, sai das domingueiras. A idéia é essa mesmo: celebrar a vida e se divertir. Mais nada.

As noites costumam terminar bem ao lado, aí sim regadas a muito álcool, nas mesas do bar Zeppelin, com suas cadeiras de palhinha revestidas de verde. As meninas que freqüentam a domingueira ficam em casa. Elas se tornam conhecidas como "As Machadinhas". Um dia, Vinicius leva consigo seu irmão mais novo, Helius, um solitário estudante de medicina que, no futuro, se tornará médico laboratorista. Helius é envolvido pelo clima esfogueado das reuniões e acaba se apaixonando por Ana Maria, a Tatau, irmã de Maria Clara. Apesar da pose de poeta, Vinicius é um rapaz de porte atlético, que planta bananeiras no jardim, relata proezas em várias modalidades de esporte, dança com sensualidade e seduz sem esforço algum as mulheres. Tati, com sua personalidade forte, sua inteligência veloz e sua pose de vanguardista, raramente falta às domingueiras de Aníbal — mas se mantém, elegante e segura de si, a um canto. Os dois formam um casal improvável, mas perfeito.

O pequeno apartamento da rua das Acácias vive cheio de amigos. Manuel Bandeira, Murilo Mendes, Rubem Braga e Sérgio Porto estão entre os mais assíduos. Os artistas plásticos, de quem o poeta se aproximou por intermédio de Aníbal Machado, como Di Cavalcanti e Cícero Dias, entram e saem à vontade. É o tempo também em que Vinicius se junta aos quatro mosqueteiros mineiros que o seguirão pelo resto de seus dias: Hélio Pellegrino, Fernando Sabino, Paulo Mendes Campos e Otto Lara Resende. Pela ordem crescente, figuras decisivas na vida do poeta.

Ele e Tati passam a freqüentar, ainda, o bar Alcazar, em Copacabana, além do café Vermelhinho e do restaurante da Associação Brasileira de Imprensa, no centro, ponto de encontro obrigatório com amigos como Ribeiro Couto, Mário de Andrade e Carlos Leão. Recém-casados, Sérgio e Maria Amélia Buarque de Holanda — futuros pais de Chico Buarque, que só trocarão o Rio por São Paulo em 1946 — se tornam também uma companhia constante. Vinicius, em contraponto com a experiência dos amigos atormentados de Itatiaia, começa agora a descobrir as delícias da amizade. E como ela serve para encantar o mundo. Certa manhã, o pintor Di Cavalcanti o chama para um programa desagradável. Morrera a mãe de Álvaro Moreira e eles precisam ir ao velório na casa do amigo. Antes, para tomar coragem, decidem tomar um drinque. Vinicius reclama: "Detesto velórios. Não quero ir". Di Cavalcanti argumenta: "Mas, Vinicius, nós temos que ser solidários. Afinal, se trata da mãe de um amigo".

Convencido, Vinicius decide seguir os passos do pintor, sob uma condição: "Se ele nos receber dizendo que sua mãe morreu 'como um passarinho', eu saio na mesma hora". Di ainda argumenta: "Mas, Vinicius, o que você pode esperar de um sujeito numa hora dessas, a não ser choro e lugares-comuns?". Não adianta, ele insiste: "Se ele disser... eu não agüento". Mais algumas doses de uísque e os dois partem para o velório. Vinicius entra na casa circunspecto. Di vem logo atrás. Ao avistar Álvaro, caminha em sua direção. Muito emocionado, Álvaro Moreira se abraça a Vinicius e, como que recitando um script de humor — ao menos, é desse modo que o poeta o ouve —, diz numa voz trôpega: "Coitada de mamãe. Morreu feito um passarinho".

Vinicius não se contém. Dá uma enorme gargalhada, início de uma crise de riso que lhe sacode o peito e, trincando os dentes para disfarçar, agarra-se ainda mais a Álvaro. Quando pressente a gravidade da situação, Di Cavalcanti abandona a sala e vai embora. Nem sequer se despede de Álvaro. No dia seguinte, o filho da falecida procura o pintor. Di está lívido, temendo pelo pior. Álvaro, num tom áspero, diz: "O Vinicius é que é realmente

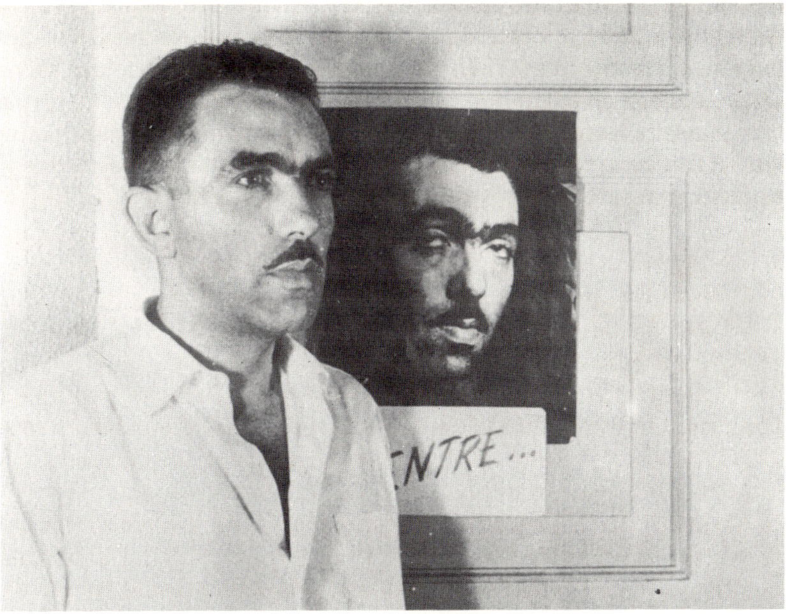

AMIGOS DO PEITO

O poeta encontra
em Rubem Braga (acima)
e em Paulo Mendes Campos
protótipos definitivos
dos amigos que,
zelosos e fiéis,
atravessarão a vida
a seu lado.

meu amigo!''. O pintor fica paralisado. Álvaro prossegue: ''Sujeito sensível, chorou tanto a morte de minha mãe! Você viu como ele se descontrolou e se agarrou a mim?''. Di Cavalcanti continua em absoluto silêncio, sem saber se reage e se defende, ou se ri — e entrega Vinicius. Controla-se. Álvaro Moreira termina seu sermão: ''Quanto a você, Di, me desculpe, mas você é um estúpido. Não teve o mínimo escrúpulo de ao menos me cumprimentar antes de sair'', desabafa.

3

O poeta está definitivamente partido ao meio. Um Vinicius formado na direita, entre verbetes do catolicismo, do integralismo e do fascismo, se opõe agora a um outro Vinicius que começa a se enamorar da esquerda e do socialismo. O poeta metafísico, apesar de ainda lançar suas últimas sombras sobre os versos que escreve, luta contra um outro poeta que busca os pés bem fincados no chão. Dois homens, dois grandes amigos, vêm encarnar as duas partes desse poeta dividido: o paraense Jayme Ovalle e o norte-americano Waldo Frank.

Jayme Ovalle é um poeta contido e sem obra, espécie de avesso do Vinicius prolixo e autor de versos embaraçados e longos, que um dia horrorizaram Oswald de Andrade. Conhecem-se em Londres, em 1937. Na primeira vez em que se encontram com mais vagar, na casa de Augusto Frederico Schmidt — sobrinho de Ovalle, que o chama de tio Ioiô —, os dois não se gostam. A má vontade correspondida dura até o dia em que, numa roda de amigos, Vinicius — de mau humor e sem ter a quem culpar pela angústia vaga que o toma — busca um bode expiatório para descarregar sua angústia. E, num rompante de poeta, desabafa: ''Meus amigos queridos, vou lhes confessar uma coisa: a lua não presta''. Ovalle, poeta na acepção mais rigorosa da palavra, isto é, um homem que se dedica a encantar o mundo, se apaixona no ato pelo quase-inimigo. O ódio repentino à lua, esse desvario, os une.

Não pode imaginar rumo a que destino esse sentimento o está levando. Despachante da alfândega, sujeito avoado e misterioso com seu ar desleixado e os cabelos sempre em revolta, Jayme Ovalle tem um temperamento singelo e solitário. Por longo tempo, antes de se casar com a escritora americana Virginia Peckam, mora sozinho num apartamento do Palace Hotel, na avenida Central. Nessa época, apaixona-se por uma pombinha que pousa no parapeito de sua janela. Passa também uma temporada em Londres, estagiando na Delegacia do Tesouro, período em que seu quarto é decorado apenas por uma cama, umas poucas garrafas de uísque, um harmônio e um violão — em que dedilha suas composições (a mais famosa delas será o ''Azulão'', popularizada nos Estados Unidos na voz de Elsie Huston). Sua única companhia, nesse exílio inglês, é um macaquinho que comprara de um marinheiro durante a travessia do Atlântico.

Tem uma concepção muito particular de poesia, que explica em grande parte sua repulsa pela obra poética. Certa vez, numa conversa ao longo da noite com Schmidt, define: ''Poesia é o ar que respiramos, as estrelas, o mar, as mulatas, os pequenos que vendem amendoim e adormecem nas calçadas''. Não se trata, portanto, de um gênero literário, mas de um modo de perceber o mundo. Um estilo de visão. Ovalle é, em essência, um escritor que não escreve. Um estranho poeta que não precisa de versos para ser o que é.

Ovalle tem hábitos, no mínimo, extravagantes. Católico praticante e profundo conhecedor da Bíblia, salta diariamente para fora da ortodoxia cristã e trava diálogos acalorados com seu anjo da guarda. Não o trata como a uma entidade etérea e abstrata, alimentado por orações secretas, mas como a um ser real, com tarefas e afazeres a cumprir. Certo dia, Ovalle perambula pelo centro do Rio acompanhado por seu amigo Mário de Andrade. Parece inquieto, mas Mário finge não perceber. Ovalle, por fim, reclama: ''Não sei onde ele se meteu. Hoje ainda não o vi''. Mário, sem entender de quem se trata, pergunta: ''Ele quem, Ovalle? De quem você está falando?''. O poeta quase se ofende: ''Ora, do meu anjo da guarda. De quem mais poderia ser?''.

Mário de Andrade ainda está tonto com a revelação, quando os dois amigos cruzam com alguns jornaleiros que aparecem, subitamente, de vários lados, gritando: ''Terremoto no Japão!'', ''O Japão é destruído por um terremoto!'', ''Tragédia no Japão!''... Mário procura se deter um pouco no que ouve e já se prepara para sacar algumas moedas e comprar um exemplar do jornal. Ovalle o interrompe: ''Agora está tudo explicado, Mário''. Paralisado, o amigo tenta, mais uma vez, clarear a conversa: ''Explicado o quê?''. E Jayme Ovalle, com aquela paciência infinita para costurar o imponderável, arremata: ''Ora, meu anjo da guarda foi socorrer os coitadinhos dos japoneses. Por isso não teve tempo de me ver hoje''.

Por causa, também, de sua relação muito particular com a religião, Ovalle comprou um dia uma briga com o sobrinho Augusto Frederico Schmidt, episódio em que Vinicius de Moraes foi, à sua revelia, o instrumento. Numa entrevista a Vinicius para a *Última Hora*, Jayme Ovalle discorre sobre a vida além-túmulo. Põe-se, então, a distribuir personalidades pelos compartimentos da eternidade, reservando os melhores postos do paraíso, é claro, para seus amigos. Com exceção de Schmidt, a quem destina uma desconfortável vaga de segunda classe no limbo. Augusto Frederico Schmidt, que é seu padrinho de casamento, se enfurece. Os dois passam semanas estremecidos — mas Schmidt jamais se livrará do magnetismo do tio; passará a vida tomado por um vago — mas decisivo — torpor ovalliano.

Jayme Ovalle inspirará Vinicius em muitos momentos de sua produção poética. Um caso particular se passa com o poema — inédito — ''Sob

O ANJO

Mestre do espírito, Jayme Ovalle (para quem Vinicius acende um cigarro sob o olhar atento de Otto Lara Resende) tentou sempre manter o poeta conectado com o imaterial.

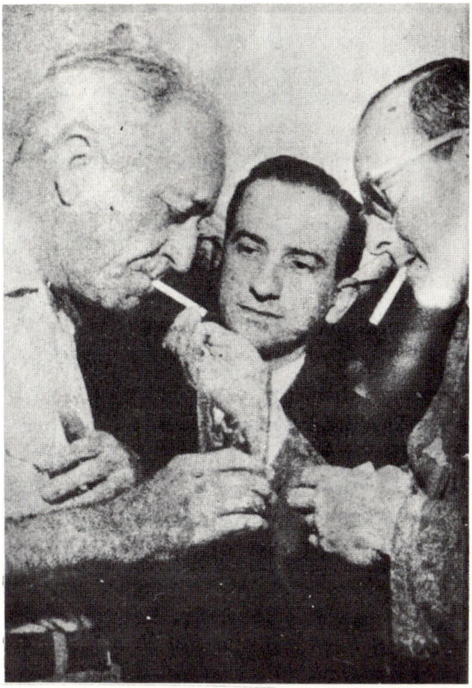

o Trópico de Câncer'', escrito a partir de uma frase dita por Ovalle a Vinicius durante uma entrevista e que lhe serve como epígrafe: ''O câncer é a tristeza das células''. O imenso poema não é, evidentemente, sobre o signo do zodíaco, mas sobre a doença. É um retrato primoroso do Vinicius de Moraes hipocondríaco, que não consegue esconder seu medo diante ''daquele'' mal. Guarda, também, numa mistura significativa, os restos de sua formação inaciana. Há um trecho do poema, em particular, que por si ilustra não só o tom, mas a face metafísico-hipocondríaca do poeta:

Angina pectoris
Ora pro nobis.
Delirium tremens
Ora pro nobis.
Tabis dorsalis
Ora pro nobis.
Infarctus miocardii
Ora pro nobis.
Elephantiasis
Ora pro nobis.
Ozena foetida
Ora pro nobis.

Osteomielitis
Ora pro nobis.
Cholera morbus
Ora pro nobis.
Tuberculosis
Ora pro nobis.
Poliomielitis
Ora pro nobis.
Febre tifóide
Ora pro nobis.
Hidrofobia
Ora pro nobis.
Cardionefritis
Ora pro nobis.

Et libera nobis omnia cancer, amém.

Impossível não identificar nesses versos, também, a verve humorística de Vinicius. Ele é, como já vimos, um homem de encruzilhadas, um aventureiro de fronteiras. Esse humor limítrofe à morbidez aparece em versos como esses, do mesmo poema:

Há uma célula em mim que quer respirar e não pode
Há duas células em mim que querem respirar e que não podem
Há quatro células em mim que querem respirar e que não podem
Há dezesseis células em mim que querem respirar e que não podem
Há 256 células em mim que querem respirar e que não podem
Há 65 536 células em mim que querem respirar e que não podem
e etc. etc. ad infinitum...

Manuel Bandeira, Di Cavalcanti, Jorge de Lima, Sérgio Buarque de Holanda, Olegário Mariano, Paulo Mendes Campos, Cândido Portinari, Villa-Lobos: todos foram tocados, cada um a seu modo, pela poesia viva de Jayme Ovalle. Vinicius, um homem-esponja dado a sugar poesia em tudo o que lhe passa sob o nariz, não poderia ser uma exceção. Foi, ainda, numa entrevista a Vinicius de Moraes, para o semanário *Flan*, em 1953, que o místico e lírico Jayme Ovalle sintetizou, de modo mais exato, sua Nova Gnomonia — uma desconcertante Teoria do Conhecimento, baseada na intuição e na experiência pessoal, que o celebrizou. O mundo, segundo a teoria ovalliana, se divide em cinco tipos-chave de pessoas, cada uma delas regida por um Anjo — que lhe serve como símbolo. Os Dantas, os homens bons resguardados por um espírito aristocrático, têm, na verdade, dois Anjos: San Thiago Dantas e Pedro Dantas — pseudônimo de Prudente de Moraes, Neto. Os Onésimos, sujeitos repartidos, habitantes de dois mundos opostos, guardam como Anjo o advogado Onésimo Coelho. Os Kernianos, isto é, os impulsivos, têm como seu protótipo angelical um certo Ari Kerner Veiga de Castro. Mozart Monteiro é o Anjo dos Mozartlescos, donos de espíritos geométricos e, no extremo, semimedíocres. O Exército do Pará, ou simplesmente os Parás, indivíduos lutadores que pretendem vencer a todo custo, são por fim regidos pelo estado em que Ovalle nasceu.

São Francisco de Assis, Spinoza, Augusto Frederico Schmidt, Rubem Braga, Aníbal Machado, Sérgio Buarque de Holanda — e o próprio Vinicius de Moraes, conforme ele mesmo se definirá mais tarde — são Dantas, homens indiferentes ao sucesso, cordatos e modestos, apesar do imenso valor pessoal. A morte, "a única coisa que é completamente individual", é Dantas. A água e a poesia de Manuel Bandeira, também. Gilberto Freyre e Graciliano Ramos (um pessimista por excelência) pertencem à categoria dos Onésimos — com seu imenso senso de humor, mas também seu extraordinário ceticismo. Chico Buarque de Holanda e Milton Nascimento, Vinicius definirá mais tarde, também são. E completará essa categoria ovalliana com novos — e ousados — paradigmas: "Pessoas que deixam o ambiente mais tenso, como um diplomata, costumam ser Onésimos. Uma briga, por exemplo, é um elemento Onésimo. Assim como um pum num elevador". Para Jayme Ovalle, bem mais recatado e chegado ao nonsense, não existe nada mais Onésimo que "um árabe num elevador".

Verlaine, lord Byron, Sobral Pinto, Greta Garbo, d. Pedro I (basta pensar no grito do Ipiranga) são alguns exemplos eloqüentes dos Kernianos — os grandes impulsivos, capazes de grandes sacrifícios e de grandes riscos. Um pintinho saindo do ovo é absolutamente Kerniano. O uísque, o jazz e a Espanha também são. D. Pedro II e o pintor Cícero Dias são Mozartlescos — homens de bem, com a alma de pedagogos. O que pode haver de mais Mozartlesco que a coroa de Pedro II? Um suicídio em Paquetá, o *Livro do bebê* e uma serenata em Ouro Preto também são Mozartlescos. Por fim, santo Inácio de Loyola, o padre Anchieta, Antonio Vieira e o padre Leonel Franca — o citado primeiro confessor de Vinicius nos tempos do Santo Inácio —, além de Benito Mussolini, são homens do Exército do Pará. Hábeis, audaciosos, dinâmicos, com a alma de soldados. Alianças de diamante também pertencem à categoria dos Parás, assim como a matéria plástica, a Academia Brasileira de Letras e os bolos de aniversário.

Ovalle ainda ajudará Vinicius na formulação de uma de suas mais famosas teorias, que o poeta usará ao longo de toda a vida para conviver com os muitos indesejáveis que o cercarão: a Teoria dos Chatos. Jayme Ovalle desenvolve várias definições caseiras do chato: "Um sujeito que para falar com você te pega pelo paletó", "Um sujeito que entra pelos fundos e toma o elevador de serviço para dar um ar de grande intimidade", "Um sujeito que o abraça muito quando você está com a roupa branca passadinha, vinda do tintureiro". Paradoxalmente, a mais importante máxima ovalliana a respeito deles se limita a afirmar: "Os chatos são necessários". Ovalle entende que a humanidade não pode passar sem os chatos. Ruim com eles, pior sem eles. E o que é ainda mais grave: vivemos, neste século, um tempo da "nostalgia do chato". Em outras palavras: não existem chatos o suficiente para, com sua contra-energia de chatice, ajudar o mundo a se mover. Jayme Ovalle prega, sem pudor algum: "O mundo sem os chatos seria insuportável". Para ele, o chato é o verdadeiro psiquiatra, isto é, o único sujeito realmente capaz de nos curar de nossas dores. Justifica: "A gente faz verdadeiras curas com um chato. Depois de se conversar com ele, não existe mais problema nenhum". Nada como conversar com um bom chato para achar o mundo um paraíso.

Vinicius pega a Teoria dos Chatos do amigo Jayme Ovalle e desenha, a partir dela, ao longo da vida, sua própria tipologia. Uma espécie de Teoria dos Tipos Psicológicos da Chatice, catálogo geral que cadastra os sujeitos mais maçantes que encontra no correr da existência e que estará sempre por terminar. Alguns, como o Chato-Depois, "aquele sujeito que, a princípio, parece muito simpático, mas que no dia seguinte se torna insuportável", e o Chato-que-Faz-Calor, "aquele cara que fala compulsivamente, sem saber que a compulsão provoca calor e faz o ouvinte suar", são simplesmente geniais. Outros, roubados sem qualquer pudor dos depósitos de clichês, servem apenas para compor um arsenal organizado de defesa contra a chatice. O Chato-de-Ouvido, "aquele que fala de bem perto, pegando o teu cotovelo", o Chato-de-Joelho, isto é, o que "fala segurando o teu joelho e é normalmente encontrado em bares", e o Chato-de-Retina, quer dizer, "aquele que fala grudado na tua retina e não te larga", são tipos, na verdade, sem grande expressividade. Vinicius não se abala, porém, quando os amigos pedem mais sofisticação e mais ousadia à sua Teoria Geral dos Chatos. Responde simplesmente com aquela sua gargalhada marota ("Hi, hi, hi...") servindo como pontuação: "O que você queria? Que uma teoria dos chatos não fosse chata?". Livra-se, assim, dos Chatos-Mesmo — aqueles que, envaidecidos com os próprios argumentos, não podem admitir a própria chatice.

Sua paixão por Jayme Ovalle aumenta na medida em que o amigo se esmera na arte de conceber máximas, teorias estranhas e aforismos categóricos. Ovalle, na verdade, tem uma alma de enciclopedista. As situações mais desanimadoras, ou simplesmente corriqueiras, lhe servem sempre como motivo para produzir uma lição. Na longa entrevista que dá a Vinicius de Moraes para o *Flan*, em 1953, desfila algumas sentenças exemplares que dão, em definitivo, sua marca de poeta-cirugião, sempre a decifrar o real com seu olho-pinça. Quando Vinicius lhe pede uma definição de poeta, Ovalle — indo contra todos os clichês da época, que vêem a poesia como uma atividade ligada às moças e ao feminino, lugar-comum que, é bom lembrar, infernizou a adolescência de Vinicius — diz: ''O poeta é o macho por excelência. Poesia só gosta de macho''.

Quando Vinicius lhe pergunta: ''O que pensa da bomba atômica?'', Ovalle responde, sem qualquer constrangimento (é bom lembrar que estamos em 1953...): ''Elas vão melhorar muito as festas de São João. Vão fazer uma porção de bombinhas atômicas de São João para as crianças''. Quando lhe pede a sua interpretação de Jânio Quadros, é taxativo: ''Para mim, o culpado de tudo isso foi o Oswald de Andrade''. Quando, por fim, Vinicius lhe pergunta: ''Quem é Rui Barbosa?'', responde com toda a tranqüilidade: ''Você já viu alguém mais burro que o Rui Barbosa?''. Os irmãos Marx se sentiriam desnorteados... Vinicius de Moraes herdará de Jayme Ovalle esse gosto pelo desconcerto e pelo nonsense. Passará a vida arriscando afirmações como a de que, na hipótese de uma próxima encarnação, gostaria de ser uma girafa. ''Por quê?'', sempre lhe perguntam. Vinicius responde com enorme seriedade: ''Porque assim a bebida desceria mais lentamente''. Não basta?

Vinicius nunca se esquecerá da noite exemplar, às vésperas do Carnaval, em que Ovalle e ele estão jantando num café-restaurante em frente ao relógio da Glória e, entre uma garfada e outra de um bife sangrento, debatem o Novo Testamento. O dramático Ovalle começa, então, a descrever a Última Ceia, completamente tomado pela força das palavras, como se fosse o próprio são João Evangelista. Incorporando o santo, relata: ''Então Jesus encostou a cabeça no peito do discípulo amado e murmurou: Meu filhinho...''. Dispara a chorar, convulsivamente, como se o velho restaurante, àquela hora lotado, fosse a fila de espera do paraíso. Na mesa ao lado, contraste cruel, há um grupo colorido de amigos que acaba de sair de uma festa a fantasia. Alguns, longos rabos sinuosos e tridentes nas mãos, simulam a presença do demônio. O supersticioso Vinicius, quando os percebe, gela. Ovalle, porém, um homem que sabe fazer da realidade o objeto por excelência de sua poesia, arrasta os olhos — arrogante — por sobre os foliões. Isso lhe basta. Eles parecem estar ali, apenas, para confirmar a veracidade de seu relato.

Quando Jayme Ovalle morre, Vinicius — tomado pela dor, mas procurando, numa lição ovalliana, conjugá-la com um tipo triste de alegria — escreve o belo ''A última viagem de Jayme Ovalle'', poema que abre com o célebre quarteto: ''Ovalle não queria a Morte/ Mas era dele tão querida/ Que o amor da Morte foi mais forte/ Que o amor do Ovalle à vida''. O poema, apesar de composto sob o impacto da notícia, tem um pano de fundo épico que lhe confere serenidade. Ao longo de nove quartetos, Ovalle viaja pelo mundo acompanhado pela Morte. Vão a Roma, a Paris, a Londres. Visitam cemitérios, forcas e guilhotinas. Fazem um tour macabro. Há um quarteto genial, em que Vinicius mistura seu gosto incontrolado pela morbidez com um afiado senso de humor, o que o torna tantas vezes um mestre do humor negro: ''Custou-lhe esforço sobre-humano/ Chegar à última morada/

De vez que a Morte, a todo pano/ Queria dar uma esticada''. Ovalle, por certo, adoraria.

Jayme Ovalle se torna o avalista da relação, intensa e definitiva, de Vinicius de Moraes com a sensibilidade crua, os sentimentos diretos e até um certo nojo à lógica e à inteligência — que verá sempre como atributos excessivamente masculinos. Muitos anos mais tarde, numa entrevista definitiva, e desmentindo seu desejo de reencarnar em forma de girafa, ele dirá: ''Se houver reencarnação, eu gostaria de voltar sendo mulher. Porque as mulheres compreendem por sensibilidade. Esse negócio de lidar com os fenômenos da inteligência não me interessa mais mesmo. Não dá em nada''. A declaração é emblemática porque, em quatro frases, define duas de suas qualidades fundamentais: o crédito desmedido que empresta à intuição e a idealização radical com que decora o feminino.

Se Jayme Ovalle representa, para o poeta, a exacerbação dos aspectos femininos, o judeu Waldo Frank, catorze anos mais velho que Vinicius, incorpora todas aquelas qualidades atribuídas pelo senso comum ao mundo masculino. Velho escritor de bastante sucesso nos Estados Unidos, amigo íntimo de Ernest Hemingway e de Charles Chaplin, Waldo Frank é um socialista convicto, mas exótico, um homem que mescla as lições de Karl Marx e de Lenin com pílulas de sabedoria espiritual que importa do hinduísmo. Um judeu que se transformou num materialista rigoroso, embora ligeiramente falastrão. E um intelectual engajado, que vive um caso de paixão pela América Latina. É um homem, diga-se logo, de extrema coragem. Já apanhou feio da Ku Klux Klan — e isso não o fez parar. Depois de desembarcar no Rio de Janeiro em 1942, Frank toma um avião para Buenos Aires e faz uma difícil viagem pelo Sul do continente. Na capital da Argentina, tomada a essa altura por radicalismos de todos os matizes, o escritor — que é também um fanfarrão sempre disposto a uma boa briga — leva uma surra brutal de um grupo parafascista. Volta ao Brasil completamente arrebentado e é obrigado a se internar, por três meses, num hospital.

Vinicius o conhece antes disso, num coquetel de rotina oferecido pelo editor José Olympio, assim que Waldo Frank desembarca no Rio pela primeira vez. Apesar das companhias ilustres — lá estão, entre outros, Manuel Bandeira, Marques Rebelo, José Lins do Rego, Graciliano Ramos —, os dois, assim que podem, escapam para conversar a sós. Não param de falar. É noite de são Jorge e Vinicius decide tirar Waldo Frank da Zona Sul e levá-lo para a zona de prostituição do Mangue. Nessa madrugada, inspirado por essa excursão ao submundo, o poeta escreve a primeira versão de sua célebre ''Balada do Mangue'', que começa assim: ''Pobres flores gonocócicas/ Que à noite despetalais/ As vossas pétalas tóxicas!/ Pobres de vós, pensas, murchas/ Orquídeas do despudor/ Não sois Loelia tenebrosa/ Nem sois Vanda tricolor''. Só por esse belo poema, a amizade já teria se justificado.

Dias depois, o escritor americano deseja conhecer uma favela. Vinicius o leva direto até a Praia do Pinto, imundo amontoado de barracos e de pobreza às margens da lagoa Rodrigo de Freitas, no Leblon. Os dois terminam a noite numa birosca fétida, felizes com sua capacidade de abandonar o conforto "burguês", metidos numa roda de samba. A amizade se estreita. Como foi dito, Waldo Frank vai para a Argentina, volta arrebentado, se recupera. Tem, então, o desejo de fazer uma viagem pelo Nordeste brasileiro.

Precisa de um guia e se lembra, de imediato, de Vinicius. Procura o chanceler brasileiro Osvaldo Aranha e diz claramente: "Não posso fazer essa viagem sozinho. Basta o que vivi em Buenos Aires. Preciso de um guia experiente e quero que seja o Vinicius". Guia experiente? Estamos em plena guerra. A viagem de navio pela costa brasileira é feita em época de black-out. A escuridão adensa os sentimentos nefastos. Vinicius se empolga. Parece uma criança metida em um parque de diversões. Pouco antes da partida, o Itamaraty recebe a informação de que grupos extremistas argentinos teriam despachado matadores para executar Waldo Frank. Vinicius, muito a contragosto, mas sem poder fugir de seu papel de guarda-costas do escritor, viaja armado de um revólver. Termina se divertindo muito com aquela arma, que o assusta mais que os supostos assassinos.

A aventura dura quarenta dias. Waldo Frank, apesar de mais velho que Vinicius, faz o tipo atlético e despachado. Acha que nada pode paralisá-lo e deposita toda a confiança na proteção que o poeta parece lhe oferecer. Escritores acreditam em tudo... Vinicius dá um sorriso amargo por dentro cada vez que percebe isso. Grande ironia: é o norte-americano Waldo Frank, um homem da elite ilustrada do mundo dos ricos, quem o faz pisar, pela primeira vez, nos mocambos do Recife, nas palafitas do Amazonas, na lama e na podridão brasileiras. Que o leva a defrontar com a miséria absoluta — quer dizer, a miséria silenciosa, sem qualquer politização, sem qualquer apelo dramático, sem qualquer glamour —, miséria simplesmente. E que o faz, por fim, descobrir o Brasil.

É com Waldo Frank, em Salvador, que Vinicius assiste pela primeira vez a uma capoeira e ouve uma batucada de cuícas, tamborins e agogôs. Frank o introduz num reino de delícias antes impensáveis — ou que, até, lhe pareciam repulsivas — como o acarajé, o vatapá, o caruru, a moqueca e "um doce de coco mais louro que a Marilyn Monroe", como descreverá depois em sua coluna de *Flan*. Mas não é apenas o cenário que o toca — é o país desconhecido que existe sob ele. Vinicius resumirá a viagem, anos mais tarde, assim: "Saí do Rio um homem de direita e voltei um homem de esquerda". Estará tudo dito em definitivo.

Assim que volta aos Estados Unidos, Waldo Frank se põe a escrever o livro *South America journey*, cujos primeiro e sétimo capítulos são inteiramente dedicados ao Brasil. Chamam-se, respectivamente, "The face of Brazil" e "The body of Brazil". Numa carta a Vinicius de Moraes datada de janeiro de 1943, Frank diz: ''O livro revela que eu o amo, meu querido Vinicius, e que você me ensinou muito mais do que eu poderia imaginar''. As relações entre os dois amigos, apesar dessas declarações, tornam-se instáveis. Frank é um correspondente compulsivo e Vinicius, ao contrário, odeia escrever cartas. O escritor americano passa a reclamar que suas cartas nunca recebem resposta. Que Vinicius não lhe dá atenção. Atribui o silêncio do poeta a seu amor ''excessivo'' pelas mulheres, que o absorve completamente. ''Você pensa demais em mulheres para um artista'', Frank diz. Aproveita para confessar a decepção que teve na última noite da viagem que fizeram juntos pelo Nordeste brasileiro, quando Vinicius preferiu ficar com três moças num hotel a sair com ele para uma conversa de despedida. Vinicius pode vê-lo com seu ar de menino chorão, olhos, nariz e boca pequenos perdidos na superfície de um imenso rosto redondo e pueril.

Uma das últimas cartas de Waldo Frank a Vinicius termina com uma pergunta cheia de mágoa: ''Será que nossa amizade foi tão real para você quanto para mim?''. Nem assim o poeta se comove, e os laços afetivos de Frank com o Brasil, por conta da indiferença de seu maior amigo brasileiro, rapidamente se desfazem. Waldo Frank continuará a manter uma amizade estreita com o meio intelectual argentino, em particular com aqueles escritores reunidos em torno da revista literária *Sur*, dirigida pela carismática Vitoria Ocampo. O escritor americano foi um dos principais incentivadores da publicação, uma das mais importantes, no gênero, do continente, fundada em 1931. Foi, também, amigo íntimo de Vitoria Ocampo, que o hospedou em suas temporadas em Buenos Aires e acabou perdendo, com a revista, quase toda a fortuna que herdou da família. A amizade com Vinicius é, em contrapartida, relegada ao passado. O poeta jamais se esquecerá, porém, desse americano suave e sentimental que lhe serviu de guia involuntário na descoberta de seu próprio país. Waldo Frank morrerá em 1967, aos 68 anos.

É ainda com Waldo Frank que, em Recife, conhece João Cabral de Melo Neto e um crítico literário tão genial quanto esquecido chamado Willie Lewin. Lewin é mais um desses gênios sem obra, que seduzia os amigos com sua retórica afiada e sua biblioteca repleta de importados. Será um homem decisivo, em particular, na formação da alma de João Cabral. O triângulo Vinicius-Lewin-Cabral se fechará nos anos 50 quando, uma tarde, o poeta procurará João Cabral para lhe mostrar os originais do *Orfeu da Conceição*, peça de teatro que, musicada por Tom Jobim, marcará seu acesso à galeria dos gênios da música popular brasileira. No dia seguinte, Cabral o procura e diz: ''Os dois primeiros atos estão ótimos. O terceiro, péssimo''. Como Vinicius não consegue articular uma palavra sequer, o sempre impiedoso João dirá: ''Vamos, o que está esperando? Reescreva!''. O sábio Vinicius cumprirá à risca a ordem do amigo. Não tinha, ainda, um título para a peça. Quem lhe sugeriu batizá-la *Orfeu da Conceição* foi João Cabral.

O ANUNCIADOR

O escritor americano Waldo Frank conduziu o poeta à descoberta do Brasil real. Uma viagem que fizeram juntos ao Nordeste gerou um novo Vinicius, mais apegado às coisas do chão.

A cisão, talvez por toda a vida, porém, continuará a agitar a alma de Vinicius de Moraes. Jayme Ovalle e Waldo Frank desaparecerão no tempo, mas Vinicius continuará a ser, até o fim, um homem dividido entre os apelos da fantasia e as provocações da sensatez. É difícil duvidar da competência de um homem que atravessou nove casamentos, foi poeta brilhante, show-man internacional, diplomata de carreira e guru da Bossa Nova. Mas, apesar do realismo que soube transformar em eficácia, Vinicius nunca deixou de colocar o impulso e o irracional em primeiro lugar. Ele é, antes de tudo, um homem que ama a liberdade — com todos os riscos e as contradições incluídos nessa paixão. Um homem que se reparte e que gosta de agir como um camaleão, a se transformar a cada choque aplicado pelo mundo real. Um homem que não tem medo de mudar, porque sabe que ninguém pode roubar, de fato, sua alma. Ao menos por enquanto.

4

A mãe de Tati morre quando Susana completa um ano de idade. Estamos no início dos anos 40. Com a herança, o casal consegue comprar uma casa na esquina da rua Carlos Góes com a General San Martín, no Leblon, onde se estabelece até a mudança para os Estados Unidos em 46, quando Vinicius é nomeado vice-cônsul do Brasil em Los Angeles. Pedro, o segundo filho, nasce nessa casa. Tem dois andares e uma confortável sala de estar adornada por um belo retrato de um Vinicius jovem, parrudo e sensual desenhado por Portinari em 38 — um presente que recebeu do pintor pouco antes de partir para sua temporada de estudos em Oxford. Trata-se, talvez, do mais livre e menos convencional da série de retratos que Cândido Portinari desenhou na época, quase todos por encomenda. Apresenta o poeta com os olhos imensos e caídos, discretamente enevoados, um topetinho derrubado sobre a testa e um ar sério e triste que lhe confere um mistério especial. Vinicius se sentirá um privilegiado por merecer do artista tal dose de liberdade de estilo e tamanha carga de introspecção. Algumas vezes, eterno gozador de si mesmo, sugere: "É a minha Mona Lisa. E Portinari é o meu Leonardo".

A casa do Leblon tem um pequeno jardim na frente, um pátio interno enfeitado por um laguinho e uma garagem que serve de base ao quarto de empregada. O clima doméstico e barulhento conduz o poeta, pela primeira vez, à experiência plena de pai de família. No quarto de empregada, Iracema, a cozinheira do casal, estica nas horas vagas os cabelos das domésticas da vizinhança. Elas batizam o lugar, num exercício ingênuo de carinho, de "Salão Tati". Tati, paciente, suporta o entra-e-sai de empregadas com seus cabelos esticados à força e seus perfumes fortíssimos. O cotidiano é adornado pelos matizes de uma família feliz.

A casa vive cheia de amigos. Uma das mais assíduas é Maria Antonieta Porto Carrero, ou simplesmente Tônia Carrero, ou ainda Mariinha, uma mulher exuberante que nasceu poucos dias depois da Semana de Arte Moderna de 1922. Aos vinte anos se torna professora de educação física. Dá aulas para a escolinha de nadadores do Vasco e em academias. Pouco antes, em 1940, se casa com o desenhista Carlos Artur Thiré. Ela diz que na época do casamento não fazia nada. Sem dinheiro nesse início de vida a dois, Mariinha — uma mulher desde muito cedo preocupada com a elegância — depende das roupas que lhe são emprestadas por Tati, a quem conheceu nas domingueiras de Aníbal Machado. Mariinha acompanha de perto o crescimento de Susana e, em particular, o de Pedrinho. "Esse menino está apaixonado por mim", diz. Um dia, pede a Tati que proíba Pedrinho de se sentar em seu colo. "Ele enfia o nariz no meu pescoço e fica sentado sem se mexer. É de arrepiar", justifica. Vinicius, gaiato, prefere chamá-la de Maricota.

Telas de felicidade assim tão exuberantes normalmente escondem os conflitos debaixo da cama. O casamento com Tati, apesar desse cenário que induz à placidez, logo sofre seus primeiros abalos. O poeta se aproxima dos trinta anos, o que é grave para um homem vaidoso e inquieto. Passa por uma metamorfose interior, processo ambíguo e agitado que o deixa tenso. Começa a ter suas aventuras. Os amigos se preocupam. Confrontando a solidez dos versos que lêem com a inquietação do homem que acolhem nas mesas de bar, começam a descobrir em Vinicius algo que nunca tinham visto: um certo verniz de cinismo, que é na verdade uma maneira de sobreviver ao próprio medo. Assustam-se. Ainda tentam se amparar em imagens edificantes — por exemplo, o paralelo com Arthur Rimbaud. O procedimento, porém, começa a falhar. Rimbaud escrevia com o coração em fogo porque era uma criança com o espírito de um herói. Um menino grande — mas um menino. Vinicius é, agora, um homem-feito. Os sentimentos continuam a assaltá-lo com violência, mas o raciocínio se sofistica. O espelho já não serve mais. O que antes era ousadia agora lhes parece, repentinamente, egocentrismo. Os sonhos desmedidos, a partir de agora, têm a aparência de empáfia.

Não é nada fácil pensar nessas coisas a respeito de alguém que se ama. Os amigos mais próximos, porém, se fazem duros. Vêem Octavio de Faria, quieto, se afastando, e perdem o medo de pensar que Vinicius, quem sabe, o usou mais do que puderam, na época, admitir. Começam a descobrir em Vinicius de Moraes um tipo de artificialismo que não podiam ver. Aquele rapaz suave, com a mente habitada por anjos severos e vôos corajosos, agora lhes parece um pouco mentiroso. Descobrem o gosto do amigo pelo obsceno. Chocam-se. Identificam nesse gosto a perpetuação, invertida, da idéia do pecado — pois só é obsceno aquilo que estamos proibidos de ver. Mário Vieira de Mello, por exemplo, se entusiasma por D. H. Lawrence, o escritor inglês morto em 1930 que se fez ficcionista para celebrar o poder do sexo. Expõe ao amigo as razões de sua paixão. Vinicius protesta: "Mas ele é obcecado por sexo. Como você pode gostar disso?". Mário, solitário, reflete consigo mesmo que há, nesse protesto, um erro. Obcecado por sexo é Vinicius. Como ele não consegue se ver?

A insatisfação crescente com a rotina ao lado de Tati, que no cotidiano ele consegue dissimular com bastante sucesso, aos poucos conduz Vinicius a encarar o amor como um desfiladeiro. Uma sucessão de clímax inebriantes — os momentos em que a paixão se instala — seguida de uma sucessão de abismos. Em seus poemas, Vinicius teoriza sobre o amor com rara competência. Basta pensar numa das peças mais irretocáveis que produziu ao longo de toda a vida: *As cinco elegias*, publicadas pela Pongetti no ano de seu trigésimo aniversário, em 43. São versos de uma potência singular, dedicados a Octavio de Faria, José Arthur da Frota Moreira e Mário Vieira de Mello, seus três mosqueteiros de juventude. As duas primeiras — ''Elegia quase uma ode'' e ''Elegia lírica'' — foram escritas em 37, no sítio de Octavio de Faria, em Itatiaia. ''Elegia quase uma ode'' tem, em seu primeiro verso, a confissão de um ritual de passagem: ''Meu sonho, eu te perdi; tornei-me em homem''. Traz ainda, em versos que ficariam célebres, um desejo radical de superação: ''Óh, quem me dera não sonhar mais nunca/ Nada ter de tristezas nem saudades/ Ser apenas Moraes sem ser Vinicius!''. Versos que indicam dois sentimentos: o poeta começa a se cansar das tonturas da poesia (quer deixar de ser Vinicius) e prefere agora ser apenas um homem maduro e comum (expresso no nome do pai, Moraes). A transição que as *Cinco elegias* apontam, portanto, é a da maturidade.

A ''Elegia lírica'' conserva, em particular, uma visão idílica do amor. A terceira, ''Elegia desesperada'', talvez a mais bela das cinco, inaugura, ao contrário, uma visão mais cínica do amor, visto como uma modalidade de mentira. ''Alguém que me falasse do mistério do Amor/ Na sombra — alguém! Alguém que me mentisse.'' Era na verdade para ser a quarta elegia. Há duas versões quanto ao destino da terceira elegia desaparecida. Na oficial, Vinicius explica que a deixou de lado para transformá-la num drama lírico — que pode vir a ser *Cordélia e o peregrino*, publicado pelo MEC em 1965. O poeta João Cabral de Melo Neto relata, porém, outra versão. Certo dia, em um ônibus que tomavam do centro para a Zona Sul, Vinicius lhe mostra uma cópia, ainda não definitiva, dessa elegia perdida. João, atento, a lê. E gosta do que lê. Sem esperar pelos comentários do amigo, Vinicius a toma de volta, amassa o papel e o lança no chão do ônibus, dizendo: ''Não gosto dela. É melhor esquecê-la''. João Cabral consegue, sem que Vinicius perceba, recuperar o manuscrito amassado e enfiá-lo no bolso antes de saltar do coletivo. Guardou-o em algum lugar de sua biblioteca e nunca soube muito que destino lhe dar. Conserva-o, inédito, como um talismã legado pelo amigo.

A ''Elegia desesperada'' traz, em seu bojo, o belo ''O desespero da piedade'', conjunto de 92 versos em que Vinicius de Moraes leva seu lirismo quase ao limite intolerável. Ao ponto em que o lirismo, de tão asfixiante, se torna desespero. Há alguns quartetos inesquecíveis, como esse a seguir, em que o poeta parece falar de sua própria alma partida: ''Tende muita piedade do mocinho franzino, três cruzes, poeta/ Que só tem de seu as costeletas e a namorada pequenina/ Mas tende mais piedade ainda do impávido forte colosso do esporte/ E que se encaminha lutando, remando, nadando para a morte''. Vinicius de Moraes sai de sua casca. Só que, como se dá em toda transição radical, fica difícil saber por um tempo o que é casca e dejeto, o que é a mudança e a novidade.

Por fim, a ''Última elegia'', escrita em Londres em 1939 e a mais ousada das cinco, fecha um ciclo de transformações radicais que levam a Tati, mas que também indicam um processo de libertação que o afastará, desde já, dela. Mesclando português e inglês, ela reflete a cisão que já na Inglaterra se instala entre o poeta que ainda tem a alma presa na metafísica — e, por conseqüência, no ideal do amor perfeito — e o poeta que se liberta para o mundo — aquele que, mais tarde, verá o amor como algo ''eterno enquanto dure''. O poema tem um ritmo envolvente e dá provas da maturidade do homem que o escreveu. É inesquecível: ''O roofs of Chelsea!/ Encantados roofs, multicolores, briques, bridges, brumas/ Da aurora em Chelsea! ô melancholy!/ 'I wish, I wish I were asleep...' but the morning/ Rises...''. Com as *Cinco elegias* o poeta se ergue, em definitivo, da escuridão metafísica para a claridade do mundo. É seu poema de transição por excelência, só que não anuncia uma solução para o conflito que deixa para trás. Anuncia, sim, a entrada do poeta num desfiladeiro de embates — agora jogados entre forças que se equivalem, e que estão ambas dentro de si; não mais entre um rapaz sensível e o poder divino — que o eletrizarão até a morte.

Numa noite, sozinho na sala de sua casa no Leblon, Vinicius começa a ter uma sensação imprecisa de mal-estar. Sente um tremor que, a princípio, parece vir de seu peito. Logo, porém, observa que são os móveis que tremem. Pensa, de imediato, em um terremoto e corre para a rua. Lá fora, tudo está calmo. Volta para dentro. Percebe, novamente, que a casa continua a tremer, como um animal ofegante. Um impulso inexplicável o leva a sentar-se na mesa de jantar. Leva consigo, não sabe por que, papel e caneta. Com as mãos trêmulas, faz um desenho e o assina. O tremor, subitamente, estanca. Exausto, vai se deitar, julgando ter vivido alguma alucinação. Na manhã seguinte, lá está o desenho sobre a mesa para desmenti-lo. A assinatura é idêntica à de Carlos Scliar, que está a essa altura na Europa, incorporado aos soldados da FEB que lutam na Segunda Guerra Mundial. Vinicius vai para seu quarto e acorda Tati. ''Aconteceu alguma coisa com o Scliar'', diz. Sonolenta, Tati não entende bem o que se passa. ''De que que você está falando, Vinicius?'' O poeta parece fora de si. Diz: ''Acho que o Scliar morreu e veio me avisar''. Tati, pensando tratar-se de um pesadelo, se vira para o lado e dorme. Vinicius se abate. Poucas horas depois, recebe a notícia de que a mãe de Carlos Scliar havia falecido na noite anterior. O mais impressionante: na mesma hora do ''terremoto''.

O HERDEIRO

Pedro, o segundo filho do poeta e seu único filho homem.

Apesar de tudo, a vida transcorre serena no Leblon. Susana e Pedrinho crescem, e Tati, com sua doce mão de ferro, mantém a vida em coesão. Até que uma mulher vem fazer o mundo do poeta desabar. Chama-se Regina Pederneiras, é nove anos mais moça que ele — está com 23 anos — e trabalha como arquivista do Itamaraty. Os dois se conhecem em fins de 1945. O casamento com Tati entra em crise. O poeta, com a rapidez que o caracteriza, logo transformará a crise em poesia. Escreverá para Regina a célebre ''Balada das arquivistas'', que será publicada no livro *Poemas, sonetos e baladas*, de 1946. Começa assim: ''Oh jovens anjos cativos/ Que as asas vos machucais/ Nos armários dos arquivos!''. Prossegue: ''Delicadas funcionárias/ Designadas por padrões [...] É triste ver-vos, suaves/ Entre monstros impassíveis/ Trancadas a sete chaves''. A ênfase do poeta é na delicadeza daquelas mulheres que servem à burocracia oficial, oprimidas por toneladas de processos e por chefes obsessivos com suas rotinas. O poeta escreve tomado por um sentimento de piedade — que talvez tenha confundido com o amor: ''Ah, saber que em vós existe/ O amor, a ternura, a prece/ E saber que isso fenece/ Num arquivo feio e triste!''. Termina seu poema em tom exaltado: ''Do fundo do meu silêncio/ Eu vos incito a lutardes/ Contra o Prefixo que vence/ Os anjos acorrentados/ E ir passear pelas tardes/ De braço com os namorados''. Vinicius, tantas vezes, parece pisar no acelerador da vida só para dar combustão à poesia. Logo ficará claro, porém, que as coisas se passam bem ao contrário. É a poesia que, a partir de agora, passa a reger em definitivo a vida real. Passa a ter utilidade: Vinicius seduz Regina presenteando-a, quase diariamente, com pequenos versos. Iscas de palavras que a arquivista devora com avidez.

A carioca Regina Pederneiras é uma mulher de pele muito branca, olhos verdes, pequenina e gordinha, conhecida por sua vivacidade e extroversão. É uma mulher charmosa, mas pouco vaidosa, que não se veste bem. É sobrinha do poeta Mário Pederneiras. E do caricaturista Raul Pederneiras, que forma um famoso trio de desenhistas com Calixto e J. Carlos. Regina tem sonhos muito claros e vida metódica. Cultua hábitos severos, frutos de uma rígida educação. Não é uma funcionária de carreira, mas é conhecida por sua dedicação extrema ao trabalho e sua seriedade, dosadas, sempre, pelo bom humor. É, antes de tudo, uma mulher séria. Tem aulas de português com o prof. Antônio Houaiss, a que se dedica com fé quase religiosa, unicamente para aprimorar a qualidade de suas fichas de classificação e de suas cartas profissionais.

Quase todo dia, ela e Vinicius encerram o expediente num barzinho em frente ao Itamaraty, onde sorvem seguidos cálices de cachaça de macieira — a bebida preferida da arquivista. Vinicius, por fim — e sem muita convicção — sai de casa. Regina toma o controle da situação. Casam-se no religioso, numa pequena igreja de Petrópolis, por pressão dos pais de Regina, que descobrem o romance e exigem uma união formal. O ato religioso não corresponde à opção por uma vida conjugal estável. Vinicius o aceita quase como um ritual de pacificação. Sabe que continua casado com Tati, as palavras daquele padre não o impressionam. Regina, mesmo assim, pretende mantê-lo atrelado a uma disciplina férrea e arrastá-lo para uma vida nova. Não sabe que tem um sonho impossível.

O casamento é uma surpresa mesmo para os parentes mais próximos dos noivos. Seu único irmão, Arnaldo Pederneiras, estuda a essa época num colégio interno em São Paulo. Um dia, é pego de surpresa por um telefonema da mãe, d. Hilda Pederneiras. "Meu filho, tenho uma novidade", ela começa. "Sua irmã se casou com Vinicius de Moraes." Arnaldo é um rapaz desligado: "Ah, é? E quem é ele?", pergunta. A mãe responde: "Vinicius é um funcionário do Itamaraty". Faz uma pausa e comenta: "Ah, e também escreve umas poesias...". O irmão não gosta nada do que ouve. Diz: "Ih, em que fria minha irmã se meteu! Casar logo com um poeta...". Para o jovem Arnaldo, a atividade poética é quase uma forma de desvio sexual. Engole em seco. Prefere não se estender em seus comentários.

O casamento não dá certo e nem um ano depois de se conhecerem Regina Pederneiras decide abandonar Vinicius. O poeta cai em profunda depressão. Um amigo lhe serve, nessa época, de anjo da guarda: o poeta João Cabral de Melo Neto. Diariamente, João o pega no Itamaraty para almoçarem juntos em secretos restaurantes do centro do Rio. A cena se repete: na mesa ao fundo, diante do prato cheio, Vinicius transborda em lágrimas e não toca na comida. ''Não agüento de saudades dela'', se lamenta. João, um anti-sentimental por definição, ignora essas confidências melosas e tenta trazê-lo de volta ao mundo objetivo: ''Come, pelo menos, um bifezinho à milanesa para se alimentar'', argumenta. ''Depois do bife, você pode chorar à vontade.'' O desfecho é sempre o mesmo: Vinicius, lambuzado em lágrimas, vai ao banheiro para lavar o rosto. Volta ainda com os olhos vermelhos. Os dois amigos terminam tomando um uísque restaurador. Mesmo assim João Cabral não desiste. Dia após dia, está a postos à espera do amigo, uma e meia em ponto, para repisar pacientemente o mesmo script. Sabe que as amizades, tantas vezes, servem exatamente para isso: para nada. Para nos acompanhar no vazio. Resigna-se.

Certa vez, Vinicius comenta à boca pequena a respeito de João Cabral: ''Pois é, eis um grande poeta. Mas eu não sei se estaria disposto a pagar esse preço''. Os dois amigos são radicalmente opostos. Tanto que, enquanto Vinicius atravessará a vida a se transmutar, como um camaleão encarnado num poeta, Cabral fará sua travessia existencial se tornando cada vez mais igual a si mesmo. João Cabral de Melo Neto é, em essência, um neoclássico, com uma visão anti-romântica da vida. Odeia música — ''Não gosto de ouvir nem essa musiquinha que toca em elevador'', diz várias vezes —, leva vida metódica e acha que a grande poesia emerge da intimidade com os livros. E que a vida, com suas instabilidades e seus imprevistos, só nos dispersa. Seus poemas são descritivos: falam friamente de coisas concretas, os sentimentos sempre banidos. Ao menos, é isso que espera de si. Seu poeta ideal é Santa Rita Durão, o frade brasileiro do século XVIII autor de *Caramuru* e que preferia só escrever sobre frutas — talvez julgando, no que não deixaria de estar certo, que o Mal se esconde no imaterial. Cabral escreve em luta contra a espontaneidade, contra o romantismo, contra a emoção. Nutrirá, mais tarde, por conta disso, uma vasta simpatia pelos poetas concretistas, que também o cultivarão como uma referência básica. Certa vez, em visita a João Cabral, Ferreira Gullar se surpreende com o número de quadros concretos que o poeta tem nas paredes de sua sala. Demonstra sua admiração e ouve de Cabral uma justificativa que jamais irá esquecer: ''Dentro de mim é tamanho o caos que em volta de mim tem que estar tudo na máxima ordem. Por isso só gosto dos concretos''. É, em tudo, o oposto de Vinicius — um poeta voltado para as emoções exageradas, para o trato dos sentimentos agudos e para o espiritual. A amizade profunda que os liga é um mistério, que só pode ser explicado pelo amor à diversidade.

Vinicius se sente, a essa época, bastante sozinho. Freqüenta as rodas de bar e desfila seu eterno bom humor — que, agora já sabemos, é uma máscara colada, talvez em definitivo, ao rosto do poeta. Mas sofre. Os amigos mais chegados, quase todos, debocham de seu romance com Regina

AMOR SECRETO

Um casamento às escondidas
com Regina Pederneiras, funcionária do Itamaraty,
põe a relação com Tati em risco.
Regina é a musa inspiradora da célebre "Balada das arquivistas".

Pederneiras. E fazem defesas inflamadas de Tati. O sentimento de solidão parece embriagar ainda mais o poeta. Esses mesmos amigos apelidam Regina, maldosamente, de ''empadinha'' — porque ela seria ''cheinha, burrinha e sem graça''; outros de ''abobrinha'' — no sentido de uma mulher muito ''aguada'', isto é, sem substância. Desdobram-se na arte do deboche. Os ataques contra Regina, sempre de extremo mau gosto, se explicam: todos estão muito comovidos com o sofrimento intenso de Tati. Sabem que ela continua a amar Vinícius. E que este, apesar de tudo, ainda a considera sua verdadeira mulher.

A decisão de aceitar o posto de vice-cônsul em Los Angeles é uma tentativa de dar uma solução ao impasse amoroso que o dilacera. Na primeira viagem que faz à Califórnia, Vinicius leva Regina consigo. Ela está tão decidida a permanecer ao lado do poeta que chega a pedir exoneração de seu posto de arquivista do Itamaraty, onde serve desde abril de 41, inicialmente como auxiliar de escritório. E consegue, em troca, um cargo no consulado-geral do Brasil em Nova York, onde terminará ficando apenas por alguns meses. Em plena viagem, Regina tem uma crise súbita de diverticulite. Muitos anos depois, já novamente apaixonado por Tati, Vinicius comentará, numa de suas insuportáveis tiradas machistas: ''Achei aquela história de diverticulite de muito mau gosto. Especialmente numa mulher...''.

Pouco depois, Vinicius se muda, sozinho, para Los Angeles, deixando a família para trás. Passa, antes, uma curta temporada em Nova York. No dia seguinte ao desembarque, o poeta cai doente com uma enigmática infecção na garganta. O mal, sem um diagnóstico preciso, se agrava e ele é transferido pelos funcionários do Itamaraty para um hospital nova-iorquino. Quando se recupera da estranha doença, que é mais uma somatização da crise amorosa, Vinicius compra imediatamente uma passagem para Los Angeles. Reata com Tati. Regina Pederneiras, que já estava em Nova York a seu lado, é encerrada no passado. Não voltam a se ver. Ela consegue retornar a seu posto na sede do Itamaraty em dezembro de 45. Tem, agora, uma carreira breve. É demitida por decreto em julho de 46. Anos depois, Regina Pederneiras se casa com Márcio Caldeira Brant, filho respeitável de uma tradicional família mineira. Encontra, finalmente, seu caminho. O casal tem dois filhos: Márcio e Mauro. Este último, assim batizado em uma homenagem ao pai de Regina, Mauro Pederneiras. Márcio Brant toma-se de tamanha aversão por Vinicius que não pode sequer ouvir as canções do poeta no rádio sem se transtornar. O romance de Regina com Vinicius passa a ser um tabu também para a família Pederneiras. Como um pesadelo que, superado, é melhor esquecer. Regina Pederneiras morrerá em julho de 1991, aos 69 anos.

5

Na noite de 25 de fevereiro de 1945, Vinicius tem um sonho: vários amigos perdem a vida num desastre de avião. Vão para São Paulo, sem que fique muito claro para que, e não voltam mais. Acorda em pânico. Escreve, logo depois, ''A manhã do morto'', poema publicado mais tarde em *Poemas, sonetos e baladas*, pela Pongetti. O poema é o relato da situação fantástica desencadeada pelo pesadelo. Na manhã seguinte, Vinicius recebe da mulher a notícia de que Mário de Andrade morreu naquela noite. ''Ergo-me com dificuldade/ Sentindo a presença dele/ Do morto Mário de Andrade/ Que muito maior do que eu/ Mal cabe na minha pele'', relata em versos. Olha-se no espelho. Quem vê? Mário. Toma o café da manhã. Quem está comendo? Mário de Andrade, novamente. Telefona para Rodrigo Mello Franco de Andrade em busca de socorro. É Rodrigo quem fala, mas a voz é de Mário. O poeta não suporta mais. Acostuma-se à presença do amigo perdido, durante todo o dia sempre a seu lado — ou melhor, dentro de si. ''Somente às cinco da tarde/ Senti a pressão amiga/ Desfazer-se do meu ombro.../ Ia o morto se enterrar/ No seu caixão de dois metros.'' Não pôde ir ao enterro. Sabe, mais que nunca, que está vivo.

No dia 2 de novembro do mesmo ano, o pesadelo retorna — agora na forma de desastre. Vinicius embarca com os amigos Moacyr Werneck de Castro e Aníbal Machado para uma viagem até Buenos Aires. Tomam um hidroavião francês de seis motores, um Latécoère 631, batizado Lionel de Marmier. O aparelho faz seu vôo inaugural no hemisfério sul. Os três amigos não sabem que, ainda em espaço aéreo francês, o avião fora obrigado a uma parada de emergência em Bordeaux, para sanar problemas técnicos. A viagem inaugural Rio—Buenos Aires é abrilhantada com um convite especial a alguns intelectuais brasileiros. Carlos Drummond de Andrade, Fernando Sabino e Cândido Portinari agradecem, mas recusam a honraria. Sabino chega a dizer a Tati que, sempre cética, não o toma a sério: ''Esse avião vai cair. Avise ao Vinicius isso''.

O avião tem uma arquitetura interior especial. Um aspecto agrada, em particular, aos três amigos: há uma cabine-bar instalada na parte da frente do aparelho. Vinicius e Moacyr estão tomando um conhaque quando, subitamente, o avião estremece e, ato contínuo, começa a perder altura. Numa reação heróica, o piloto consegue conter a fúria animal do aparelho, desliga os motores para evitar um incêndio e o faz pousar, como uma ave embriagada, numa laguna uruguaia. O pior já tinha acontecido: uma pá de hélice se desprendera da asa e invadira a fuselagem do aparelho, como uma serra elétrica voadora, matando um passageiro, Pedro Luís Teixeira. O pesadelo sonhado nove meses antes, depois de uma gestação silenciosa, chegava ao mundo real.

O ano de 1945 é bastante agitado para o poeta. Em março, ele participa, em São Paulo, em clima tenso por causa das pressões e ameaças do governo, do I Congresso Brasileiro de Escritores. Personalidades como Monteiro Lobato, Antonio Candido, Jorge Amado, Carlos Lacerda, Manuel Bandeira e Augusto Frederico Schmidt, além de Vinicius, assinam uma "Declaração de princípios" a favor da liberdade absoluta de expressão, apresentada em sessão solene no Teatro Municipal. O congresso é vivido como uma ressurreição dos escritores brasileiros no cenário político. Para Vinicius de Moraes, em particular, serve como uma espécie de confirmação de algumas teorias que, já havia algum tempo, vinha defendendo publicamente. Alguns meses antes, em novembro de 44, ele publica em *O Jornal* um artigo polêmico chamado "Carta contra os escritores mineiros". A crônica traz um subtítulo que procura — inutilmente — suavizar a ênfase contida no título: "Por muito amar". O subtítulo é uma ressalva de cunho pessoal, também, à amizade sincera que nutre por alguns intelectuais de Belo Horizonte — e que não deseja confundir com suas posições literárias. O poeta se opõe, com veemência, ao "olhar para dentro" que caracteriza, segundo ele, a escrita mineira. Discute a opção dos mineiros pela introspecção e faz uma defesa apaixonada da literatura mais engajada no real e mais extrovertida. Vinicius, na maturidade dos trinta anos, se politiza. Repreende, com dureza, seus colegas de Minas: "Maior que vós mesmos é a humanidade que vos circunda; maior que a vossa casa é o mundo; maior que vossos casos particulares, vossos segredos, vossa contida existência doméstica, é a miséria, a grandeza, a indiscrição, a sordidez do mundo". Deseja firmar, em definitivo, a imagem do "escritor engajado" e sepultar o que resta de sua fama de metafísico.

Faz graves acusações de egocentrismo, vazio e evasão: "Por que vos recusais a pensar, escritores de Minas, além do pensamento de vós mesmos, que vos ocupa todas as horas?", pergunta. "Por que não [vos] revitalizais com o vosso espírito e a vossa ação?" Vinicius está, sem dúvida, amargo. Seu "amor" pelos mineiros não passa de uma forma de empáfia e patrulhamento do espírito. O poeta parece, nesse artigo, se desforrar de todo aquele passado introspectivo e obscuro em que se formou. Toma os mineiros como vítimas. "Vossa alma é patética, escritores de Minas", prossegue. E lança sua praga: "Eu a amo e admiro. Mas esse olhar perpetuamente para dentro vos secará o brilho dos olhos''. Chega a ser rude: ''Por que economizais e para quê? Para comprar o vosso túmulo?''. Termina a carta em tom exaltado: ''Ah, escritores de Minas Gerais. Deixai-me acusar-vos de estardes a ponto de inutilizar para a vida mais uma geração de quem não quereis ser o amparo, contra vós mesmos''.

A reação vem a galope. Chovem cartas e mais cartas na redação de *O Jornal*. Carneiro Giffoni, um mineiro radicado em São Paulo, pondera: ''Há um engano na sua mensagem, poeta Vinicius! Somos gente simples, somos gente hospitaleira, mas não há destruição de uma cultura nessa atitude''. Mais que nunca, os mineiros exibem seu sentimentalismo. É de um mineiro de prestígio, no entanto, que vem também a defesa mais afiada. No artigo intitulado ''O escritor mineiro e a falsa noção dos limites'', assinado por Fernando Sabino em *O Jornal* de 10 de dezembro de 44, o tom emocional diminui, mas a força dos argumentos continua. Sabino protesta, primeiro, contra a malícia, a ironia, o *humour* com que muitos intelectuais mineiros se defendem das idéias de Vinicius, ''revelando, apenas, falta de dignidade intelectual''. Mineiros de prestígio não vêem no carioca Vinicius de Moraes autoridade para falar a seu respeito. Sabino é duro com eles: ''Não se trata de discutir a autoridade do poeta, e sim de discutir o problema''. Lamenta que intelectuais do porte de Tristão de Athayde, ''o grande amigo dos mineiros'', incidam no erro de exaltar, com excessiva admiração, as características substanciais do ''mineirismo'', ajudando apenas a reforçar um mito, em vez de destruí-lo. Reconhece que a introversão é, para os escritores de Minas Gerais — basta pensar em Drummond e em Murilo Mendes —, fonte de contínua inspiração. No entanto, adverte: ''Mas o mergulho violento em si mesmo tem levado muito escritor a se perder nos meandros do próprio eu''. Cita, como prova, um belo verso de Hélio Pellegrino: ''Perco as direções elementares, meu corpo sangra nos altos espelhos''. Reconhece por fim que o mineiro, para defender outro mineiro, é capaz de sacar ''as mais despropositadas idéias, os mais desconcertantes argumentos''. Fernando Sabino e Vinicius de Moraes estreitam, a partir daí, uma intensa amizade, que os ligará para sempre.

Em fevereiro de 45, ainda nas páginas de *O Jornal*, Vinicius volta ao tema com o artigo ''Evolução e reação''. Responde a carta do leitor Fritz Teixeira Salles — que, a rigor, polemizava com Fernando Sabino, e não com ele. Toma a defesa de Sabino. Protesta, primeiro, contra o pano de fundo esquerdista que dá o tom da carta de Salles. ''O revolucionário social autêntico não é melhor, nem pior que os outros homens'', enfatiza. Dá um salto para o campo da arte e cita o exemplo de Cézanne, que foi ''um pintor apenas, um plástico, e no entanto propiciou todo o impressionismo''. Conclui, pondo em questão a arrogância dos vanguardeiros: ''Tudo poderia ficar em puro jogo de palavras, se não houvesse uma verdade profunda atrás desses conceitos''. Devemos enfatizar que esse Vinicius que defende Sabino está muitos anos-luz à frente do rapaz introvertido que namorou o integralismo e simpatizou com o fascismo. Vinicius, agora, é um homem de esquerda — e é com essa autoridade que enfrenta seus inimigos. Que ataca os esquerdistas sectários que se enclausuram em seus *bunkers* conceituais. Está com 31 anos de idade: "Aos trinta anos, supõe-se que um homem deva ter chegado bem ao fundo de si mesmo e esgotado sua dose mais forte de individualismo, para começar a abdicar". Chama, pela última vez, os mineiros à realidade. Terá, anos mais tarde, uma relação de profunda intimidade com Minas Gerais.

É esse Vinicius de Moraes decidido e de posições firmes que desembarca em São Paulo para o Congresso Brasileiro de Escritores. O mesmo poeta que, em fins dos anos 50, escreverá em Montevidéu um de seus poemas mais politizados — e também, paradoxalmente, um dos menos panfletários: "Carta aos 'Puros'", que será publicado em *Para viver um grande amor*, livro de 1962. Um rápido salto no tempo, aqui, serve para mostrar como esse Vinicius de Moraes consciente, mas sem ilusões onipotentes, amadurece. Uma quadra de versos como essa diz tudo: "Ó vós, a quem os bons amam chamar de os Puros/ E vos julgais os portadores da verdade/ Quando nada mais sois, à luz da realidade,/ Que os súcubos dos sentimentos mais escuros". Outra: "Ó vós, falsos Catões, chichisbéus de mulheres/ Que só articulais para emitir conceitos/ E pensais que o credor tem todos os direitos/ E o pobre devedor tem todos os deveres". A pureza, que já foi um objeto de paixão desesperada, agora é vista como vício. Os Puros são aqueles homens frios, que atravancam a vida com seus raciocínios e suas boas explicações. Homens que, em última instância, odeiam viver. Tudo o que Vinicius de Moraes, agora, não deseja mais para si — nem para os escritores mineiros, nem para ninguém.

É nesse ano, ainda, que escreve a sua "Tatiografia", outra prova em versos de seu amor por Tati. O poema, um mosaico de citações díspares costuradas em torno da imagem da mulher, reflete o estado de ânimo de um homem disposto, cada vez mais, a abandonar as abstrações e se abrir para o mundo. Como radiografia de alma, vale a pena registrá-lo:

Em Tati tem Taiti
Ilha do amor e do adeus
Tem avatá, Havaí!
Taubaté, Aloha He...
Tem medicina com mascate
Pão de açúcar com café
Tem Chimborazo, Kantchatca
Tabor, Popocatepete
Tem montes sem ser rochosos
Tem milhões de Pireneus

Tem doces lagos da Escócia
Tem aconcáguas incríveis
Junto de Dedos de Deus
Tem Malaias, tem malárias
Amazonas sem mistérios
Tem Saaras sem Simoun
Com tabus e Timbuctus
Tem iogas, tem nirvanas
Tem tigres, tem tuaregues
Tem vagas Constantinoplas
Tem Bombains sem madrastas
Tem juras, tem jetaturas
Danúbios sem ser azuis
Tem Jordões, tem Solimões
Içás, Tapajós, Purus
Tem Valências Catalunhas
E até calvários sem cruz
Tem Tejos tem Beira Douros
Traz as Cintras, Traz os Montes
Tem rios, tem pororocas
Quedas-d'água, brancas fontes
Tem colinas, tem bacias
Muitos belos horizontes.
Tem Norte Sul Leste Oeste
Zona quente e zona fria
Tem tudo que tem no mundo
Na minha Tatiografia.

A mistura algo feérica de imagens e lugares, beirando o folclórico, faz lembrar a Carmen Miranda que ele, já então, aprendia a amar. E o poeta que começa, tantas vezes, a leitura dos jornais pelas seções e cadernos de turismo. Mas Vinicius não é um envergonhado. Não é um homem de reter as próprias inundações interiores. Vê Tati como uma mulher total, uma espécie de deusa de carne a protegê-lo de medos assombrosos, espíritos malignos e do terror da religião. Ela o salva por meio da carne — e ele deseja expressar sua gratidão. Não tem vergonha de ser exagerado. Ao contrário, dá sempre vazão a seus exageros, sem temer o escândalo, o ridículo ou a prolixidade. ''Tatiografia'' não deixa de ser uma superexposição desse Vinicius de Moraes excessivo e carismático — sempre rindo um pouco da própria empáfia e grandiloqüência — que, a cada dia, nele mais se fortalece. Que o joga na vida.

6

A família finalmente está reunida em Los Angeles. Estamos em 1946. Tati desembarca com Susana e Pedro na estação ferroviária. Pedro tem quatro anos, Susana seis. Vinicius, pretendendo apagar de vez da memória de Tati sua aventura com Regina Pederneiras, a recebe com uma festa-surpresa em plena estação. O Bando da Lua, liderado por Aloísio de Oliveira, dá um show na plataforma. Tati é envolvida em vastas braçadas de flores. Os outros passageiros assistem, abismados, sem entender o que se passa. Vinicius sente um prazer especial em fazer seu amor por Tati se manifestar à luz do sol. A imprensa local anuncia a chegada do novo vice-cônsul brasileiro com uma nota ilustrada por uma fotografia bastante significativa: Pedro e Susana, abraçados à mãe, ouvem o pai que lhes lê as aventuras do Lobo Mau. Mas Vinicius, agora, é um lobo domesticado.

Instalam-se primeiro numa pequena casa perto dos estúdios cinematográficos. Mudam-se logo depois para outra, bem mais confortável, na Redondo Boulevard, ao lado da agitada Wilshire Boulevard. Vinicius se reaproxima da família e seu espírito romântico se acirra. Um dia, Tati o encontra abatido, os olhos cheios de lágrimas, num canto da sala de jantar. "O que houve? Aconteceu alguma desgraça?", ela se assusta. Vinicius custa a responder. Por fim, balbucia: "Coitadinha, coitadinha...". Tati começa a se impacientar: "Mas coitadinha de quem? Por favor, diga alguma coisa!". O poeta, sem perder o ritmo, prossegue: "Coitadinha... Como ela deve ter ficado apavorada na hora de morrer". Tati já não se controla mais. "Quem morreu? Por favor, diga logo!" Vinicius, finalmente olhando-a nos olhos, diz no mesmo tom desconsolado: "A Carole. Coitadinha... A Carole Lombard... Como ela deve ter sofrido com a explosão do avião". Tati não pode acreditar no que ouve. Carole Lombard, a célebre atriz de Hollywood que foi casada com o ator Clark Gable, morrera quatro anos antes, quando o avião comercial em que viajava foi bombardeado durante a guerra. O mais grave: Vinicius nunca a conhecera, nem chegara a ser um admirador muito entusiasmado de seus filmes. Por que, tanto tempo depois, estaria tão arrasado com sua morte?

Entender Vinicius — melhor nem tentar. Melhor simplesmente amá-lo. Tati sempre encara as coisas assim. É verdade que, em Los Angeles, ele parece revitalizado, mais confiante e extrovertido. O mundo agitado de Hollywood o arrasta. Vinicius se torna, de saída, uma presença obrigatória nas festas com que Carmen Miranda agita sua casa, em Beverly Hills. Uma bela mansão com piscina — em que o pequeno Pedro aprende a nadar —, enorme jardim e uma mesa de sinuca em torno da qual um Vinicius luminoso e cheio de tiradas de humor passa a circular com seu copo de uísque. O poeta se diverte, em particular, com as piadas marotas de Zé Carioca, o violonista do Bando da Lua, e com o charme de Aurora Miranda, a irmã mais nova de Carmen — que um dia, cantando anônima no El Carol, da Sunset Boulevard (pois faz questão de tirar o Miranda de seu nome, para não dar a impressão de que explora o sucesso da irmã), foi descoberta por Walt Disney, que a levou para o elenco do divertido *The three caballeros*, de 1945.

Torna-se amigo de brasileiros espertos e bem-humorados como Laurindo de Almeida, o violonista brasileiro que toca na banda de Stan Kenton — o gênio do jazz progressivo americano. A revista *Down Beat* elege Laurindo um dos melhores guitarristas em atividade no país e Vinicius, numa mistura de vaidade com orgulho, se encanta com ele. E se embriaga de jazz.

Nas muitas horas que lhe sobram do trabalho de cônsul-adjunto, Vinicius freqüenta sessões de cinema privadas ao lado do casal Alex e Elza Viany, numa pequena mas moderna cabine em Highland Avenue. Como crítico de cinema, Alex Viany é sempre convidado para essas pré-estréias íntimas. Além dos lançamentos, Viany tem acesso ao acervo da Cinemateca de Nova York. Vinicius vê e revê, dezenas de vezes, seus clássicos preferidos, entre eles o *Intolerância*, de D. W. Griffith, e as comédias de Buster Keaton. Formam uma pequena confraria brasileira do cinema exilada em Hollywood. Freqüentemente, após as sessões, o poeta vai para a residência dos Viany, onde acaba passando a noite — pois não pode se adaptar à sua casa em Redondo Boulevard, uma modesta casinha geminada de dois quartos, com um jardinzinho medíocre na frente, que o deixa parede a parede com a família de um policial. Da empregada Mariquita, que dorme no quarto das crianças, ele exige uma vigilância quase militar. O poeta não sabe que a violência maior está dentro de casa: só uma noite, quando acorda com Pedro aos gritos, flagra as surras que a moça, uma brasileira quase albina, aplica nas crianças. É imediatamente despedida. Vinicius só relaxará quando, mais tarde, puder se mudar para uma casa bem mais confortável em La Brea Boulevard.

Com Alex Viany, numa expressão extrema de seu amor pelo cinema, Vinicius editará os dois únicos números da revista *Filme*, rodada no Brasil pelos Bloch. Adolfo Bloch visita a Califórnia e, numa conversa com os dois amigos no consulado brasileiro, tem a idéia de bancar a revista. Charles Chaplin, uma das maiores paixões de Vinicius, está na capa do número 1. A matéria de capa do número 2 é dedicada a Fred Astaire.

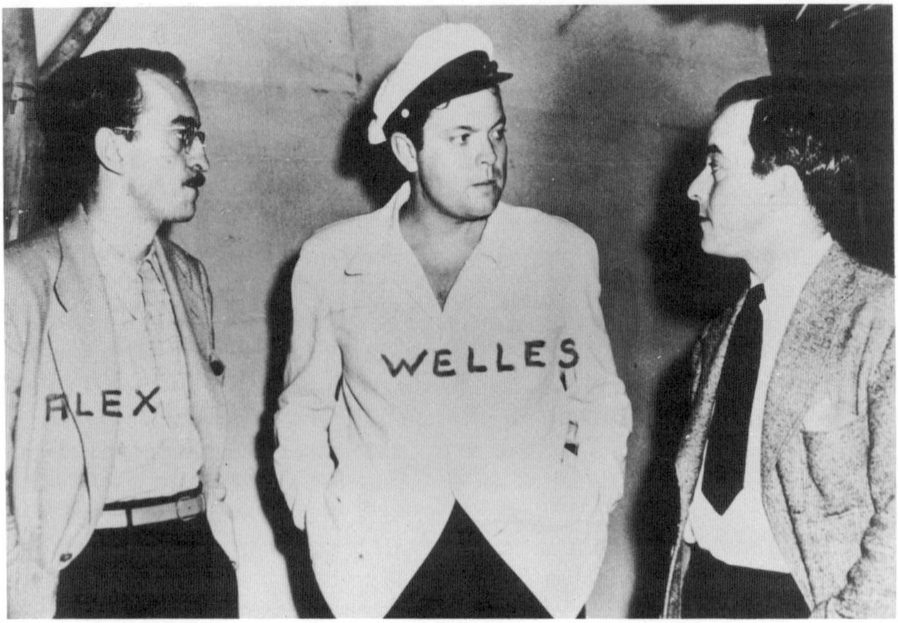

EM HOLLYWOOD

Orson Welles (acima, entre Vinicius e Alex Viany), Walt Disney (a quem o poeta visita, ao lado, acima) e Glenn Ford (no grupo abaixo) são alguns dos amigos famosos da temporada americana.

Nas festas à beira da piscina de Carmen Miranda, Vinicius faz sucesso dedilhando no violão o ''Azulão'', de Jayme Ovalle. Algumas vezes, os dois casais esticam no *Trocadero*, em Beverly Hills, onde esbarram com celebridades como Orson Welles, de quem o poeta se torna amigo. Tem a chance, por exemplo, de acompanhar as filmagens de *A Dama de Shangai*, que Welles filma com Rita Hayworth em 48. Nessa época, Alex Viany é o vice-presidente da Associação dos Correspondentes Estrangeiros em Hollywood, entidade algo fictícia que ressuscita em almoços mensais de confraternização com a indústria cinematográfica americana, sempre enfeitados por astros e estrelas das telas. Alex chega, invariavelmente, acompanhado de Vinicius.

Os dois amigos freqüentam, também, a comunidade de alemães exilados na Califórnia. Em especial, a residência do patriótico casal Vinge, por coincidência a mesma casa em que Bertolt Brecht passou seu período de exílio nos Estados Unidos, nos anos 30. Os dois alemães conservam piedosamente as pegadas de Brecht pela casa. ''Nessa mesa o camarada Brecht trabalhou'', dizem. ''Nessa cadeira, Brecht tinha o hábito de atravessar as noites lendo'', continuam. Vinicius, nessas ocasiões, se irrita com o excesso de reverências ao dramaturgo. ''Isso será mesmo uma casa, ou um museu?'', sussurra ao pé do ouvido de Alex Viany, que, constrangido, procura imediatamente mudar de assunto. Adora — e repete de boca cheia — uma história que, certo dia, ouviu de um cameraman americano. Bertolt Brecht, com a cabeça raspada e sempre enfiado num metódico macacão, é convidado para um passeio de iate à ilha de Catalina. Aceita o convite, mas nem a companhia de damas do society e empresários endinheirados o leva a abandonar seus surrados trajes oficiais.

A lancha é recebida por um grupo de moças riquinhas e espevitadas, com maiôs da moda e muita empáfia. Brecht, sempre solitário, vem de pé na proa. Ao vê-lo, uma menina quebra todo o encanto da recepção estourando em gritos: ''Vejam, lá está um comunista! Temos um comunista na ilha!''. O dramaturgo fingiu não ouvir, mas por certo teve uma prova, definitiva, de que aqueles tempos não eram para ele. Vinicius, para horror de Alex, repete a historinha nos momentos e ambientes os mais inconvenientes. O macarthismo está nascendo e algumas bruxas, pioneiras, já são caçadas pelos céus americanos. O episódio, que é engraçado, em algumas situações corre o risco de se converter num comentário de mau gosto. Mas ninguém, nem mesmo o lúcido Alex, pode controlar Vinicius.

O poeta se liga não apenas a Laurindo de Almeida, mas ao jazz. A paixão se acirra depois que comparece a um show de Louis Armstrong. Desanda a ouvir e ler. Em 1959, já com pose de especialista, assina o prefácio da primeira edição de *Jazz panorama*, livro do playboy e jazzmaníaco Jorginho Guinle, que morou entre Nova York e Los Angeles na primeira metade dos anos 40. Os dois se conhecem por intermédio de Neshui Ertegun, filho do embaixador da Turquia nos Estados Unidos, um verdadeiro fanático por jazz. Neshui e seu irmão Ahmet têm uma das maiores coleções de discos de jazz de Nova York. E, ainda por seu extremo amor à música, fundam a Atlantic Records, gravadora especializada apenas em peças de jazz, que viria a ser incorporada pela Warner Communications — de que se tornarão sócios. Serão também os fundadores do Cosmos, o clube de futebol que se tornará universalmente conhecido depois de comprar o passe de Pelé. Em matéria de jazz, Vinicius é um tradicionalista, para quem tudo o que se passa de melhor no assunto vem de Nova Orleans.

Em *Jazz panorama*, Jorginho Guinle pede a uma série de personalidades que forneçam sua lista dos ''dez mais'' do jazz. Vinicius de Moraes dita: Louis Armstrong, Bunk Johnson, Zutty Singleton, J. Noone, Jelly Roll Morton, Ma Rainey, Kid Ory, Jimmy Yancey, George Lewis e — o único ''moderno'' — Charlie Parker. Alguns desses nomes se ligam afetivamente ao poeta. O baterista Zutty Singleton, que toca num cabaré de Nova Orleans, só recebe brasileiros com a pergunta: ''Vinicius veio com vocês?''. Nunca pode esconder sua decepção quando recebe como resposta um ''não''. Vinicius logo coleciona muitos admiradores. Jelly Roll Morton, o primeiro grande autor de temas na história do jazz, pianista que começou tocando em prostíbulos de Nova Orleans, também se apaixonara pelo poeta.

A temporada em Los Angeles é uma das menos férteis na vida do poeta Vinicius de Moraes. Ele está fascinado pelo jazz e pelo cinema e, praticamente, desinteressado da literatura. É em Los Angeles, no entanto, que, tomado pela saudade, começa a rascunhar o projeto do *Roteiro lírico e sentimental da cidade do Rio de Janeiro,* livro que deixará inacabado e que só terá sua primeira edição meio século depois. O poeta e Tati parecem, sempre, muito felizes. O cônsul do Brasil em Los Angeles, Afonso Portugal, suporta com afeto suas idiossincrasias. Faz vista grossa quando ele desaparece para fazer uma conferência em faculdade, ou dar uma palestra sobre poesia num clube de mulheres. Baixinho, cabeça em forma de manga, andar de pingüim com os pés levemente voltados para fora, Vinicius ainda assim é um homem encantador. Seus olhos claros, freqüentemente escondidos sob um par de óculos escuros — que exibe mesmo à noite —, se destacam num rosto jovem e de aparência descansada. Elza Viany não perde uma oportunidade de brincar com ele por causa da mania dos óculos escuros. ''Não sei como você consegue, à noite, enxergar onde pisa'', diz. Em represália, ele a apelida de Zazu — numa referência a Zazu Pits, a estrela de *Intolerância,* famosa por seu amor desmedido pelo dinheiro. Elza, uma mulher metódica que controla os gastos do marido com rigor, toma a piada por elogio.

Certa manhã, Elza Viany recebe pelo correio uma encomenda. Um poema de Vinicius, acompanhado de uma pequena caixinha. O poeminha, batizado ''O presente'', diz: ''Falei no Rotary Club/ Bradei, pintei o sete/ Como prêmio a meus esforços/ Ganhei um canivete./ Um magro canivete/ De

25 cents/ Confesso que a esse preço/ Dispenso tais presentes''. Assina: ''Vinicius de Moraes, poeta laureado''. Elza abre a caixinha: lá está o canivete. Ela o guardará para sempre.

Vinicius se irrita mesmo com as comitivas de turistas brasileiros que as companhias aéreas despejam em Hollywood com o único objetivo de ''ver artista''. Em especial, Shirley Temple, a menina dourada do cinema americano nos anos 30. ''Lamento, mas a srta. Temple, no momento, não está na cidade'', responde como um papagaio amestrado. Sempre que deparam com frustrações, Vinicius e Tati riem de si mesmos repetindo um bordão: ''Eu quero ver Shirley Temple! Eu quero ver Shirley Temple!'', como crianças irritadas a bradar: ''Eu quero mamãe!''. Vingam-se, de uma só vez, do destino e da amolação dos turistas.

Hollywood, nessa época, é uma espécie de fim do mundo só freqüentado por produtores, artistas e industriais do cinema. O único escritor importante a visitar a cidade, na temporada em que Vinicius nela vive, é John dos Passos. Precisam, de vez em quando, viajar ''para os Estados Unidos'', como preferem dizer. Tomam um navio argentino para Nova Orleans e de lá um ônibus para Nova York. Outra vez, vão em dois carros para o Grand Canyon, acompanhados por uma irmã de Elza, Eunice, e outra de Tati, Carmen, além de dois rapazes paulistas, estudantes em férias, que se aproximam do poeta e tomam uma carona. Pernoitam em cabanas à beira da estrada, os homens em uma, as mulheres em outra. Os maridos logo começam a protestar. Alex Viany tem mania de mapas e os obriga a parar nas ocasiões mais impróprias para visitar cenários remotos. Vinicius se impacienta.

Numa viagem de fim de semana, só o casal com os dois filhos, um episódio se torna emblemático dos hábitos severos da família Moraes. Na estrada, param num shopping para compras. O inquieto Pedro não se controla e rouba um brinquedo num supermercado. Vinicius só se dá conta do roubo quando já estão há mais de uma hora na estrada. Pedro está orgulhoso: ''Papai, veja o que consegui roubar no mercado!''. Vinicius dá meia-volta e, apesar do sol desesperador, retorna ao shopping. Exige, então, que o menino procure o gerente da loja, confesse o que fez e devolva o brinquedo. Pedro esperneia, protesta veementemente, mas cumpre a vontade do pai. Humilhado, a cabeça pendendo em direção ao chão, pede desculpas. O gerente o afaga, mas isso não o consola. Desde então, e até se tornar adulto, Pedro de Moraes terá o roubo na conta do mais grave dos crimes. Durante toda a infância, teve que ouvir o pai repetindo a mesma ladainha: ''Não se rouba. Não se bate nos mais fracos. Os negros não devem ser desrespeitados''. Substituindo ''os negros'' por ''os diferentes'', podemos traduzir os três mandamentos da família Moraes assim: não roubar, não abusar dos indefesos e não menosprezar o que não podemos entender.

A família, por fim, faz de carro uma viagem costa a costa até Nova York. Vinicius não chega a ser um motorista exemplar, embora não cometa loucuras. Uma noite, dorme no volante e sai da estrada — felizmente sem conseqüências mais graves que o susto. Vinicius volta de Los Angeles no início de 1951. Vem com a família, contra todos os seus medos, de avião. Por falta de teto, o aparelho é obrigado a pousar em Santos. De lá, o poeta ruma para São Paulo, onde passa a noite na casa de Sérgio Buarque de Holanda. Logo que chega, exausto, vê um sofá acolhedor no fundo obscuro da sala e corre para uma soneca. Ao se sentar, meio tonto de cansaço, nota que quase esmagou alguma coisa, algo se mexia. Num berro, Maria Amélia diz: ''Vinicius, você vai matar a Cristininha!''. Cristininha é a cantora Cristina Buarque de Holanda, um dos sete filhos do casal. Recém-nascida, ela está enrolada a um lençol no fundo do sofá. O bebê não se machuca. O episódio termina virando piada. Uma das mais citadas, ao longo dos anos, no folclore que envolverá a vida de Vinicius de Moraes. O próprio Vinicius passa a repetir a história, em bares, palcos e conversas entre amigos, substituindo Cristina por seu irmão, Chico Buarque. ''Vocês sabem que eu quase matei o Chico?'', delicia-se em relatar. É repreendido algumas vezes por Maria Amélia: ''Vinicius, por que você fica inventando essa história? Está cansado de saber que era a Cristininha...''. Ao que o poeta responde, meio tímido: ''Deixa pra lá''. Seu gosto pela ficção — e seu prazer em alimentar o folclore com que amigos e fãs o enobrecem — não tem limites.

Há uma terceira versão, mais divertida, desse mesmo episódio, certamente tramada pelo próprio Vinicius, em que Cristina Buarque é substituída, dessa vez, por um poodle. A casa dos Buarque de Holanda dá lugar a uma ''festa de grã-finos''. A versão diz que Vinicius chega a uma recepção, bebe um pouco além do limite e decide relaxar no sofá da biblioteca. Quando, aliviado, se estica sobre as almofadas, ouve um grunhido. É o pequeno poodle dos anfitriões, agora inteiramente esmagado pelo peso do poeta — isto é, morto. Vinicius entra em pânico, não sabe o que fazer com os restos mortais do pobre cãozinho. Por fim, decide: enojado, embrulha o animal em algumas folhas de jornal e o sepulta sob o sofá. Volta para a sala. Inventa uma desculpa e, dez minutos depois, vai embora. Vinicius não se cansará de repetir, ao longo da vida, essa versão do episódio. Nunca se nega a alimentar pequenos mitos a respeito de si mesmo. Não perde uma chance para colorir uma experiência ou superdimensionar uma aventura. Está, ele também, com essas ficções, ajudando a construir a lenda do ''poetinha'' que, um dia, lhe servirá de prisão. O mito do grande e doce bufão.

LILA

Lila Bôscoli (ao lado de Vinicius e da filha Georgiana)
vive com o poeta um casamento
em que a sensualidade se sobrepõe à razão.

P A R T E 4

A BELEZA PERIGOSA

AS QUATRO ESTAÇÕES

Vinicius de Moraes

Ouve, Lila, como trila
A cigana no mormaço
E sente como, devasso
Meu corpo todo destila
Volúpia, ausência e cansaço
Do amor que tivemos, Lila

Ouve, Lila, como rola
O mar em eterno arremesso
E vê como se estiola
A flor do dia em começo...
Sente o aroma que se evola...
Ah, Lila, como eu padeço!

Ouve, Lila, como fala
O imo silêncio da tarde
E como se despetala
Ela, sem fazer alarde
E como o espelho, covarde
Não mais reflete — se cala...

Sente, Lila, como gela
Meu pé, minha mão, meu riso
E eu me horizontalizo
Cada vez com mais cautela
Do que me fora preciso...
Deixa, Lila, é ela... é ela...

[illegible]

[illegible] de quem [illegible] se separara, pertencia ao Partido Comunista do Brasil, sempre se manteve muito afinado com os socialistas, mas a militância da mulher lhe emprestava a fama de marxista.

1

1951. O cronista Rubem Braga entra, agitado, no Bar Tudo Azul, no posto seis, em Copacabana. Está com 38 anos — é nove meses mais velho que Vinicius — e ainda guarda a pose autoconfiante de correspondente de guerra. Braga viajou em 1944 para o front europeu como repórter do *Diário Carioca* e acompanhou as atividades da Força Expedicionária Brasileira durante um ano. Nem as pressões psicológicas da guerra o abateram: num rompante, ele se virou para o general Cordeiro de Farias, o comandante do batalhão, que fazia um discurso inflamado a favor dos aliados, e disse sem pestanejar: ''É muito engraçado o senhor falando agora em democracia, general''. Um silêncio cruel não o intimidou e ele prosseguiu: ''Quando o senhor era interventor da ditadura no Rio Grande do Sul, e mandou me prender e me deportar, não tinha esses amores pela causa democrática''.

Performances como essa, em que o gosto pelo risco se mistura com o gosto pela sensatez, são sua marca registrada. E o tornam um homem de olhar esperto e rápido, que contrabalança o ar sorumbático e ensimesmado com disparos ferozes de virulência. Atributos decisivos na sua formação de cronista. É em 1951 que Braga publicará suas *Cinqüenta crônicas escolhidas*, pela José Olympio, firmando-se no posto de grande retratista do cotidiano. É um mestre da ''crônica confessional'': parece saber extrair confidências inimagináveis das menores bobagens, como um vidente que arrancasse um planeta de uma cabeça de alfinete. Tem uma definição insuperável da arte da crônica: ''Ser cronista é viver em voz alta''. Vinicius, poeta, parodiando Humphrey Bogart, fará para uso próprio a seguinte adaptação dessa máxima: ''Ser poeta é viver três doses acima''.

Na vida real, Rubem Braga é dado a silêncios enigmáticos, pausas com que tortura e estonteia seus interlocutores. Preenche essas ausências com as crônicas angustiadas, melancólicas e graves que escreve desde os dezoito anos quando, no posto de repórter do *Diário da Tarde* de Minas Gerais, em plena Revolução de 32, foi preso como espião... Sua primeira e única mulher, Zora Seljan, de quem está prestes a se separar, pertence ao Partido Comunista — Braga sempre se sentiu mais afinado com os socialistas, mas a militância da mulher lhe empresta a fama de marxista.

Nessa noite, Rubem Braga chega acompanhado de duas mulheres exuberantes: Lila Esquerdo Boscoli e Danuza Leão. Braga está apaixonado por Danuza, de quem Lila é grande amiga. E se aproveita de Lila para se aproximar de seu amor secreto. Procura disfarçar sua ansiedade invertendo a situação e encenando para Lila o papel de Cupido. ''Vai chegar um amigo meu daqui a pouco e vai ser muito chato'', avisa, encarando Lila, logo que se sentam. ''Chato por que se ele é teu amigo?'', ela se surpreende. ''Chato porque eu sou muito amigo da mulher dele, mas sei que vocês dois vão se apaixonar.''

É o vidente novamente em ação. Braga, porém, sabe que vidente não é aquele que prevê, mas aquele que detém o poder de provocar os acontecimentos que anuncia. Minutos depois, discreto, pede licença e vai até o balcão telefonar para Vinicius. ''Quero que você venha ao Tudo Azul agora mesmo'', ordena. ''Por que essa pressa? '', o poeta quer saber. ''Não adianta porque não vou explicar. Faça o que eu estou dizendo.'' Vinicius conhece Braga muito bem; sabe o que aquela convicção transformada em prescrição pode significar. Pouco depois, o poeta, sempre frágil diante das armações do sorumbático Braga, entra no bar. ''Não posso acreditar'', Lila pensa ao vê-lo. ''Então o tal amigo é o Vinicius de Moraes?'' Lila Boscoli, uma leitora voraz de poemas, tem há muito tempo um ídolo: Vinicius de Moraes. Agora o ídolo desce do pedestal e se materializa diante dela como candidato ao posto de grande amor.

Rubem Braga não mede as palavras nas apresentações. Levanta-se e diz: ''Esta é Lila Boscoli, este é Vinicius de Moraes... e seja o que Deus quiser''. É a senha para uma noite que parece não ter fim. Muita coisa os une além do gosto pela poesia. Lila também tem a música no sangue. Para começar, é bisneta de Chiquinha Gonzaga, a pianista, compositora e regente, autora de polcas, maxixes, mazurcas e valsas, que chegou a dirigir, em 1885, a banda da Polícia Militar do Rio. Sua mãe, Angela Boscoli — mais conhecida por Biu —, levou vida boêmia e adorava samba. Cyro Monteiro, Orlando Silva, Silvio Caldas, para horror da vizinhança que neles enxergava apenas um bando de negros vadios, freqüentam seu apartamento, em Copacabana. É irmã de Ronaldo Boscoli, que será um dos demiurgos da Bossa Nova. Ela e Vinicius têm um chão comum em que pisar. Lila, interessada e esperta, exibe sua paixão pela música e a noite se estica até as cinco da manhã.

Lila Esquerdo Boscoli também seduz Vinicius por seu lado mais aristocrata, expresso no sobrenome materno. Mesmo sobrenome da família de uma atriz como Bibi Ferreira, que, mais aristocrata, prefere assinar Isquierdo — em espanhol. É uma mulher moderna, que usa biquíni, namora em público e tem uma beleza avassaladora, dessas de que não se pode afastar o olhar. Passam a sair juntos, quase sempre acompanhados por Braga e Danuza. O casamento com Tati, desde o terremoto causado por Regina Pederneiras, está por um fio. Lila, com o poder emanado por sua beleza, vem apenas acelerar o desfecho. Tempos depois, o poeta e sua nova musa estão morando em um pequeno apartamento de dois quartos alugado na rua Francisco Otaviano, no Arpoador. O mobiliário se reduz a um estrado com colchão, uma cadeira de balanço que Lila herda da mãe e uma mesa de trabalho — a mesma mesinha esquálida que acompanhará o poeta ao longo da vida.

Vinicius, sem dinheiro, vive de empréstimos, quase sempre obtidos com Otto Lara Resende no papel de avalista. Paga sempre o aluguel atrasado e tem brigas terríveis com o síndico — a quem apelida de dr. Marimbondo Vinagre, num elogio invertido a sua grosseria e acidez — por causa das taxas de condomínio. Lila não conta mais com a ajuda da família, que rompeu com ela por não aceitar o casamento, e a situação se agrava. Tem um emprego no escritório de advocacia de Gabriel Luís Ferreira Filho — por coincidência, um colega de Vinicius nos tempos do Santo Inácio —, mas o poeta, num rompante machista e fora da realidade, a obriga a pedir demissão. Lila não opõe resistência e abandona o emprego.

Um amigo passa a ser companhia freqüente: o documentarista Alberto Cavalcanti. Os três vão diariamente ao cinema — e detêm o recorde de quatro filmes vistos num mesmo dia. O cinema disfarça, mas não resolve a tensão provocada pela instabilidade econômica. Vinicius passa a ter crises de taquicardia, suores frios nas mãos, sensações de queda e de desmaio iminente. Procura o clínico Marcelo Garcia que, depois de exames minuciosos, diagnostica: "Pode ser desagradável, mas não é doença. O que você tem é angústia". Vinicius, impressionado, passa a se interessar por medicina. Inverte as posições — começando de modo clássico a carreira de doente imaginário e de hipocondríaco —, o que lhe traz a sensação de dominar sua "doença". Um dia, num arrebatamento onipotente, se vira para Lila e teoriza: "Acho que já sei a origem de minha angústia". Lila, desconfiada, prefere se mostrar surpresa: "Mas não era nossa falta de dinheiro?". Ele recusa a velha explicação: "Nada disso. Estou angustiado porque segui a profissão errada. Eu devia ter me formado médico". E, tomada a cura pela doença, se alivia.

Vinicius é um homem de muitas faces. Fernando Sabino, bem mais tarde, dirá que o poeta é "um ser numeroso". E Nelson Rodrigues, ciente de que companhias em excesso geralmente significam apenas uma forma disfarçada de solidão, dirá, num achado de espírito: "A pior forma de solidão é a companhia de Vinicius de Moraes". O poeta, porém, passará a vida colecionando amigos e máscaras. Para desmentir o Vinicius de Moraes solene que sabe que escreve versos sérios e freqüenta sessões de cinema elegantes, ele se apega a Antonio Maria, um anjo da guarda a segui-lo nas descidas às belezas do baixo mundo. Primeiro, fazem a ronda dos bares: o Vilariño (em frente à Associação Brasileira de Imprensa, ABI), o Vermelhinho (na rua Calógeras), o Lidador (que, na verdade, é uma mercearia com pose de bar) e o Au Bon Marchet (já em Copacabana). Circulam, na madrugada, por bares fétidos e sem nome. Riem, então, conforme eles mesmos definem, de sua origem comum "classe A". Os dois descobrem que são parentes distantes, por meio de uma linha dos Moraes radicada em Pernambuco, que chegaria a atingir, de resvalo, o poeta João Cabral de Melo Neto.

Vinicius, consciente da alma múltipla do amigo, o trata de muitos modos: Maria, Meu Maria, Zé Maria, Menino Grande. Maria, de fato, corresponde a essa esquadrilha de nomes com que Vinicius, diariamente, o bombardeia: é poeta, compositor, cronista lírico, locutor esportivo, diretor artístico em shows noturnos, letrista, humorista, gourmand. Se existem muitos Vinicius, existem também muitos Marias. Os dois, quando se encontram, se deixam dissolver nessa ausência prazerosa de identidade. Vinicius o adora. Quando aquele gigante desengonçado se aproxima, antes que qualquer palavra seja proferida, já abre um sorriso. Algumas vezes o vê como um santo, um ser etéreo e polivalente, encarnado num homem por pura contingência. "Às vezes, posso vê-lo num barel de monge", escreverá um dia no semanário *Flan*, "no pátio colonial de um convento plantado de roseiras, dando de comer na mão a pombas brancas."

Quando Antonio Maria morrer, em 1964, o poeta viverá mais uma de suas experiências místicas e inexplicáveis. Descansa num chalé em Visconde de Mauá quando, por telefone, o avisam da morte súbita de Maria, derrubado por um ataque cardíaco. Uma hora depois, um pouco recuperado do choque, Vinicius se senta na varanda do chalé para escrever sua crônica semanal para *Fatos & Fotos*. Sobre Maria, é claro. Está a rascunhar as primeiras linhas, ainda vacilante, quando um gordo passarinho entra pela varanda, dá duas voltas em torno de sua cabeça e quase lhe arranca os óculos. Os pêlos do braço se eriçam e um calafrio lhe atravessa a espinha. Uma certeza, incoerente, lhe vem: aquele passarinho é Maria, que veio se despedir.

Não consegue aceitar a perda e continua a ver o amigo por toda parte. No meio da tarde, um galo se posta na sua frente, absolutamente imóvel, a encará-lo fixamente. É gordo, tem o papo estufado e os olhos pequenos. Vai à varanda pegar um cigarro. Quando volta, o galo desapareceu. Pensa: "O que era o Maria, senão um galo com alma de passarinho?". O mais surpreendente ainda está por vir — e Vinicius, depois, fará um relato minucioso da experiência em uma crônica publicada em *A Manhã*. De madrugada, acorda de repente. Levanta-se, veste uma japona e vai para a varanda fumar. Seus olhos passeiam, ainda semicerrados pelo sono, por um bosque de eucaliptos em frente da casa. De repente, a aparição: Maria está encostado a um tronco, a encará-lo. Tudo se passa em apenas um segundo. Ainda trêmulo, Vinicius vai para sua mesa e "psicografa" — está certo de que se trata disso — uma longa entrevista com o amigo. Nela, Antonio Maria confessa que veio vê-lo, primeiro na forma de um passarinho, depois na de um

AMOR VIRIL

Vinicius recebe o afeto dos filhos Susana e Pedro. Antonio Maria, ao fundo — "o meu Maria", como o poeta sempre o chamou — conduziu o poeta ao elogio da amizade.

galo. Descreve as sensações que teve na hora da morte, enumera as vantagens de estar morto, despacha uma mensagem para o marechal Castelo Branco — que ocupa a Presidência da República depois do golpe militar — e se despede do amigo. Vinicius sustentará, pelo resto de seus dias, que de fato ''psicografou'' Maria. Não se pode levá-lo inteiramente a sério, pois é um homem que não perde uma chance para a fantasia desvairada e para o humor, mas também não se pode duvidar inteiramente dele. Acontece que, para Vinicius de Moraes, a fronteira entre o sonho e a realidade está, desde cedo, um tanto esgarçada e rota. E cada vez mais as coisas, para ele, se apresentam assim, enevoadas. Não se pode entender Vinicius sem aceitá-lo como um mestre do impreciso e da indecisão.

2

Na primeira noite que passa com Lila, Vinicius escreve o poema ''A hora íntima'', publicado anos depois em *Novos Poemas II*, editado pela Livraria São José em 1959. O poema começa — e termina — com uma declaração em que o amor e a morte se confundem: ''Quem pagará o enterro e as flores/ Se eu me morrer de amores?''. Os sentimentos por Lila parecem avassaladores e, se o deslumbram, também o amedrontam. Tem medo da loucura em que a paixão pode se converter e medo da solidão que ela, quase sempre, significa: ''Quem, dentre amigos, tão amigo/ Para estar no caixão comigo?''. Tem medo, ainda, de enlouquecer a mulher amada, jovem e portanto frágil, com seu amor arrebatado. De que o objeto de sua paixão radical sucumba à violência nela contida. Escreve: ''Quem, louca, se jogará de bruços/ A soluçar tantos soluços/ Que há de despertar receios?''. Tem, portanto, medo de enlouquecer a mulher amada. Medo da violência do próprio amor que, sem freios, pode se converter em danação. ''Quem se abraçará comigo/ Que terá de ser arrancada?'', se pergunta.

Lila será objeto de um verdadeiro ataque poético. Com seus versos, ele a vai definindo, traça os limites suaves de sua beleza, a eleva ao posto de eleita. No belo ''Poema dos olhos da amada'', escreve: ''Ó minha amada/ Que olhos os teus/ Se Deus houvera/ Fizera-os Deus/ Pois não os fizera/ Quem não soubera/ Que há muitas eras/ Nos olhos teus''. Lila, consciente do papel que o destino lhe reservou — o de uma musa que, por sua simples presença, ressuscita o poeta em Vinicius —, se encanta. As imagens enfáticas, freqüentemente exageradas pela luz hiperexposta da paixão, não a ameaçam. ''Quem colhe a tempestade? — a mulher amada!'', afirma em ''A brusca poesia da mulher amada'', poema composto também no fim dos anos 50. ''Quem determina os meridianos? — a mulher amada!'', exagera o poeta. Para logo depois concluir, em verso que guarda o tom religioso da fase metafísica, quando a mulher era idealizada e intocável: ''Seja ela o princípio e o fim de todas as coisas''.

Em 51, Vinicius escreve o magnífico ''Soneto do amor total'', que fecha novamente com um verso que iguala o amor extremo à morte: ''Hei de morrer de amar mais do que pude''. A síntese desse estado de euforia e de embriaguez talvez esteja em ''O mergulhador'', poema escrito no mesmo ano e que mais tarde, em 1970, dará título a uma edição de luxo, com tiragem limitada, ilustrado por fotos assinadas pelo filho Pedro. Ele abre com uma epígrafe do poeta romântico italiano Giacomo Leopardi, um mestre da melancolia, que diz: ''E il naufragar m'è dolce in questo mare''. Lila Boscoli, aqui se torna tudo claro, significa para Vinicius aquela mulher-oceano, muito maior e mais poderosa que ele, em que o homem se abriga e se perde — como um menino. ''Amo-te os grandes olhos sobre-humanos/ Nos quais, mergulhador, sondo a escura voragem'', ele escreve. A mulher, portanto, é um ser sobrenatural, muito mais forte e poderoso que o homem que, diante dela, só pode se apequenar e ceder. E essa entrega absoluta, Vinicius pela voz de Leopardi, lhe é doce.

Lila olha para aquele homem baixinho, míope, de óculos, meio desengonçado que tem na sua frente. Sabe que ele está longe de ser um Adônis, mas se entrega sem ressalvas. Um homem tocado pelo dom de encantar e de seduzir. Uma amiga íntima, um dia, a adverte: ''Ele não passa de um casanova tropical. Tome cuidado''. Lila conhece bem os poderes envolventes de Vinicius, mas sabe também que ele não é como Casanova de Seingalt, o veneziano que se celebrizou pelas *Memórias* em que relata, com requinte de detalhes, suas aventuras e seus escândalos românticos. ''Não, ele pode ser sedutor, mas não é um casanova'', reprova. ''Não é desses que abate a lebre e depois desaparece.'' Como Casanova, que na juventude estudou teologia na Universidade de Pádua e viveu depois por longo tempo trancafiado nos seminários de Veneza, Vinicius também começou sua carreira de grande sedutor nos bancos da Igreja. Casanova também foi, como Vinicius, um grande viajante. É fácil, mas indecente, no entanto, traçar meia dúzia de paralelos para compor a partir deles o retrato de alguém. As semelhanças entre Vinicius e Casanova, decididamente, param por aqui.

Quando Vinicius e Lila se casam, em 1951, ele tem 38 anos, ela acabou de completar vinte. Vinicius entra em sua fase madura. Nas mesas do café Vermelhinho, em frente à ABI, atravessa as madrugadas conversando com Djanira, Oscar Niemeyer, Carlos Leão, Cândido Portinari, Rubem Braga. O café é descoberto, ainda nos anos 40, por um grupo de artistas plásticos chefiado pelo escultor Ceschiatti. Tempos depois, chegam os poetas e escritores — entre eles, ainda em meados dos 40, Vinicius. O escritor chileno Uribe Echeverría, em um arroubo esquerdista, chega a definir o Vermelhinho, certa vez, como o ''cenáculo da arte moderna indígena''. Vinicius, mais sensato e mais viajado, prefere compará-lo ao Coupole, de Paris, e ao café Royal, de Londres. Vinicius, com sua pose de quem acaba de assumir o cargo de editor do *Suplemento Literário* de *O Jornal*, o esnoba. E se limita a rir.

Já numa crônica que escreve em 1945 sobre o Vermelhinho, o poeta destaca que ''mesmo os mais enrustidos, como Manuel Bandeira, Carlos Drummond de Andrade, Astrogildo Pereira e Aníbal Machado'' freqüentam o Vermelhinho. Não é um templo restrito à vagabundagem da cerveja e ao torpor dos destilados. A amiga e poetisa chilena Gabriela Mistral, sempre que vem ao Brasil, vai até o Vermelhinho tomar um guaraná. E é muito bem recebida. É nas cadeiras desse café que Vinicius e o americano Waldo Frank tramaram sua histórica viagem ao Nordeste. O bar passa a ser visto, pelos olhos mais conservadores, como um ''lugar perigoso''. Vinicius defende seu lugar favorito: ''Considero se não reacionária, pelo menos com um acentuado caráter protestante e preconcebido a resistência que alguns fazem ao Vermelhinho'', decreta. O Vermelhinho irrita por ser um dos focos de resistência, no Rio, do pensamento de vanguarda. Um bar para muita conversa mole, mas também para muita idéia genial.

Vinicius, porém, tem uma alma cigana. Em 1952, o diretor de cinema Alberto Cavalcanti resolve filmar a vida do Aleijadinho e encomenda o roteiro a Vinicius. O poeta passa, então, um mês viajando pelas cidades históricas mineiras, na companhia dos primos Humberto e José Franceschi, para realizar um levantamento fotográfico de sua obra. Logo depois, é nomeado delegado do Brasil junto ao Festival de Punta del Este e aproveita para realizar a cobertura jornalística do evento para a *Última Hora*.

No mesmo ano, o poeta parte para a Europa encarregado de estudar a organização dos festivais de cinema de Cannes, Berlim, Locarno e Veneza, em busca de um modelo para um Festival de Cinema de São Paulo, programado para o IV centenário da cidade, em 1954. Um detalhe: a idéia do festival paulista é dele mesmo, trazida na bagagem — já com a identidade secreta de um projeto individual de viagem — dos bastidores do Festival de Cinema de Punta del Este, que Vinicius acaba de acompanhar como jornalista. Em Paris, inicia o longo — e lento — processo de reconhecimento internacional. Ainda em 52, ele se encontra pela primeira vez com Jean-Georges Rueff, um intelectual meticuloso, que se torna seu tradutor para o francês. Os dois passam uma temporada juntos em Estrasburgo trabalhando na revisão final da versão francesa das suas *Cinco elegias*. Os amigos ''montam'' seu escritório num pequeno restaurante às margens do Reno. Encharcam-se de vinho branco e repetem os versos, ora em francês, ora em português, preocupados em não deixar que se percam o ritmo e a sonoridade dos poemas.

Quando retorna ao Brasil, o poeta dá uma longa entrevista a seu amigo Paulo Mendes Campos, para o *Diário Carioca*, em que faz o balanço da turnê européia. Enumera, primeiro, os aspectos positivos. Reencontrou seu amigo Orson Welles, a quem não via desde 1947. Beijou a mão de Greta Garbo. Conheceu Florença, que se torna uma de suas cidades favoritas. Descobriu os primitivos italianos, como Giotto, Donatello, Angelico e Botticelli. Na curva de uma estrada entre Ravena e Roma, delícia do cinéfilo, reconheceu o *décor* natural de uma versão hollywoodiana recente — e medíocre — para

Romeu e Julieta. Caminhou pela via Ápia ao luar, repisando a rota pela qual o cristianismo entrou no Ocidente. Descobriu que o homem italiano sem gravata é muito mais chique do que com ela. E teve vontade de jogar as suas fora. Comeu uma feijoada em Paris com o baterista americano Zutty Singleton. Chocou-se ao constatar que as italianas não raspam os pêlos das axilas. Deu longas caminhadas por Barcelona com o poeta Raul Bopp. Em Lisboa, descobriu — por meio do poeta português Adolfo Casais Monteiro, na obscuridade de uma birosca da Alfama — as delícias da aguardente portuguesa. Conheceu um novo produto, chamado Strago, muito eficaz na desintoxicação do fígado. Voltou com a bolsa de mão cheia de frascos.

Mas trouxe, também, tristes lembranças. Paris envelheceu. Gauguin, em definitivo, não o convence. Nas caminhadas por Saint-Germain-des-Prés, o *quartier* existencialista de Paris, descobriu que o esnobismo e o radicalismo são apenas o lado ridículo do desespero. Para sua tristeza, as mulheres européias voltaram a usar saias compridas. Decepcionou-se com o *Davi*, de Michelangelo, e com a Capela Sistina. Não poupa sua acidez: "É muito ipsilone demais". Rafael também o decepcionou. Mitos, cultivados desde a adolescência, desabaram. Em Ravena, teve vontade de dinamitar o túmulo de Dante. O rapapé dos festivais chiques de cinema enojou-o. Os intelectuais europeus lhe pareceram reservados e impotentes. Teve imensas saudades do Brasil.

Uma experiência, em particular, exibe com clareza o estado entre a euforia e o torpor com que o poeta atravessou a viagem. Está nos salões do Festival de Cinema de Cannes, alta noite, já bastante alcoolizado. Inseguro, pede carona a um grupo de amigos para voltar ao hotel. Eles sentem que o poeta não está nada bem. Assim que entra no carro, Vinicius comenta: "Tem uma parte do meu corpo que dói muito e eu não estou agüentando". O amigo que está ao volante, sem entender o que se passa, tenta acalmá-lo: "Calma, Vinicius, nós já vamos chegar". Vinicius, no entanto, insiste em reclamar: "Mas essa parte dói muito. Por favor, meu Deus, alguém tem que dar um jeito".

Com a expressão extrema de dor estampada no rosto do poeta, seus amigos passam a se preocupar. E a pensar em algo mais grave. Um deles, Novaes Teixeira, tenta obter mais informações. "Mas que parte de teu corpo está doendo, Vinicius?", pergunta. O poeta, a essa altura soluçando como um menino, só consegue responder: "Eu não sei, eu não sei!". O percurso até o hotel dura cerca de vinte minutos. Vinicius, o tempo todo, afundado no sofrimento mais absoluto. Só quando o automóvel estaciona diante da recepção é possível diagnosticar o mal que o aflige. Um de seus dedos da mão, a esta altura bastante roxo, esteve o tempo todo preso à porta do automóvel. A dor logo passa.

Vinicius se torna, em definitivo, um cigano. Um homem que parece não se contentar, nunca, com o lugar em que está. Um de seus destinos preferidos no Brasil, por conta das grandes amizades, é Belo Horizonte. Numa noite mineira, divide um mesmo quarto do Hotel del Rey, um quatro-estrelas na praça Afonso Arinos, com Sérgio Porto, Rubem Braga e Paulo Mendes Campos. Passam a noite bebendo no bar do hotel e, mais tarde, num arremate, no próprio quarto. Ao amanhecer, uma camareira sai aos gritos pelo corredor. Uma fumaça espessa sai, aos tufos, por debaixo da porta dos quatro escritores. O Corpo de Bombeiros é chamado, os dorminhocos acordados e o fogo é posto sob controle. Balanço da tragédia: as cortinas e o carpete estão inteiramente destruídos. Os hóspedes, apenas um pouco intoxicados e tontos. Uma inspeção concluiu que o fogo foi provocado por pontas de cigarro jogadas no carpete. Os quatro incendiários são chamados à recepção para ouvir um sermão proferido pelo gerente, que está cheio de razões: basta ver a quantidade de garrafas de cerveja vazias e garrafas de uísque e vodca abaixo da metade espalhadas pelo quarto. O quarto está contratado em nome de Vinicius. O hotel chega a mover contra ele uma ação, que morre na lentidão judicial.

Em 53, Sérgio Buarque de Holanda é convidado para dar aulas como professor de estudos brasileiros na Universidade de Roma. Aceita o convite e viaja. No fim de 54, recebe a visita de Vinicius, que chega a Roma em missão oficial. Na noite seguinte, o poeta telefona para Sérgio e sugere: ''Sérgio, vamos fazer um programinha?''. O amigo, surpreso com a chamada, responde: ''Vinicius, são quase duas horas da manhã e a esta hora não há nada para se fazer em Roma. Eu vou dormir''. Dono de uma teimosia implacável, Vinicius espera dois dias e volta a ligar no mesmo horário. Sérgio, resignado, atende ao telefone. Do outro lado da linha, o poeta se antecipa. ''Sérgio, eu sei que estamos perto das duas horas. Mas preste atenção. Descobri um barzinho, uma graça, que fica aberto a noite toda. Vamos?'' Sérgio tem um acesso de riso, mas prefere não acompanhar o amigo. Faz, nesse episódio, uma descoberta fundamental a respeito de Vinicius: que ele é, como um dia define, um ''homem-esponja''. Um homem que se adapta com uma rapidez invejável a qualquer lugar que chega, que logo atrai para si o que lhe interessa, logo se instala como se estivesse em casa. Um homem que sabe, como poucos, se entregar. Ao lado de Lila, Vinicius se torna, em definitivo, um camaleão.

3

Em princípios de 1953, aos 39 anos, Vinicius e Lila têm sua primeira filha, batizada Georgiana. A segunda filha do casal, Luciana, nascerá em 1956. Às portas dos quarenta anos de idade, Vinicius precisa de dinheiro. Vai então procurar seu velho amigo Samuel Wainer em busca de socorro. ''Samuel, eu preciso ganhar mais dinheiro e não tenho de onde tirar'', começa. Vinicius, apesar de tudo, continua pagando religiosamente a pensão que deve a Tati — e Samuel sabe disso. ''Fique calmo'', o jornalista diz. ''Deixa que eu vou pensar em alguma coisa.'' No dia seguinte, é Samuel Wainer quem o procura: ''Achei a solução. Precisamos de alguém para assinar o consultório sentimental do *Flan*. Você agora vai responder cartas de amor''. No início, a proposta assusta o poeta. Mas, sem alternativa imediata para fazer mais algum dinheiro, decide aceitar — e se divertir. Logo, Vinicius se empolga: ''Ótimo! Mas quero assinar com um pseudônimo feminino''. É exatamente o que passa pela cabeça de Wainer. ''Perfeito. Qual?'' E, sem que Samuel Wainer possa imaginar de onde Vinicius tirou aquele nome, ele responde: ''Helenice''.

O semanário *Flan*, da *Última Hora*, dirigido pelo jornalista Joel Silveira, é o produto mais sofisticado que Wainer edita naquele momento. Vinicius, por sua vez, é, àquela altura, um homem experiente no trato com a imprensa. Já em 1941, colaborava com *A Manhã*, jornal dirigido pelo poeta Cassiano Ricardo que apoiava o Estado Novo. É afastado em fevereiro de 1944, por pressão das distribuidoras estrangeiras, por causa de sua má vontade com Hollywood. Passa, logo em seguida, a dirigir o *Suplemento Literário* de *O Jornal*, matutino em que publica também algumas crônicas. Em abril de 45, inicia uma colaboração regular com o *Diário Carioca*. Logo depois, está nas páginas do *Diretrizes*, um jornal de esquerda sempre metido em trapalhadas com o governo de Getúlio Vargas e vigiado de perto pelos senhores do DIP. Fechou no dia em que Monteiro Lobato, numa entrevista de primeira página, sentenciou: ''O governo deve sair do povo como a fumaça da fogueira''. Vinicius volta a fazer em *Diretrizes* suas crônicas de cinema. Em 51, assina durante um ano a coluna de cinema da *Última Hora*.

O *Flan*, em que o poeta desembarca em 1953, é um semanário colorido, que pretende ser o *France Soir* brasileiro. A redação reúne nomes de prestígio, como Otto Lara Resende, Hélio Pellegrino e Nelson Rodrigues. A essa época, Vinicius colabora também com *A Vanguarda*, jornal que anos antes fora um ninho de cobras integralistas e que, agora, adota ares bem mais liberais. João Cabral de Melo Neto é o editor-chefe e escreve também os editoriais. Peças elegantes, que passam a receber os índices mais altos de leitura no jornal. Vinicius é contratado por João Cabral para escrever crônicas sobre o Rio. Em abril, Joel Silveira o chama à redação de *Flan* para uma conversa, em que formaliza a idéia de Samuel Wainer. Quer que ele passe a assinar a coluna ''Diz-Que Discos'', dedicada a noticiar novidades do mercado fonográfico. O poeta só fará sua estréia na edição de 17 de maio de 1953, com uma crônica dedicada a Pixinguinha. Assinará ''Diz-Que Discos'' até a primeira semana de novembro do mesmo ano. ''Helenice'' faz, bem antes, sua estréia na coluna ''Abra o Seu Coração'', o consultório sentimental do semanário de Samuel Wainer.

Vinicius, isto é, ''Helenice'' estréia na edição de 12 de abril com uma carta de apresentação com que pretende atrair os primeiros consulentes — mulheres e homens desesperados em busca de uma palavra de consolo e de salvação. ''Eu venho também de grandes sofrimentos e amarguras'', ele afirma. ''O mundo das sombras do espírito e das doenças da alma não tem segredos para mim.'' O tom de ironia só passa para os poucos privilegiados que conhecem a identidade verdadeira escondida sob aquele pseudônimo brejeiro. São muito poucos, pois Vinicius teme a repercussão daquela aventura nos salões machistas do Itamaraty. O poeta conhece muito bem os terrenos sombrios que precisou ultrapassar até se permitir a liberdade de incorporar Helenice. Está, também ele — num ato que aos apressados parece piada —, enfrentando as zonas cinzentas de sua formação.

A coluna de estréia vem ilustrada com dois desenhos: no primeiro, uma mulher examina através de uma enorme lente de aumento um coração em chamas; no outro, um homem se debulha em lágrimas enquanto escreve uma carta. Helenice, isto é, Vinicius, faz um pedido apaixonado aos leitores de *Flan*: ''Creia-me sua amiga, meu triste leitor, minha inconsolável leitora'', escreve, em tom humilde mas oferecido. ''Eu estou aqui para ajudar, para ouvir, para compreender.''

As cartas começam a chegar. A primeira delas vem assinada por Maria Amélia, de Copacabana, uma mulher combalida por crise grave de amor-próprio. ''[...] Me olho no espelho e me acho feia. E tenho inveja de minhas amigas que são bonitas e têm namorados bonitos...'', lamenta-se a infeliz consulente. Vinicius, que ainda não havia escrito seu célebre ''Receita de mulher'' (''As muito feias que me perdoem/ Mas beleza é fundamental...''), começa com uma instrução de ordem prática, que dá bem o tom da psicologia pesada e frontal a que passa a submeter seus leitores: ''Você vai, primeiro que tudo, me mandar um retratinho seu para eu ver se você é feinha mesmo'', exige. Antes de receber o retrato, avisa, nada mais tem a dizer. Já começa sua carreira de detetive do coração provocando inimizades. Também na primeira semana, Carlos Alberto, de Ipanema, sem meias palavras, escreve: ''Você, como todas as que fazem consultórios sentimentais, deve ser uma vigarista, uma exploradora do sentimento alheio. Tire a máscara, d. Helenice''. Ao que Vinicius, sem papas na língua, responde: ''Escute uma coisa, seu Carlos Alberto. Vá lamber sabão''.

Um certo M. A. H., de São Paulo, volta, na semana seguinte, agora do ponto de vista masculino, ao tema da beleza — ou melhor, da ausência de beleza. ''Sou feio, e não sou feio simpático. Sou feio irremediável'', escreve. Vinicius, fugindo do assunto, se fixa primeiro num defeito de ortografia: ''Você me saiu com um *impreciona* que é de amargar. Essa palavra, meu caro, se escreve com dois esses. Não digo isso para humilhá-lo, mas apenas para que você aprenda a corrigir não só seus erros de português, como seus erros de formação''. Vinicius sugere que o rapaz se esforce nos estudos, se forme na promissora carreira de economista, não se deixe seduzir pelos amigos de botequim com suas conversas perigosas e, por fim, retorna ao tema que atormenta o consulente com uma confissão pessoal: ''Quanto a ser feio, não se importe. Meu marido não tem nada de bonito e no entanto eu o adoro''.

Cada vez mais à vontade, Vinicius, a cada edição, carrega mais nas tintas, acentuando um perfil pragmático e enérgico para sua Helenice. No fim de maio, ao responder a carta do Careca Melancólico, de Vitória, que não se conforma com seu destino capilar, revela: ''Não perca as esperanças. Acontece que Helenice sabe como fazer parar uma careca. Juro-lhe por tudo que me é mais sagrado, que são meus filhos''. Não promete fazer os cabelos crescerem, mas promete que pararão de cair. ''Mas como isso aqui não é consultório médico, lhe mandarei meus conselhos em carta particular para o seu endereço. E o autorizo a me denunciar publicamente como impostora se, dentro de três meses, sua melancolia capilar não houver se transformado numa grande euforia.''

Nas colunas seguintes, outros leitores, empolgados, pedem a mesma ajuda. François Villon, de Limeira, Napoleão Amarante, de Bauru, Pinocchio, de São Paulo, J. Lobo, do Rio de Janeiro, todos desejam a fórmula mágica de Helenice para os cabelos. Vinicius/Helenice responde sempre com a mesma mistura de ingenuidade, bom humor e otimismo. ''Ânimo, François Villon! Ânimo como tinha o seu homônimo, o grande poeta e lutador francês'', prescreve. ''Não há perigo, meu caro Napoleão. Você terá o seu Marengo sem nunca chegar a ver o Waterloo dos seus cabelos'', responde. ''Não desespere, J. Lobo. Seu problema é a 'melancolia dos carecas'. Helenice pode dar um jeito na sua vida.'' Semanas depois, afogado na correspondência despachada por carecas dos quatro cantos do país, um já enfastiado Vinicius de Moraes termina a coluna com uma nota seca: ''Bilhete para os carecas: por favor, quando escreverem, mandem um envelope selado, para que Helenice possa responder''.

Na coluna do dia 12 de julho, em busca de um basta no tema da calvície, que já o exaure, revela sua fórmula mágica para o problema da queda de cabelos. Lavar a cabeça apenas uma vez por dia. Usar uma escova de pêlo de arame, passando-a pelo menos cinco minutos em todos os sentidos. Só aplicar nos cabelos vaselina pura sólida, mais nada. Fazer uma dieta magra de gorduras, frituras, massas e açúcares. Se a queda persistir, procurar um médico, pois o problema pode ser provocado por alguma disfunção intestinal. Por fim, joga a toalha: ''Se sua queda depois disso não parar, eu me considero completamente desmoralizada'', admite. Para em seguida, exaltado, exigir: ''E tenha, finalmente, a gentileza de me agradecer em carta, logo que tiver positivadas as minhas afirmações''.

Helenice se mostra cada vez mais versátil e desembaraçada. Numa resposta a Lolita, do Rio, que se diz pobre, tem um namorado rico e se sente envergonhada porque anda mal vestida, Vinicius, no lugar de um conselho de ordem sentimental, faz as vezes de costureiro: ''Faça uma saia de zuarte (custa pouco mais de dez cruzeiros o metro), uma blusinha de algodão branco bem simples e pronto! Bem penteada e limpinha, você poderá enfrentar com esses trajes a ultrachique família de seu futuro marido''. A Shakespeare, de São Paulo, que compõe valsinhas mas tem medo de mostrá-las à namorada e ser ridicularizado, ao invés de consolo, oferece uma reprimenda: ''Da próxima vez, adote um pseudônimo menos importante, pois confesso que não me sinto nada à vontade dando conselhos de amor a um Shakespeare''. A Louco, do Rio de Janeiro, que lhe pede: ''Quero apenas que me responda qualquer coisa, para que eu me sinta como se estivesse ouvindo a voz de minha consciência'', Vinicius, do alto de seu terceiro casamento, tem o desplante de dizer: ''Mulheres perfeitas e sublimes não existem, sr. Louco. De forma que se eu o aconselhasse a abandonar seu lar para ficar com a 'Outra', estaria apenas transferindo-o de problema''. E prossegue, nervoso: ''Porque na realidade o senhor não ama nenhuma das duas. Ama a sua própria pessoinha, de um modo descabido e infantil''. E está dito.

Helenice está a cada dia mais cheia de si e Vinicius já não pode controlá-la. João Batista de Tal reclama da mulher que o trai e confessa que pensa em assassiná-la para, depois, se suicidar. Vinicius se assusta: ''Não, sobretudo não cometa nenhum gesto impensado, não mate sua mulher, nem pense na loucura de se matar'', responde de imediato. E, premido pela gravidade da situação, não hesita em sugerir uma solução machista: ''Faça o seguinte: se, para poupar seus filhos, é necessário que o senhor continue com ela, da primeira vez que ela lhe pregar alguma peça, pegue-a a jeito e dê-lhe uma boa surra, para ensiná-la a ficar pelo menos bem-comportada''. O espancamento, instrui com frieza, não deve ser visto como um fim em si, mas como um esquentamento para o diálogo. ''Depois tenha uma conversa com ela nesse sentido, na ocasião de fazer-lhe os curativos'', prossegue, compungido. Para completar, em tom professoral: ''Mas não perca a cabeça quando der nela. Dê cientificamente, como se faz com uma criança''. E, num rompante, finaliza: ''Se não der certo, então mande-a embora, porque mulher assim não presta para nada''.

Um dia, por fim, respondendo a um de seus mais assíduos consulentes, Andrews Carey, que muda de tom e de estado de alma de uma carta para outra, deixando-o tonto, o poeta reclama: ''A sua primeira carta era tão diferente da segunda que só mesmo uma adivinha poderia suspeitar de seus verdadeiros problemas''. E, numa reprimenda que aproveita para ser também uma enfezada declaração de princípios, conclui: ''Eu não sou uma adivinha, meu caro amigo. Eu sou uma psicóloga, e uma amiga do ser humano''. Um pouco tonto com a psicologia frontal de Helenice, o diretor Joel Silveira decide chamar Vinicius para uma conversa de homem para homem. ''Não sei, não, Vinicius. Acho que Helenice está indo longe demais'', começa. O poeta, incorporando a personagem, revida: ''Mas, meu querido, o que afinal te incomoda?''. Joel Silveira, num evidente exagero, resolve engrossar: ''Estão reclamando que a coluna tem pornografia demais. Eu concordo. Parece até que ela não se chama 'Abra o Seu Coração', e sim 'Abra as Suas Pernas'. Assim não dá mais''.

O diretor prefere, decididamente, as crônicas semanais que Vinicius de Moraes assina como ele mesmo. O poeta escreve, então, sobre temas tão díspares quanto a pintura de Cândido Portinari, a favela da Praia do Pinto, o lado humilhante dos concursos de beleza, a poesia de Jayme Ovalle. Segue, aqui, um estilo delicioso de cronista que começou a exercitar em meados dos anos 40, nas páginas de *O Jornal*. Tempos em que escreveu sobre o escultor Bruno Giorgi, sobre o cineasta Rui Santos, sobre a pintura de Lasar Segall, em que assinou um manifesto pessoal de 35 itens pedindo a criação de um cinema brasileiro e em que tinha seus artigos ilustrados por desenhos de Carlos Scliar. Helenice, com sua falta de modos, suas miudezas e seu mau humor, não combina com nada disso.

Vinicius de Moraes assinou, como Helenice, trinta seções de ''Abra o Seu Coração''. Sua última aparição nas páginas de *Flan* é na edição de 1º de novembro de 53. No número seguinte, *Flan* publica uma nota: ''O poeta Vinicius de Moraes, que também é diplomata de carreira, acaba de ser designado para servir na embaixada brasileira na França, com as funções de secretário. O poeta ficou exultante... Quanto a nós de *Flan*, registramos o fato com satisfação, sobretudo porque Vinicius é um velho colaborador e nesta condição continuará enviando notas e reportagens de Paris para os nossos leitores''. Vinicius não remeterá uma só nota de Paris para o semanário. ''Abra o Seu Coração'', por sua vez, é temporariamente suspensa. O consultório sentimental de *Flan* reaparece no dia 14 de março de 1954, agora assinado por Suzana Flag — isto é, Nelson Rodrigues. Uma diferença apenas: a coluna passa a responder, exclusivamente, cartas assinadas por mulheres. Nelson, ao contrário de Vinicius, pensa que os homens não têm coração.

4

Em fins de 1953, Vinicius parte para Paris, onde passa a ocupar o posto de segundo secretário da embaixada do Brasil. Missão que desempenhará até ser transferido pelo Itamaraty, ainda na capital francesa, para a delegação do Brasil junto à UNESCO. Fica na França entre 53 e o início de 57, com um interregno de prêmio em 56, quando passa uma temporada no Brasil e monta seu *Orfeu da Conceição* no Municipal do Rio. O poeta está, em 53, com quarenta anos completos. É o ano em que compõe, pela primeira vez sozinho, um samba — "Quando tu passas por mim", falsa parceria, de pura gentileza, com o amigo Antonio Maria. É o ano, também, em que aparece a edição francesa das *Cinco elegias*, sob o timbre prestigioso do editor Pierre Seghers. É o ano em que, no Clube da Chave, em Copacabana, Vinicius se encontra pela primeira vez com Tom Jobim. O poeta deseja mudanças, e rápidas. Começa a sentir saudades da juventude, nostalgia que se reflete numa crônica como "A alegre década de 20", que fará parte, nos anos 60, de *Para viver um grande amor*. Não sabe que a vida, para ele, mal está começando.

Dias depois de desembarcar em Paris, Vinicius é levado por um amigo à casa do embaixador Rodolfo Sousa Dantas — que se casará seis anos depois com sua filha Susana, quinze anos mais nova que ele. Os franceses — e os brasileiros residentes na França, em particular — devem se preparar para o que os espera. Logo que Sousa Dantas estende a mão para cumprimentá-lo, o poeta diz: "Muito prazer. Estou com uma dor de barriga danada. Você tem um conhaque?". Atrapalhado com o pedido tosco e incongruente, o diplomata pega uma garrafa de conhaque em seu bar, mas não consegue achar o abridor. Sem saber o que fazer, desce com o conhaque até um café próximo e volta com a garrafa aberta. Vinicius toma de um só gole o primeiro cálice. Pede um segundo. Depois do terceiro, diz: "Pronto, a dor de barriga se foi". Sousa Dantas pensa com seus botões: "Pudera... Agora vem o porre".

Vinicius é a essa altura um homem maduro, que sabe beber. Atravessam a noite conversando. Tornam-se amigos. O poeta logo começa a ter problemas com o embaixador brasileiro na França, Carlos Alves de Sousa, que não suporta sua impontualidade e seu desprezo pelos rituais da diplomacia. Tem excelentes relações com o outro secretário da embaixada: Gilberto Chateaubriand. Mas amigo mesmo é Sousa Dantas. Todos os dias, às 18h05 em ponto, o diplomata o espera em seu carro. Vão direto para o Bar Anglais, do Hotel Plaza Athenée, na avenue Montaigne, que logo se torna o quartel-general do poeta em Paris. Os amigos se acostumam a procurá-lo naquele bar obscuro, em estilo inglês, no subsolo do Athenée, como se o elegante hotel fosse sua residência oficial. Antonio Maria, Di Cavalcanti, Gilberto Amado, Samuel Wainer, Rodrigo Mello Franco de Andrade estão quase sempre por lá a paparicá-lo e a ouvi-lo.

Há um barman húngaro, a quem Vinicius batiza de Georges por jamais ter conseguido entender o nome e por quem logo se enche de amores. É magro, tem as pernas longas, nariz afunilado e anda como se estivesse flutuando. O poeta passa a chamá-lo de ''la Cigogne'' — isto é, ''a Cegonha''. Uma companhia freqüente é Jean-Georges Rueff, seu tradutor para o francês. Rueff é poeta pouco inspirado, coleciona peças em bronze e tem uma vida pessoal agitada. Vinicius o vê não como um sujeito de carne e osso, mas como uma personagem de um romance clássico. Puxa pelas suas histórias, o incentiva a falar. Dá corda em sua excentricidade. Rueff tem uma casa de verão na Itália, entre Florença e Siena, onde o poeta e Lila passam deliciosos feriados. Fala um português bastante fluente e receberá, mais tarde, o título de cônsul honorário do Brasil em Estrasburgo. O editor Pierre Seghers também se liga muito a Vinicius. Seghers é um esquerdista clássico, que teve papel importante na Resistência Francesa e escreve poemas raivosos imitando Aragon. A política é seu assunto preferido, o que muitas vezes o torna uma companhia enfadonha. O poeta o ouve com infinita paciência.

Em 57, Pierre Seghers terá o desejo de promover uma festa em comemoração ao Sputnik soviético. O generoso Vinicius oferece seu apartamento, na rue François I. A essa altura, fruto de quatro anos de vida social intensa, Vinicius de Moraes já é uma figura razoavelmente popular em Paris. A festa recebe, mais por ele que pelo Sputnik, personalidades como o escritor guatemalteco Miguel Ángel Asturias, o poeta cubano Nicolás Guillén, o ator Gérard Phillipe, a escritora Françoise Sagan, o documentarista holandês Joris Yvens e o poeta chileno Pablo Neruda. É a prova, definitiva, de que Vinicius de Moraes conquistou a França. Ou, pelo menos, os intelectuais e artistas lá residentes.

Aprende a conviver com egos inflados e pavonadas. Pablo Neruda, por exemplo, sempre que chega ao Bar Anglais se acomoda numa poltrona, ar senhorial de grande poeta do Terceiro Mundo, a se exibir para estudantes engajados e deslumbrados, que o seguem aos bandos. Vinicius comenta em voz baixa: ''Lá estão o Neruda e seus escravos''. E, para os mais íntimos, completa: ''Viu como os meninos ficam se masturbando?''. Não há inveja alguma nesses comentários, há lucidez. Admirando aqueles rapazes e moças encantados aos pés de Neruda, Vinicius possivelmente se lembra de si mesmo — no tempo em que, jovem e impressionável, tinha Octavio de Faria como guru. Não consegue deixar de amar a ingenuidade daqueles meninos. Vinicius de Moraes é um homem que conhece a imperfeição humana e sabe rir dela. Ainda será preciso passar muito tempo até que o poeta, repetindo Neruda sem perceber, se preste ao mesmo e triste papel de grande guia.

Um dia, do Anglais, ele telefona para Sousa Dantas: ''Estou no Athenée. Vem aqui que eu quero te apresentar uma amiga''. O diplomata não se afoba: ''Mas quem é ela?''. Vinicius, sem disfarçar a vaidade, diz: ''Chama-se Marlene Dietrich. Você conhece?''. Quando Sousa Dantas, entusiasmado, entra no Bar Anglais, o poeta e a atriz estão numa mesa de fundo, recordando histórias que viveram juntos em Los Angeles e cantarolando baixinho temas de cinema. Passam a noite tomando champanhe e rindo de si mesmos. A atriz está visivelmente encantada, enquanto Vinicius faz charme. Não se pode saber, ao certo, como essa noite terminou. O poeta, de todo modo, parece nunca parar de se divertir.

Sua rotina em Paris inclui programas de bem menos glamour. Adora pegar Sousa Dantas nos fins de tarde e ir para os jardins em torno da Torre Eiffel, onde disputa prêmios estúpidos em stands de tiro ao alvo. No caminho, vai dizendo: ''Hoje vamos dar outra surra nesses franceses''. Quase sempre vence — graças à melhor herança que guarda de seus tempos de CPOR. Volta para casa carregado de bonecas feiosas, bichinhos de louça, perfumes fedorentos. Lila não pode com ele. ''Por que você ainda traz essas coisas?'' Jamais deixa de carregar um brinde, por mais desprezível que seja. Transforma a melancolia em riso. Vira uma criança.

Atravessa, também — mal dos quarenta —, suas primeiras grandes depressões. Nessas horas, passa a dissertar obsessivamente sobre a decadência e a morte. Um dia, define seus sentimentos para Di Cavalcanti: ''Sinto-me descendo aos infernos''. Vinicius nunca deixou de desejar ser Arthur Rimbaud. Há momentos, porém, em que o gosto pela melancolia cede à melancolia mesmo. Nessas horas, o poeta se torna irreconhecível. Uma madrugada, ele e Sousa Dantas descem, de carro, o boulevard Saint-Germain em direção ao Sena. Vagabundeiam. Vinicius não atravessa uma boa fase com Lila e, como sempre acontece quando o fantasma da solidão o assalta, entra em desespero. Sousa Dantas está morto de sono, mas sente o abatimento do amigo e não ousa abandoná-lo. ''Para onde vamos agora?'', pergunta, apesar de os relógios marcarem quase três horas da manhã. ''Me larga!'', Vinicius pede, num grito súbito. ''Eu quero morrer! A vida é uma merda!'' Abre a porta do carro em movimento e tenta se atirar. Sousa Dantas freia bruscamente, o que o assusta. Os dois se abraçam. O poeta parece consolado. Continuam sua ronda. Minutos depois, porém, a cena se repete.

Agora, o amigo não apenas freia, como o segura com força. ''Me larga, senão eu te quebro a cara!'', o poeta grita. ''Eu quero pular no Sena. Você não pode me impedir!'' Sousa Dantas não o larga: ''Pode bater! Vai, bate com força, que eu não vou me defender!'', o outro provoca. Sabe que pode haver muito de teatro naquele gesto, mas também há muito desespero verdadeiro. O poeta desfere socos violentos no nariz do diplomata. O sangue jorra aos borbotões, mas Sousa Dantas permanece impassível. Espera que a fúria do amigo se esgote.

O poeta é mais baixo, mas é mais forte. Continua a bater com violência. Sousa Dantas, agora, choraminga. O arrependimento chega com a mesma rapidez: ''Eu sou um filho da puta!'', Vinicius se pune. ''Me desculpe, por favor. Devo estar possesso...'' Pede, então, que o amigo estacione o carro perto de um imenso jardim. Salta e, imediatamente, desaparece, enquanto o diplomata trata de estancar o sangue que ainda lhe escorre, farto, pela face. Quando, por fim, se recompõe, sai atrás dele.

O jardim, naquela madrugada nevoenta, está deserto. Há um homem imenso e vermelho, com aparência de alemão, dormindo em um banco. Ronca a todo o volume. Vinicius, em pé diante dele, grita: ''Acorda, diabo! Acorda!''. O sujeito, por fim, vem a si. ''O que você quer? Me deixa dormir...'', resmunga. Vinicius, com toda a calma do mundo, diz: ''Viemos bater em você''. Sousa Dantas, que está chegando, não se controla: ''Viemos?''. O poeta nem o olha. Possesso, começa a dar chutes e socos no pobre coitado. Corre graves riscos, pois está desafiando um homem sonolento, mas imenso. O diplomata tenta contê-lo, enquanto a vítima se defende como pode. ''Não faça isso, por favor!'', grita em um francês bastante precário, que não esconde o sotaque alemão. E, tentando inverter a situação, diante de alguém que só pode ser um bêbado ou um doido, começa também ele a gritar: ''Vamos sair daqui! Vamos comemorar!''. Vinicius, desconcertado, se aquieta. Encara o alemão e pergunta: ''Mas comemorar o quê?''. O sujeito, agora mais aliviado, sugere: ''Ora, comemorar a liberdade!''. E se levanta, aos gritos: ''Viva a liberdade! Viva a liberdade!''. Sousa Dantas aproveita e sugere que tomem o carro, pois há um café ali perto que atravessa a madrugada aberto. Amanhecem o dia, os três abraçados e envoltos em gargalhadas, tomando um bom conhaque. Sousa Dantas decide que jamais entenderá Vinicius, mas que continuará sempre a gostar dele.

Vinicius não anda, de fato, nada bem. Começa a nutrir uma paixão fugidia por Eugênia Elisa de Ouro Preto, ou Mimi de Ouro Preto, uma sofisticada manequim da Dior, com quem vive uma aventura breve, mas avassaladora. Mimi é a irmã mais nova do embaixador Carlos de Ouro Preto, descendente do visconde de Ouro Preto — o mesmo que chegou a ser presidente do Conselho de Ministros, durante o Império — e está flertando com Guy d'Arcangue, um conde falido a quem resta apenas um magnífico castelo erguido numa pequena aldeia dos Pireneus, vizinho a Biarritz.

Nele, Vinicius e Lila passam alguns de seus melhores dias da temporada francesa. Quando está com Lila, o poeta vive atormentado pela paixão. A pergunta que mais faz à mulher é: ''Você me ama?''. A afirmação que mais repete diante dela é: ''Eu sei, você não me ama, mas não quer dizer''. A relação se torna difícil. Vinicius, uma noite, aproveitando a ausência de D'Arcange, decide se declarar à amiga Mimi: ''Vinicius, não fale assim'', ela protesta. ''Você sabe perfeitamente que não estou apaixonada por você, mas pelo Guy.''

Vinicius volta para casa aos prantos. Lila saiu, foi ao teatro com duas amigas. Deixou apenas um bilhete delicado. Ele entra em desespero. Ronda pela casa, tem pensamentos desconexos, sem saber o que fazer de si. Decide, então, pelo pior: se tranca na cozinha, forra as portas e janelas com grossos molhos de jornal e abre o gás do fogão. Por sorte, a mãe de Lila Boscoli a visita, por uns dias, em Paris. Volta para casa mais cedo que a filha, arromba a cozinha e consegue salvar o poeta. Quando Lila chega em casa, Vinicius já foi medicado, e está mais tranqüilo. Ajoelha-se aos pés da mulher. Depois, abraçado a ela, escreve a primeira versão do ''Soneto do amor total'', um de seus mais belos poemas, que só receberá sua forma definitiva no Rio, tempos depois:

Amo-te tanto, meu amor... não cante
O humano coração com mais verdade...
Amo-te como amigo e como amante
Numa sempre diversa realidade.

Amo-te afim, de um calmo amor prestante
E te amo além, presente na saudade.
Amo-te, enfim, com grande liberdade
Dentro da eternidade e a cada instante.

Amo-te como um bicho, simplesmente
De um amor sem mistério e sem virtude
Com um desejo maciço e permanente.

E de te amar assim, muito e amiúde
É que um dia em teu corpo de repente
Hei de morrer de amar mais do que pude.

Outra amiga muito próxima é a exótica Josephine Rinaldi, mulher do produtor de cinema Sacha Gordine. Mesmo depois de se separar do marido, Josephine continuará muito ligada a Vinicius. O poeta se apaixona pela maneira mágica que a amiga tem de encarar a vida, em muito parecida com a sua. Depois do casamento com Gordine, ela passa a viver com um travesti conhecido apenas como Eugène, ou também La Grande Eugène, ou ainda L'Ange Bleu. Esse seu estranho companheiro morreria na Itália, em 1974.

Josephine — uma mulher incansável para a paixão, outra semelhança que encanta o poeta — casa-se, ainda, com Brune Dale, diretor da rádio Europe 1. As mulheres se multiplicam na vida do poeta. O casamento com Lila está, quase sempre, em estado de risco. Vinicius se aproxima, também, da irmã de Josephine, Biagina Visconti, casada com um sobrinho do cineasta Luchino Visconti. As duas irmãs lhe oferecem um coquetel irrecusável: paixões, estrelas do cinema, vidas agitadas, restos de nobreza. É tudo o que ele mais quer. Josephine escreve, ainda, um livro sobre culinária da França. Vinicius não deixará jamais de procurá-la.

Na sede da UNESCO em Paris trabalham os brasileiros Paulo Carneiro, Vinicius e o também poeta Tavares Bastos. Vinicius tem uma mesa própria, com sua papelada. Passa o dia inteiro "em atividade" na sua máquina de escrever, o que lhe rende elogios constantes de seu chefe, Paulo Carneiro: "Vinicius não pára de trabalhar", comenta sempre o futuro embaixador. "Certamente, a cada dia surge mais um belo poema." Um dia, no entanto, preocupado com o comentário de alguns colegas, que questionam a atuação de Vinicius na UNESCO, Paulo faz um pedido ao poeta: "Vinicius, não param de me perguntar que diabos você faz aqui". Constrangido, sugere: "Vamos combinar o seguinte: de vez em quando, você escreve uma carta aí qualquer, para que eu possa dar uma satisfação". O poeta continua, indiferente, a maquinar seus poemas e ignora a rede de intrigas armada à sua volta.

Boa parte de sua produção poética parisiense é incorporada, mais tarde, na *Antologia poética*, de 1954, e em *Novos poemas II*, de 59. Na *Poesia completa & prosa*, editada pela Aguillar em 1968, esse material aparece no capítulo batizado, arbitrariamente e num título que não corresponde ao espírito dos poemas, "Nossa Senhora de Paris". Reúne algumas das mais populares poesias que Vinicius de Moraes já escreveu, como "Receita de mulher" ("As muito feias que me perdoem/ Mas beleza é fundamental..."), "Balada das duas mocinhas de Botafogo" (que, no futuro, inspirará o filme *Marília e Marina*) e o célebre "O operário em construção". Vinicius se deixa seduzir pela imensa popularidade conquistada por esses poemas. Fica envaidecido com o sucesso e o reconhecimento. Amigos mais severos, como João Cabral, o vigiam de perto, puxando-o para o chão. Cabral não o poupa. Em 1956, depois de ler pela primeira vez "Morte e vida severina", Vinicius telefona para João Cabral e, todo empolgado, diz: "É a melhor coisa que você já escreveu!". João, indignado, reage: "Esse poema eu não escrevi para você gostar. Para você escrevi 'Uma faca só lâmina'. Esse é para vender". É em Paris, ainda, que Vinicius escreve um dos mais tristes poemas de sua obra, trançado em estilo gótico e — diz-se — inspirado em sua paixão por Edgar Allan Poe: a "Balada negra". Independentemente da paixão pela obra de Poe, esse poema vem exibir o Vinicius obscuro e deprimido que o mito do "poetinha" sempre tratou de esconder. Não é preciso ser hipersensível para perceber que, mesmo nas histórias mais engraçadas que o poeta desempenha ao longo da vida, há sempre uma ponta difusa de tristeza. Um pano de fundo de sofrimento, de paralisia, ou mesmo patético.

Dessa temporada parisiense, ficam muitos poemas inéditos. Por exemplo, ''Alexandra, a Caçadora'', escrito em julho de 1964 e dedicado a Alexandra Archer, a filha recém-nascida dos amigos Madeleine e Renato Archer. É um dos muitos poemas de circunstância, manifestações espontâneas e sem pompa de puro afeto, com que Vinicius se engrandece como pessoa, mesmo que tantas vezes — aqui não é bem o caso — se macule como poeta. Prova freqüente de que, para ele, o homem está acima da poesia. Ou, como gosta de dizer a Antonio Maria, o poeta ''não escreve poesia, 'é' poesia, ou não é poeta''.

Que Alexandre, o Grande é grande
Todos sabemos de cor
Mas nunca como Alexandra
Porque Alexandra é a maior!

Olhem bem o nome: rima
Com força locomotriz
Pode subir serra acima
Pode voar a Paris.

No entanto é nena pequena
Tamanho de um berço exato
Coube dentro da Madeleine
Cabe na mão do Renato.

Alexandra Archer: em francês
É Arqueira — fora ou não fora
Mas em língua brasileira
É Alexandra, a Caçadora!

Vai, caçadorinha, caça!
A vida com as tuas setas
E caça o tempo que passa
No olhar triste dos poetas.

Porque, anjo, um já flechaste
De fato há muitos indícios...
— Broto de rosa ainda em haste
Nem tem dúvidas! — caçaste
O coração do
Vinicius

Para celebrar sua paixão pelo álcool, Vinicius de Moraes escreve, ainda em Paris, em 1957, já num momento em que o amor por Lila Boscoli fraqueja e pede substitutos, o poema "O sacrifício do vinho", que também permanece inédito de Vinicius. O poeta, ao sentir a mulher que lhe escapa, se embriaga. E faz do vinho seu novo objeto de amor. Chega a transferir para a bebida os apelos eróticos e sensuais que, no fracasso da paixão, lhe faltam. Termina transformando esse amor pelo álcool numa espécie de rito. O vinho, feito carne, evoca a missa dos católicos. Esses versos bastam para que se entenda o embriagamento com que, diante da separação a essa altura inevitável, o poeta se consola:

Contra o crepúsculo
O vinho assoma, exulta, sobreleva
Muda o cristal da tarde em rubra pompa
Ganha som, ganha sangue, ganha seios
Contra o crepúsculo o vinho
Menstrua a tarde.

Ah, eu quero beber do vinho em grandes haustos
Eu quero os longos dedos líquidos
Sobre meus olhos, eu quero
A úmida língua...

O céu da minha boca
É uma cúpula imensa para a acústica
Do vinho, e seu eco de púrpura...
O cantochão do vinho
Cresce, vermelho, entre muralhas súbitas
Carregado de incenso e paciência.
As sinetas litúrgicas
Erguem a taça ardente contra a tarde
E o vinho, transubstanciado, bate asas
Voa para o poente
O vinho...

Uma coisa é o vinho branco
O primeiro vinho, linfa da aurora impúbere
Sobre a morte dos peixes.
Mas contra a noite ei-lo que se levanta
Varado pelas setas do poente
Transverberado, o vinho...
E o seu sangue se espalha pelas ruas
Inunda as casas, pinta os muros, fere
As serpentes do tédio; dentro
Da noite o vinho
Luta como um Laocoonte
O vinho...

Ah, eu quero beijar a boca moribunda
Fechar os olhos pânicos
Beber a áspera morte
Do vinho...

Entre os brasileiros que o visitam em Paris, o mais festejado, sempre, é Antonio Maria, que passa pelo menos um mês por ano na França. Ao seu lado, compete em verdadeira olimpíada boêmia. O recorde é batido numa noite em que os dois amigos, acompanhados por um grupo que inclui Lila Boscoli e Mário Carneiro, começam a beber no Bar du Théâtre, ponto famoso de atrizes de cinema, produtores artísticos, gente de teatro. Depois de algumas doses de uísque, o grupo resolve dar uma passada no Club Saint-Florentin — uma danceteria toda decorada com borboletas embalsamadas, que cobrem o teto e as paredes, e que proporcionam um visual de gosto duvidoso, espécie de delírio tropical para francês ver. Vinicius, evidentemente, pouco dança. Fala, fala, e bebe. De lá, seguem para a boate Elephant Blanc, ponto de encontro de diplomatas brasileiros, e onde negros norte-americanos cantam peças de jazz.

O dia já está amanhecendo quando Mário Carneiro e Antonio Maria se desligam do grupo para buscar algumas partituras na casa de um músico do Elephant Blanc, que se tornara amigo de Maria. De lá, os dois seguem para um tradicional café parisiense, em que o desjejum é tomado de pé, num longo balcão. Novamente encontram Vinicius, Lila e toda a turma — que discutem, na calçada em frente ao café, se é hora de voltar para casa, ou de continuar bebendo. Vinicius, pelo visto, já tem o seu voto: assim que entra no movimentado café, tomado por senhoras cheirosas talvez demais e homens cheios de olheiras, pede ''cerveja e croissant''. Mário Carneiro, nesse ponto, joga a toalha e recua: prefere dormir. Algumas horas depois tem o sono interrompido por uma chamada telefônica. ''Mariozinho, sou eu! Estou no Bar du Théâtre com o pessoal. Já almoçamos e não paramos até agora.'' Mário mal pode concatenar as idéias. Pensa em fazer um rápido sermão a respeito dos limites da saúde e das vantagens da pontualidade, quando ouve: ''Nós vamos embalar de novo. Você não quer vir?'', sugere um Vinicius eufórico. Mário joga a toalha novamente — dessa vez, a favor da farra e da alegria — e vai ao encontro dos amigos. Repetem, juntos, o mesmo roteiro da véspera. Essa maratona entra para a história íntima do poeta e para seu livro dos recordes da boemia com a alcunha de ''As 48 horas de Paris''.

A temporada em Paris serve para estreitar, ainda mais, os laços que unem o poeta à música. Pode ser visto sempre entre as mesas obscuras da Elephant Blanc, completamente enlevado com o jazz que ali se toca. Passa, primeiro, a cantarolar e, pouco depois, a conversar com as pessoas emitindo as palavras num tom característico do jazz. Cria, como explicará depois, uma "bolha musical" em torno de si. Cada vez que lhe perguntam algo, responde imitando um dos instrumentos da banda. Repetirá a performance outras vezes. Pode-se imaginar de que modo ela será relatada nos corredores diplomáticos. Na Elephant Blanc, o poeta vive uma de suas mais estranhas histórias da temporada francesa. Depois de inúmeras doses de uísque, ele parece um pouco indisposto. Quer ir embora, mas não recebe o aval dos amigos. Então, se levanta e vai sozinho para a rua, mais precisamente para um jardim ao lado da boate. O grupo demora mais algum tempo conversando. Os homens vão procurar seus sobretudos, as mulheres recolhem as bolsas esquecidas nas mesas da boate. Demoram, talvez, um pouco demais. Quando saem da Elephant Blanc, tomam um susto: Vinicius está estirado no jardim, completamente sem sentidos. Antonio Maria, o mais tranqüilo de todos, aparentemente em excesso, sugere apenas que afrouxem o cinto do poeta e desabotoem suas calças. "Ele precisa respirar melhor, senão acaba vomitando", argumenta. Quando o primeiro candidato se propõe a fazer o que Maria recomenda, Vinicius — num salto — coloca as mãos sobre os botões das calças e dá um grito. "Vocês sabem que eu não uso cuecas?", protesta, subitamente acordado. "Vão me deixar pelado aqui, no meio da rua?" Maria é um especialista nas manhas e nos pequenos teatrinhos que Vinicius gosta de desempenhar para chamar a atenção de amigos e de inimigos. Sabe, em geral, se antecipar — e corta as performances pela raiz. Vinicius, nessas horas, se enche de raiva. Logo, porém, estão abraçados, rindo.

Maria sabe, por exemplo, que o amigo tem rara vocação para simular desmaios. Que, para isso, basta estar "inspirado" por uma ou duas doses de Black & White, seu uísque favorito a essa época. Usa desse expediente para se livrar de situações desagradáveis, ou delicadas. Uma pequena discussão com Lila — porque ela notou que o poeta está olhando para outra mulher ou porque está se sentindo contrariada — basta para detonar um "desmaio". Às vezes, "desmaia" quando está interessado em deixar os amigos irem em frente enquanto "se recupera", isto é, dá uma escapulida. Outras tantas, para escapar dos chatos — em particular dos Chatos-Depois, para os quais aprendeu a andar sempre atento. Maria dirá, várias vezes, que Vinicius é "Ph. D. em desmaio". Quando o ouve fazer esse comentário, o poeta se limita a levar o indicador ao nariz e fazer: "Chiiii...". É um de seus mais preciosos segredos, peça fundamental em seu decálogo da arte de viver.

5

Em meados de 1955, Vinicius tem um encontro acidental com Mary Menson, diretora da Cinemateca Francesa. Os dois estão num restaurante em que a Panair do Brasil oferece um jantar embalado pelo ritmo do Trio Nagô, um conjunto brasileiro que, a essa altura, faz uma festejada carreira nos night-clubs franceses. O Brasil é um tema inevitável nas conversas. Mary Menson se lembra, então, do produtor de cinema Sacha Gordine, que já faz parte do círculo de Vinicius. Um francês apaixonado pelo Brasil, que vive siderado pela idéia de realizar um filme sobre um tema brasileiro. ''Você não tem uma história na gaveta que possa interessá-lo?'', Mary arrisca. ''Não, não tenho história alguma'', o poeta desconversa. A diretora aproveita para contar vantagens a respeito de Gordine: ''Foi o homem que lançou Gérard Phillipe, Simone Signoret... Ele não é pouca coisa''. Por fim, diante da insistência da diretora, Vinicius concede: ''Não tenho, mas vou pensar. Me dê 24 horas para pensar''. Mudam de assunto. No fim da noite, de repente, vem à cabeça do poeta uma peça que escreveu uns dez anos antes chamada *Orfeu da Conceição*, que mofa no fundo de uma gaveta. Anota o telefone de Gordine e dias depois o procura. Conta o encontro casual com Mary Menson e faz um brevíssimo resumo do seu *Orfeu*. ''Me faça uma sinopse disso'', pede o objetivo Gordine sem perder tempo. ''Ponha um resumo no papel.''

Vinicius passa uns quinze dias, muito confiante, trabalhando na sinopse de *Orfeu*. Não sabe do mais importante, informação decisiva que Mary Menson lhe sonegou: Gordine está falido. O produtor jogara um dinheiro alto no filme *Afeto ao presidente*, que lhe trouxe sérios problemas com o governo francês e, por tabela, com as bilheterias. Os cobradores batem, irados, à sua porta. Talvez tenha sido melhor assim. Estimulado por esse Gordine falido, Vinicius começa a trabalhar em 1955 no roteiro do filme *Orfeu negro*, adaptação para as telas do *Orfeu da Conceição*. A convite de Maria Oliva Fraga, funcionária da embaixada brasileira em Paris e irmã do médico Clementino Fraga Filho — homem que terá um papel de destaque na vida futura de Vinicius —, ele se hospeda no Château d'Eu, o mesmo castelo em que o conde d'Eu se refugiou após a proclamação da República brasileira e que acaba de ser comprado por Assis Chateaubriand. Os nobres da família Orléans e Bragança continuam, porém, a ter uma das alas da edificação a seu dispor. Agora, recolhido à atmosfera monárquica, o poeta tem todo o silêncio do mundo para se dedicar apenas a trabalhar na adaptação. Está acompanhado por Josephine Rinaldi, agora madame Daniel Fauquier e leva consigo para a temporada de exílio a pequena Georgiana. Hospeda-se nos aposentos superiores do castelo, que continua com suas dependências principais abertas para a visita de turistas.

A vida em um castelo não é fácil, mesmo para um homem de formação aristocrática como Vinicius. O Château d'Eu é um ponto turístico bastante visitado. Uma tarde, o chefe dos guias vem procurar o poeta em sua sala de trabalho. "Tivemos um pequeno problema essa manhã, senhor", começa cheio de dedos. Sua face, porém, está pálida como se fosse relatar um sacrilégio. Para o metódico guia, foi de fato o que aconteceu. Pela manhã, conduzia um grupo de turistas pelo castelo quando fez uma parada, obrigatória, diante de uma rica carruagem do acervo. Mal o guia começa, solene, a descrever a importância do veículo, a porta da caleça se abre deixando ver, entre sedas e alfaias, uma cabeça de menina. Alguns turistas gritam; outros, menos tomados pelo clima lúgubre do castelo, explodem em gargalhadas. Trata-se da pequena Georgiana, no frescor de seus dois anos de idade, brincando de esconde-esconde.

"Estou desolado", Vinicius se esforça. "Houve algum dano à carruagem?" Não, não houve dano material algum. É o clima solene e pomposo da visita, mal irrecuperável, que foi quebrado. O poeta é obrigado a ouvir que crianças não podem circular sozinhas pelos aposentos do castelo. É obrigado, também, a concordar. Quando o guia se despede e vira as costas, porém, ele explode em um riso incontrolável. O velho guia finge não ouvir e segue adiante a passos largos, mas Vinicius pode ver quando, ao começar a descer as escadarias, ele passa a balançar freneticamente os ombros e a lançar, como um pêndulo, a cabeça para trás e para a frente. É um riso fulminante que, o guia também, agora devastado pelo ridículo da situação, procura disfarçar. O poeta previra uma temporada de quinze dias no Château d'Eu. Agora, completamente à vontade, passa um mês.

Orfeu da Conceição sempre foi um dos trabalhos preferidos de Vinicius. Começou a escrever a peça durante o Carnaval de 1942 quando, descansando na casa do arquiteto Carlos Leão, em Niterói, lhe cai nas mãos por puro acaso uma edição do *Orfeu* escrito pelo italiano Calzabígi no século XVIII e logo depois musicado pelo alemão Christoph Gluck, o célebre reformador da ópera. Conta o mito de Orfeu, famoso músico, cantor e poeta da Trácia considerado o inventor da cítara. Ele cantava com tamanha sedução que as feras o seguiam mansamente. Sua aventura mais famosa é a viagem que faz ao inferno em busca da mulher Eurídice, filha de Apolo. Com sua música, consegue hipnotizar os deuses e trazer Eurídice de volta ao mundo dos vivos. Mas há uma condição que lhe é imposta: não pode olhar para trás. Quase à saída do inferno, angustiado em saber se Eurídice de fato o está seguindo, não resiste. No mesmo instante em que se volta, ela desaparece.

Orfeu da Conceição é uma adaptação do mito grego ao ambiente de uma favela carioca. A idéia surge durante a visita que Vinicius de Moraes faz com o escritor Waldo Frank, em 42, à favela da Praia do Pinto. Maravilhado com o ritmo, a dança enfeitiçada e a sensualidade dos negros favelados, Frank faz um comentário despretensioso de que Vinicius não mais se esquecerá: ''Eles parecem gregos'', diz. ''Gregos antes da cultura grega.'' Essa imagem fica dando voltas num canto de sua cabeça até que, no Carnaval em Niterói, o destino lhe põe nas mãos, retirada ao acaso da biblioteca de Carlos Leão, uma edição do *Orfeu*. As engrenagens agora se encaixam. A idéia da peça toma forma.

Numa noite, mal encerrada a leitura de *Orfeu* de Calzabígi, o poeta se põe a escrever freneticamente, inspirado por uma batucada que vinha do morro do Cavalão, ao pé do qual a casa de Carlos Leão está erguida, com uma vista magnífica para a baía de Guanabara. Ao amanhecer daquele dia de Carnaval, o primeiro ato do *Orfeu da Conceição* está pronto. Empolgado, relata a proeza a Carlos Leão durante o café da manhã. ''Você está de parabéns pela rapidez'', ouve. Mas o poeta está preocupado com a interferência — que reconhece, em princípio, como positiva — do Carnaval e da realidade brasileira em seu texto. ''Preciso rever com cuidado o que escrevi'', ressalva. ''Não quero transformar o mito de Orfeu numa tragédia realista.'' Nos dias seguintes, Vinicius tenta prosseguir em seu projeto, mas já não pode avançar mais. O Carnaval é uma festa que dispersa e o poeta é, por princípio, um homem de temperamento flutuante. Só escreveria o segundo ato, em outra enxurrada, cinco anos mais tarde, já instalado no posto de vice-cônsul brasileiro em Los Angeles. O terceiro ato também é redigido nos Estados Unidos. Viria a perder esses últimos originais, eterno distraído, numa viagem de avião. Viu-se obrigado a reescrever integralmente o terceiro ato semanas depois.

Vinicius e Lila convidam Sacha Gordine para uma feijoada em seu apartamento parisiense, que, entre outros convidados, conta ainda com a presença de Jerusa Carvalho — a maior amiga de Lila — e seu namorado marroquino Raymond Pinto — a quem Vinicius passa a chamar, apesar dos insistentes protestos de Jerusa, de Raimundo, o Egípcio. Vinicius e Gordine choram suas agruras. Confiam no potencial do *Orfeu*, mas o dinheiro não aparece. Chegaram a fazer uma ronda pelo Brasil em busca de patrocínio em fins de 55. Não tiveram sucesso. Empolgado com o que ouve, Raymond Pinto pede que o poeta fale mais de sua peça. Vinicius termina improvisando, com atores brasileiros presentes, uma leitura do primeiro ato da adaptação de *Orfeu da Conceição*, que o marroquino sorve maravilhado. Ao fim

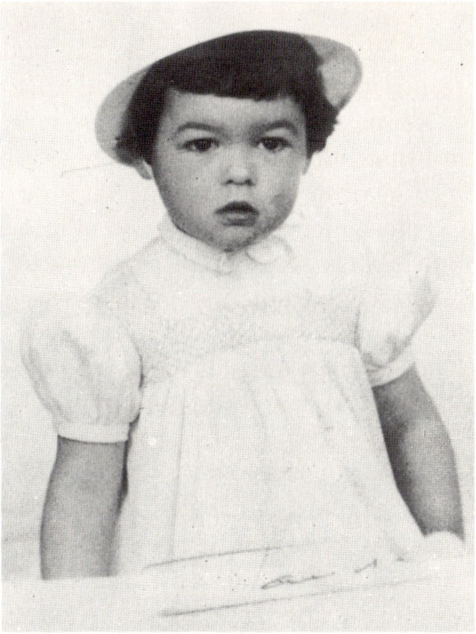

DOCE FANTASMA

A pequena Georgiana, longe das atenções paternas, se põe a assombrar turistas em um castelo

da leitura, Raymond anuncia: "Filme eu não financio. Mas uma peça de teatro me interessa".

O ator negro Haroldo Costa está em Paris com a Brasiliana, uma companhia de dança e folclore brasileiros, que se apresenta no Théâtre de l'Étoile. O grupo está em dificuldades com o fisco francês e precisa de um atestado oficial de qualidade para ganhar uma isenção de imposto. Haroldo vai, então, procurar Vinicius. Os dois se tornam amigos, e o poeta volta e meia está na platéia do L'Étoile aplaudindo a Brasiliana. Um dia, Haroldo é convidado por Vinicius para uma feijoada em sua casa. A mesma feijoada. Na leitura improvisada da peça, Haroldo faz — e incorpora em definitivo — o papel de Orfeu.

A montagem teatral do *Orfeu* começa a ser preparada. Vinicius quer que Vadico, apelido de Oswaldo Glogiano, o parceiro de Noel Rosa e pianista de Carmen Miranda em Los Angeles, componha as músicas, mas ele não aceita. Um dia, está no Bar Vilariño tomando um drinque com Lúcio Rangel e Haroldo Costa. Lúcio aponta, então, um rapaz nervoso e desengonçado, que tinha conhecido dias antes por intermédio do humorista Sérgio Porto e está numa mesa vizinha. Pergunta: "Você sabe quem é?". O poeta conhece, sim, o rapaz de vista, de noitadas no Clube da Chave, em Copacabana, nos idos de 52. Mas não tem nenhuma impressão formada sobre ele. Seu

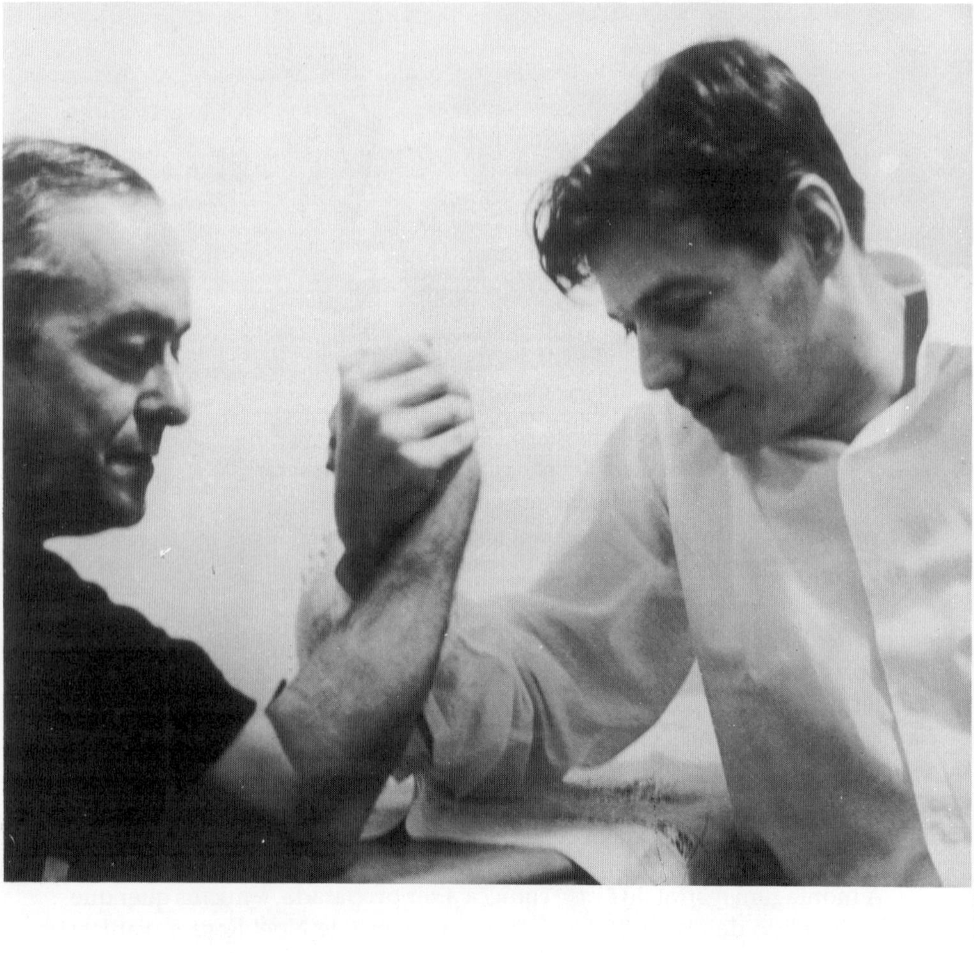

COMPANHEIRO DE VIRADA

Antonio Carlos Jobim, até ali obscuro pianista da noite, surgiu na vida de Vinicius para compartilhar a opção definitiva pela música. Os dois se encontraram para compor a trilha do "Orfeu da Conceição". Passaram a ter suas canções interpretadas por cantores célebres, como Agostinho dos Santos (acima) e se tornaram protagonistas na história da Bossa Nova.

amigo Paulinho Soledade também já lhe falara a respeito do rapaz. Um dia, nos estúdios da gravadora Continental, o poeta lhe diz, com a naturalidade de quem pede um objeto emprestado: ''Paulinho, estou precisando de um maestro, que me ajude numas músicas que vou fazer. Você tem algum?''. Paulinho Soledade responde de pronto: ''Tom Jobim'', e daí se contém um pouco, mas prossegue: ''Tem um problema: ele é moderno. Bebe bonito, conhece poesia e passa a madrugada lendo Drummond. Pode ser perigoso...''. Vinicius, feliz, não o deixa prosseguir: ''Mas é um sujeito exatamente assim que eu quero!''. Agora, o rapaz está ali diante dele. É a hora de fisgá-lo.

Tom Jobim, aos 29 anos, sobrevive como obscuro pianista no Bar Azul, em Copacabana, mora num minúsculo apartamento e vive enrolado em dívidas. Completa o salário, que ainda assim continua menor que as dívidas, vendendo músicas e arranjos pelos inferninhos da Zona Sul. Atravessa as noites movido apenas a cerveja, porque não tem dinheiro para tomar uísque. Sua vida, em resumo, não vai nada bem. Vinicius, um homem sempre regido por impulsos, se aproxima de Tom, expõe o projeto do *Orfeu* e, sem esperar mais nada, arrisca: ''Você aceitaria musicar minha peça?''. O pianista lhe dá uma resposta que entrará para o folclore da música popular brasileira: ''Tem um dinheirinho nisso?''. Tom Jobim, logo depois, já pode se mudar para seu famoso endereço na rua Nascimento Silva, 107.

Em quinze dias, os dois compõem juntos praticamente toda a trilha musical do *Orfeu*. Desenvolvem um método de composição bastante simples: Tom dedilha a música no piano e Vinicius, ao lado, faz um ''rascunho'' da letra, mais preocupado com a métrica que com o conteúdo. Depois, de posse desse ''prenúncio de letra'', como passa a chamar, trabalha sozinho na versão definitiva. ''Se todos fossem iguais a você'', ''Lamento do morro'', ''Um nome de mulher'' vão nascendo sem grande esforço. Como se já estivessem prontas em algum lugar do espaço — Vinicius assim descreve um dia — e aos dois coubesse, tão-somente, ''incorporá-las'' ao chão. São todas composições novas, com exceção da ''Valsa de Eurídice''. Ela se chamava, originalmente, ''Valsa de Susana'', e Vinicius a compusera anos antes, na Europa, como uma homenagem de formatura à filha Susana. Um dia, cantou-a para Tom, que não se conteve: ''É bonita demais. Não pode ficar só para tua filha''. O compositor terminou usando a valsa como ouverture da peça. Vinicius morrerá com a sensação de que a filha, no íntimo, nunca o perdoou pelo furto.

A parceria com Antonio Carlos Jobim, iniciada sob a gerência espiritual de *Orfeu*, serve de marca definitiva para uma virada na carreira do poeta. O inspirado Tom desloca a atenção de Vinicius do silêncio e da atmosfera reservada própria à poesia e a dirige para o cenário mais amplo e arejado da música popular. O poeta se torna um cantador. Um show-man esperto e insinuante, a capitanear a nova geração de grandes letristas que nasce com a Bossa Nova. Tom será, desde então, sua sombra. Ao lado dele, Vinicius de Moraes se torna, em definitivo, Vinicius de Moraes.

Aos 43 anos de idade, o poeta vive uma crise radical de identidade — Tom, com sua juventude e sua alma ambiciosa, vem lhe apontar uma solução. Vive um momento em que deseja se libertar, por completo, dos protocolos sociais e das expectativas alheias — Tom lhe serve, então, como testemunha e como avalista. Deseja perder o medo e a insegurança que o mantiveram, até ali, recolhido ao mundo intimista da poesia e aos rituais protetores da carreira diplomática — Tom vem lhe injetar coragem e, sobretudo, vitalizá-lo. Vinicius acaba de publicar "O operário em construção", poema que se torna um símbolo de uma fase de engajamento e de busca de horizontes mais largos. Aquele operário que agora ocupa o lugar da mulher, do amor e da morte — tripé sobre o qual ele ergueu sua poesia — é, na verdade, uma imagem disfarçada que o poeta tem de si mesmo. Uma nova face, de um homem que agora se vê como parte de um todo (um operário é, a rigor, apenas uma peça de uma imensa montagem) e que passa a se orgulhar de sua dependência inexorável em relação ao mundo social e concreto.

A diplomacia já é, para ele, apenas um traste a carregar, um peso justificado unicamente pelo salário compensador. Já não sabe mais lidar — se é que algum dia soube — com a postura de diplomata. Tempos antes, em Paris, Vinicius experimenta uma pequena situação exemplar, que sintetiza essa inadequação ao mundo asséptico das estratégias de geopolítica, das grandes assinaturas de tratados e cartas de intenções e das festanças de confraternização internacional. O poeta tem um velho terno de lã inglês, uma roupa de estimação que — recusando-se a aposentar — decide entregar a um alfaiate para uma reforma. O competente alfaiate reconstrói meticulosamente o velho terno, mas deixa escapar um erro grosseiro: com a restauração, os bolsos do paletó se invertem de lugar. Vinicius, sem dar importância a isso, faz a reestréia do terno. Todo satisfeito com a falsa roupa nova, esbarra numa rua parisiense com um diplomata amigo que, intrigado e sem meias palavras, comenta: "Engraçado, seu terno tem os bolsos invertidos...". Vinicius, com sua afiada presença de espírito, responde: "É claro, é um terno inglês". Olhos fixos na face de um diplomata ainda boquiaberto, completa: "O senhor não deve esquecer que na Inglaterra tudo é ao contrário"

O que se inverte, de fato, é o espírito de Vinicius — o acidente com o terno é apenas uma metáfora do que se passa em sua alma. Seus sonhos e aspirações, deslocados das salas diplomáticas e dos saraus literários para a música e para o palco, já não combinam com a velha indumentária existencial. Agora, ao lado de Tom, o poeta passa madrugadas martelando rascunhos de canções num piano, sorvendo placidamente seu uísque, rabiscando versos de amor e se alimentando apenas de "comidinhas de bêbado" — como ele mesmo define os tira-gostos à base de filé mignon ou de galinha que o mantêm aceso. Ensaia a existência de um novo Vinicius. Os dois juntos exercitam, nessas horas, uma "amizade sem reservas", conforme o próprio Vinicius definiria mais tarde. Tudo o que pensam é dito. Desde o início, os protocolos e as poses cedem lugar à clareza (às vezes dura, quase sempre saudável) e à franqueza viril. Vinicius se renova com essa relação sem pompas e sem pruridos. Chega a si mesmo.

Tom, por certo, ganha muito também. Menino chique criado em Ipanema que o destino transformou em um músico profissional da noite ultimamente acorrentado a madrugadas extenuantes e a muitas dívidas, Tom Jobim adota Vinicius como mestre. O poeta o carrega para um novo mundo, em que o cotidiano faz fronteira com a magia e em que as perspectivas de criatividade se alargam. O poeta lhe dá a chance de abandonar a rotina anônima dos músicos de inferninhos, das salas esfumaçadas e dos bêbados inconvenientes, para passar a ser reconhecido como um profissional de vôo próprio e identidade inconfundível.

Vinicius abre o caminho de Tom para novas — e importantes — parcerias. O pianista passa a compor com Dolores Duran, Billy Blanco, Luiz Bonfá, Paulo Soledade, Aloísio de Oliveira. A parceira com Dolores Duran — que morre precocemente em 1959, aos 29 anos — seria, não fosse o destino, talvez a mais importante delas. Compõem juntos três canções: "Se é por falta de adeus", "Estrada do sol" e "Por causa de você". Essa última correu o risco de ter duas letras: enquanto Dolores Duran acabava de escrever sua versão, Vinicius — com a mesma melodia registrada num gravador — começava, sem saber, a trabalhar em outra. Quando Tom, sempre meio desligado e desajeitado, se deu conta da confusão que tinha armado ao entregar uma mesma melodia a dois parceiros, procurou o poeta e, usando da já imensa intimidade entre os dois, lhe pediu: "Por favor, Vinicius, outra letra é covardia". Sem qualquer ressentimento, Vinicius de Moraes jogou seus rascunhos fora.

O poeta leva o parceiro, enfim, a um mundo em que pode se afirmar — e este não deixa nenhuma chance lhe fugir das mãos: agarra-se com firmeza à estrada que o levará, em pouco tempo, a se tornar um compositor de projeção internacional. Tom se torna um dos alquimistas da Bossa Nova. No início dos anos 60, quando surgem na vida de Vinicius parceiros mais engajados e menos elitistas como Carlos Lyra e Baden Powell, Tom passa a representar aquela tendência mais "pura" da Bossa Nova. Ao lado de João Gilberto e do próprio Vinicius, se torna uma figura-chave do movimento que coloca nossa música popular, em definitivo, em afinação com a modernidade.

Aluno de Leo Peracchi, de Radamés Gnatalli, de Alceu Bocchino e de Hans-Joachim Koellreutter, Jobim traz para a Bossa Nova sua imensa bagagem erudita e sofisticação — atributos que se afinam com o acervo intelectual que Vinicius de Moraes acumulou durante sua formação. A sofisticação, para eles, não é embaçamento, mas transparência. Os dois parceiros usam o saber acumulado e a riqueza intelectual como instrumentos para um único destino: a simplicidade. Quando suas canções ultrapassam as fronteiras brasileiras e chegam aos repertórios de Ella Fitzgerald, Nat King Cole, Peggy Lee, Henri Mancini e Sarah Vaughan, eles consagram, de uma vez por todas, o primado da descontração e da alegria que passa a ser o grande tesouro espiritual da Bossa Nova.

O sucesso internacional servirá para afastar, lentamente, Jobim de Vinicius de Moraes — e também para produzir divergências que, ao longo das décadas seguintes, tornarão suas relações, apesar de sempre cordiais, cada vez mais delicadas e difíceis. O sucesso sobe à cabeça de Tom, e o poeta, cada vez mais imantado pela profusão intermitente de novos parceiros, novos amores e novos riscos, nunca o perdoará por isso. ''Você é um comodista'', Vinicius lhe diz certa vez, ''e além disso tem medo de platéias.'' Em 1966, Tom partirá para os Estados Unidos, a convite de Frank Sinatra, para uma longa temporada internacional. Vinicius, mesmo magoado com o afastamento e as incompreensões do amigo, nunca deixará de repetir que Antonio Carlos Jobim é ''o melhor músico do mundo''.

Apesar dos elogios, Vinicius cultivará ao longo da vida uma mágoa — discreta, mas crescente — em relação a seu primeiro parceiro. Terá, nesse ponto, a solidariedade íntima de outros parceiros. Numa carta sem data que despacha para Paris nos anos 60, o compositor Carlos Lyra dá uma mostra desse sentimento de decepção. Tom está preparando — aparentemente sem grande entusiasmo — os arranjos para a gravação em disco do musical *Pobre menina rica,* de Lyra. Por conta de sua lentidão, que Carlos Lyra vê como desinteresse, o disco sofre um imenso atraso. Na carta a Vinicius, relata: ''Não fosse o Tom ter esticado tanto (não chegou a fazer um arranjo sequer em um mês), o disco estaria chegando nas suas mãos junto com essa carta''. Sem nenhum constrangimento, Lyra prossegue: ''Acho que Tom está realmente muito mal de corpo e alma e o esforço que fez tentando me ajudar, para nossas relações humanas, bastou''. Pode-se ver nesse comentário, também, a competição disfarçada, mas intensa, que os parceiros travam entre si pelas atenções de Vinicius.

Vale a pena, aqui, falar um pouco de Lúcio Rangel, esse homem que serve de grande cupido para o ''casamento'' musical que muda os destinos da música popular brasileira. Lúcio e Vinicius se conhecem na Faculdade de Direito. A paixão por Rimbaud, Verlaine e Pixinguinha foi decisiva para sua aproximação. Lúcio só atua por seis meses como advogado. Logo se transforma em conceituado crítico musical. A partir da segunda metade dos anos 30, Vinicius e Lúcio passam a transitar — e a se esbarrar — pela boemia carioca. Uma situação marca, em definitivo, a amizade entre os dois. No fim dos anos 50, Lúcio Rangel, desempregado, passa por maus momentos. Deixa o uísque de lado e passa a evitar a noite para fazer economia. Vinicius, comovido, tenta ajudá-lo. Uma noite, o poeta o convoca para lhe dar uma boa notícia: ''Lúcio, arrumei um emprego pra você no MEC. O negócio é quente mesmo. Você nem precisa ir no prédio pra receber!'', diz, empolgado. ''E como vai ser isso? O dinheiro vai voar até a minha cartei-

Cyro Monteiro

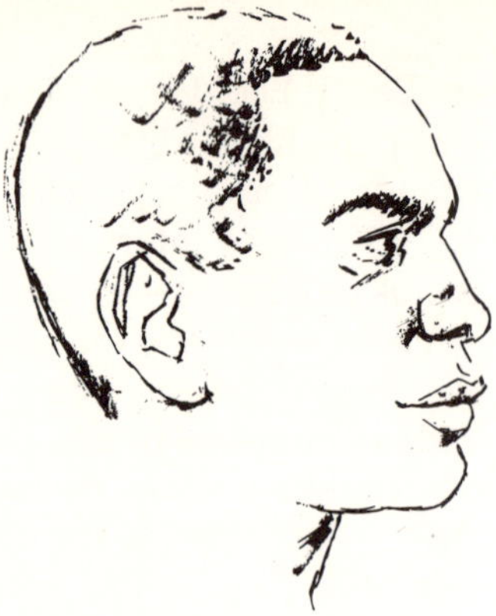

Haroldo Costa

Leo Jusi

Tom Jobim

"CONSULTOR PLÁSTICO"

O artista plástico Carlos Scliar, ilustrador da primeira edição do programa do "Orfeu da Conceição" e iluminador do espetáculo, acompanhou os ensaios da peça, desenhando cenas e retratando seus participantes.

Vinicius

ra?'', Lúcio brinca para disfarçar a ansiedade. O generoso Vinicius sugere: ''Como estou sempre por lá, eu retiro o seu dinheiro todo mês. Que tal?''.

A quantia não é alta, mas serve para Lúcio equilibrar o orçamento. E ainda para voltar a conviver, sem constrangimento, com a roda da boemia. Durante doze meses, Lúcio Rangel desfruta as vantagens desse emprego de fantasma. Um dia, desconfiado, pede que Vinicius explique detalhadamente como conseguiu tal emprego. O poeta desconversa mas, diante da insistência de Lúcio, resolve confessar. ''Não existe emprego algum. Eu inventei tudo'', diz, os olhos fixos no chão como se confessasse um pecado. Vinicius tira do próprio bolso o ''salário'' que entrega mensalmente a Lúcio. ''Isso não tem lógica. Onde você está com a cabeça, Vinicius?'', o amigo protesta, num tom que mistura gratidão e repreensão.

Se adota Lúcio Rangel, um contemporâneo, por que não faria o mesmo com Tom Jobim, que tem idade para ser seu filho? Situações não faltam. A pintora Maria Roberto, casada com o arquiteto Maurício Roberto, tem um belo piano em seu apartamento na avenida Copacabana, sempre agitado por coquetéis e jantares. Vinicius, um dia, lhe telefona: ''Mariazinha, eu queria levar um músico até a casa de vocês''. Chega com um garoto chamado Antonio Carlos Jobim, rapaz bonito mas desajeitado, que faz ali sua estréia nas noites do Rio no posto de parceiro de Vinicius. Os convidados ouvem, em primeira mão, várias músicas do *Orfeu*. Vinicius sai da casa dos Roberto seguro de que escolheu o parceiro certo.

Os ensaios começam imediatamente na High Life, uma boate desativada na Glória, que servia apenas para abrigar bailes de Carnaval. Levam três meses. Vinicius não perde um só ensaio. Passa todo o tempo cochichando ao pé do ouvido do diretor do espetáculo, Leo Jusi. Não fala com mais ninguém, pois não quer interferir na montagem além do que lhe é de direito. A intimidade de que o poeta desfruta passa a ser vista, às vezes, como intromissão. O ator Abdias Nascimento, que faz o papel de Aristeu, cria constrangimento no elenco espalhando a versão de que Vinicius, com sua presença constante, está tolhendo a liberdade de criação de Leo Jusi. Paranóia que se multiplica a um ponto em que o elenco começa a atropelar seu diretor. O zelo de Vinicius é aqui confundido pelo desconfiado Abdias com vigilância. Os atores passam a cobrar independência de Leo Jusi. Vinicius, com a sensibilidade sempre aguçada, não pode deixar de perceber a ciumeira. Um dia, aparece nos ensaios com o artista plástico Carlos Scliar. ''Eis a pessoa de que precisávamos'', diz ao apresentá-lo a Jusi. Scliar é contratado, formalmente, para o cargo improvável de ''consultor plástico''. Não tem, absolutamente, o que fazer. Tanto que passa os dias com a prancheta no colo, desenhando cenas do ensaio. Vive atrás de Leo Jusi e logo entende sua verdadeira função nos ensaios: servir de escudo para proteger o diretor da vaidade de seus atores. Depois é escolhido, também, iluminador do espetáculo. Carlos Scliar vem a ser, finalmente, o desenhista da primeira edição do pro-

PALMA DE OURO

O diretor francês Marcel Camus transpôs o "Orfeu da Conceição" para o cinema e recebeu a Palma de Ouro da atriz Michele Morgan (acima). O "Orfeu negro" foi produzido por Sacha Gordine e não agradou Vinicius.

grama do *Orfeu da Conceição*, rodado às pressas na Imprensa Oficial. Em tiragem escassa de mil exemplares, esgotou ali mesmo no hall do Municipal.

A agenda apertada do Teatro Municipal do Rio permite que se faça apenas um ensaio geral. A estréia é no dia 25 de setembro de 1956. A noite é cercada de pompa, pois o espetáculo se transforma numa rara concentração de estrelas. Os cenários são assinados por Oscar Niemeyer, os cartazes desenhados por Djanira e Carlos Scliar, além do paraense Raimundo Nogueira e do paulista Luís Ventura. A direção tem em Leo Jusi a garantia de muito vigor. O elenco, o texto não permite que seja de outro modo, se compõe de atores negros — ou de inconfundível origem popular. Sobem ao palco Cyro Monteiro, Abdias Nascimento, Pérola Negra, Haroldo Costa, Ademar Ferreira da Silva, Waldir Maia. O momento mais tenso da estréia é quando o campeão de salto triplo Ademar Ferreira da Silva tem que retirar uma senhora gorda de um barracão e carregá-la, com pose de herói, por uma escadinha apertada. Naquele momento, o cenário de Niemeyer parece temerário, e a direção de Leo Jusi, irresponsável. O espírito olímpico de Ademar, porém, prevalece. A senhora chega inteira ao solo. A estréia é um sucesso.

O *Orfeu da Conceição* fica em cartaz por apenas seis dias, sempre com a lotação esgotada, porque a agenda do teatro já tem datas reservadas pelo ator Sérgio Cardoso para uma montagem de *Hamlet*. A crítica se rasga em elogios, embora duas restrições se façam bastante habituais: alguns pensam que o cenário de Oscar Niemeyer, apesar de inegavelmente belo, longe de ser um ambiente que deveria acolher os atores, é mais uma escultura, que atravanca a movimentação em cena. Pode-se atribuir essa crítica a uma certa má vontade que já naquela época cerca, em alguns círculos, a arte de Niemeyer — que tem a fama precoce de ser um arquiteto que constrói prédios mais para serem admirados que para serem habitados. Outra restrição, bastante freqüente, é dirigida ao corpo de atores que, segundo alguns especialistas, representa bem, mas canta mal. Essa observação se tornará um clichê da crítica especializada em relação aos musicais montados no país desde então.

O *Orfeu* tem, depois, uma temporada que atravessa todo o mês de novembro no Teatro República, na Lapa — mesmo lugar onde, muito depois, se instalará a TVE. Aqui começa uma onda de azares que, em seqüência, passará a rondar o cenário de Niemeyer. Transferido para o Teatro República, ele simplesmente não cabe no palco. Tem que ser reduzido. O desastre só não é maior porque o cirurgião escolhido é o meticuloso Fernando Pamplona. Após a temporada na Lapa, o *Orfeu* tem uma viagem programada para o Teatro Municipal de São Paulo. O cenário é encaixotado, despachado por caminhão, mas jamais chega a seu destino. O caminhão desaparece. A montagem paulista, por conta disso, é cancelada. O mistério jamais será resolvido.

Quanto às filmagens do *Orfeu da Conceição*, o produtor Sacha Gordine conseguiu, por fim, condições para realizá-las, mas terminou achando o roteiro assinado por Vinicius ''pouco comercial''. Providenciou uma readaptação, assinada por Jacques Viot. Vinicius terminou não gostando do resultado. ''O trabalho do Viot tirou o vigor de minha história'', reclamou com amigos. Mesmo assim, *Orfeu da Conceição* ganhou a Palma de Ouro, do Festival de Cinema de Cannes, e o Oscar de Melhor Filme Estrangeiro, em Hollywood. Vinicius assistiu ao filme, pela primeira vez, na sala de cinema do palácio do Catete, ao lado do presidente Juscelino Kubitschek. Ficou furioso com o que viu — abandonando a sala no meio da projeção. O presidente, constrangido, assistiu ao filme até o fim. Quando as luzes da cabine se acenderam, virou-se para um assessor e, sempre elegante, limitou-se a comentar: ''E nosso poeta, não se sentiu bem?''. Em seguida, desfiou meia dúzia de elogios protocolares ao *Orfeu* de Gordine. Quanto a Vinicius, teve dificuldades em admitir aquela história como uma adaptação de sua peça e disse a amigos: ''Essa história de puxar pelo exótico não pegou nada bem''. O filme, de fato, não é bom. Tem uma visão européia dos trópicos, trançada pelo folclórico e pelo exotismo, e erguida sobre um pântano de lugares-comuns sobre o Brasil. Mesmo assim, se torna peça decisiva na grande guinada de Vinicius dos livros rumo aos palcos da música popular.

6

Com o sucesso de *Orfeu da Conceição*, Vinicius se torna o grande poeta da música popular brasileira. Aqui é preciso, antes de tudo, realizar uma rápida volta ao passado. Ao longo do século XX, a MPB vive numa montanha-russa: alterna épocas de grande criatividade e talento com outras de enorme mediocridade e marasmo. Até o advento da Bossa Nova, em fins dos anos 50, o período mais importante nesse século é o da ''Época de Ouro'' — a era de Ary Barroso, Noel Rosa e Lamartine Babo, situada entre os anos 30 e 45. Tempos em que as melodias brilham, mas as letras ainda são ingênuas, enroscadas e cheias de clichês. O espectro de Catulo da Paixão Cearense, o poeta empolado do início do século, ainda não se apagou. Vinicius de Moraes, cabe lembrar, já era a essa altura um jovem compositor, o autor de três ou quatro músicas sofríveis em parceria com os irmãos Tapajós. Não levou seu projeto musical adiante. Preferiu embrenhar-se na floresta metafísica de Octavio de Faria e, logo depois, partir para a carreira de poeta a enfrentar partituras, ensaios e estúdios de gravação. A ''Época de Ouro'' lhe escapou por entre os dedos. Talvez tenha fugido de um período em que, apesar do talento inegável de alguns compositores, a música popular ainda era encarada, pela maioria, como uma atividade menor. Talvez tenha fugido mais de um preconceito que de uma vocação.

Com 45, a guerra traz, como reflexo justo, o samba de fossa — espécie de contrapartida brasileira do bolerão à mexicana. Marca de uma época melancólica, de corações rasgados e dores ardentes de cotovelo. Esses tempos depressivos entram pelos anos 50. Época das letras dramáticas de um Antonio Maria e das interpretações graves e descabeladas de uma Nora Nei. O samba de fossa começa, provavelmente, com o clássico ''Ninguém me ama'', de Maria e Fernando Lobo. O título diz tudo. Esses compositores e letristas vêm nas águas de Lupicínio Rodrigues, Nelson Gonçalves, Dolores Duran, Tito Madi — artistas que se transformam em totens dessa era triste. Um tempo de homens recusados e de mulheres incompreendidas, em que o amor parece ser, tão-somente, uma doença com que a humanidade tenta encobrir a falta de sentido da vida. E tenta se distrair da morte.

Homens e mulheres, dizem essas letras cheias de melancolia, nasceram para o desencontro e para o fracasso. Como não suportam esse destino, pioram as coisas se agarrando às ilusões. Sofrem mais ainda.

Há, felizmente, um avesso da fossa: o baião. O ritmo tonto produzido pela sanfona de Luís Gonzaga e de Humberto Teixeira é uma reação, porém, excessivamente localizada, uma experiência que fica presa pela coleira do regionalismo. Diverte, mas não resolve. Nesse cenário, Vinicius começa a dar seus primeiros passos. Em 1953, aos quarenta anos de idade, compõe seu primeiro samba, ''Quando tu passas por mim'', gravado depois por Doris Monteiro e por Aracy de Almeida. Ainda é um samba triste, que descreve o amor como uma modalidade do sofrimento: ''Quando tu passas por mim/ Por mim passam saudades cruéis'', começa. E mais em frente: ''Eu que só fiz te adorar/ E que de tanto te amar penei mágoas sem fim''. Versos ainda melancólicos, que trazem, porém, no desfecho, algum sentido de orgulho e de liberdade: ''Hoje nem olho pra trás/ Quando tu passas por mim''. Em contraste com o cenário fechado e fatalista do samba de fossa, resta em ''Quando tu passas por mim'' alguma chance de dignidade.

Vinicius dá parceria a Antonio Maria, mas na verdade é o autor da música e da letra. Foi o primeiro passo no cumprimento de um trato feito entre os dois amigos. Sempre que possível, um deveria dar — falsa, mas de coração — parceria ao outro. Seria como se estivessem, assim, comprando dois, e não apenas um, bilhetes na loteria do sucesso. Vinicius aceita o pacto embora, humilde, julgue deixar Maria em desvantagem. Buscará, também, outros parceiros. Compõe com Ary Barroso (''Canção do amor que não vem'', ''Em noite de luar'', ''Rancho das namoradas'', entre outras) e com Adoniran Barbosa (''Bom dia, tristeza''). Tateia. Tem alguns exemplos em quem se mirar: Noel Rosa, Orestes Barbosa, Luís Peixoto.

Em Paris, em 1955, o poeta alarga seus horizontes. A sorte o leva a se encontrar com o maestro amazonense Cláudio Santoro, um músico inquieto seis anos mais moço que ele. Santoro — maestro consagrado que estudou com H. J. Koellreutter e Nadia Boulanger, foi o primeiro dodecafonista brasileiro e se tornou amigo de Pierre Boulez — desembarca em Paris depois de uma longa turnê pela Cortina de Ferro. Acaba de ser expulso da União Soviética por causa de um romance proibido com uma bailarina ligada aos serviços de espionagem. De nada adianta exibir às autoridades soviéticas sua carteirinha de filiado ao Partido Comunista Brasileiro. Está abatido. Tem, como sempre, os minutos contados e a agenda cheia. Depara-se com um Vinicius, ao contrário, disponível e entediado com a rotina diplomática, ávido de novidades. Circulam juntos pela noite parisiense e trocam confidências. O poeta confidencia seu desejo de saltar o muro da diplomacia rumo à música popular, mas confessa simultaneamente seu enorme medo. Santoro saca da bagagem, então, nada menos que treze canções feitas durante a longa estada em Leningrado. ''Fiz algumas, também, num castelo em que me hospedei em Varsóvia'', revela. ''Estava cheio de fantasmas e eu me pus a compor para me distrair do medo.''

Em quase dois anos de trabalho exaustivo num piano desafinado da embaixada, Vinicius escreve as letras para as canções de câmara de Cláudio Santoro. Elas são dadas como prontas em 1959. Saem para jantar em comemoração e o poeta, sempre apressado, já traz no bolso um rascunho da contracapa do disco. As treze letras só ficam prontas, em definitivo, quatro anos depois, quando ele já está de volta ao Brasil. Maria Lúcia Godoy chega a gravá-las, mas o disco não é lançado porque, os três concordam, a qualidade técnica é sofrível. Em 1967, o selo Festa convida Maria Lúcia Godoy, novamente, para gravar as treze canções de câmara de Santoro e Vinicius.

Durante seis tardes, o poeta acompanha os ensaios da cantora, realizados no apartamento do dentista Jorge Asmar, no Flamengo. A cada encontro, Vinicius presenteia Maria Lúcia com uma rosa vermelha. Nos intervalos, estira-se no sofá da sala e repete sempre o mesmo galanteio: ''Ah, Maria Lúcia, como você me enternece!''. Nessas horas, o Vinicius de Moraes sem freios e à beira do mau gosto se exibe em toda a sua plenitude. Às vezes, ele se exalta e diz coisas assim: ''Ah, como você é bonita! Ah, os seus olhos... Quando você canta, eu conheço a paz profunda!''. Maria Lúcia, sempre encabulada diante desses derramamentos, se limita a repetir: ''Ora, Vinicius, deixa disso...''. O projeto não é concluído, não pelos excessos de ênfase que Vinicius de Moraes empresta aos ensaios, mas por falta de patrocínio.

Meses depois, Maria Lúcia Godoy está na platéia de um show de Vinicius no Teatro Ipanema, no Rio. Quando canta o ''Samba da bênção'', música sempre propícia a enxertos de circunstância, ele diz: ''A bênção, Maria Lúcia Godoy, com sua voz maravilhosa''. Temperamento típico de mineira (nasceu em Mesquita, Minas Gerais), a cantora quase se esconde embaixo da cadeira. Nunca pôde realizar o sonho de gravar as canções de câmara deixadas por Vinicius e Santoro. Em 69, momento mais próximo desse sonho, no elepê *O canto da Amazônia*, gravado pelo MIS e pela Fundação Cultural do Amazonas, conseguirá a proeza máxima de interpretar três delas: ''Acalanto da rosa'', ''Luar de meu bem'' e ''Pregão da saudade''. O único disco que reúne as treze parcerias de Vinicius e Santoro é lançado na Alemanha, em 1983, pela gravadora B & B. *Prelude und Lieder* (Prelúdio e canções), com todas as letras traduzidas para o alemão, apresenta as composições na voz do cantor de ópera brasileiro, então radicado em Hamburgo, Aldo Baldin — um nome que se celebrizou no meio erudito alemão por suas interpretações das missas de Bach. Essa versão das canções de câmara permanecerá inédita no Brasil.

A experiência com Cláudio Santoro sofistica o poeta. Eleva-o acima do bom gosto ''moderno'' que a classe média ilustrada começa a adotar. Diante de seus companheiros de música popular, ele se coloca na vanguarda.

AVENTURA ERUDITA

Durante dois anos, Vinicius se dedicou a escrever letras para treze canções de câmara assinadas pelo maestro e compositor erudito Cláudio Santoro.

Não uma vanguarda esnobe, perdida em conceitos vagos e em brincadeiras de mau gosto. Vai à frente, simplesmente, porque vê mais longe. Quando a Bossa Nova surge, em fins dos anos 50, ela significa, antes de tudo, uma reação sofisticada ao baixo-astral reinante. Não uma reação mais popular, com ar interiorano, como o baião. Mas uma reação urbana, liderada por jovens cheios de vitalidade e de bom humor, rapazes e moças obstinados no seu desejo de mudança e de modernidade — como o nome do movimento já anuncia. Em busca de simplicidade. E a simplicidade — ressalve-se, desde logo, a seu favor — não é nada simples. As músicas cantadas por João Gilberto — como o ''Blim blom'' —, com sua informalidade, seu espírito vagabundo, sua busca desavergonhada da ingenuidade e até da bobagem gostosa, se tornam a marca dessa reação feliz. Reflexo de um tempo em que, com JK ao volante, o Brasil decide ser otimista.

Vinicius, poeta formado no esteio dos românticos e dos grandes sonetistas, e agora parceiro de Santoro, destoa um pouco de tudo isso: ele manipula a felicidade, esse novo elixir da boa música, mas não abre mão do lirismo. Quando fala de experiências tristes, porém, não cede ao ressentimento, ou ao amargor. Consegue fazer letras românticas sem mau gosto e — o mais importante — sem sentimentalismo. O letrista Vinicius de Moraes vem, com seu *Orfeu da Conceição*, enterrar o lirismo barato e carcomido para pôr em seu lugar um novo tipo de lirismo, afinado com a nova bossa que começa a surgir. Provoca, com isso, uma revolução na qualidade das letras da MPB. A partir daí, a história das letras em nossa música popular se divide, sem qualquer exagero, entre o Antes-de-Vinicius e o Depois-de-Vinicius. O poeta, ao emprestar seu coração à música, se transforma numa fronteira.

Para comprovar essa tese, basta estabelecer um paralelo entre os seus versos e os de outros letristas de qualidade que o antecederam. Antonio Maria, apesar de genial, tem um espírito mórbido. É um artista absolutamente enfossado, que escreve sobre amores malsucedidos, sobre separações sem retorno, sobre corações destroçados. Um homem que não consegue separar a música da dor-de-cotovelo. Seus amores fracassados parecem ter dissolvido em seu coração, para sempre, qualquer possibilidade de alegria. Desmente isso nas horas em que se transforma em cronista, atividade que o torna divertido e gaiato. Mas a música, ao que parece, o transtorna. Não pode domar seu mau humor, que o abate como uma doença. Filho da classe média alta, Maria é, antes de tudo, um intuitivo. Um boêmio que adora comer e beber com exagero, sem tomar qualquer medida prática para controlar a gordura que, um dia, o destruirá. Tem um problema congênito no coração, espécie de bomba-relógio que acelera sua avidez pela vida e que o matará logo depois dos quarenta anos. Maria influencia Vinicius de Moraes não com temas, mas com a postura de letrista que valoriza a sua arte. Um homem que não perde, em nenhum momento, a dimensão do que faz. Que sabe que ser popular não significa ser simplório ou ser estúpido e, por isso, se orgulha dos próprios versos.

Se o contraste for feito com Lupicínio Rodrigues, as cores se diferenciam mais ainda. Lupicínio era um poeta das emoções violentas, das mulheres traidoras e traiçoeiras, que no fundo escondem sempre a essência secreta das prostitutas. Era um fossista profissional, desolado com as dores próprias ao amor e que fazia desse sofrimento seu ganha-pão. Um poeta da dor. Vinicius, ao ultrapassar a morbidez de Maria e o desânimo de Lupicínio, não perde de vista, no entanto, a perspectiva romântica. A novidade que traz é muito simples: a de que o amor não precisa se tornar sofrimento para ser levado a sério.

Em 1957, de volta a Paris, já abalado pelo amor que começa a dar os primeiros grandes sinais de esgotamento, e sem saber como lidar com Lila, Vinicius se refugia novamente na poesia. Escreve versos tristes, que ilustram o desfecho de mais uma paixão. Versos deprimidos e desesperançados, como os guardados em "A perdida esperança":

De posse deste amor que é, no entanto, impossível
Este amor esperado e antigo como as pedras
Eu encouraçarei o meu corpo impassível
E à minha volta erguerei um alto muro de pedras.

E enquanto perdurar tua ausência, que é eterna
Por isso que és mulher, mesmo sendo só minha
Eu viverei trancado em mim como no inferno
Queimando minha carne até sua própria cinza.

Mas permanecerei imutável e austero
Certo de que, de amor, sei o que ninguém soube
Como uma estátua prisioneira de um castelo
A mirar sempre além do tempo que lhe coube.

E isento ficarei das antigas amadas
Que, pela Lua cheia, em rápidas sortidas
Ainda vêm me atirar flechas envenenadas
Para depois beber-me o sangue das feridas.

E assim serei intacto, e assim serei tranqüilo
E assim não sofrerei da angústia de revê-las
Quando, tristes e fiéis como lobas no cio
Se puserem a rondar meu castelo de estrelas.

E muito crescerei em alta melancolia
Todo o canto meu, como o de Orfeu pregresso
Será tão claro, de uma tão simples poesia
Que há de pacificar as feras do deserto.

Farto de saber ler, saberei ver nos astros
A brilharem no azul da abóbada no Oriente
E beijarei a terra, a caminhar de rastros
Quando a Lua no céu contar teu rosto ausente.

E te protegerei contra o Íncubo
Que te espreita por trás da Aurora acorrentada
E contra a legião dos monstros do Poente
Que te querem matar, ó impossível amada!

Vinicius, com esses versos, se despede de Lila Boscoli. Sabe perceber a hora do amor, mas também a hora da queda. Não se engana. Mesmo tentando seduzir Lila até o fim, a poesia — essa máquina perceptiva que trabalha, quase sempre, à revelia do poeta — não permite que ele se iluda. Versos, para Vinicius de Moraes, servem para isso: para engrandecer a vida, mas também para antecipar — e até celebrar — a morte. Paris, para ele, já está destruída.

LUCINHA

Lucinha Proença foi, possivelmente,
o grande amor de Vinicius de Moraes. Mesmo
depois de se separarem, o poeta viveu
uma série interminável de recaídas.
Lucinha jamais quis reatar.

PARTE 5

UM REFÉM DO AMOR

MEDO DE AMAR

Vinicius de Moraes

O céu está parado, não conta nenhum segredo
A estrada está parada, não leva a nenhum lugar
A areia do tempo escorre de entre meus dedos
Ai que medo de amar!

O sol põe em relevo todas as coisas que não pensam
Entre elas e eu, que imenso abismo secular...
As pessoas passam, não ouvem os gritos do meu silêncio
Ai que medo de amar!

Uma mulher me olha, em seu olhar há tanto enlevo
Tanta promessa de amor, tanto carinho para dar
Eu me ponho a soluçar por dentro, meu rosto está seco
Ai que medo de amar!

Dão-me uma rosa, aspiro fundo em seu recesso
E parto a cantar canções, sou um patético jogral
Mas viver me dói tanto! e eu hesito, estremeço...
Ai que medo de amar!

E assim me encontro: entro em crepúsculo, entardeço
Sou como a última sombra se estendendo sobre o mar
Ah, amor, meu tormento!... como por ti padeço...
Ai que medo de amar!

Petrópolis, fevereiro de 1963

1

A menina tem quinze anos, se chama Lucinha e exibe uma beleza tímida. Viaja de férias com a mãe pela Europa e está muito feliz. Estamos no final dos anos 30, em Paris. Lucinha tem ainda a companhia de uma tia, Carmen de Saavedra. Solitária, pois o marido foi passar uns dias em Lisboa a negócios, a baronesa de Saavedra convida as visitantes para um almoço. À mesa, estão dois outros tios: Heloísa e Octavio — isto é, o romancista Octavio de Faria. Os três falam sem parar. A menina não se sente enfastiada; ao contrário, gosta de ouvir a conversa exaltada dos mais velhos. Tia Carmen e tio Octavio discorrem todo o tempo sobre arte e literatura. Em particular, sobre sua paixão por um jovem poeta chamado Vinicius de Moraes. Estão envolvidos em um torneio de elogios quando a porta do restaurante se abre e entra um rapaz baixo, mas belo, com o ar um pouco perdido. Vinicius está estudando em Oxford, Inglaterra, e aproveita uma folga para descansar em Paris. Octavio de Faria o convidara na véspera para o almoço. Desejava oferecê-lo como surpresa às visitantes.

Os garçons cumprem a sua parte, enquanto a família conversa em voz alta. Quem os observar à distância, as palavras diluídas pelo burburinho do restaurante, dirá que discutem política ou algum esporte mais apaixonante, de tal modo parecem envolvidos com o que dizem. A presença de Vinicius exalta os ânimos, pois todos o admiram e têm algo a dizer a seu respeito. Discutem com inegável paixão. Discutem poesia. Tia Carmen é uma admiradora dos versos do jovem Vinicius de Moraes, mas não pode aceitar que ele às vezes ceda aos apelos dos modernos e descambe para grosserias. Está chocada, em particular, com versos ásperos que leu no ''Soneto de intimidade'', que Vinicius escreveu em Campo Belo, em 1937. São os dois tercetos do poema que a chocam. Dizem assim: ''Fico ali respirando o cheiro bom do estrume/ Entre as vacas e os bois que me olham sem ciúme/ E quando por acaso uma mijada ferve/ Seguida de um olhar não sem malícia e verve/ Nós todos, animais, sem comoção nenhuma/ Mijamos em comum numa festa de espuma''. Sem conseguir recitá-los até o fim, interrompe: ''Sinto muito, mas isso não é poesia''. Vinicius não sabe com que argumentos se defender, pois o que determina seu desagrado não é a poesia, mas a moral. E poesia e moral não se misturam. Só tio Octavio defende o poeta, com argumentos complicados, mas que não as convencem. Lucinha observa a discussão em silêncio. Começa a sentir vontade de compreender melhor aquele emaranhado de raciocínios e ressalvas. Desperta para a poesia. Agora quer ler Vinicius para entender do que falam.

Vinicius ainda está sozinho em Oxford. Tati, com quem já se casou por procuração, não pôde ainda vir para Chelsea, onde em breve se instalará. Lucinha perderá o poeta de vista por um longo tempo, mas não o esquecerá. Só o reencontra em 1956, já mulher feita e casada, numa reunião na casa do arquiteto Maurício Roberto, organizada para uma leitura do *Orfeu da Conceição*, que está em fase de ensaios. Depois da leitura, o poeta se prepara para acompanhar o elenco a um restaurante. Numa ousadia, ele convida Lucinha para ir também. Jorge Vargas, o marido, usando de suas prerrogativas conjugais, mantém a linha, mas responde por ela: ''Não, muito obrigado. Já temos compromisso''. O convite não fora dirigido a ele. O estabanado Vinicius é obrigado a engolir a resposta.

Há uma segunda reunião do elenco de *Orfeu* na casa de Maurício Roberto. Vinicius e Lucinha, dessa vez, trocam olhares mais intensos e insistentes. Perderam o controle da situação. A máquina da paixão, que sempre dispara à revelia dos motorneiros, começa a funcionar novamente. O cenário, outra vez, é desfavorável. Mais uma vez, nada acontece. O tempo passa. No ano seguinte, Lucinha Proença faz uma viagem a Paris. Vai sozinha, de navio, acompanhada apenas do filho pequeno, João Pedro. O marido irá encontrá-la dias mais tarde. Durante a travessia do Atlântico, mergulhada na melancolia de alto-mar, Lucinha se põe a refletir sobre seu casamento. Uma noite, no convés, as idéias confluem num pensamento: ''Meu Deus, eu não tenho mais nada a ver com o Jorge'', conclui. Sente-se leve, como se tivesse deixado para trás uma coleira que restringia seus movimentos. Choca-se com o que sente — mas o sentimento está ali.

Desembarca. Paris a envolve e ela se dedica apenas ao presente. Um dia, está circulando por uma avenida quando uma voz masculina a chama aos gritos. Vem de um carro que diminui a velocidade. Vinicius está ao volante. Os dois se cumprimentam e ele pede seu endereço parisiense. É segunda-feira. O poeta a convida para jantar no dia seguinte. Lucinha, difícil, diz que só pode na sexta. Assim que fala, se corrige: ''Mas é Sexta-Feira Santa...''. E, algo constrangida, conclui: ''Talvez seja melhor ficar para outro dia''. Vinicius, senhor de si, não a deixa esmorecer: ''Não, Lucinha, não é Sexta-Feira Santa. É Sexta-Feira da Paixão'', rebate. Está tudo dito. Jorge chegará na segunda. Lila, que também está no Brasil, na terça. Os dois sabem que não têm tempo a perder. O jantar fica acertado para a sexta-feira. Vão ao pequeno restaurante Streza, onde comem camarões e tomam vinho branco. Depois, dirigem-se a um night-club para dançar. Atravessam a noite consumidos um pelo outro. Jorge e Lila parecem dois vultos remotos, quase inexistentes. O poeta passa a mandar, em cada uma das manhãs seguintes, uma rosa cor-de-chá para o apartamento em que Lucinha está hospedada. A paixão, mais uma vez, triunfa sobre a razão. Na vida de Vinicius, será sempre assim.

Jorge chega a Paris. O casal tem bilhetes aéreos reservados para Nova York confirmados para poucos dias depois. Lucinha firma posição: não está mais com vontade de ir, que ele vá sozinho. O marido parte levando o filho consigo e ela fica em Paris. Vinicius é mais prático: diz a Lila que tem um compromisso de poucos dias na Holanda e que é menos desgastante ela esperá-lo na França. Pega Lucinha e viajam juntos para Londres, onde passam alguns dias. Agora já sabem que formam um casal e que seu amor é sem retorno. Resta saber como seguir em frente. De volta a Paris, Lucinha Proença depara com uma operação de resgate, articulada com rapidez: a mãe e uma tia desembarcam na França para trazê-la imediatamente de volta ao Brasil. Não tem como recuar. Estamos em abril. No avião, a aeromoça que lhe serve um primeiro drinque sente que Lucinha está fora do ar. Aérea, ela tem dificuldades até para entender as opções de bebidas. ''Vous avez le mal d'amour'', a aeromoça ousa dizer, numa interpretação certeira que, na mente de Lucinha, tem o efeito de uma rasteira a lhe jogar as últimas defesas no chão. Não pode mais fugir.

Os dois passam a trocar cartas às escondidas. O clima de mistério adensa o romance, Vinicius, um homem que prefere invadir o coração das mulheres apostando na força sedutora dos cenários tempestuosos e obscuros, se sente em casa. As cartas que o poeta lhe escreve são despachadas — inúteis segredo de polichinelo — para o endereço da babá de Lucinha, d. Maria José, que mora em Ipanema, e não para sua residência, no Parque Guinle. Por oito meses, se vêem metidos num xadrez refinado, em que o amor se afirma na medida em que se protege —, mas em que todos os lados envolvidos já sabem de tudo.

Vinicius desembarca no Rio em dezembro. Tudo se torna ainda mais difícil. A relação com Lila se aproxima do fim. Os dois já sabem disso. Sem outros recursos o poeta passa a usar a imprensa para se corresponder com seu amor. Ela vai passar alguns dias em Cabo Frio; Vinicius publica o ''Soneto da mulher ao sol'', em que está tudo dito: ''Uma linda mulher com os seios em repouso/ Nua e quente de sol — eis tudo o que eu preciso/ O ventre terso, o pêlo úmido, e um sorriso/ À flor dos lábios entreabertos para o gozo''. Provocação maior: quando Vinicius usa seu espaço nos jornais para publicar ''Amor dos homens'' — crônica sobre os dias que os dois passaram juntos em Londres. Logo passa também a usar as letras de músicas como veículo de seu amor. A paixão invade a arte, que passa a ser movida por razões pragmáticas e imediatistas. A arte se torna um instrumento infalível de conquista. Por fim, o poeta começa a ganhar Lucinha Proença. Abandona Lila Boscoli.

Em 1958, Vinicius desembarca em Montevidéu, para onde o Itamaray o transfere no posto de cônsul-adjunto do Brasil. Fica, de início, na ponte Montevidéu—Rio, com freqüentes esticadas até a casa de campo de Lucinha, em Petrópolis. Certa vez, tem uma festa em Correias, imediações de Petrópolis. Vai sozinho. Na volta, pega uma carona com o casal Dario e Dirce Azambuja. No trecho entre Correias e Petrópolis, sofrem um acidente bastante grave. O poeta é transportado às pressas para o Hospital Santa Terezinha, em Petrópolis. Lucinha está em sua casa na serra. Recebe, então, um telefonema inesperado: ''Sou irmã de Vinicius e tenho um recado urgente para você'', diz a zelosa Lygia, com a voz trêmula. ''Meu irmão sofreu um acidente e pede que você corra ao seu encontro no hospital.'' O acaso, mesmo com recursos violentos, age a favor dos dois. Lucinha se instala no hospital como acompanhante do acidentado. Sabe os riscos que corre mas sabe também que não há mais recuo possível. Dias depois, ela acerta seu desquite.

Vai morar com Vinicius no Uruguai. Instalam-se num pequeno mas belo apartamento em Pocitos, têm à disposição um automóvel com chofer, os amigos os enchem de mimos e presentes, com os quais montam a casa. Tudo parece, repentinamente, perfeito. Vinicius leva uma vida tranqüila. Levanta-se por volta de uma da tarde, chega a seu escritório no consulado às duas e nunca sai depois das sete. Prefere passar a maior parte do tempo em casa. O poeta e Lucinha fazem, a princípio, poucos amigos íntimos. A embaixatriz Gilda Sarmanho e duas moças que trabalham na embaixada, Leda e Enilda — morreram juntas, anos depois, num desastre de automóvel — tentam arrastá-los para a noite. Lucinha sente-se sempre inclinada a sair, mas Vinicius em geral dá para trás. O grande boêmio entra em fase de reclusão. Período produtivo em que, sob a inspiração de sua nova musa, se dedica a compor um dos mais exuberantes capítulos de sua obra.

Hospedam amigos brasileiros e cumprem, nessa ocasião, o mesmo ritual, que Vinicius se recusa a abandonar: cedem seu quarto às visitas, enquanto Lucinha se muda para o quarto de vestir e Vinicius se instala no sofá da sala. Dois ou três dias depois, invariavelmente, o generoso anfitrião já não consegue dissimular sua irritação. Não pára de escrever e as visitas impedem que se concentre. De três em três meses, Lucinha toma um navio e vem passar uma temporada no Rio com o filho. No desquite ficou estabelecido que ela só poderia continuar com o menino se não morasse sob o mesmo teto de Vinicius. Irritada com o despropósito contido na cláusula, ela prefere seguir sua consciência. O amor a leva a recusar essa condição. Para atenuar o sofrimento, retorna ao Parque Guinle a cada trimestre. Nesses períodos, Vinicius se põe a beber descontroladamente. As contas de telefone se tornam insustentáveis.

Nas temporadas que passam no Brasil, se instalam no apartamento de Lucinha, no Parque Guinle. A casa será um ponto de encontro de artistas e intelectuais de prestígio. Uma noite, Vinicius e Lucinha podem ser vistos à janela, debruçados sobre a beleza do parque, ao lado de Jean-Paul Sartre e Simone de Beauvoir. Outros visitantes, mais íntimos, simplesmente transformarão o apartamento numa espécie de segundo lar. O compositor Baden Powell passará cerca de três meses dormindo no sofá da sala, envolvido com Vinicius numa maratona de composições que atravessa as noites. Será realizado ali, com persianas abaixadas e uísque de manhã à noite, o trabalho de parte dos famosos *Afro sambas*, que rendem um elepê que se torna um clássico da MPB. No café da manhã, servido na hora do almoço, a empregada — conformada — já traz uma garrafa de uísque e um balde de gelo.

De tempos em tempos, Lucinha vem ao Rio sozinha para visitar o filho. Vinicius começa a escrever compulsivamente poemas medíocres, sem qualquer zelo, que são apenas um modo prático e conhecido de descarregar — às vezes dramaticamente, às vezes com ironia — a dor de sua solidão. Em 59, por exemplo, escreve esse ''Os bens imóveis'':

Sua ausência... a asa
Roça-me, do pranto...
Por ela, em meu canto
Chorei tanto, tanto...
— Não é mesmo, Casa?

Que inútil tristeza
A vida sem ela...
Lembra que beleza
Vê-la entrar na sala...
— Não é mesmo, Mesa?

E o tédio, o descaso
Sempre que ela parte...
E as rosas, e os cravos
Dispostos com arte...
— Não é mesmo, Vaso?

Não, que esta seja
A vez derradeira...
Ela é ou não é
Minha companheira?...
— Não é mesmo, Cadeira?

Porque ela me ama
E eu a amo muito...
E gente que se ama
Tem que dormir junto...
— Não é mesmo, Cama?

Poema escrito, quem sabe, sob o torpor excessivo do álcool, ''Os bens imóveis'' serve como excelente exemplo da relação compulsiva que Vinicius de Moraes tinha com o ato de escrever. A poesia, para ele, está cada vez mais conectada diretamente com o mundo real, com as circunstâncias, servindo como reflexo — mas não só reflexo, motor também, a fornecer energia vital — da vida. A poesia pode ser entendida, também, como um ''bem imóvel'' mais sofisticado, sempre ali à disposição, como uma mesa, um vaso ou uma cama, quando o poeta dela necessitar. Nesses momentos, tomado pelo calor da hora, Vinicius não está preocupado com qualidades, ou com o trabalho de carpintaria. Busca o desabafo, o consolo, quer apenas formalizar — precariamente — uma dor. A poesia, então, lhe serve como abrigo, ou como muleta. Tem um sentido prático: acompanhar o homem em sua solidão. Parodiando o próprio Vinicius de Moraes, podemos dizer que ela talvez seja o segundo melhor amigo do homem. Depois, evidentemente, do uísque — esse ''cão engarrafado''.

Esses momentos, porém, ilustram a exceção dolorosa. Ao lado de Lucinha Proença, Vinicius se engrandece como poeta. Não tem nenhum pudor em fazer de sua poesia um instrumento de conquista e de sedução. Ao contrário. A vida, mais que nunca, move a arte — como o poeta sempre achou que devia ser. Poesia e biografia se tornam um só objeto. O amor por Lucinha Proença tomará forma literária definitiva em *Para viver um grande amor*, primorosa coletânea de crônicas e poemas publicada em 1962 pela Editora do Autor. O livro reúne crônicas publicadas em jornais e revistas, a maioria na *Última Hora*, a partir de 1959. A seleção, entre um total de quase mil crônicas, foi realizada por sua secretária, Yvonne Barbare. Os poemas foram escritos entre os últimos dias passados no posto em Paris, em 1957, como delegado do Brasil junto à UNESCO, até o fim da temporada em Montevidéu como cônsul do Brasil, entre 1958 e 1960.

O livro guarda, entre outras peças preciosas, o poema ''O amor dos homens'', escrito em Paris em julho de 1957, em que o poeta apresenta pela primeira vez sua fórmula do amor ideal, sintetizada na idéia contraditória da ''calma no seio da paixão''. Os versos que a anunciam dizem: ''[...] Abençoada sejas/ Tu que crias a vertigem na calma, a calma/ No seio da paixão...''. No poema, Vinicius constata que, longe da amada, é um homem desesperado; sente-se solitário e perdido como um caçador de tigres em Bengala, um alpinista no Tibete, um monge em Sintra, um espeleólogo na Patagônia. A declaração de amor que encerra o poema é uma das mais belas que ele produziu ao longo da vida: ''É mais do que nunca a minha amada: a minha amada e a minha amiga/ A que me cobre de óleos santos e é portadora dos meus cantos/ A minha amiga nunca superável/ A minha inseparável inimiga''. Vinicius está completamente apaixonado e, no ventre da paixão, é capaz de detectar com precisão os contra-sensos impostos por esse sentimento. Lugares-comuns a respeito do amor — o de que o amor é um sentimento inseparável do ódio, por exemplo — parecem agora a Vinicius inexoráveis. O poeta descobre que, nesses casos, só lhe resta baixar a crista e partir para o enfrentamento. Ser poeta, ele sabe, é ser um homem disposto à luta — ou a poesia se torna um vício balofo, uma afetação.

Para viver um grande amor está repleto de declarações enfáticas de amor por Lucinha Proença, bordadas por tentativas — imperfeitas, porque a mulher é um ser que constantemente escapa ao controle do poeta — de compor o seu retrato. No soneto ''Retrato de Maria Lúcia'', ele arrisca o esboço de alguns traços: ''Tu vens de longe; a pedra/ Suavizou seu tempo/ Para entalhar-te o rosto/ Ensimesmado e lento''. Obstinado, prossegue: ''Teu rosto como um templo/ Voltado para o oriente/ Remoto como o nunca/ Eterno como o sempre''. Na crônica ''A outra face de Lucinha'', escrita em Montevidéu em 1959, ele a toma, novamente, para perscrutar a ambigüidade feminina que tanto atemoriza os homens. Diante de uma foto da face oculta da Lua publicada por *El País*, o poeta se extasia: ''Durante milênios esteve ela oculta, esta outra face da velha amiga'', escreve. Para, logo em seguida, revelar que sua amada lhe reservou surpresa semelhante. ''Pois não vivi eu também todos esses anos à espera de descobrir a outra face desse ser a um tempo real e distante, misterioso e claro, luminoso e indevassável que se chama Mulher?'', se pergunta. Num exagero de apaixonado, vê Lucinha como uma encarnação da Lua — com sua dupla face. Como um retrato dessas impossibilidades — atração e perigo, entrega e fuga, sedução e desconcerto — que a mulher, para ele, é capaz de representar.

No ''Soneto de Montevidéu'', a relação entre a mulher e o oculto novamente se explicita: ''Não me ocultes jamais teu rosto; dize-me/ Sempre esse manso adeus de quem aguarda/ Um novo manso adeus que nunca tarda''. Fugidia, a mulher é um ser que, a qualquer momento, pode se evaporar diante dele. Um ser incontrolável, que lança o poeta na angústia. A mulher — ou melhor, o medo de perder a mulher, de não alcançá-la — passa a ser a matriz de seu sofrimento. A paixão é uma caixa de Pandora que guarda não só o amor, mas por detrás dele a sua perda. É um turbilhão que arrasta o poeta, roubando-lhe o escudo da razão, não lhe deixando escolha. No ''Soneto do amor como um rio'', também escrito no Uruguai, descreve: ''Este amor meu é como um rio; um rio/ Noturno, interminável e tardio/ A deslizar macio pelo ermo/ E que em seu curso sideral me leva/ Iluminado de paixão na treva/ Para o espaço sem fim de um mar sem termo''. Agora, ao lado de Lucinha Proença, Vinicius sofistica e rebusca sua visão do amor. Mais que nunca, ele se torna não só um poeta da paixão — mas um teórico da paixão, que usa o verso para pensar. Elevada à forma mais ágil e eficaz do pensamento, a poesia se transforma numa espécie de bússola com a qual o poeta se conduz nos labirintos do amor. Bússola apaixonante, mas perigosa e imprevisível, que só faz o amor ainda mais misterioso.

2

Se o amor é a liberdade, Vinicius se torna, a partir de agora, um refém da liberdade. O poeta, apaixonado por Lucinha Proença, quer voltar do Uruguai e se juntar em definitivo a sua nova musa no exílio de Petrópolis. O amor — ele sabe — exige concentração e recolhimento. O Itamaraty, a princípio, não deseja fazer a transferência. Num ato de desespero, ele escreve uma carta a seus superiores em que argumenta: "Preciso de fato voltar para o Rio. Não é um problema material, de dinheiro, ou de status profissional. Tudo isso é recuperável. É um problema de amor, pois o tempo do amor é que é irrecuperável". Nenhum diplomata, em toda a história do Itamaraty, jamais ousou escrever, certamente, uma carta protocolar em termos tão pessoais. Mas, com Vinicius, as coisas se passam cada vez mais assim: como um tapete que nos puxam sob os pés. Sua luta é driblar o real. Volta, em 1960, aos 46 anos, para servir na Secretaria de Estado de Relações Exteriores. É o ano em que sai, pela Editora do Autor, a primeira edição popular do *Orfeu da Conceição*. Sua *Antologia poética*, de 1954, ganha uma segunda edição mais bem-cuidada. Em Paris, o editor Pierre Seghers lança *Recette de femme et autres poèmes*, antologia que serve para celebrizar, no exterior, ao menos para um restrito público de leitores de poetas sul-americanos, a sua "Receita de mulher".

Vinicius começa a anunciar projetos grandiosos que não realizará inteiramente: uma peça de teatro chamada *Uma rosa nas trevas*, uma adaptação de *Don Quixote*, de Miguel de Cervantes para o cinema e um grande musical adaptado do romance *A moreninha*. Volta à sua agitada vida social no Brasil. Pensa, por fim, em fazer uma adaptação da vida do Aleijadinho para as telas. Pensa — pensa sem parar. Na verdade, divaga. O amor por Lucinha Proença o aprisiona em seus próprios sentimentos. Tudo parece vago demais, exceto o amor. A música começa a salvá-lo. Em 1960, pela primeira vez na vida, ele participa de um disco como cantor. Aloísio de Oliveira organiza para a Phillips o elepê *Bossa Nova mesmo*, que reúne expoentes como Carlos Lyra, Silvinha Telles, Roberto Menescal, Oscar Castro Neves. Quer que o poeta grave uma das faixas, mas ele se recusa. "Eu não sei cantar, Aloísio", Vinicius desconversa. "Tenho uma voz horrível." O produtor não se impressiona com a confissão: ''É essa tua voz horrível mesmo que eu quero ouvir cantar. Essa voz de poeta''. Por fim, aceita. Grava a faixa ''Pela luz dos olhos teus'', música e letra de sua autoria. Dois anos depois, está na boate Au Bon Gourmet, ao lado de Tom Jobim e João Gilberto, fazendo o primeiro de uma série de pocket-shows.

Antes de sair de Montevidéu, em junho de 1960, escreve um breve poema para seus amigos uruguaios, que chama de ''Adeus, amigos meus'': a poesia, aqui, transformada em instrumento mais eficaz — menos doloroso — de despedida. São versos esculpidos na emoção da despedida. Vinicius não pode imaginar que, no futuro, a música popular o levará de volta, por tantas vezes, ao Uruguai. Os versos parecem à espera de uma melodia. Poeta e letrista estão cada vez mais mesclados.

Adeus, amigos meus
Devo partir, é sempre assim
Mas levo de vocês
Uma saudade que não tem fim
Talvez fosse melhor
Eu nem me despedir
A fim de que vocês
Se lembrem mais de mim, amigos meus.

Mas deixo o coração
E esta canção, e os versos meus
E a recordação
De como é triste dizer adeus
Adeus, adeus, adeus
Tudo de bom para vocês
Adeus, amigos meus
Felicidades — e até mais ver.

O poema está datado de 11 de junho de 1960. A produção poética inspirada pela paixão por Lucinha Proença torna-se cada vez mais vasta. Os ventos do reconhecimento público continuam a soprar a seu favor. Em 1961, em Milão, a Nuova Academia Editrice publica a primeira edição italiana do *Orfeu da Conceição*. Entusiasmado com a repercussão cada vez maior de sua obra na Europa, o poeta envia à editora Gallimard, de Paris, um pedido de liberação de direitos para que possa fazer uma adaptação de *O pequeno príncipe*, de Antoine Saint-Exupéry, para o teatro. O pedido é negado. Nem reveses como esse o desanimam. Em 62, em Petrópolis, retoma um projeto iniciado em 1946, durante a temporada de Los Angeles: o poema ''Exumação de Mário de Andrade'', datado no 17º aniversário do escritor e no quadragésimo aniversário da Semana de Arte Moderna de 22. Não é difícil entender por que o poema permaneceu guardado, como algo perigoso, durante dezesseis anos — e depois, mesmo com a morte de Vinicius, permanece inédito em livro até os anos 90. Ele relata uma das muitas experiências inexplicáveis, do reino do paranormal, que o poeta afirma ter vivido ao longo da vida. O registro completo do poema vale, aqui, como o relato fiel de uma história pessoal. Na verdade, Vinicius usa a poesia como diário para nela registrar uma experiência que, dita de outra maneira, soará próxima da insanidade.

Minha casa de Saint Andrews Place.
Duas da manhã. Abro uma gaveta
Com um gesto sem finalidade
E dou com o retrato do poeta
Me olhando, Mário de Andrade.

Seus olhos nem por um segundo
Piscam. O poeta me encara
E eu vejo pela sua cara
Que o poeta quer ser exumado
Daquela gaveta, desde muito.

Tiro-o de lá. Com mão amiga
Limpo a poeira que lhe embaça
O rosto e suja-lhe a camisa
E o poeta como que acha graça.

Busco um lugar onde instalá-lo
Na minha pequena sala fria
Essa sala tão sem poesia
Onde me encontro todo dia
E onde me sento e onde me calo.

Mas não acho. Ponho-o à minha frente
Sobre a mesa, sentindo a vertigem
Da sensação da forma virgem
Que assume de súbito o ambiente.

No papel branco palpitante
Das moléculas da poesia
A minha mão psicografa
O antigo nome de Maria.

E na sala transverberada
Pelo mistério da presença
Vai se corporificando imensa
A humana forma macerada.

Não tenho medo, mas meus pêlos
Se eriçam, na barba e no braço

POETA DA NOITE

A aventura da Bossa Nova transformou Vinicius em um "show man". O poeta trocou a rotina diplomática pela atmosfera nebulosa de bares e inferninhos, onde conviveu com artistas de prestígio como Baden Powell, Lúcio Alves e Silvinha Telles.

Sinto pesar o puro espaço
Às mãos do poeta em meus cabelos.

Depois o toque cessa. Deixo
O poeta a gosto, para que ande
Por ali tudo, esmiuçando.
Depois ouço o som do piano
E olho: só vejo a vasta fronte
Os óculos e o queixo grande
Do poeta, se desincorporando.

E fico só: só como um vivo
Cheio de angústia e de saudade
E corro à porta, e olhando aflito
O silêncio, murmuro empós o bom amigo:
— Volte sempre, Mário de Andrade...

Não importa, aqui, saber se as coisas se passaram exatamente como Vinicius as descreve no poema. O poeta, na verdade, habituou-se a interligar experiência paranormal e experiência poética, tomando ambas como expressão de uma mesma hipersensibilidade. Tanto Vinicius pode ter vivido, de fato, a experiência que relata, como pode tê-la experimentado em sonho, ou mesmo num devaneio diurno. Não importa o que ela é, importa sim o que evoca. Apesar das rimas fáceis, da impressão de um poema escrito mais no calor da hora que no destilar lento dos versos, ''Exumação de Mário de Andrade'' se torna, visto na perspectiva mais generosa do tempo, uma peça importante certamente não para a obra, mas para a biografia de Vinicius. As impressões ameaçadoras e as imagens nebulosas trazidas da convivência com os jesuítas, na juventude, parecem se transformar, no período de Los Angeles — isto é, no casamento com Tati —, em misteriosas ''aparições''. Há sempre uma zona de mistério, aguda e devoradora, cercando o poeta. Desse contato cotidiano com o desconhecido, ele retira a matéria bruta da poesia, mas também muitos pesadelos. A poesia, quando usada para dissolver os pesadelos no apaziguamento das palavras, perde a qualidade — e, aparentemente, nada resolve. Não será por outra razão que, em futuro não muito distante, nos anos 70, Vinicius se converterá ao candomblé e à convivência mágica da mãe-de-santo Mãe Menininha do Gantois.

O terreno do além já era o tema de um poema longo e irregular, de 153 versos, que ele escreve em 1958, logo depois de desembarcar no Uruguai, dedica a Rubem Braga e guarda, ao longo da vida, como uma relíquia moldada pelas primeiras impressões infantis vividas nas salas do Santo Inácio. Um poema em que a carne e a metafísica não só se reencontram, mas se confundem: ''Romance da amada e da morte''. Versos escritos, primeiro, para lamentar a ausência de Lucinha Proença, que ficou no Brasil. ''A noite apodrece. Exausto/ O poeta sem sua amada/ Não tem nada que o conforte'', começa. ''A Lua em seu negro claustro/ Corta os pulsos em holocausto/ À sua saudade enorme.'' O poema renderia, provavelmente, o roteiro de um filme de terror. Vale segui-lo passo a passo. Sozinho em sua sala, Vinicius fuma seu LM, mas nem o vício do cigarro o consola. Tenta ler, não consegue se concentrar. Tenta escrever, o poema se recusa a vir. Toma uma xícara de café, depois um copo de uísque. Os amigos telefonam, mas ele se entedia com a conversa. Um disco na vitrola, um tranqüilizante, o rádio ligado a todo o volume, nada o consola. Nem mesmo o dedilhar do violão. ''O poeta sozinho acha/ A vida sem sua amada/ Uma grandíssima bosta.''

Soa a campainha. Surpreende-se com a hora avançada, mas abre a porta. É a Morte — assim mesmo, com maiúscula, para se tornar mais amedrontadora. Usa sombra verde nos olhos, um colar de quatro voltas e as unhas pintadas. ''O poeta acha-a mais mundana/ No auge da última moda/ Com a maquiagem romana/ E os quatro metros de roda.'' A Morte entra e o abraça. O poeta, carente, não a afasta e ainda lhe faz um carinho. ''A Morte gruda-se a ele/ Beija-o num louco transporte/ O poeta serve-lhe uísque/ Muda o disco da vitrola.'' A Morte sai dançando um rock. Depois, senta-se a seu lado e lhe conta histórias. Começa, então, a metamorfose. ''O poeta deixa, infeliz/ Sentindo o seu organismo/ Ir aderindo ao da Morte.'' Seu fígado começa a inchar. Seu coração bate mais forte. Sente espasmos pelo cólon. Sua pele começa a se descolorir. A Morte, agora, faz as vezes de médico — o que serve para demonstrar o baixo apreço que Vinicius de Moraes tem pela classe. ''A Morte toma-lhe o pulso/ Ausculta-o de estetoscópio/ Apalpa a sua vesícula/ Olha-lhe o branco dos olhos.'' Trata-o não para curá-lo, mas para matá-lo. Satisfeita com a acelerada decadência que diagnostica no poeta, ela se deita a seu lado e, aliviada, dorme um pouco.

A campainha soa novamente. O poeta envolve a Morte com um lençol e vai abrir a porta. É a amada quem chega. Beija-o na boca, banha-o de ternura, entrega-se. A Morte, porém, acorda. Numa crise alucinada de ciúme, se lança por sobre a amada. Há uma luta sangrenta que atravessa a madrugada. A amada morde a Morte, chuta a Morte, e por fim mata a Morte. E, enfurecida, lança seu cadáver pela escada. O poeta, a partir daí, se recupera: o pulso volta ao normal, a cor lhe retorna ao rosto, os dentes que começavam a cair retomam seu lugar. Conclui: ''Tudo isso porque o poeta/ Não é poeta, não é nada/ Quando a sua bem-amada/ Larga-o à Morte''. E, por fim: ''Por isso que a ausência é a morte/ É a morte mais tristemente/ É a morte mais devagar''.

''Romance da amada e da morte'' ilustra, com requintes de perfeição, alguns aspectos essenciais da alma de Vinicius. A obsessão pelo amor e, em contrapartida, pela morte é o traço mais evidente. Com mais atenção, outros detalhes aparecem. A dependência vital que ele tem da mulher, em cuja ausência o mundo simplesmente desmorona. O estado de refém que o amor lhe confere. O medo — melhor dizer: pânico — que sente de não sobreviver sem a companhia feminina. A idéia arraigada de que a mulher é, na verdade, mais forte que o homem — tanto que é a amada que, numa luta violenta, o salva da Morte. Ilustra, por fim, o uso que o poeta faz da poesia como arma de chantagem. Que mulher, ainda mais apaixonada, suportaria ler um poema desses sem no mínimo afundar-se em uma enorme culpa?

Na temporada uruguaia, Vinicius arrisca ainda versos sofríveis em língua espanhola, como em um poema — editado no póstumo *Jardim noturno*, e que a coletânea de inéditos organizada pela escritora Ana Miranda para a Companhia das Letras deixa incompleto — batizado "Em Montevidéu". Alguns versos valem para sentir os riscos contidos nessa aventura:

De los aires límpidos
Sin prisa y sin miedo
Hoy vinieron verme
Mis queridos muertos.
En mi sala oscura
Con la radio abierta
Llegaron casuales
Como si en un cocktail
Haciendome adioses
Con manos ausentes
Por entre los rayos
De la luna verde.

O poema, que continua por mais alguns versos, agora mesclando o espanhol com o português, está novamente tomado pelo clima paranormal. Relata uma visita que recebe dos espíritos de uma avó, do pai, Clodoaldo, e de um pescador amigo dos tempos de infância na ilha do Governador.

É, ainda, sob o império da paixão por Lucinha Proença que Vinicius escreve um dos mais belos poemas de sua obra: "O haver". Seria um dos destaques do livro *O deve e o haver*, um livro-em-progresso iniciado em 1955 que serviria como seu testamento poético mas que Vinicius de Moraes morreu sem concluir. "O haver", editado em 93 em *Jardim noturno*, mereceu antes disso apenas uma tiragem precária numa espécie de pôster-poema feito logo após sua morte. Vinicius deixou duas versões bastante parecidas dele, que divergem apenas por meia dúzia de palavras. Numa entrevista, um ano antes de morrer, um repórter — pensando no memorialista Pedro Nava — lhe pergunta: "Esse livro vai ser o seu *Baú de ossos*?". Vinicius dá uma resposta exemplar: "Pode até ser. No fundo, vai ser uma limpeza geral da casa. Se não tiver mais nada para dizer, paro. O problema de escrever por escrever não existe para mim. Forçar a barra, jamais''. Essa é, talvez, uma das melhores definições que o poeta dá, ao longo de toda a vida, de si mesmo. Difícil saber, manuseando os inéditos que deixou, que outros poemas comporiam esse livro. Vinicius não deixa nenhum esboço, nenhum roteiro, nada. Sabe-se, apenas, que do livro faria parte, também, a ''Balada de santa Luzia'', que ele publica em 1972 no *Suplemento Literário* do jornal *O Estado de S.Paulo,* na edição de 24 de setembro. E que é dedicada a Alfredo Volpi.

A edição de *Jardim noturno,* de alguma forma, preenche o vazio deixado pelo projeto perdido de *O deve e o haver.* O livro vem reafirmar, antes de tudo, a qualidade indiscutível da poesia de Vinicius de Moraes, um poeta que deve ser alinhado, obrigatoriamente, entre os mais importantes estilistas que a língua portuguesa produziu no século XX. Vinicius foi um poeta prolixo, que não sabia jogar nenhum rascunho fora, que escrevia compulsivamente — e que viveu compulsivamente, deixando sempre os versos atrelados à experiência. Isso criou, para alguns, a falsa impressão de um poeta descuidado e até desinteressado no fazer poético, que *Jardim nortuno* ajuda a desmentir.

3

Sempre que está no Brasil, o casal prefere se exilar na montanha. Não se deve entender esse exílio, porém, como uma busca de solidão. A casa de Lucinha Proença em Petrópolis se torna, durante longo tempo, um centro de criatividade e de boemia. É uma casa em estilo modernista, assinada por Oscar Niemeyer, que imita o Catetinho, o primeiro palácio que o presidente Juscelino Kubitschek ocupou em Brasília antes da inauguração da cidade. Nela, o sentimental Vinicius rememora os dias em que ele mesmo, ao lado de Tom Jobim e a convite de JK, passou hospedado no Catetinho para compor a *Sinfonia de Brasília*. Em 58, Juscelino conversou com ele, pela primeira vez, sobre a idéia de uma grande sinfonia que servisse de hino à nova capital. Em junho de 60, ele e Tom passam dez dias no Catetinho rascunhando as partituras. Planejam ficar mais tempo, mas não suportam o assédio dos turistas interessados em fotografar a dupla de compositores famosos, mangas arregaçadas, empoeirados, trabalhando como verdadeiros candangos da arte. A sinfonia, mesmo assim, fica pronta.

A relação com Antonio Carlos Jobim, a mais exposta e devassada que Vinicius de Moraes terá ao longo da vida — mesmo aqui contabilizados seus nove casamentos —, tem, nesse período, uma entrada na maturidade. Vale aqui falar mais um pouco a respeito dele. Primos de sangue, descoberta feita depois de uma cuidadosa inspeção de árvores genealógicas e da memória dos mais velhos, Vinicius e Tom, a essa altura, parecem — parecem — se afinar em tudo. Em 58, compõem sucessos como "Eu sei que vou te amar" e "Mulher sempre mulher". No ano seguinte, com a Palma de Ouro conquistada em Cannes pelo *Orfeu do Carnaval* de Marcel Camus, as atenções do mundo se voltam inteiramente para eles. Para confirmar tanto prestígio, o *Orfeu* ganha, logo em seguida, o Oscar de melhor filme estrangeiro em Hollywood. No rastro desse sucesso, os parceiros lançam o elepê *Por toda a minha vida*, em que seus maiores sucessos são interpretados por Lenita Bruno.

A ida de Vinicius para o cargo de vice-cônsul do Brasil em Montevidéu afasta bastante os dois parceiros. O amor enlouquecido por Lucinha, mais ainda. Em 61, Vinicius passa a dividir sua alma musical com um novo companheiro: Carlos Lyra. Logo surge em sua vida outro nome que o acompanhará numa guinada importante rumo às raízes africanas da música popular brasileira: o violonista Baden Powell. A fidelidade a Tom é rompida. O que leva Vinicius a concluir que entre dois parceiros, ao contrário do que ocorre entre o homem e a mulher, "a fidelidade não é fundamental, mas sim a liberdade". Ficam as lições. Ao lado de Vinicius, Antonio Carlos Jobim não se torna apenas um compositor de grande prestígio. Muda como homem. Em detalhes. Aprende, por exemplo, a trocar a cerveja e a vodca barata pelo uísque. Foi numa conversa com ele que o poeta criou sua mais perfeita definição para sua bebida favorita: "O uísque é o cachorro engarrafado". Isto é, o melhor amigo do homem. A definição prova sua fidelidade ao uísque e, ao mesmo tempo, homenageia o cachorrinho que aparece no rótulo de sua marca favorita, o Black & White. Com Vinicius, Tom aprende que a poesia é a arte da não-razão. O poeta cita como exemplo a letra de "Se todos fossem iguais a você" e comenta: "Já pensou como seria chato se no mundo todos os homens e mulheres fossem iguais?". A música, no entanto, emociona os que a ouvem. Por quê? O próprio Vinicius trata de explicar: "A poesia não tem razão alguma. Quer uma prova? Você diz um absurdo como este e comove todo mundo".

A parceria com Tom Jobim é hoje uma lenda de domínio público. Um mito nacional. Menos festejadas, outras parcerias marcam também intensamente, a partir daí, a vida do poeta. Na cópia do Catetinho que Lucinha Proença faz erguer em Petrópolis, ele se aproxima de compositores mais novos e mais inquietos e, por intermédio deles, se renova. O compositor Francis Hime o conheceu nos tempos de adolescência, quando ainda não tinha sequer se definido pela carreira de engenheiro — que depois trocaria pela de músico. Já formado, ele o reencontra, agora para valer, numa festa na casa de montanha de Lucinha Proença, no verão de 1963. Francis começara a estudar piano clássico aos seis anos de idade. Parou durante um período em que sua família se mudou para a Suíça. Na volta ao Brasil, retoma sua vocação. Desde os doze anos, mexe com temas da MPB. Esboça, também, algumas canções eruditas. Quando se encontra com Vinicius, não tem ainda qualquer experiência como músico profissional.

Nesse verão, o tímido Francis exibe a Vinicius três rascunhos de canções populares que, meio envergonhado, guarda numa pasta. O poeta escolhe um. Francis Hime vem de uma formação radical na música romântica européia. Vinicius, por princípio, é um sentimental. Não há como errar. Logo depois das férias, já de volta ao Rio, marcam um encontro no Antonio's. Vinicius chega com a letra de "Sem mais adeus", a primeira composição da dupla, pronta. Na verdade, traz a letra apenas na cabeça e a "psicografa" — como um médium que recebe a si mesmo — num guardanapo de papel.

Hime passa a freqüentar as festinhas na casa de Petrópolis, estranhas reuniões que levam dois, três dias, e parecem nunca terminar. Só ousa se

BADEN

A parceria com Baden Powell aproximou Vinicius da tradição africana.

aproximar do grupo que reúne músicos experientes como Tom Jobim, Carlos Lyra e Edu Lobo graças à antiga amizade de sua mãe, a pintora Dália Antonini, com Vinicius de Moraes. Vale a pena. Entre 1963 e 1969, Francis Hime e Vinicius de Moraes farão, juntos, perto de vinte canções. O músico se muda, então, para os Estados Unidos, onde passa uma longa temporada. Quando volta, em meados dos anos 70, retomam o fio perdido e compõem a música-tema do filme *Marília e Marina*, de Luís Fernando Goulart.

Três canções da dupla restaram inéditas. A melhor delas parece ser ''Eu te amo, amor'', música que a cantora Cláudia apresentou, sem grande repercussão, num Festival da Canção e que jamais foi gravada. Vinicius, sempre que ouvia o parceiro tocá-la ao piano, comentava: ''É muito bonita, mas é dramática demais. Essa música me assusta''. Preferia sempre chamá-la de ''Canção obsessiva''. Há também uma canção de Hime que Vinicius tomou para si, sem jamais lhe dar uma letra, ou sequer um nome. Tudo o que resta dela, no fundo de uma gaveta no estúdio do compositor, é uma cópia da partitura. Até da memória de Hime ela já desapareceu. A terceira música inédita é ''Meu coração'', canção que traz uma letra redigida no furor de uma das crises de saudades de Lucinha Proença. ''Ah, coração/ Bate mais devagar coração/ Ah, coração/ Toma jeito em meu peito, senão/ Eu vou morrer/ Nessa saudade sem fim/ Não bate assim/ Faz, coração, que ela volte/

LYRA

Carlos Lyra (com Baden)
guiou o poeta na travessia das noites da zona sul.

Ah, faz que sim, coração...'' Em letras como essa, compostas nos estertores da paixão, Vinicius se torna, mais que nunca, um poeta derramado e tonto, que não se envergonha de repisar toda uma estrada de lugares-comuns para expressar seu amor.

''Meu coração'' tem seu contraponto em letras como ''O pique'', que recita para Francis Hime nas horas de fogo. ''O pique'' é composto num mictório de Salvador, já no ano tardio de 1975, quando Francis Hime vai visitá-lo na Bahia. Não são precisos mais que quatro versos para que o contraste entre os dois Vinicius se evidencie: ''No mundo vale teu pique/ É da vida o que nos fica/ Mas não há pique que fique/ Sem o pique de uma pica''. Francis Hime anota os versos num pedaço de papel higiênico e depois, ciente do valor que a assinatura do parceiro empresta mesmo às piores sandices, os transcreve num caderno.

Vinicius, de todo modo, é um letrista que sempre ouve a palavra dos parceiros. Algumas vezes, Francis Hime estranha um adjetivo ou uma frase; os dois passam horas a fio discutindo, presos a uma palavra, ou ao modo de conjugar um verbo. Não se deve imaginar, porém, discussões sofisticadas, com grandes lances de argumentação e contra-argumentação. Quando compõem ''Maria'', por exemplo, Francis empaca nos versos ''Carregadinha de flor/ Lindo é teu langor''. Pondera, com motivos bastante frágeis: ''Não gosto da rima. Langor, para mim, é nome de músculo''. Vinicius o ouve, mas rebate sempre no mesmo tom: ''Não, imagina, Francisinho. Langor é lindo''. Pode-se ver o quanto são flácidos, sofríveis mesmo, os argumentos exibidos pelo poeta em defesa de seus versos. Mesmo assim, quase sempre vence, mais pela força de seduzir que pelo poder de argumentar. Vinicius não é um homem de defender idéias. Defende sentimentos. E nada mais prático — e certeiro — do que justificar um sentimento com outro. Os parceiros, mais jovens e mais impressionáveis, sempre caem em sua armadilha.

Outro que sempre está em Petrópolis é Jards Macalé. Vinicius e Macalé se conhecem em 61, época em que o compositor freqüenta o restaurante Fiorentina. Vinicius sempre aparece por lá com Antonio Maria, Cyro Monteiro, Fernando Lobo, Nelson Cavaquinho, Sérgio Porto. Nada tímido, Macalé logo se oferece: ''Posso sentar nessa mesa de titãs?''. Ganha a simpatia imediata de todos. Macalé costuma sair sempre com Cyro Monteiro, que por sua vez, freqüentemente, arrasta Vinícius e Nelson Cavaquinho atrás dele. Muitas vezes eles terminam a noite na casa de Cyro Monteiro, no largo do Machado, às dez horas da manhã seguinte...

Como se pode ver, a consagração ao lado dos meninos da Bossa Nova não faz de Vinicius um elitista. Freqüenta todos os estilos musicais e todos os gêneros de amigos com a mesma desenvoltura de sempre. Continua, apesar de toda a adulação que o cerca, a insistir que só tem um ídolo: Pixinguinha. Em 1962, têm finalmente seu grande encontro. Pixinguinha é convidado para fazer a trilha sonora de *O sol sob a lama*, filme de Alex Viany. O roteiro de Miguel Torres é inspirado no incêndio criminoso de Água dos Meninos, na Bahia. O filme, apesar de sofrível, tem impressionante força documental. Marca a estréia no cinema da atriz Glauce Rocha, que contracena com Geraldo del Rey. Pixinguinha recebe Vinicius de presente como seu parceiro para a composição da trilha sonora. Surgem, dessa parceria, sucessos como ''Lamento''. Há uma valsa em estilo francês que Pixinguinha compôs em Paris, em 1922. Vinicius faz para ela uma letra em francês e a batiza de ''Seule''. É uma melodia em estilo sacro que, com a letra criada pelo poeta, se transforma em ''São Francisco de Ouro''. ''Iemanjá'', ''Samba fúnebre'' e ''Mundo melhor'' são outras canções compostas pela dupla para o filme que, embora pareça, não é um musical. Pixinguinha compõe com Vinicius de Moraes doze músicas para *O sol sob a lama*. A partir daí, tomam-se de amores um pelo outro.

Pixinguinha é um negro de subúrbio que desfruta de status especial junto às elites da Zona Sul, embora tenha passado quase toda a vida no Caxambi e, depois, em Ramos. É amigo da família Guinle, freqüenta as festas chiques da Zona Sul e é reverenciado como um gênio por onde passa. Toma doces tiques de elite. Cyro Monteiro, um dia, o encontra num boteco de esquina, curtindo sua cachaça. ''Isso faz mal à saúde. É um veneno'', diz, para irritá-lo. Pixinguinha, que é um grande admirador de cachaça, toma a brincadeira a sério. Passa a só beber uísque. Ninguém jamais o convence a voltar à sua antiga paixão. Vinicius vai sempre visitá-lo nas rodas de choro que promove em Ramos. Adora seus chorinhos de inspiração bachiana. Pixinguinha não é só um intuitivo. Certa vez, diz para Vinicius: "Teve o Bach, o resto não me surpreende". O poeta se espanta, mas lhe tira o chapéu. Passa a adorá-lo.

Vinicius faz também suas incursões fora da música popular. Dirige, por exemplo, um documentário sobre o prédio do Ministério da Educação e Cultura, no Rio, e seus azulejos pintados por Cândido Portinari. Pensa, com isso, retribuir o belo retrato que, ainda nos anos 30, mereceu do pintor. O documentário tem vinte minutos de duração e se chama *Azul e branco*, exatamente o mesmo nome de um poema dedicado ao mesmo prédio, que Vinicius escreveu nos anos 40 e publicou em seu livro *Poemas, sonetos e baladas*. Essa raridade do Vinicius de Moraes cineasta infelizmente foi, ao que parece, engolida para sempre pelos arquivos da burocracia estatal.

É, finalmente, o período em que Vinicius estreita sua amizade e parceria com o compositor Carlos Lyra. Gosta de Lyra especialmente por uma razão: sua falta de preconceitos. Vinicius se aborrece com os músicos que se dedicam a incentivar a cisão — vista muitas vezes como uma verdadeira luta — entre a Bossa Nova e o samba. Chega sempre ao apartamento de Lyra acompanhado por Cyro Monteiro, amigo que exibe como um símbolo de seu coração não sectário. Adora Ismael Silva, Heitor dos Prazeres, Cartola, Nelson Cavaquinho, Zé Keti, Elton Medeiros, João do Valle, Ary Barroso, Dorival Caymmi, Custódio Mesquita. A lista de seus ídolos na música popular é quase interminável. Orgulha-se disso. Quando Tom Jobim se recusa a comparecer a um espetáculo em sua homenagem no Teatro Municipal de São Paulo, comenta com os amigos do samba: "O Tonzinho é um amor. Mas ele tem um medo da vida horrível". Sabe que Tom Jobim, um músico que administra seu imenso talento com a cabeça fria de um comerciante — o que, por si, não é um defeito —, tem um medo imenso de perder prestígio e vive escolhendo a dedo suas companhias. Os sambistas da velha-guarda não andam com a cotação em alta. Vinicius nem por isso se afasta deles — mas nem todos são obrigados a pensar do mesmo modo.

O primeiro circuito universitário que Carlos Lyra faz na vida é em 1961, acompanhado por Vinicius e Baden. A prática ainda não tem as dimensões que terá nos anos 70, década em que Vinicius e Toquinho lotarão ginásios universitários. Lyra e o poeta compõem juntos, em 1963, o hino da União Nacional dos Estudantes — UNE. Na mesma noite, em estado de overdose musical, fazem a "Marcha da Quarta-Feira de Cinzas". Em 64, após o golpe militar que derrubou o presidente João Goulart, Lyra procura Vinicius e diz: "Rapaz, estou impressionado com a tua premonição!". E explica: "Quando fizemos aquele hino para a UNE, e na mesma noite a 'Marcha da Quarta-Feira de Cinzas', eu não me dei conta do que estava acontecendo.

Mas você estava prevendo o golpe!''. Lyra tem razão, está tudo na letra do poeta: ''Acabou nosso Carnaval/ Ninguém ouve cantar canções/ Ninguém passa mais brincando feliz/ E nos corações/ Saudades e cinzas foi o que restou''. Um hino de exaltação aos estudantes contraposto, na mesma noite, a essa marcha só podia ser, mesmo, sinal de mau presságio.

Carlos Lyra não se cansa de exaltar a coerência de Vinicius. Para ele, antes de tudo, um melancólico. Melhor dizendo: um ''melancólico otimista'', se é que se pode entender isso. Recorre, sempre, às malditas letras, cheias de sinais que nem todos podem decifrar. Pensa no ''Samba da bênção'', que Vinicius compôs com Baden Powell, em particular no trecho em que o poeta diz: ''E a tristeza tem sempre uma esperança/ A tristeza tem sempre uma esperança/ De um dia não ser mais triste não''. Carlos Lyra também é, já a essa época, astrólogo. Um dia, convence Vinicius a se submeter a seu mapa astral. A leitura atenta do mapa indica: ele é um libriano autêntico. Isto é, um homem regido pela melancolia. O mapa astral feito por Lyra faz duas indicações: melancolia e poesia. Tenta explicar ao poeta: ''Essa tua tristeza não é igual à tristeza da velha-guarda, quer dizer, a fossa. É uma tristeza ancestral''. Vinicius o ouve atentamente. Prossegue: ''A fossa tem relação com algo concreto: uma mulher que você perdeu, uma derrota. A melancolia, não, ela é vaga. Ela é a soma da tristeza com a esperança''.

Vinicius, ao fim da leitura, diz para o parceiro: ''Você está me falando da vagotonia. Eu sempre digo que sofro de vagotonia e ninguém me compreende''. O parceiro pede que ele explique melhor. O poeta tenta: ''É um sentimento vago de tristeza, que não chega a ser definido. Você não tem nada e está mal. Aí toma um Vagostesil e melhora''. O poeta se refere às bolinhas amarelas num pequeno frasco marrom, um dos tranqüilizantes mais populares da época.

A obra mais importante de Vinicius de Moraes com seu parceiro Carlos Lyra é o musical *Pobre menina rica,* composto em uma longa temporada na casa de Lucinha Proença, em Petrópolis. Chega a ser apresentado, num improviso que tem Nara Leão como estrela, no Au Bon Gourmet, de Flávio Ramos. Nessa noite remota, com o acompanhamento do conjunto de Roberto Menescal, Nara, Lyra e Vinicius cantam apenas o primeiro ato da peça, oito músicas de um total de treze. Chegam a batizar o espetáculo daquela noite com outro nome: *Trailer* — porque pretendia ser apenas isso, uma prévia resumida da obra. *Pobre menina rica* só será montado por inteiro, para três melancólicas apresentações, em 1991, sob a direção de Aderbal Júnior, no Scala, de Chico Recarey. É, a rigor, um musical inédito. Conta a história de amor de uma menina rica com um mendigo poeta. Os dois vivem um amor fogoso até que, um dia, o mendigo poeta herda uma fortuna de seu amigo Num-Dou, um ricaço que vivia disfarçado de homem miserável. Diante da súbita riqueza de seu amado, a pobre menina rica se desinteressa dele. O musical é uma espécie de *West side story* da Bossa Nova. Bem no espírito da época, faz a apologia da pobreza — alçada ao status de dignidade — e sataniza o dinheiro. Chega a ter uma pequena montagem na Cidade do México, em 1967, com tradução de Gabriel García Márquez. No anos 70, o cineasta Álvaro Guimarães tenta transformar o musical em filme. Decide que Vinicius trabalhará como ator — e ele aceita. O poeta sugere que o costureiro Denner também seja convidado para o elenco. Vão, de imediato, à casa do costureiro para convidá-lo. Denner aceita na hora, abre duas garrafas de uísque e tomam um porre. O filme, de algum modo, começa — e acaba — ali.

Pobre menina rica só será filmado em 1984 (com o nome *Para viver um grande amor*), sob a direção de Miguel Farias Jr., com o cantor e compositor Djavan e a atriz Patrícia Pillar nos papéis principais.

4

1963 é o ano de nascimento do Quarteto em Cy. Vinicius de Moraes é uma espécie de grande pai do grupo vocal — formado, originalmente, pelas irmãs Cynara, Cyva, Cybele e Cylene, nascidas em Ibirataia, a 45 minutos de Ilhéus, Bahia. Cyva, três anos antes, é a primeira a chegar ao Rio e a conhecer o poeta por intermédio do compositor Carlos Coqueijo. Em 63, as outras três irmãs desembarcam na cidade para se encontrar com Cyva. Gravam juntas, pela primeira vez, nos estúdios da Rádio MEC, a trilha sonora do longa-metragem *Sol sob a lama*, de Alex Viany. Nos corredores da Rádio MEC, durante os intervalos de uma das gravações, Vinicius se vira para Ronaldo Boscoli e diz: "Você já ouviu? Nós temos aqui umas baianinhas afinadíssimas". Seu coração está ganho.

O poeta leva uma vida social agitada. Quase todas as noites, pode ser visto com um copo de uísque nas mãos e cercado de sorridentes bajuladores, circulando pelos salões do society carioca. Não se limita à vida social diplomática. Irene Singery, Teresa Souza Campos, Regina Rosemburgo são apenas algumas das damas da sociedade que passam a dar um charme particular às suas festas oferecendo como atração a presença sempre exuberante do poeta. Outras noites, é carregado para as farras do meio artístico, que tanto podem desaguar numa festa na casa de Flávio Ramos, dono do Au Bon Gourmet, no Lido, como no apartamento da atriz Odete Lara, no Leme. Há uma cena clássica, que pode ser oferecida como a matriz de uma nova época: Vinicius sentado em sua poltrona, um bando de rapazes espertos e moças deslumbradas em torno, literalmente ajoelhados, enquanto ele discorre, soberano, por horas a fio.

Nessas ocasiões, o poeta pontifica recordando episódios de viagens, contando histórias bem-humoradas, dizendo bobagens, num monólogo que parece interminável, aquecido pelo uísque que lhe fortalece a alma. Fala sem parar. Numa dessas noites, relata a visita que recebera, naquela manhã, de dois meninos pequenos, alunos do Colégio Santo Inácio, que foram "entrevistá-lo" para um trabalho da escola. Vinicius não é muito paciente com crianças, mas eram filhos de amigos. Aceita a visita. Os dois meninos se chamam Agenor de Miranda Araujo Neto — que viria a ser, muito mais

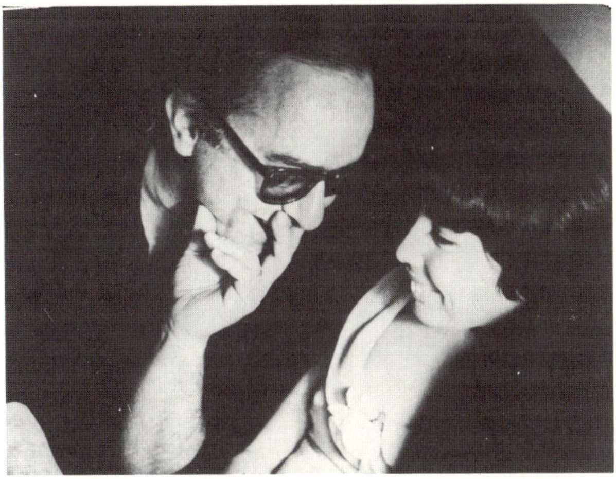

DESCOBERTA

As meninas do Quarteto em Cy,
entre elas Cyva,
cresceram sob as asas de Vinicius.

tarde, o roqueiro Cazuza — e Pedro Bial — futuro repórter de prestígio na TV Globo. Tratam-no com solenidade e com candura. O poeta se encanta com o que costuma evitar. Passa a repensar, a partir dali, seus preconceitos contra as crianças — que, de resto, jamais conseguirá superar. João Araujo, o pai de Cazuza, virá a ser produtor do músico Vinicius de Moraes e se sentirá, até o fim, impressionado com sua generosidade, que tem uma contracapa perversa: a incapacidade de dizer ''não''.

Uma noite, as quatro irmãs em Cy são carregadas por ele, de surpresa, para uma festa na casa do arquiteto Maurício Roberto. Antes, por telefone, Vinicius avisara a Maurício: ''Nesse jantarzinho, vou levar umas menininhas...''. As irmãs chegam assustadas, como quatro ginasianas. Sentam-se juntas, dão as mãos, quase não falam. Alguns copos de vinho depois, porém, já estão menos tensas. Cada vez que chega um convidado, como meninas bem amestradas, elas cantam: ''Bom dia, amigo/ Que a paz esteja contigo...''. Cynara e Cylene trabalham como secretárias, Cyva dá aulas de português e Cybele é professora no curso normal. O salto dos programas de salários apertados para os de noitadas do society as deixa, de início, um tanto atrapalhadas.

Acostumam-se. A cena se repete e se assemelha a um caso de paixão: duas ou três noites por semana, o poeta bate no apartamento das meninas depois da meia-noite, é recebido por moças sonolentas de pijama, mas consegue carregá-las para uma festa a mais. Convivem com Baden Powell — que se torna o novo parceiro oficial de Vinicius — e com rapazes tímidos mas cheios de talento como Edu Lobo e Francis Hime. Esses jovens músicos ensaiam para a fama dando shows privés nos salões endinheirados da Zona Sul. As meninas do futuro Quarteto em Cy passam a acompanhá-los nesses primeiros passos rumo à fama. No fim da noite, acostumam-se a devorar o famoso "picadinho da madrugada", mistura simplória de carne picada, ovo poché e arroz, que é servido por hábito aos artistas. A receita logo se tornará prato oficial no cardápio que Paulinho Soledade oferece no Zum Zum, no início da rua Barata Ribeiro.

Nesse ano de 63, o casamento com Lucinha Proença desmorona. Vinicius aparece nas festas sempre sozinho — e se esbalda. Há esse avesso do grande amor que também fascina o poeta: a grande liberdade que se segue quando a paixão se esvai. Nessas rupturas, Vinicius age como um deus do tempo. Se é ele quem declara, primeiro, o amor, é ele também, quase sempre, quem declara o momento do desfecho. Essas exibições de liberdade se tornam, igualmente, uma exibição de poder. O poeta se engrandece com o amor, mas se engrandece também com a morte do amor — ainda que isso às vezes lhe custe intenso sofrimento. Sabe tirar partido tanto da felicidade quanto do infortúnio. Passa a impressão de alguém invulnerável. O mito se reforça.

Nesses tempos de novidades, Vinicius cultiva o hábito secreto de visitar o editor Ênio Silveira, seu vizinho no Parque Guinle, para ouvir música erudita. Ouvem juntos Chopin, Villa-Lobos e, em especial, Bach — o compositor favorito do poeta. Vinicius aprendeu a gostar de suas fugas com o insuspeito Pixinguinha, um homem que não é de gostar das coisas para se exibir. As visitas, porém, começam a ficar longas demais, e cada vez mais freqüentes. Ênio desconfia que algo não vai bem com o amigo. "Ela está me cansando", admite uma vez. Há uma noite, em particular, em que os dois amigos varam a madrugada ouvindo discos. Vinicius só deixa o apartamento de Ênio às seis horas da manhã, depois de ouvir os *Concertos de Brandemburgo* quase dez vezes. Sai repetindo uma máxima de Pixinguinha: "O Bach é nosso pai. Ele é o pai de todos nós". Num desses encontros na casa de Ênio, Vinicius confessa, finalmente, que está fugindo de Lucinha. "É uma fuga para ouvir uma fuga", ele diz. Nas poucas vezes em que vai ao apartamento do casal, Ênio nota que Vinicius se excede na bebida. Ainda comenta com ele: "Como é que você fica tão alto, se bebe há tantos anos?".

O casamento começa a ruir. Em meio à depressão em que se vê jogado, o amigo Hélio Pellegrino o convence a se psicanalisar. Passa-lhe o telefone da dra. Katherine Kemper, uma analista alemã radicada no Rio que é uma das pioneiras da psicanálise no Brasil. Depois de muito relutar, Vinicius mar-

DAMA DA VOZ

Elizeth Cardoso fez sua voz ecoar
no alvorecer da Bossa Nova.
O poeta se fascinou por ela.

ca uma primeira entrevista. Passa a sessão praticamente em silêncio. Sai irritado. A cena se repete, praticamente sem alterações, na segunda sessão. Vinicius se recusa, inclusive, a seguir o ritual freudiano que sugere que o paciente se deite no divã. Permanece sentado. No terceiro encontro, a dra. Kemper, depois de vê-lo mergulhado em mais uma onda de silêncio, pergunta: ''E agora, em que o senhor está pensando?''. Vinicius, depois de hesitar um pouco, responde: ''Nas suas pernas. Elas ainda são muito bonitas''. Nunca mais volta ao consultório da psicanalista.

No verão que abre o ano de 1963, Vinicius e Lucinha, embora ainda coabitem, quase não andam mais juntos. A frase que mais dizem um para o outro é: ''Não demore!''. O pedido, de ambos os lados, nunca se cumpre. A paixão está murchando, e o poeta não se interessa mais pelo amor se ele não inclui a paixão. Chegam a ficar todo um mês sem se falar. Vinicius acaba descendo de Petrópolis antes do fim do verão. E não vai para o Parque Guinle, mas para a casa de sua mãe. Um meninão de cinqüenta anos. Um dia, o poeta telefona para Lucinha: ''Quero ir até aí para conversar''. Ela concorda. Ele deseja reatar o casamento e Lucinha sabe que a conversa será difícil. Encontram-se. Vinicius começa: ''Faço qualquer coisa'', afirma. ''Escolha o lugar do mundo que você quiser que eu dou um jeito de ser transferido.'' Lucinha, mesmo ciente do homem especial que está perdendo, lhe diz: ''Vinicius, tudo o que nós vivemos juntos foi por inteiro. Agora não posso fazer as coisas pela metade. Pela metade, não dá''. Deve ter sido uma das coisas mais duras que ouviu ao longo da vida e por uma única razão: Lucinha, com aquelas três frases, resume tudo o que ele sempre pensou a respeito do amor mas que, agora, não tem a coragem de expressar. Ela diz o que ele, Vinicius de Moraes, o poeta da paixão, deveria estar dizendo. Descobre, tarde demais, que está diante de uma mulher que tem exatamente o seu tamanho. Vira as costas e pega o elevador, babando de raiva. Sabe que Lucinha ficou para trás — e que a raiva que sente é de si mesmo. Terá que se suportar.

Algumas semanas depois, o poeta telefona para Lucinha e diz: ''Você vai estar em casa amanhã à tarde? Eu preciso passar aí. Tenho uma coisa importante para te entregar''. Marcam às cinco da tarde. Lucinha não sai de casa naquele dia. Vinicius não aparece, nem sequer telefona para se justificar. Dois dias depois, Lucinha Proença lê uma nota numa coluna social: ''O poeta Vinicius de Moraes embarcou, ontem, de surpresa, para a Europa. Foi com seu novo amor, Nelita de Abreu Rocha''. Nunca soube o que ele queria deixar com ela.

Lucinha será uma musa a perseguir Vinicius até o fim de seus dias. Durante seu quinto casamento, com Nelita de Abreu, o poeta se hospeda por uma temporada numa casa de repouso em Correias. Inflamado pela solidão, telefona para Lucinha convidando-a para passar com ele alguns breves dias. Ela se nega. No seu oitavo casamento, com a argentina Marta Rodriguez, ele, já tomado por uma inquietação que beira o desespero, telefona algumas vezes de Buenos Aires pedindo que ela vá ao seu encontro. Lucinha, novamente, se recusa. Pouco antes de partir para a Europa para o encontro definitivo com sua última musa, Gilda Mattoso, um Vinicius já adoentado e entristecido insiste para que, dessa vez, Lucinha não o abandone. O diabetes o enfraquece e ele sente calafrios que, como um menino, atribui à presença da morte. Lucinha, mais uma vez, mesmo tomada por uma enorme culpa, resiste. Há um desfecho tardio e dramático para esse grande amor, já na época em que Vinicius de Moraes faz — ao lado de Toquinho, Tom Jobim e Miucha — seu último show no Canecão. Lucinha assiste ao show. No fim do espetáculo, vai aos camarins cumprimentar o ex-marido. Numa ousadia, decide arriscar: ''Será que você e Gilda não querem jantar lá em casa?''. Vinicius, nervoso, titubeia, mas Gilda — sempre pragmática — se antecipa e diz: ''Mas é claro. Vai ser ótimo!''.

Chegam ao apartamento de Lucinha Proença no Parque Guinle. Lucinha está acompanhada do empresário Antonio Galotti — que a esse tempo está separado de Miriam Galotti e a corteja. Vinicius, quando o vê, sente-se ameaçado. Como de costume, carrega no bolso do paletó, enrolada num gosmento saco plástico, toda a parte da renda que lhe coube naquela noite. Jantam. Quando decidem ir embora, Vinicius, procurando ser discreto, tira o dinheiro do bolso e o guarda no decote de Lucinha. Constrangida, ela finge que nada está acontecendo. Galotti, igualmente sempre elegante — embora a atitude do poeta seja mais contra ele, por ciúmes, do que a favor da ex-mulher —, também se faz de cego. Gilda, de fato, não percebe o que acontece. Lucinha, então, insiste para que fiquem pelo menos para mais um licor. Ficam. Nesse meio tempo, consegue alguns instantes a sós com Vinicius e lhe diz: "O que você fez não tem o menor cabimento. Guarde esse dinheiro, por favor". Vinicius se recusa a aceitá-lo de volta. Lucinha, depois de muito insistir, se vê obrigada — cheia de constrangimento — a relatar a história a Gilda, que leva consigo de volta o cachê do poeta.

Ex- ou futuras mulheres de Vinicius terminarão por reconhecer, mais tarde, que Lucinha Proença foi, de fato, seu grande amor. A prova talvez esteja nos próprios escritos de Vinicius de Moraes. Na crônica "Para viver um grande amor", de seu livro homônimo, ele fornece para a posteridade sua receita da arte de amar. "[...] primeiro é preciso sagrar-se cavalheiro e ser de sua dama por inteiro", diz. Os apaixonados passam a formar uma casta especial, que deve se proteger e se preservar: "É preciso muitíssimo cuidado com quem quer que não esteja apaixonado", adverte. "[...] pois quem não está, está sempre preparado pra chatear o grande amor." A força é outro requisito fundamental: "é preciso também ter muito peito — peito de remador", diz. O grande amor é aquele que, necessariamente, namora não só a eternidade, mas também a onipresença: "é muito, muito importante viver sempre junto e até ser, se possível, um só defunto". Fica fácil compreender, diante dessa crônica, o quão sufocante, asfixiante mesmo, é a concepção de amor defendida por Vinicius. Uma espécie de amor total, simbiose absoluta com a mulher amada, um amor perfeito, sem fendas e sem rachaduras — numa palavra: um amor sobre-humano. Pode-se entender, então, o quanto deve ser difícil, para as mulheres — por mais que o amem — saber amá-lo.

Ao lado de Lucinha Proença, eis talvez a chave de tudo, Vinicius está próximo como nunca da experiência do amor como danação. Ele aposta tudo em Lucinha, exatamente como sugere no desfecho de sua crônica: "Mas tudo isso não adianta nada, se nesta *'selva oscura'* e desvairada não se souber achar a bem-amada — para viver um grande amor". Ele está certo de que a encontrou. Por isso, perdê-la, por mais que tantas vezes não a queira, se torna tão difícil.

NELITA

Para se casar com Nelita,
Vinicius é obrigado a namorar às escondidas,
a enfrentar um noivo
ciumento e a deixar o país às pressas,
como um fugitivo perigoso.

PARTE 6

A ARTE DA FUGA

NA ESPERANÇA DE TEUS OLHOS

Vinicius de Moraes

Eu ouvi no meu silêncio o prenúncio de teus passos
Penetrando lentamente as solidões da minha espera
E tu eras, Coisa Linda, me chegando dos espaços
Como a vinda impressentida de uma nova primavera.

Vinhas cheia de alegria, coroada de guirlandas
Com sorrisos onde havia burburinhos de água clara
Cada gesto que fazias semeava uma esperança
E existiam mil estrelas nos olhares que me davas.

Ai de mim, eu pus-me a amar-te, pus-me a amar-te mais ainda
Porque a vida no meu peito se fizera num deserto
E tu apenas me sorrias, me sorrias, Coisa Linda
Como a fonte inacessível que de súbito está perto.

Pelas rútilas ameias do teu riso entreaberto
Fui subindo, fui subindo no desejo de teus olhos
E o que vi era tão lindo, tão alegre, tão desperto
Que do alburno do meu tronco despontaram folhas novas.

E eu te juro, Coisa Linda: vi nascer a madrugada
Entre os bordos delicados de tuas pálpebras meninas
E perdi-me em plena noite, luminosa e espiralada
Ao cair no negro vórtice letal de tuas retinas.

E é por isso que eu te peço: resta um pouco em minha vida
Que meus deuses estão mortos, minhas musas estão findas
E de ti eu só quisera fosses minha primavera
E só espero, Coisa Linda, dar-te muitas coisas lindas...

Rio, 1966

1

Verão de 1963. Imunes à agitação política que maltrata o país, um grupo de moças e rapazes, todos em torno dos vinte e poucos anos, se diverte. Francis Hime, Aloísio Estrela, João Vitório Maciel são jovens saudáveis, cheios de uma doce arrogância e de um otimismo inútil, que pensam o futuro como um prolongamento eterno do presente. Nada os abala. João Vitório namora há dois anos uma moça chamada Nelita. É um rapaz alto, magro, simpático, que ensaia uma carreira de letrista compondo com Francis Hime e rascunha alguns poemas. Seus pais moram no famoso castelinho da rua do Russel, na Glória, onde festas barulhentas agitam a noite. João Vitório e Nelita vão parar, num sábado, em Petrópolis, numa festa na casa de campo de Lucinha Proença — a sra. Vinicius de Moraes.

Nelita, na exuberância de seus vinte anos, se mostra pouco entusiasmada quando lhe avisam que Vinicius é o dono da casa. Não lê poesia, não tem grandes simpatias pela figura pública do poeta e não tem nenhuma paciência com intelectuais. É uma moça comum. Estuda pedagogia na PUC do Rio, leva a vida metódica de quem tem um namoro sério e faz planos fantasiosos para o casamento. O mundo, com suas complicações, lhe escapa. O sentimento de indiferença por Vinicius aumenta. Talvez em demasia. Estamos em junho, quando sua prima Noelza Guimarães, tentando animá-la, a convida para uma festa em sua casa. É uma de suas melhores amigas. Uma mulher exuberante com quem Vinicius de Moraes tivera, então, um rápido flerte. O namorico dura três meses, em Petrópolis, bem sob o nariz de Lucinha Proença. É mais um dos ''casos secretos'' que tanto fascinam Vinicius. Noelza está, nesse momento, casada com o jovem banqueiro Helvécio Fernandes, herdeiro do Banco Novo Mundo. Teve uma paixão fulminante pelo poeta — tão fulminante que se evaporou.

Noelza ajuda, agora, a prima a se aproximar de Vinicius. Nelita vai à festa de Noelza, mas parece desligada, perdida em seus pensamentos, quieta a um canto com o olhar flutuando sobre os convidados. Vinicius, já encantado por ela, aproveita para se aproximar. ''O que está havendo contigo, menina?'', pergunta numa intromissão repentina nas divagações da moça.

Tem que ouvir a resposta que mais desejaria ouvir, mas que menos poderia esperar: "Não sei bem", ela diz, "mas acho que estou apaixonada por você". A própria Nelita se surpreende com o que diz. Os dois se encaram em silêncio. Dias depois, ela comenta com Noelza: "Foi uma mágica. Eu juro que não tinha previsto nada. Mas eu disse".

Os dois começam um amor cheio de mistérios. Vigiada pela família e pelo namorado, com quem ainda não teve a coragem de romper, Nelita arma um plano para seus encontros com Vinicius: diariamente, ao invés de assistir à última aula da manhã, sai às escondidas da PUC e se refugia no Parque da Cidade, um pequeno paraíso localizado alguns quarteirões acima da universidade. Vinicius também chega fugido — de Lucinha Proença e de um casamento já cheio de rachaduras. Passeiam camuflados como dois fugitivos, entre árvores espessas e caminhando por trilhas apertadas, cenário paradisíaco mas claustrofóbico que confere ainda mais glamour ao namoro. Tudo, exatamente, como Vinicius tanto gosta: o amor encoberto pelo segredo, como um furto.

O clima de suspense aumenta depois que, por acidente, um amigo de João Vitório flagra a traição. O namorado oficial de Nelita revela sua descoberta num discurso inflamado, desses em que ciúme e paixão se transformam num único sentimento. Nelita gela. É uma tarde nublada e os dois passeiam de carro pela floresta da Tijuca. A moça sabe que João Vitório, de fato, a ama. Por isso, se perturba mais ainda quando ouve a ameaça: "Se isso continuar, eu te mato. Te mato e me mato". Além de poeta mediano, mas de sensibilidade à flor da pele, João Vitório — para azar dele mesmo — é exímio praticante de tiro amador e tem em casa uma farta coleção de armas. A coincidência confere ainda mais densidade à fanfarronada do namorado ferido. O medo de Nelita, a essa altura vendo fantasmas por todos os lados, aumenta. A paixão, por reflexo, se adensa. Vinicius se entrega.

Uma madrugada, por cúmulo do azar, os três esbarram na saída da boate Jirau. João Vitório, fora de si, avança sobre Vinicius, que só consegue dizer: "Mas, rapaz, eu adoro as tuas poesias...". Do alto de seus cinqüenta anos, ele pode manter a pose e até parecer sincero. Amigos separam os dois fanfarrões. O poeta sente-se ainda mais apaixonado depois de cenas como essa, que beiram aqueles scripts melodramáticos encenados nos settings de Hollywood cuja carpintaria ele, em seus tempos de cônsul em Los Angeles, tantas vezes pôde presenciar pessoalmente. Mais apaixonado, mas também mais nervoso. Lamenta-se, certa vez, com seu parceiro Carlos Lyra: "Tudo está ficando cada vez mais difícil. Não sei mais o que fazer". Lyra, sem saber o que dizer e querendo testar a sinceridade da paixão pela qual o poeta se diz tomado, sugere: "Então, por que você não a rapta?".

Definitivamente imerso no clima de thriller, Vinicius toma a sugestão ao pé da letra e decide que é hora mesmo de fugir. Diante de uma xícara de café fumegante, começa a dar suas clássicas risadinhas, "Hi, hi, hi...", que em geral sinalizam o alívio diante de uma descoberta inesperada. ''Sabe que é uma grande idéia, parceirinho?''. Lyra — gelado — tem que ouvir. Mas fugir para onde? Tem vontade de pedir uma nova transferência de posto ao Itamaraty, mas teme que o xadrez metódico da instituição — que lida com os postos diplomáticos como pesos e contrapesos dispostos numa balança — lhe destine, agora, uma representação na África ou na Ásia. Não quer viver tão longe. Tomado pela paixão, já se vê em um consulado em Cingapura, ou em Abidjan, quando lhe oferecem Paris. Custa a acreditar que o destino lhe seja tão favorável, pois já se acostumou com a idéia de que, na paixão, ele quase sempre é o pior inimigo. Quando recebe o comunicado formal, ditado por um superior, não se controla e diz: ''Mas você tem certeza?''.

A fuga é tramada na obscuridade, com procedimentos bem medidos, como se fossem dois criminosos armando a escapada do presídio. Dia a dia, Nelita desvia uma ou duas peças de roupa para a casa de uma tia, Maria Amélia, que se torna assim a única testemunha da família. O compositor Carlos Lyra encarna o papel de anjo protetor: transmite recados, guarda bilhetes comprometedores, supervisiona encontros perigosos. Nelita, intimamente, não se sente tão segura dos sentimentos de Vinicius. Sabe o que quer, e o preço que deve pagar por isso, mas não sabe muito bem o que o poeta realmente quer. Um dia, trocando confidências com a amiga Lídia Nunes, recebe de presente um argumento gaiato, mas reconfortante: ''O pior que pode te acontecer é ele escrever para você meia dúzia de poemas e depois você se tornar famosa''. A amiga tem, sem saber, uma antevisão de *Para uma menina com uma flor*, livro que Vinicius publicará em 1966 pela Editora do Autor e que será escrito sob a força hipnótica da paixão por Nelita.

Vinicius se orgulhará em repetir ao longo de toda a vida que, de todas as mulheres que teve, Nelita foi a única que tomou a iniciativa de pedi-lo em casamento. O reverso desse orgulho não tem o mesmo charme: dias antes da fuga para Paris, ela confidencia a amigas íntimas que, em muitos momentos, pensa que ainda está apaixonada pelo namorado que abandonou. E que não sabe muito bem o que a leva a seguir Vinicius. Talvez seja a possibilidade de um casamento fora das convenções, despido dos rituais do noivado, do enxoval, dos convites formais e do vestido de noiva, o que mais a atraía. As amigas, criadas no imaginário amaneirado da classe média, com seus véus rendados e seus bolos de cinco andares, não podem aceitar esses argumentos. Não se abala. Deseja um casamento vivido não como uma cerimônia protocolar, mas como uma aventura. Ainda assim, com freqüência se pergunta: ''E se não for nada disso?''. Nelita, movida pelo enigma em que Vinicius se transforma, seduzida por seu charme misterioso, não pode mais voltar atrás.

Quando vai visitar a mãe para se despedir, Vinicius é obrigado a ouvir um desaforo carinhoso: ''Não fique pensando que qualquer um pode ser

Charles Chaplin'', ela adverte, pensando nos quinze anos de casamento que o diretor de *Luzes da ribalta* vive, a essa altura, com sua quarta mulher, Oona, filha do escritor Eugene O'Neill. D. Lidia, sem dissimular o mau humor, arremata: ''Sabe qual é a diferença entre vocês dois? Ele é riquíssimo, e você não''. A mãe acha que o filho não está mais na idade de se permitir rupturas radicais em sua vida pessoal. Sabe, de cadeira, que ao romper cada casamento não é só uma mulher que Vinicius costuma deixar para trás — mas toda uma vida, com tudo o que nela acumulou. Preocupa-se.

Na fuga com Nelita, Lyra, já escalado como motorista para guiá-los rumo ao Galeão, tem um problema de última hora: uma viagem repentina marcada para o mesmo dia, mas para muitas horas antes, rumo a Nova York, que o obrigará a chegar bem cedo ao aeroporto. O compositor Tom Jobim é, às pressas, convocado como motorista-reserva. Chega para apanhá-los de paletó, camisa aberta no peito, os cabelos em desalinho, como se uma tragédia o tivesse pego pelo caminho, de supetão. Vinicius não se controla: ''Nossa, parece que você vai a um funeral, não a um rapto''. Tom não reage, apenas ri. Minutos antes, em tom de blague, Lyra teve que ouvir de um conformado Tom Jobim: ''Pois é, aquele tiro que era para você, agora é para mim''.

Os escritores Otto Lara Resende e Fernando Sabino deixam em casa a alma mineira e fazem o papel de seguranças. Vão no mesmo carro, compenetrados, na escolta dos dois namorados. Já no saguão do aeroporto, Nelita tira da bolsa uma carta de despedida que deve ser entregue a sua família. ''Preciso que um de vocês a leve'', pede. ''Quero que seja entregue pessoalmente, para eu ter a certeza de que chegou.'' Ninguém quer ficar com a carta. Muito a contragosto, por fim, Otto a mete no bolso, com uma promessa vaga: ''Depois a gente decide quem leva''.

Apesar de o destino ser Paris, a passagem que Vinicius tem nas mãos — um presente de casamento de Renato Archer — os leva primeiro a Roma. Assim que afivela o cinto de segurança para a decolagem, Nelita, repetindo um tique infantil de que não consegue se livrar, leva as unhas à boca. Pela primeira vez na vida, porém, a compulsão lhe causa repulsa. Nunca mais roerá as unhas e passa a julgar que só depois do momento em que se sentou na poltrona daquele avião da Pan Air do Brasil se tornou de fato uma mulher. Perde ali, também, o apelido de Pudim, uma brincadeira de amigos de infância que Vinicius, para provocá-la, gosta de repetir. Sempre que fica ansiosa, Nelita começa a tremer. Passa o dia se preparando para uma viagem pontuada por calafrios. Agora se surpreende. Toma dois cálices de vinho e, relaxada, entra em sono profundo.

Desembarcam. Assim que chegam à embaixada do Brasil em Roma, Nelita recebe uma surpresa: um telegrama assinado pelo pai, Oswaldo Leite Rocha, então diretor de publicidade da Paramount no Rio, deseja felicida-

UM CONSELHO

D. Lídia (ao lado da filha Lygia
e da neta Susana) advertiu o poeta de que ele não devia
se comparar ao mulherengo Chaplin.

des ao casal. Os pais, não pode acreditar, suportaram a fuga e o casamento. Pouco depois, num desmentido somático de seu esforço para aceitar o que não consegue aceitar, o pai de Nelita entra em profunda depressão, emagrece quinze quilos e fica por um longo tempo afastado da empresa. A mãe, Nélia, mais conformada, passa a escrever regularmente para a filha. Vinicius se encanta com as cartas afetuosas que Nelita recebe da mãe e, tempos depois, chega a homenageá-las em uma crônica batizada ''Mãe e filha''. Um texto amoroso em que exibe seu sentimento de gratidão lembrando aos esquecidos que Nélia e Nelita, antes de serem nomes próprios, são denominações de plantas — nélia, de uma rosácea, e nelita, de uma leguminosa. A tempestade, apesar de tudo, fica para trás.

De Roma, vão antes a Túnis para visitar Susana de Moraes, agora sra. Rodolfo Sousa Dantas, embaixador brasileiro na Tunísia. Passam vinte dias em lua-de-mel. Voltam a Roma e viajam de carro até Florença, onde se hospedam por mais duas semanas na casa do tradutor Jean-Georges Rueff. Nuvens negras, porém, já rondam o casal. De volta mais uma vez a Roma para tomarem o avião rumo a Paris, Nelita vive uma experiência difícil, que depois se repetirá à exaustão: assiste, pela primeira vez, ao marido tomar um grande porre. Uma noite, Vinicius a leva para uma peregrinação pelos bares do Trastevere. A partir de certo ponto, preocupada, ela tenta convencê-

ABSINTO

Nelita e Vinicius foram viver junto em Paris, onde o poeta descobriu o Pernod — bebida preferida de Rimbaud, à base de absinto — e se entregou ao álcool.

lo a parar de beber. Não consegue. Por fim, o poeta — já quase fora de si — se deita numa calçada romana. Nelita, desamparada, senta-se ao lado dele em prantos. Vinicius não consegue sequer consolá-la, só consegue repetir: ''Vai para o hotel. Vai e me deixa aqui sozinho''. Pela primeira vez desde que decidiram se casar, ela volta a sentir medo. No dia seguinte, desperta com um telefonema da recepção do hotel. Alguém lhe mandou uma braçada de rosas. Faz subir. Não há qualquer identificação do remetente. Vinicius, no travesseiro ao lado, não segura uma ponta de sorriso a lhe escorrer, como o avesso de uma lágrima, pelo rosto. Repetirá, muitas e muitas vezes, esse método cinematográfico, mas precário demais, de reconciliação. O efeito, cada vez mais previsível, será sempre menor que o obtido na vez anterior. O grande sedutor começa a fracassar.

No fim da temporada em Roma, hospedam-se no Hotel Rafael, um endereço elegante vizinho à embaixada brasileira. O Itamaraty atravessa graves problemas e os diplomatas estão há quase três meses sem receber. As passagens para Paris estão compradas, mas, por alguns dias, enquanto aguarda o pagamento dos atrasados, Vinicius fica sem um tostão. Durante mais de quinze dias não saem do hotel, onde penduram as contas e as refeições. Vinicius reclama: ''Fomos seqüestrados. O Itamaraty nos seqüestrou''. Não há o que fazer, a não ser esperar. Numa das raras saídas, o poeta vai visitar uma amiga italiana, uma certa Francesca, pintora de vanguarda que foi amante de Harold Finn e só pensa em sexo. Avisa à mulher: ''Vá preparada. Ela tem a sala cheia de falos''. Batem à porta. A pintora os recebe vestida de preto, sem maquiagem, com ares solenes. Há velas acesas ao fundo, espalhadas sobre os móveis. Uma lâmpada vermelha e fraca destaca um crucifixo. O poeta pensa: ''Pronto, cheguei na pior hora. Acabou de morrer alguém''. É convidado a entrar. Na sala, em lugar dos falos em mármore, dos seios pintados a óleo, das esculturas em formas de coxas e quadris, imagens de anjos. As experiências eróticas cedem espaço a telas clássicas, que ilustram paisagens campestres. Os spots, a castiçais. ''O que aconteceu contigo?'', não pode mais se conter. ''Comigo? Nada'', ela diz. E, como Vinicius não consegue disfarçar o ar intrigado, ela completa: ''Eu me converti''. O poeta sai da casa da amiga pensando que os extremos, no fundo, sempre se parecem. ''É, a Terra é redonda'', comenta em voz alta. Nelita não tem a menor idéia do que passa por sua cabeça.

Quando, por fim, desembarcam em Paris, alugam de imediato um pequeno apartamento de quarto e sala. Apesar de apertado, ele passa a servir de abrigo temporário a muitos estudantes brasileiros, todos inquietos e espertos, que chegam à capital francesa à procura do futuro. Glauber Rocha, Gustavo Dahl, Cacá Diegues, Carlos Scliar, entre outros, passam várias manhãs emborcados no sofá da sala, depois de varar a noite bebendo e dissecando o mundo com o fogo de seus argumentos. Vinicius os acolhe sempre de braços abertos. O clima é de festa. Outras vezes, evoca os seminários que agitam os intelectuais nos salões da Sorbonne, onde festa e exibição intelectual se combinam numa química tipicamente parisiense. Nelita está apaixonada, mas se entedia.

Durante os porres do poeta, porém, as discussões do casal se tornam cada vez mais bizantinas. Numa delas, Vinicius exibe enorme irritação com o desinteresse de Nelita pelo álcool. ''Você não bebe'', reclama, para estupor da mulher. ''Você só gosta de comer biscoitos. E eu odeio biscoitos.'' O gosto de Nelita por doces e guloseimas de repente se torna um defeito inaceitável a entravar a relação. Porres costumam desaguar, quase sempre, em discussões estéreis — e estúpidas. Mas Nelita é uma moça inexperiente, que pela primeira vez está longe da família e, para se manter inteira — difícil ironia —, precisa aceitar o que não aceita. Os trinta anos de diferença entre os dois logo começam a pesar. Nessas horas de desencontro, Nelita cai em crises de choro intermináveis. Reage como uma criança, o que só irrita Vinicius ainda mais. Sem amigas a quem recorrer, se esconde em algum cinema. Às vezes, assiste a duas ou até três sessões seguidas de um mesmo filme. Foge. Nos raros telefonemas que dá para amigas distantes, confidencia: ''É como se eu fosse casada com duas pessoas. Um homem que não bebe, que é amável, cozinha para mim, me enche de carinho; outro que bebe, me leva a discussões absurdas, tira a vida para me irritar''.

Sem saber, descreve com precisão espantosa a dualidade que se instala na alma dos alcoólatras.

Vinicius tem plena consciência do que se passa. Procura dar conta da mulher, mas antes suportar a si mesmo. Tenta se distrair. Freqüenta o bar do Hotel Bellman, na rue François I. Lá se encontra com amigos de profissão e de vadiagem como Francisco Luís de Almeida Salles, que a esse tempo serve como adido cultural do Brasil em Paris. Nelita nunca está com ele. Vinicius dispara sucessivos telefonemas para casa, repetindo variações sobre um mesmo tema, que pode ser resumido assim: "Daqui a meia hora estou em casa". A cada meia hora, é claro, a promessa se renova. Terminam se encontrando, quase sempre, por volta das dez horas da noite para uma esticada numa boate. Nelita chega a se matricular num curso de letras na Sorbonne, mas não consegue assistir às aulas na manhã seguinte. Dorme sempre à beira do raiar do dia.

Começa a se irritar, também, com o paternalismo com que o marido a envolve. Com horários quase sempre trocados, Vinicius cultiva o hábito — irritante — de se comunicar com ela por meio de bilhetinhos. Cabe lembrar que o país parece, a essa altura, lançado em um abismo político, que teve sua origem no governo de Jânio Quadros, um mestre dos bilhetes concisos e dos comunicados em forma de bula. Num mesmo tom, entre o peremptório e o lacônico, o poeta assina preciosidades do tipo: "Não se esqueça de ir ao correio", "Tranque a porta do quarto antes de sair", "Lembre de pegar minhas roupas na lavanderia". Nelita se sente governada, e não amada. Razões práticas à parte, há algo mais distante daquilo que uma mulher tem o direito de esperar de um poeta?

2

O amor de Vinicius pelas mulheres, a essa altura, já tomou corpo, em definitivo numa canção que vem marcar a história da música popular brasileira: ''Garota de Ipanema''. A canção, composta em 1962 em parceria com Tom Jobim, lança em definitivo o poeta na trilha do sucesso internacional. A bela Heloísa Eneida Meneses Paes Pinto, musa inspiradora da canção, mora na esquina da rua Prudente de Moraes com a Montenegro — que muitos anos depois passaria a se chamar rua Vinicius de Moraes —, em pleno coração de Ipanema. Nessa esquina também fica o bar Veloso, a essa altura uma espécie de escritório do poeta.

Helô, sempre que pode, gasta as tardes quentes de verão na praia. Vinicius e Tom se acostumam a vê-la passar — e se encantam. Dizem gracinhas, assoviam, dizem bobagens, como qualquer paquerador padrão. Mas — eis a grande diferença — sabem transformar aquele encanto em arte. Algumas vezes, quando Helô passa em direção à praia, Vinicius, ao invés de dizer bobagens, emudece. Um dia, numa introspecção mais empolada e abstrata, tenta defini-la para Tom: ''Você notou que quando ela passa o ar fica mais volátil? Eu acho que nem os egípcios, nem o próprio Einstein saberiam explicar por quê''. Ali mesmo, na varanda do bar, entre uma piadinha boba e outra, compõem ''Garota de Ipanema''. A música, comparada ao que a dupla fez de melhor, não passa de uma doce bobagem de verão. Mas é essa leveza, esse descompromisso, essa gratuidade, heranças dos tempos sábios da Bossa Nova, que a transformam num sucesso internacional.

Pouco depois, ainda sem saber que é a musa inspiradora da música, Helô se encontra com Tom Jobim na praia. Tom é um rapaz bonitão a quem, a essa altura, o sucesso já livrou de qualquer resquício de timidez. Ele se aproxima de Helô e, sem medir as palavras, diz: ''Tenho uma paixão platônica por você. Você não quer casar comigo?''. A moça se espanta, mas não perde a pose. ''Você está brincando'', diz. ''Você é um homem casado e eu ainda sou virgem.'' Tom, de fato, está casado com Tereza Hermanny. Freqüentadores do Veloso já tentaram convencê-la, sem sucesso, de que ''Garota de Ipanema'' foi feita em sua homenagem. Tom se aproveita: ''Mas você não gostou da música?''. Helô continua impassível: ''Isso são coisas que vocês espalham por aí. A música não tem o meu nome. Você está louco''. Tom Jobim, vendo que perde o controle sobre uma situação que lhe parecia fácil, se exalta: ''Mas eu juro, ela foi feita para você. Fui eu quem fiz e sou eu quem está dizendo!''. Helô vira as costas, não sem antes enfatizar: ''Isso é uma boa duma mentira. Eu não acredito''.

Numa tarde, quando volta para casa metida em seu uniforme engomado do Colégio Juscelino Kubitschek, uma escola para normalistas localizada no centro velho do Rio, Helô é abordada pelo fotógrafo e vizinho Yllen Kerr. ''Helô, fizeram uma música pra você'', Kerr comunica todo animado. Ela faz um gracejo, pensa que é mais uma brincadeira tola de Kerr e só lhe dá atenção quando o fotógrafo lhe pede: ''Por favor, acredite. Eu preciso até fazer umas fotos de você. Apareça lá no estúdio assim que puder''. Yllen Kerr antevê, com clareza, o sucesso que a aguarda. Faz as fotos dias depois, e elas acabam publicadas, mais tarde, na revista *Senhor*.

Na mesma época, Ronaldo Boscoli, outro amigo inseparável de Vinicius, é encarregado de fazer uma reportagem de capa para a revista *Fatos & Fotos*, revelando a verdadeira identidade da ''Garota de Ipanema''. Vinicius e Tom se aborrecem. Acham que é cedo demais para a revelação. E que, no momento adequado, a tarefa deveria caber a eles. A reportagem é publicada. O poeta chega a procurar Ronaldo para reclamar: ''Como é que você divulga na nossa frente?''. Ronaldo Boscoli lhe responde o óbvio: ''Eu fui mais esperto''. Vinicius não tem como contestá-lo.

Um dia, Boscoli, mais afoito e mais galanteador, decide abordar Helô na rua. ''Garota de Ipanema'' já toca no rádio, mas ela ainda não consegue acreditar que seja, realmente, sua musa inspiradora. Boscoli lhe dá a notícia. É amigo íntimo de Vinicius e de Tom, não pode estar mentindo. Ela agora é obrigada a acreditar. Sua vida, desde então, muda. Torna-se o paradigma internacional da mulher carioca. Por meio dela, Ipanema se projeta, em definitivo, no exterior. Transforma-se numa palavra mágica aos ouvidos dos estrangeiros. Quase um sinônimo, moderno, de Brasil.

A família da moça entra em pânico. Sua mãe, d. Eneida, vem reclamando que a filha passa tempo demais na praia ao invés de se dedicar mais aos estudos. Quando se espalha a notícia de que Helô é a musa inspiradora de ''Garota de Ipanema'', d. Eneida decide tomar uma atitude. Procura o marido, Juarez Pinto — um militar alagoano de formação conservadora, que viria a exercer, durante o regime militar, o papel de censor do semanário *O Pasquim* —, e revela a triste novidade. Expõe o seu medo: ''Ele tem filhas com a idade da Helô. O que esse homem quer afinal?''. Passam a ter certeza de que Vinicius, repetindo a si mesmo, está apaixonado por sua musa. E que, como sempre, será capaz de tudo para realizar seus desejos de amor. A música é, apenas, sua primeira ousadia.

Helô, na verdade, é uma moça comum. Apesar das reclamações da família, é muito estudiosa. Nas horas de folga, se exila na praia. Não é uma

A GRANDE MUSA

Na varanda do bar Veloso, em Ipanema, o poeta se inspirou em Helô Pinheiro para compor (com Tom Jobim) "Garota de Ipanema". Diante dela, o ar se tornava mais volátil.

menina boba, dessas que passam as manhãs estiradas na areia pensando apenas em se bronzear. Vai à praia sobretudo para jogar vôlei. É uma atleta mediana. Aos quinze anos, começa a namorar firme o estudante de engenharia metalúrgica Fernando Abel Mendes Pinheiro, que depois será seu marido. Torna-se, então, Helô Pinheiro.

Em 1965, durante um show de Vinicius e Tom no Clube Leblon, o poeta, ao notar a presença de Helô na platéia, fala ao microfone para o parceiro: ''Vamos tocar 'Garota de Ipanema', mas não vamos encostar nela, porque o namorado está aí e ele é um tremendo de um armário''. Helô se casa no ano seguinte. Tom e Vinicius recebem os convites para a cerimônia. O poeta está em Cannes e, sem qualquer constrangimento, numa franqueza que é bem do seu estilo, despacha um telegrama dizendo: ''Estarei mais algum tempo na França. Sugiro adiamento casamento. Vinicius''. Não é só uma tirada de humor. Às vezes o poeta acredita, realmente, que o mundo gira em torno dele. Tom Jobim aceita o convite para ser o padrinho. Mas, assim que é convidado, não se furta a uma observação realista: ''Aceito, mas é bom você tomar cuidado. Todos os casamentos em que sou o padrinho acabam não dando certo''. Helô fará bodas de prata, o agouro não se cumprirá. No início do casamento, porém, ela é obrigada a suportar muitas cenas de ciúme do marido. ''Eles vão querer tirar você de mim'', ele diz sempre que o sucesso da mulher o ameaça.

Helô Pinheiro nunca mais deixará de ser a Garota de Ipanema. Torna-se garota-propaganda, participa como atriz — de talento duvidoso — em novelas da TV Globo e da TV Bandeirantes, transforma-se em apresentadora de programa de variedades. Faz sucessivas viagens ao exterior para participar de shows de auditório, musicais, ou simplesmente dar entrevistas. Nunca mais será apenas Helô Pinheiro, mas para a maioria será somente a Garota de Ipanema. A personagem criada por Tom e Vinicius a ultrapassa. Só lhe resta, em definitivo, incorporá-la.

O cineasta Leon Hirszman, na trilha do sucesso de ''Garota de Ipanema'', decide — num procedimento invertido, incomum na história do cinema — transformar a música em filme. Eduardo Coutinho é convidado para escrever o roteiro. Não pode imaginar a confusão em que está se metendo. O sempre tumultuado Glauber Rocha, ao saber do projeto de Hirszman, resolve, por sua conta e risco, ser também o roteirista. Em uma só noite, escreve um roteiro de aproximadamente vinte páginas datilografadas. Leva-o a Hirszman. A confusão se instala: agora o filme tem dois roteiristas. Três meses depois, Leon Hirszman começa as filmagens — a partir do roteiro de Coutinho. Tenta pôr ordem na casa. Não conseguirá.

Chega o momento de escolher a atriz para o papel principal. Um concurso público é aberto. Cerca de 120 meninas se inscrevem. Submetem-se a testes de fotogenia, desembaraço e conversação. Oito delas são selecionadas para um teste final de interpretação com o diretor Luís Carlos Maciel, no Teatro de Arena. Uma delas se chama Márcia Rodrigues. Namora o diretor de teatro Nelson Xavier. Tem dezessete anos e, desde o início da seleção, sente mais medo que vontade de ser a escolhida.

Tem uma curtíssima experiência em cinema. Participou rapidamente de *El justicero*, de Nelson Pereira dos Santos, e fez uma ponta ainda mais insignificante em *Todas as mulheres do mundo*, de Domingos de Oliveira. As finalistas são levadas à piscina do Copacabana Palace para uma sessão de fotografias e, no mesmo dia, são apresentadas a Vinicius. Alguns dias depois, ela recebe um telefonema da produção do filme, convidando-a para um jantar na cobertura de Vinicius de Moraes, na rua Diamantina, no Jardim Botânico. A explicação: naquela noite, as finalistas serão apresentadas ao poeta. Mas já não tinham sido?

Quando chega, fica ainda mais intrigada: nenhuma das outras está presente. Arrasada pela timidez, pede a Nelita que a acompanhe ao banheiro. Quer desabafar, mas não consegue. Quando volta para a sala, todas as lâmpadas da casa estão apagadas e há um enorme bolo sobre a mesa. ''Alguém está fazendo aniversário e não me avisaram'', pensa. Sente-se ainda mais deslocada. Vinicius é o primeiro a não conter o riso. Nelita, Leon, Eduardo Coutinho o acompanham. Alguém põe na vitrola uma gravação de ''Garota de Ipanema''. Só agora a ingênua Márcia entende que é a escolhida. Leva um grande susto. Considera-se meio desengonçada, muito alta e magra demais para ser escolhida como uma mulher-símbolo. Ainda por cima, usa um desagradável aparelho corretivo nos dentes!

Depois, mais calma, confessa a Nelita: ''Sempre fui dessas de tomar chá de cadeira em festinhas. Juro que não entendo por que me preferiram''. Ao saber que a auto-estima de Márcia anda em baixa, Vinicius, dias depois, a chama para uma conversa séria. ''Quem entende de mulher aqui sou eu!'', ele diz. ''Você pode se achar feia. Mas corresponde inteiramente à minha receita de mulher.'' Assim que chega em casa, de madrugada, Márcia vai à estante e relê o famoso poema. Ainda não se reconhece na maioria daqueles versos. Pensa se ver em alguns, como: ''É preciso que as extremidades sejam magras; que uns ossos/ Despontem, sobretudo a rótula no cruzar das pernas, e as pontas pélvicas/ No enlaçar de uma cintura semovente''. Não sabe que Vinicius viu nela ''a eterna dançarina do efêmero''. Aquela que ''em sua incalculável imperfeição/ Constitua a coisa mais bela e mais perfeita de toda a criação inumerável''. Dorme em absoluta paz.

Pouco antes do início das filmagens, Vinicius convida o grupo mais íntimo para uns dias de descanso antecipado e reflexão em Friburgo. Bebe o tempo todo. Está com medo. As filmagens duram três meses — entre o fim de 66 e os primeiros meses de 67. Uma das cenas é rodada em pleno réveillon. Amigos do poeta, completamente inexperientes na arte de interpretar, são convidados para pequenos papéis. Resistem, mas acabam aceitando. João Saldanha faz o papel de pai de Márcia Rodrigues. Rubem Braga e Fernando Sabino são dois tios da moça. Num intervalo, após uma cena em que dialoga com o pai e os dois tios enfiada num sumário — para a época — biquíni, Márcia reclamará com uma amiga: ''Não gostei dessa cena. Os três me olharam com cara de tarados, e não de parentes''.

Muitos amigos são convidados para assistir às filmagens de *Garota de Ipanema,* em parte rodado no apartamento do casal no Jardim Botânico. O setting vira uma grande festa. A produção marca o horário padrão de meio-dia para o início das tomadas. Jamais começam antes do anoitecer e se estendem sempre até a madrugada. Eduardo Coutinho incorpora o hábito de ver o dia amanhecer, enquanto rascunha as cenas a serem rodadas no dia seguinte. Tudo é muito desgastante. Hirszman e Vinicius logo se cansam do entra-e-sai de penetras, os ataques desordenados que os figurinistas fazem ao guarda-roupa de Nelita em busca de modelos que sirvam nas atrizes, o empurra-empurra de móveis. Hirszman, pela primeira vez em sua carreira, tem a sensação de que perde o controle sobre o filme — a vaga impressão de que tudo acontece à sua revelia. O filme é rodado no caos.

Márcia passa todo o tempo deslocada. Lida com pessoas bem mais velhas — quase mitos. Tensa no intervalo de uma tomada, confessa a Leon Hirszman: ''Não consigo deixar de sentir vergonha''. O cineasta a interroga: ''Mas vergonha de quê?''. Ela admite: ''Vergonha de ser criança''. Depois do dia de trabalho, Vinicius sempre a convida para acompanhá-los a um bar. Uma vez, o poeta telefona para ela, de surpresa, diz que a está esperando no Antonio's. ''O Chico Buarque está aqui comigo'', exibe-se. Márcia explica que não pode ir porque tem consulta marcada com seu analista. ''Que análise o quê! Vai me trocar por uma terapia?'', reage, sem sucesso. Na maior parte das vezes, aceita o convite. Tempos depois, confessará a Nelita: ''Ele me ensinou a arte da delicadeza e da galanteria''. Faz uma pausa e começa a rir. Prossegue: ''E me ensinou também a escovar os dentes e a língua. Dizia que era assim que se acabava com o mau hálito''. Vinicius, a essa altura, já se julga um Mestre em Hipocondria. O título que confere a si mesmo o autoriza, imagina, a prescrever todo tipo de receita: de procedimentos dentários ao trato de uma febre. No dia em que transmite a Márcia, pacientemente, a arte de escovar os dentes, para que ela não se encabule, faz a ressalva: ''O Chico Buarque também aprendeu a escovar os dentes comigo''.

Ao fim do último dia de filmagens, Leon Hirszman se aproxima do roteirista Eduardo Coutinho e confessa que está tomado por um sentimento insuportável de fracasso: ''Esse filme devia ter outro nome. Devia se chamar *A garota esquizofrênica de Ipanema*. Faria muito mais sentido'', diz, pensando na loucura que reinou, do princípio ao fim, durante as filmagens. Eduardo Coutinho se apressa em admitir, também, sua decepção. ''A verdade é que essa história, desde o princípio, não me despertou nenhuma paixão'', confidencia ao amigo. Leon Hirszman admitirá, mais tarde, que *Garota de Ipanema* é seu pior filme. Estava certo. O filme é lançado em 1967, no Cine São Luís, no Rio. Os cartazes vêm assinados por Glauco Rodrigues. É um fracasso de bilheteria. Márcia Rodrigues, apesar disso, começa uma carreira de atriz internacional. Em 68, atua na produção italiana *Álibi*, contracenando com Vitorio Gassman e Luciano Luciagniani, inédita no Brasil. Depois, participa do elenco de *Matou a família e foi ao cinema*, o clássico do ''cinema marginal'' brasileiro, dirigido por Julio Bressane.

Das filmagens de *Garota de Ipanema* restam recordações de sabor caseiro, muitas vezes de gosto duvidoso, mas inesquecíveis. Vinicius, nos intervalos das tomadas, sempre aparece com uma história diferente para distrair a equipe. Uma das que faz mais sucesso — do gênero escatológico — relata uma viagem de bonde que teria feito, em passado remoto, com uma velha tia. No meio do caminho, a respeitável senhora tem uma vontade premente de ir ao toalete. O motorneiro, num gesto impensável nos dias de hoje, pára o bonde em frente a um botequim de esquina e a espera. O banheiro está muito escuro, sensação que aumenta em contraste com o sol forte do meio-dia. A velha senhora se acomoda. Está concentrada em suas funções quando a porta se abre. Entra um negro de quase dois metros de altura, a respiração ofegante de quem vem às pressas, as calças semi-abertas para urinar. Já não é preciso dizer o que acontece. Vinicius, compungido, leva a doce titia dali direto para um bom chuveiro. Sempre que termina de relatar suas aventuras, alguém lhe pergunta: "Mas, Vinicius, vem cá... Isso aconteceu mesmo?". Dá seu risinho maroto: "Hi, hi, hi!". Muda de assunto. Esses relatos confirmam, para muitos, a fama do poeta decadente e desbocado. Ele sabe disso, mas não se sente atingido. "Como é que pode, o autor do *Orfeu* metido numa sujeira dessas?", comenta-se, à boca pequena. Não se importa. Não se permite essas exibições de mau gosto em presença de Nelita. Sabe que ela o odiaria. Foge, mais uma vez. Esse parece ser seu destino: tem a alma tão fragmentada, o espírito tão múltiplo que — porque ninguém, nem ele mesmo, se suporta inteiro — precisa estar sempre afastando-se de si mesmo. Isso o torna um mestre na arte de fugir.

3

Desde que começa a compor com o violonista Baden Powell, em meados de 1962, Vinicius acelera uma importante virada em sua carreira musical. O novo parceiro o põe em contato com os ritmos baianos, a influência africana e os ritos do candomblé. Marcas de renovação que convergem para melodias impensáveis na parceria Vinicius-Tom Jobim, como ''Berimbau'' e o ''Canto de Ossanha''. Baden defronta o poeta com uma cultura mais primitiva, um universo encantado em tudo diferente daquela cultura de classe média em que a Bossa Nova floresceu. Vinicius se apaixona pelo que não tem — e começa uma árdua luta interior para se ultrapassar. Baden Powell é seu guia.

O violonista começou a carreira tocando em igrejinhas do interior fluminense. Candidatou-se várias vezes no programa de calouros do severo Ari Barroso. Estudou violão clássico e, desde cedo, mesclou a influência da cultura erudita com os ritmos soltos da tradição afro-brasileira. Tornou-se conhecido depois de batalhar por longo tempo como instrumentista da boate Plaza, em Copacabana. O poeta foi ouvi-lo uma noite e, magnetizado, marcou um encontro para o dia seguinte no Hotel Miramar.

Depois de se tornarem parceiros, começam a compor obsessivamente. A parceria é inaugurada com quatro sambas, feitos por encomenda da cantora Angela Maria. O mais famoso deles é o ''Samba da bênção''. Atravessam noites em claro, trancados num quarto, sorvendo uísque e debruçados sobre um violão. Vinicius o quer sempre a postos. Convoca-o para reuniões inesperadas, como o dia em que, num telefonema, exige: ''Preciso te ver imediatamente''. Baden, paralisado, replica: ''E onde eu vou?''. Vinicius, tranqüilo, dita: ''Anote meu endereço: estou na Gávea, na Clínica São Vicente''. O poeta se recupera de uma ''estafa'' — definição genérica com que encobre seus cada vez mais freqüentes problemas com o excesso de álcool. Baden parte para a clínica. Atravessam longas tardes compondo, entre vidros de remédio e seringas de injeção. O improviso vigora. A canção ''Formosa'' nasce numa cabine do trem noturno Rio—São Paulo. Estavam no vagão-bar sorvendo um uísque quando Baden diz: ''Estou sentindo uma coisa no ar''. Vinicius não deixa uma só chance escapar: ''Então vamos compor. Vamos para a cabine''.

O FANTASMA DE CHOPIN

Depois de comporem o "Samba em prelúdio", Baden confessou ao poeta: "Não sei não, mas acho que plagiamos Chopin".

Certa vez, atravessam a madrugada compondo um samba. Ao amanhecer, diante de três garrafas de uísque vazias e da partitura pronta do ''Samba em prelúdio'', Baden — constrangido — diz: ''Não sei, não, parceiro, mas acho que plagiamos Chopin''. Para resolver a dúvida, o poeta decide acordar Nelita, que dorme no quarto ao lado. Mesmo tomada pelo sono, a mulher ouve a melodia. Depois, convicta, afirma: ''Não, não é Chopin''. Volta a dormir. Vinicius, visivelmente aliviado, retorna à sala e anuncia ao parceiro: ''Não, não é dele. Mas se ele não compôs, é porque esqueceu de fazer''. Não esconde uma ponta de orgulho. A parceria com Baden Powell ganha, a seus olhos, o status de atestado de maturidade musical. Agora pode fazer tudo. Nada mais o prende — nem mesmo a Bossa Nova.

Em outubro de 1963, mês em que completa cinqüenta anos, Vinicius parece ter chegado ao apogeu. É, portanto, quase trinta anos mais velho que Nelita. Goza as glórias de sua fase madura. Nelita se torna, com sua pureza de menina e sua fragilidade, a musa ideal para aquele homem já assustado com o fantasma da velhice. O poeta recupera, por meio dela, uma parte da imagem virginal, quase perfeita, de mulher que procurou na juventude. A delicadeza e a inocência de Nelita o encantam. Ela é a fonte de inspiração para músicas que se tornarão famosas, como ''Minha namorada'' (''Se você quer ser minha amada/ Minha amada, minha amada pra valer/ Aquela amada pelo amor predestinada/ Sem a qual a vida é nada/ Sem a qual se quer morrer''), em parceria com Carlos Lyra, e ''Ela é carioca'' (''Ela é meu amor, só me vê a mim/ A mim que vivi para encontrar/ Na luz do seu olhar/ A paz que sonhei''), composta com Tom Jobim. Nelita inspira Vinicius, também, na escrita de belos poemas. ''A brusca poesia da mulher amada'', por exemplo, foi feito para servir como declaração de amor — Nelita o recebeu de presente em um dos primeiros dias de namoro. O ''Soneto da rosa tardia'' foi escrito depois de uma briga, como arma de reconciliação.

É um período, também, de novas experiências. Vinicius se dedica nesse ano a uma missão inédita: escreve a letra da música-tema de *A morta sem espelho*, novela baseada em uma história de Nelson Rodrigues que é exibida pela TV Rio. A grande estrela é Fernanda Montenegro e a produção enfrenta os muitos perigos dos tempos arcaicos da TV ao vivo. A música, jamais gravada em vinil, é composta por Baden Powell. A letra de Vinicius de Moraes deve ser considerada no mínimo um exotismo em sua carreira de artista plural. Serve de marca inicial para experiências bem mais sólidas que viverá na televisão, já nos tempos da TV em cores, durante os anos 70. É um exercício sobre um desses temas lúgubres, que tanto o fascinam desde a juventude, bem ao estilo da literatura gótica.

A MORTA SEM ESPELHO

Na ilha dos mil rochedos
Um crime foi cometido
Por descobrir seus segredos
Um marido enlouquecido

Um marido enlouquecido
De sua mulher culpada
Cortou o fio da vida

Foi a morta estrangulada
Na sala dos mil espelhos
Em meio a sedas e alfaias
Entre os rubros reposteiros

Entre os rubros reposteiros
Ouviu-se um grito, mais nada
Pensaram que era o vento

Uma casa tem mil olhos
Para ver coisas escuras
Tem ruídos de ferrolhos
Buracos de fechaduras

Buracos de fechaduras
Tem passos subindo a escada
Corredores às escuras.

Traz, para os analistas mais atentos, o fio condutor do pano de fundo fantasmagórico que, sob disfarces diversos, percorre de ponta a ponta a obra do poeta. Vinicius é, na verdade, apesar do estilo franco e da simpatia extremada, um homem enigmático. Nelita, mesmo com sua insegurança de menina, tem infindável paciência para acompanhar suas tempestades interiores. Às vezes, ela o vê tão turbulento que se pergunta se, de fato, o que o poeta sente por ela é uma forma de paixão. Ou de doença. Em Paris, Vinicius passa a se embriagar tomando fartas doses de Pernod — a bebida à base de absinto de que Verlaine e Rimbaud arrancavam seus versos. Bebe quase uma garrafa, sozinho, em apenas uma noite. Nelita, nos momentos mais graves, reclama: ''Vinicius, vê se acaba com isso!''. Ele se limita a responder: ''Ainda não, Nelitinha. Ainda não cheguei aonde queria chegar...''. A mulher descobre, aos poucos, o que ele quer dizer com isso: Vinicius bebe, basicamente, para chorar. Chora longas horas, derrete-se em lágrimas, alivia-se — ela não consegue saber exatamente de quê. Mas é para isso que bebe, para gerar lágrimas. Quando Nelita tenta dividir com amigos sua perplexidade, quase sempre é tomada como uma mulher hipersensível. Vinicius vive do mito do homem eternamente feliz. O que é o ''poetinha'', senão isso?

Melhora da angústia quando se envolve com o trabalho. Quando Glauber Rocha vai a Cannes, em 1964, apresentar o seu *Deus e o diabo na terra do sol*, é Vinicius quem faz a tradução das legendas para o francês. Versão, o próprio Glauber admitiria depois, ''superior ao texto em português, por ser muito mais poética''. O cineasta Cacá Diegues, que também está em Cannes, segue depois para Paris e passa um mês hospedado com o poeta, que anda arrasado com o golpe militar no Brasil. O crítico de cinema paulista Almeida Salles e o jornalista-correspondente Novaes Teixeira são, nessa temporada de lamentações políticas, companheiros inseparáveis do poeta. Baden Powell, que também está morando na capital francesa, é outra companhia freqüente.

A imagem que Vinicius e Nelita passam aos amigos é de uma eterna lua-de-mel. Mas as coisas não se dão bem assim. O casal atravessa longos períodos de estremecimento, em que a mudez predomina sobre o amor. Há, não é preciso dizer, momentos intensos de paixão. Com Lucinha Proença se passava algo semelhante: a paixão era eletrizante, mas o choque por ela produzido muitas vezes se convertia — numa reversão inexplicável — em pavor. A vida na França, de todo modo, é divertida. Não faltam momentos para Vinicius exercitar seu humor. Numa noite de 1964, após a apresentação de *Deus e o diabo na terra do sol* e *Vidas secas* no Festival de Cannes, Cacá Diegues e Luís Carlos Barreto combinam com Baden Powell uma pequena reunião, com seis ou sete pessoas no máximo, no apartamento do compositor. Para surpresa geral, quase quarenta "convidados" lotam, de repente, o tímido apartamento (um sala-quarto-banheiro-cozinha) de Baden. A confusão se instala, mas o pior ainda está por acontecer. Primeiro, Vinicius chega acompanhado da atriz francesa Mylene Demongeot, uma celebridade internacional, tida pelos especialistas em cinema como a sucessora natural de Brigitte Bardot. Mylene está na crista da onda e não perde uma chance de chamar a atenção. Todos os homens presentes ficam boquiabertos diante daquele monumento de carne. Seus "oui" ou "non" bastam para provocar longos suspiros. As mulheres, evidentemente, se contorcem de ciúme.

Baden e Vinicius são os que mais paparicam a ilustre visita. O primeiro, tomado pela sensualidade da atriz, passa a se dirigir à mulher, Heloísa, mais ou menos nos seguintes termos: "Helô, traz um uisquinho pra Mylene. Helô, traz um salgadinho pra Mylene. Helô, traz um copinho de gelo pra Mylene". Vinicius, entusiasmado, faz parceria com ele. Não podem sequer desconfiar da reação que Heloísa está tramando. De repente, a mulher de Baden se dirige à cozinha e, com a maior tranqüilidade, começa a jogar pratos, copos, cinzeiros, panelas e talheres para o alto, para as paredes laterais e também para a janela. Repete cada gesto lentamente, enfatizando o aspecto teatral, a simulação de uma tragédia. Promove um barulho ensurdecedor e ninguém tem coragem de interrompê-la em sua performance.

Sem uma palavra, a sala se esvazia — todos se vão de fininho. A loura Mylene é uma das primeiras a fugir. Vinicius sai completamente sem jeito e nem tenta se despedir de Heloísa. Baden, depois, procede como um cavalheiro. Nem sequer toca no assunto com a mulher, embora não consiga disfarçar seu constrangimento. Vinicius, antes de sair, ainda o ajuda — caridoso — a recolher cacos de vidro e estilhaços de louça espalhados pelo chão e a limpar precariamente algumas paredes. Tornam-se, de súbito, dois cavalheiros. O escândalo os domestica. Heloísa, com a alma lavada, mantém a pose de durona por vários dias.

Nelita também não é uma mulher de levar desaforo para casa. Uma noite, num baile de gala promovido pelos organizadores do Festival de Cannes, ela se irrita com uma mulher brasileira, Helena — ex-namorada de Pedro de Moraes —, que parece se insinuar para o ex-sogro com leves sorrisos e gracejos. Não se atém a etiquetas, nem procura confirmar, primeiro, sua má impressão. Levanta-se, atravessa o salão com toda a disposição e desfere um tapa, leve mas agudo, no rosto da intrusa. Há um princípio de tumulto, logo contornado. Após a cena, em meio a intelectuais, atores famosos e cineastas nervosos, Nelita volta para a companhia de Vinicius, serena e elegante, como se nada tivesse acontecido. Durante muitos anos, Vinicius se orgulhará de relembrar esse episódio. Relata a história com detalhes, sempre um tanto coloridos conforme o gosto do interlocutor, e arremata: "Nelitinha é minha heroína".

É 1963, por fim, o ano do nascimento — ao menos para o grande público — de um Vinicius de Moraes mais politizado. A marca dessa virada se dá certa noite, em São Paulo, quando lê seu poema ''O operário em construção'' para um Teatro Paramount lotado. É um ano em que o país não pensa praticamente em mais nada, a não ser em política. Mesmo vivendo na França, Vinicius dá uma demonstração, com a leitura pública desse poema — que guarda, de fato, uma impressionante força ideológica —, de que é um homem apaixonado, também, pelo seu país.

4

Em 1964 — ano tortuoso para todo o Brasil — Vinicius regressa definitivamente de Paris. A cortina de medo sob a qual o regime militar recém-instaurado tenta esconder o país tem, no poeta, um efeito paradoxal: é em 64 que ele, ainda mais desiludido com a carreira diplomática, pois a idéia de representar no exterior um regime autoritário o constrange, dá a partida no ofício, bem mais glamouroso, de showman. Na boate Zum Zum, na rua Barata Ribeiro, participa de um show histórico ao lado de Dorival Caymmi e de Oscar Castro Neves, sob a direção competente de Aloísio de Oliveira. Espetáculo que marca também a estréia do Quarteto em Cy.

As quatro irmãs do Quarteto em Cy já tinham feito uma espécie de pré-estréia no mês de junho, no Bottle's Bar, um night-club escondido no beco das Garrafas — uma pequena travessa sem saída da rua Duvivier, em Copacabana, ocupada também pelo Little Club e pela boate Bacarat, que serviu de berçário para a Bossa Nova. Mas ainda estavam meio escondidas atrás de Rosinha de Valença e do Copa Trio, de Dom Um, Salvador e Gusmão. Agora, na Zum Zum, é para valer. Vinicius não está, a princípio, escalado para o show. Numa reunião na casa de Dorival Caymmi, poucas semanas antes da estréia, ele — já tentado pelo charme dos holofotes — se oferece para fazer as vinhetas do espetáculo. Caymmi se empolga e o poeta acaba reformulando toda a concepção do show. Não faz esse esforço por acaso: já guarda consigo a idéia fixa, agora acirrada pelo desencanto com a carreira diplomática, de se tornar um showman. É convidado, por fim, a participar do espetáculo e não perde tempo fazendo charme — aceita de imediato.

O show fica em cartaz cinco meses. É um sucesso. Vinicius se apaixona de vez por Caymmi. Numa entrevista, um repórter sem assunto lhe pergunta: ''Você é sábio?''. Sem vacilar, responde: ''Sábio é Dorival Caymmi''. Passa a usar a frase como um bordão que o protege dos riscos da vaidade. Sabe que as luzes, tantas vezes, ao invés de iluminar, cegam. O show volta ao cartaz em fins de 65, entrando pelo verão de 66. A essa altura, Vinicius já anda às turras com o embaixador Manoel Pio Corrêa, um diplomata severo que ocupa o cargo de ministro interino das Relações Exteriores. Pio Corrêa é um conservador, homem de idéias rígidas e disciplinadas, que já ocupou o posto de embaixador do Brasil na Cidade do México e em Mon-

PARCEIROS FALANTES

Ao lado de Dorival Caymmi, nas noites da Zum Zum, Vinicius passou a pontuar o repertório com pitadas fartas de anedotas e de conversa mole.

tevidéu, além de ter sido o relator da Conferência Mundial dos Trabalhadores de 1949. Passará quase um ano no cargo de ministro interino, até ser designado, em 67, para a embaixada do Brasil em Buenos Aires. Nesse período, exerce severa vigilância sobre Vinicius de Moraes, irritado com sua dupla identidade de diplomata e showman — combinação que a mente monolítica de Pio Corrêa considera inaceitável.

O poeta não perde uma chance de se vingar. Na Zum Zum, aproveita os intervalos entre as músicas para ruminar longas e dispersas lorotas com Dorival Caymmi — criando um estilo de pontuar o repertório com pitadas de conversa mole que marcará, para sempre, seu modo de atuar. Diz bobagens, conta piadas ingênuas ou estúpidas, mas aproveita para desfiar algumas entrelinhas de maldade. Pio Corrêa se torna sua vítima favorita. Pode-se dizer que o enfezado embaixador se transforma na matriz de um modelo de Judas que o poeta passará a evocar no palco, como catarse, ao longo de toda a carreira. Não podemos esquecer que o regime militar, com sua severidade, já começa, a essa altura, a estimular o uso corriqueiro de figuras de linguagem antes restritas à literatura. Metáforas, metonímias, zeugmas e assemelhados passam a ser, por força do medo crescente, instrumentos de defesa do cidadão. Na primeira vez em que se refere em cena ao ministro, o poeta — um velho admirador das piadinhas de duplo sentido — se vira para Caymmi e relata, com um ar entre o engraçadinho e o sonso: ''Pois é, meu Caymmi. Ontem eu fui à feira com a Nelitinha e compramos lindos pintinhos amarelos. Lindos, mas eles são uns ingratos''. Dorival Caymmi, com o ar mais desorientado que consegue simular, pergunta: ''Mas ingratos por quê, meu Vinicius?''. Ele mantém o tom aparvalhado e, sem alterar o ritmo sonolento de quem relata um caso corriqueiro, diz: ''Eles passam o dia atrás da gente dizendo: 'Pio, pio, pio'. Não é uma maldade?''. A platéia, vingada, vem abaixo.

Vinicius, como quer provocar mais ainda esses diplomatas ranzinzas, passa a assinar crônicas sobre música popular no *Diário Carioca* e se torna cronista semanal da revista *Fatos & Fotos*. Começa a trabalhar freneticamente, arremessando projetos para todos os lados. A disparidade de planos e idéias termina sendo simétrica ao volume de impasses e de fracassos. Vinicius entra numa fase compulsiva, em que os projetos brotam a cada dia, desatinados, deixando sua mente excitada e distraída. Apronta a peça *Chacina em Barros Filho*, que vinha escrevendo desde 1961 e que define como uma ''tragédia-pau-de-arara''. Ela é premiada num concurso promovido pelo Instituto Nacional de Teatro. Tenta negociar uma primeira encenação em São Paulo e chega a convidar o ator Lima Duarte para o papel principal, mas o projeto não avança. Discute com Adolfo Bloch a possibilidade de que o Teatro Manchete, na praia do Russel, cujas obras estão praticamente prontas, venha a ser inaugurado com a montagem do espetáculo. Nada acontece. *Chacina em Barros Filho*, inspirada num caso real que tomou por algum tempo as manchetes dos jornais cariocas, conta a história de uma família de retirantes nordestinos que se instala numa favela do Rio para buscar a felicidade mas acaba encontrando a tragédia. A peça só será montada em 1974, na Bahia, em versão adaptada, com o título de *As feras*. Será dirigida por Álvaro Guimarães e encenada num galpão abandonado da rua Banco dos Ingleses. Fica apenas uma semana em cartaz e tem produção da sétima mulher de Vinicius, a baiana Gesse Gessy. O poeta discute ainda com o cineasta Leon Hirzman uma versão de *Chacina em Barros Filho* para as telas. A idéia, por falta de dinheiro, também aborta.

Vinicius tem o projeto de fazer uma adaptação para o cinema de *Uma estação no inferno*, poema que o poeta francês Rimbaud escreveu aos dezessete anos, em 1872. Em 65, no início da época de ouro dos festivais da canção, ganha os dois primeiros lugares no I Festival de Música de São Paulo: o primeiro com ''Arrastão'', em parceria com Edu Lobo e cantada por Elis Regina, e o segundo com a ''Canção do amor que não vem'', em parceria com Ary Barroso — morto um ano antes — e cantada por Elizeth Cardoso. Na trilha do sucesso de ''Arrastão'', viaja para Paris no intuito de escrever o roteiro de um filme homônimo. A idéia lhe é dada pela bailarina Dalal Aschcar. Um grupo de franceses, de passagem pelo Brasil e encabeçado por Antoine d'Ormesson, deseja filmar uma versão moderna de *Tristão e Isolda*. Esse balé, Dalal sabe muito bem, é uma das paixões do poeta. D'Ormesson

ALGUNS DOS COMPANHEIROS DE BOÊMIA

Entre outros, Fernando Lobo, a irmã Lygia, Antonio Maria, Sérgio Porto, Tônia Carrero (ainda Mariinha), Dorival Caymmi e (agachado) Adolfo Celli. Juntos, cantavam, contavam histórias, se consolavam — e se divertiam.

o convida para discutir o projeto. "Tem todo o interesse", logo afirma. "Nesse momento, em particular, as histórias de amor devem ser valorizadas. O mundo anda fugindo do amor." Vinicius passa, de imediato, a dissertar sobre seu tema favorito: o medo que a modernidade tem do amor. "Há uma covardia em relação ao amor", afirma. O francês se encanta. Sua idéia original era rodar o filme na Grécia. Agora, decide transferir o projeto para o Brasil. Tom Jobim fica encarregado de compor o tema de Isolda, Carlos Lyra deve fazer o de Tristão. Baden Powell é escalado para compor os temas relativos ao filtro do amor e à feitiçaria. Haveria, ainda, uma serenata a ser composta por Paulinho Soledade. O "Samba em prelúdio", de Vinicius e Baden, seria a música-tema do filme. A versão franco-brasileira de *Tristão e Isolda* seria passada numa aldeia de pescadores. Daí a história ser rebatizada *Arrastão*. Os temas do mar seriam compostos por Pixinguinha. Vinicius se empolga. Numa das reuniões, tenta convencer os companheiros de trabalho de que a importância do filtro do amor na história deve ser diminuída. "O filtro é só um pretexto para a paixão aparecer. Homens e mulheres corajosos como Tristão e Isolda não precisam de pretextos para se apaixonar", argumenta. Acaba brigando com os produtores franceses e se afasta do projeto.

Quer adaptar para as telas, ainda, o musical inédito *Pobre menina rica*, que compôs em parceria com Carlos Lyra. Começa a negociar a idéia com o produtor francês Phillipe Broca, que imagina um roteiro filmado metade na França, metade no Brasil. Sonha com ninguém menos que Brigitte Bardot para o papel-título. Agindo por impulsos, chega a dar vários telefonemas para Saint-Tropez a fim de discutir o projeto diretamente com a atriz. Não consegue falar com Bardot. Repete sem parar que "Brigitte Bardot é a pobre menina rica ideal", mas jamais oferece razões consistentes, além da mais evidente: a atriz passa por uma fase soberba e transforma em ouro tudo o que faz. Mais que isso: acerta com Broca que ele mesmo, Vinicius, dirigirá o filme. Numa entrevista em que anuncia o projeto, justifica: "Quero evitar o que aconteceu com o *Orfeu*, que poderia ter sido um bom filme comercial e ainda ter lugar numa cinemateca, mas não deu certo". Vinicius culpa o diretor Marcel Camus: "Ele não conseguiu entender o *páthos* de minha obra e fez apenas um filme exótico sobre o Brasil". Vinicius, atrapalhado com as próprias idéias, novamente fracassa.

Pensa, por fim, em montar uma "Ópera do Nordeste", em parceria com Baden Powell e inspirada no *Don Quixote*, de Cervantes. Imagina João Gilberto no papel de um Quixote dos trópicos, um cangaceiro romântico que largaria as armas para se tornar ídolo da música popular. E, ato contínuo, resolve que Grande Otelo será o seu Sancho Pança. Chega a decidir que o musical será dirigido por Glauber Rocha. Sua imaginação voa solta, sem qualquer compromisso com os fatos. Literalmente, delira. Num passo extremo sobre o nada, assina contrato com a editora Cultrix para a publicação do seu *Roteiro lírico e sentimental da cidade do Rio de Janeiro* — livro que só teria sua primeira edição quase trinta anos depois, pela Companhia das Letras.

Volta de Paris muito mudado. Passa a sonhar cada vez mais alto. Os amigos históricos começam a reclamar que o poeta está se barateando. E entra de cabeça na boemia carioca. São os anos das longas noitadas nas mesas do bar Vilariño, na esquina da Presidente Wilson com a Graça Aranha. Também chamado de República do Vilariño, ou ainda de Terceira República — o bar Esplanada seria a primeira e o Vermelhinho, a segunda, de acordo com uma classificação estabelecida por Ary Barroso. O debochado Ary se considera o ''presidente'' dessa ''Terceira República''. Vinicius é seu amigo desde os tempos em que escrevia para *O Jornal*, matutino em que Ary Barroso ocupava o cargo de editor de esportes. O autor de ''Aquarela do Brasil'' é grato ao poeta desde que *Brasil* — uma produção de Hollywood que tem uma trilha sonora por ele assinada —, ao ser lançado no Rio, leva uma saraivada de críticas raivosas, e só uma faz a defesa do filme: a publicada em *O Jornal*. Embora não seja assinada, Ary tem certeza de que ela foi escrita por Vinicius.

Nas mesas do Vilariño, estão sempre o crítico de música Lúcio Rangel, o compositor e humorista Haroldo Barbosa, o compositor Fernando Lobo, o editor Irineu Garcia — que fundará o selo Festa —, o compositor João Gilberto. Chegam no início da noite, lá pelas seis, seis e meia, e se divertem com o desfiar daquela fofoca masculina que o machismo prefere chamar de ''troca de idéias''. Antonio Maria ainda está vivo, assina uma coluna em *O Globo*, ''Mesa de Pista'', mas raramente aparece. Alguns esticam no Gouveia, barzinho na travessa do Ouvidor, em que Pixinguinha — já com mais de sessenta anos de idade — tem uma cadeira cativa.

Quem não aparece no Vilariño, o quartel-general da boemia no centro do Rio entre as décadas de 50 e 60, é porque foi ao Juca's Bar, no térreo do Hotel Ambassador, na rua Senador Dantas. Ou ao Antonio's, bar sempre decorado pela fala mansa, mas interminável, de Carlinhos de Oliveira, do fotógrafo Paulinho Góes e do cronista Paulo Mendes Campos. Vinicius circula por todas essas mesas com a mesma desenvoltura. Um dia, Paulinho Mendes Campos, no cenário obscuro do Antonio's, puxa o assunto: ''Pois é, Vinicius, você anda por todos os bares e se dá bem com todo mundo. Qual é teu segredo?''. O poeta não se atordoa, nem se mostra especialmente envaidecido. Saca uma de suas teorias de bolso, no caso sobre si mesmo, e diz: ''É porque eu sou um sujeito que tem a Harmonia das Esferas''. Paulinho não se contenta: ''E que diabo é isso?''. No mesmo tom, Vinicius responde: ''É não ter pontas, não ter atritos. Pessoas que têm a Harmonia das Esferas são incapazes de machucar os outros. Mesmo que queiram. Pois isso não é só uma qualidade, é também um sinal de fraqueza de que não devo me orgulhar muito''. No último ano do casamento com Nelita, numa longa temporada mineira, Vinicius terá a chance de exercitar, como nunca, os atributos harmoniosos e doces que marcam seu caráter.

5

O Itamaraty põe Vinicius, em 1967, a seu pedido, à disposição do governo de Minas. Sua primeira missão é estudar a criação do mais tarde célebre Festival de Arte de Ouro Preto. Inicia-se assim o interlúdio mineiro do poeta, um homem já ligado ao estado graças à sólida amizade com escritores e intelectuais locais. Minas será a sua Pasárgada: sempre que não está bem, sempre que um casamento entra em crise e, em especial, sempre que fica sozinho, vai se abrigar no colo mineiro.

Vinicius de Moraes é um homem que gosta de viajar, mas que ao mesmo tempo odeia a insânia do turismo. Em 65, ele, Nelita, a atriz Norma Bengell e seu marido, o cineasta Gabriel Tinty, passam todo um dia na Disneylândia, na Califórnia. Todos se divertem como crianças, menos Vinicius. Nelita e Norma estão particularmente excitadas para visitar os brinquedos mais arrojados, desses que não são recomendados para nervosos e para cardíacos. Na fila de acesso a um deles, se dão conta de que o poeta desapareceu. Norma vai procurá-lo e o encontra sentado à entrada de uma loja de souvenirs, ensopado em lágrimas. ''Eu não vou, não vou e não vou. Tenho medo!'', reage, sem qualquer timidez. Algumas crianças, boquiabertas, acompanham a cena à distância. Só aceita se aventurar no carrossel e nos aviõezinhos do Mundo de Peter Pan. Além disso, nada. Temporadas preguiçosas nas cidades históricas mineiras são bem mais de seu estilo.

Sempre que vai a Ouro Preto, sua cidade mineira favorita, o poeta se hospeda no Pouso do Chico Rey, o tradicional hotel de Lili Correia de Araujo. Tem muitas amigas na cidade. Entre elas, a atriz Domitila Amaral — famosa por sua interpretação européia da *Yerma*, de García Lorca, um assunto que parece nunca terminar —, a botânica Cida Zurlo e a pintora Ninita Moutinho. Elas o ajudam no projeto de criação do Festival de Arte de Ouro Preto, que tem sua primeira versão naquele mesmo ano de 67 e que será a matriz, dois anos depois, da Fundação de Arte da cidade.

Em Belo Horizonte, Vinicius costuma se hospedar na casa do médico Elói Heraldo Lima e de sua mulher, Heloísa. Na primeira vez em que se instala na residência do casal, leva consigo o amigo Pablo Neruda. Saem para jantar num restaurante simples, próximo ao centro da cidade. Enquanto

Vinicius e Elói ainda consultam o cardápio, Neruda derrama em seu prato farta quantidade de pimenta, vertida de uma pequena garrafa colocada à mesa. Vinicius, temendo pela ignorância do amigo em relação aos mistérios da culinária brasileira, o adverte: "Neruda, esta pimenta não se come assim. Você deve colocar apenas um pouquinho". Pablo Neruda balança os ombros em sinal de desprezo e continua a temperar seu prato vazio. Em seguida, pede farinha ao garçom e a mistura com a pimenta, pacientemente, formando uma espécie de mingau. Elói, pasmado e ainda duvidando de que Neruda vá, de fato, comer aquele "tutu à chilena", também decide interferir: "Você vai cuspir na primeira garfada. Não vai suportar", adverte. Neruda sorri, mas continua concentrado em sua receita.

Com muita calma, Neruda começa a saborear seu "tutu". Dá garfadas delicadas, mas decididas. Pede uma cachaça e, em minutos, raspa o prato. Elói e Vinicius, estupefatos, têm a cumplicidade dos garçons do restaurante, que riem nervosos e parecem não acreditar no que estão vendo. Vinicius se acostumará, a partir desse dia, a esperar sempre pelo pior quando está acompanhado do poeta chileno. Com Paulo Mendes Campos, se divertirá, por várias vezes, fazendo a lista das "melhores das piores" de Neruda. Uma cena insuperável se passa no Rio, ainda nos anos 60. Neruda e Vinicius saem da casa de Paulo, no Leblon, para um passeio. Mal andam dois quarteirões, em plena esquina da rua General San Martín — uma das mais movimentadas do bairro —, Pablo Neruda decreta: "Estou cansado. Não quero mais caminhar, quero me sentar para uma conversa". Paulo Mendes Campos sugere que ele agüente mais duas ou três quadras, até um barzinho de esquina onde sempre toma um drinque. "Não, quero parar aqui mesmo", diz o poeta.

Vinicius, primeiro, se espanta: "Mas aqui? No meio da rua?". Neruda não se abala: "Exatamente. Aqui mesmo". Vinicius de Moraes sempre teve uma alma maleável. É sempre o primeiro a se adaptar ao inesperado e ao controvertido. Por isso, nem espera que Paulo Mendes Campos continue com seus argumentos sensatos: senta-se ali mesmo, em plena calçada, como se estivesse se esticando nas areias da praia. Neruda nem o deixa respirar: aboleta-se, ato contínuo, a seu lado. Paulo, encabulado, não sabe se se envergonha dos transeuntes, que já começam a olhá-los como doidos, ou dos amigos, que já começam a tomá-lo como um chato. Por fim, senta também. Passam boas horas ali, esticados embaixo de uma árvore, numa conversa mineira. Paulo pede cervejas a um bar da Ataulfo de Paiva — por

DUPLA INFERNAL

O poeta chileno Pablo Neruda conseguia muitas vezes ultrapassar Vinicius com suas excentricidades. Torna-se seu companheiro ideal para o inusitado. ▶

um telefone público. "E não esqueçam dos copos de plástico", recomenda. "Mas qual é o endereço mesmo, seu Paulo?", o português insiste, temendo uma brincadeira de mau gosto. "Eu já disse. Estamos no meio da rua!" A tarde se torna inesquecível.

As passagens de Pablo Neruda pelo Brasil são, desde longa data, pontuadas por episódios controvertidos. Vinicius — diga-se logo — o ama por isso. Sempre evita recordar, no entanto, um certo episódio, maldito, do ano de 1954. Neruda está no bar Vermelhinho com a mulher, Delia, e amigos brasileiros como Drummond, quando Vinicius o lembra de que tem um jantar marcado para pouco depois. "Jantar? Mas com quem?", se surpreende. "Ora, com Fernando Sabino", Vinicius tenta refrescar sua memória. "Não sei quem ele é. Você sabe, Delia?", pergunta à mulher. Ela, muito calma, divide a surpresa com o marido: "Sabino... Quem é esse senhor?". O poeta não quer ir, está adorando a noitada no Vermelhinho, muda de assunto. Vinicius, educadamente, insiste: "Mas você marcou... Não vai ficar bem". Pablo Neruda, então, decide: "Está bem, mas só vou se vocês forem comigo". Tentam argumentar que se trata de um convite íntimo e formal. Que não ficará bem chegar de surpresa, mesmo se tratando de uma surpresa entre amigos. Neruda está irredutível. Tanto insiste que o grupo resolve ceder. Vinicius sugere: "Vamos, pelo menos, a uma confeitaria comprar alguma coisa para que não falte comida". Numa padaria, compram um horroroso leitão assado, desses que vêm por inteiro, banhado em gordura escura e com uma maçã na boca. É o que encontram de melhor.

Chegam à casa de Sabino carregando a iguaria. O anfitrião, ao topar com o séquito de Neruda puxado por aquele leitão esticado sobre uma bandeja de papelão, não pode esconder um sorriso amarelo. O jantar transcorre melancólico. Quase ninguém prova o leitão. Depois, talvez já com alguma intenção de vingança, Fernando Sabino — que toca bateria — decide fazer uma exibição de seus dotes rítmicos. Neruda tenta acompanhar o balanço do anfitrião, mas, antes que ele possa terminar sua performance, se vira para Vinicius e diz: "Vamos?". Sabino, elegante, não reage à grosseria. Mal chega à rua, o poeta chileno, aliviado, se põe a cantar: "Que lindo las tapas-tias/ cuando se van a bañar...".

Em abril de 1954, Pablo Neruda escreve, em Los Guindos, uma crônica sobre o Rio de Janeiro. Relata, nela, seu encontro com um rapaz esquisito — que quase o obrigou a tomar um café em sua companhia — e episódios minuciosos da própria vida. O nome da crônica entrega a personagem: "Se llamaba Sabino". Depois de tentar ser gentil, e ainda por cima ter seu apartamento invadido por pessoas que naquela noite não planejava receber, Fernando Sabino ainda é vítima do mau humor literário de Pablo Neruda. Essa é a única de suas muitas aventuras com Neruda que Vinicius, para não magoar o amigo mineiro, sempre evitará recordar.

Pablo Neruda volta a Minas Gerais com Vinicius mais duas ou três vezes. É nos fins dos anos 60, porém, que o poeta carioca vive suas tempora-

DOSES DE HUMOR

Fernando Sabino (no papel da noiva) se desdobra para agradar Vinicius com suas brincadeiras. Com um temperamento difícil, nem sempre é bem-sucedido.

das mineiras mais longas. Em Belo Horizonte, o médico radiologista Elói Lima chega a batizar com o nome de Vinicius de Moraes um dos sete quartos de sua casa. Na verdade, uma suíte, com direito à banheira especialmente instalada para dar mais conforto ao ilustre visitante. Elói também tem um sítio em Ouro Preto, onde Vinicius se refugia para alguns dias de descanso. Logo depois de se casar com Nelita, na volta da fuga para a Europa, Vinicius vai passar alguns dias na casa de Elói, em Belo Horizonte. Vai na frente e deixa com Nelita o endereço: rua Pirapetinga, 87, na Serra, um bairro de ''classe A''. Dias depois, Nelita desembarca no aeroporto e — confundindo-se — pede ao motorista de táxi que a leve até a rua Piratininga, 87. Essa rua fica no Carlos Prates, em outro extremo da cidade — um bairro tradicional, mas de construções modestas.

Nelita paga o táxi, mas logo sente algo estranho no ar. Vinicius descrevera a casa de Elói como uma minimansão, com amplo jardim na parte da frente, com árvores históricas da época da fundação da cidade, muitos quartos, suítes. Ela está diante de uma casa modesta, apertada, numa rua árida da classe média baixa. Bate palmas. A casa não tem campainha. Do fundo do quintal, surge uma empregada, que se assusta com a presença de uma mulher tão sofisticada e bem vestida. Nelita se apresenta: ''Boa tarde, vim me encontrar com o sr. Vinicius de Moraes''. A empregada é direta: ''Aqui não tem nenhum Vinicius, não senhora''. Nelita insiste: ''Mas como? Aqui não é rua Piratininga, 87?''. A empregada confirma o endereço. E insiste que não conhece Vinicius algum. Por alguns minutos, Nelita não contém o choro. Quase se desespera, imaginando que Vinicius, contra todas as promessas de recém-casado, mentiu para fugir. A empregada não sabe o que fazer. Oferece um café. Nelita o toma, mas continua a chorar. Perde o controle, mas resolve aguardar a chegada do dono da casa, Walporé Azalim, um homem gentil e delicado, para tentar esclarecer o caso.

Acostumado à troca de correspondências por causa da semelhança dos endereços, Walporé decifra o enigma. Telefona para Elói Lima e diz: ''Há uma senhora distinta na minha casa que não pára de chorar e de perguntar por um tal de Vinicius''. O mal-entendido está desfeito. Do outro lado, Vinicius — apreensivo com a demora de Nelita — respira fundo. Elói Lima despacha seu motorista para buscá-la. O encontro com Vinicius toma dimensões dramáticas. O poeta parece feliz. Episódios como esse, caprichos femininos do destino, ele sabe, só ajudam a esquentar uma paixão.

Os amigos mineiros, com seu espírito sempre atento às pequenas demonstrações de riqueza interior, começam a se encantar com a generosidade de Vinicius, que muitas vezes toma também aspectos enigmáticos. Numa das muitas viagens a Belo Horizonte, o poeta gasta todo o dinheiro que tem consigo e pega um pequeno empréstimo com Elói Lima. No dia da partida, Elói e Heloísa vão com Vinicius e Nelita à estação ferroviária. Estão acompanhados por Leon Hirszman e a mulher, Liana. Já na plataforma de embarque, ao lado de Elói e Heloísa, o poeta parece não dar atenção ao primeiro apito do trem. Nelita, Leon e Liana já estão acomodados em suas cabines. Soa o segundo apito, Elói e Heloísa insistem para que Vinicius suba no trem. O poeta desconversa e diz que não há pressa.

Os amigos começam a se assustar com sua displicência, até porque ele tem compromissos urgentes a cumprir no Rio. Além disso, depois de tantos dias juntos, qualquer conversa está esgotada. Nada mais o prende. Nelita, nervosa, também o chama pela janela. O maquinista dispara o terceiro sinal e dá a partida. Vinicius, só então, começa a correr pela plataforma e, aos gritos, pede ajuda a Elói para entrar no trem em movimento. O maquinista gesticula com a cabeça e xinga o poeta, que está metido num terno preto e carrega uma maleta de mão. Vinicius, escorado por Elói, consegue tomar o trem. Antes, num golpe rápido, coloca alguma coisa no bolso do paletó do amigo. Elói, sem fôlego, acena até o trem desaparecer. Só depois, mete a mão no bolso para ver o que Vinicius lhe deu. Trata-se de um cheque, com a quantia exata que lhe tinha tomado emprestada. A demora inusitada tinha, agora, uma explicação. Sempre delicado, Vinicius não queria dar chances a Elói de recusar o pagamento da dívida.

Algumas vezes, não demonstra a mesma delicadeza com as mulheres. Nelita também passa seus maus pedaços. Um exemplo: Pierre Barrouh, em alta depois de acabar de fazer *Um homem, uma mulher,* vem ao Brasil e se instala no Copacabana Palace. Vinicius e Nelita vão visitá-lo, acompanhados do empresário paulista Zequinha Marques da Costa. Esperam Baden Powell e Elizeth Cardoso, que estão atrasados, para irem juntos a um jantar. Começam uma dessas conversas absurdas, desfiadas apenas para encher o tempo. ''Que parte no corpo das mulheres você acha mais bonita?'', pergunta Barrouh. Vinicius não titubeia: ''O pé''. E completa: ''Nos homens, também''. Não pode não saber o quanto começa, ali, a maltratar Nelita. Ela sabe que é uma bela mulher, mas por alguma razão tem uma vergonha descontrolada dos próprios pés.

Vinicius a provoca. Tira os sapatos e exibe, todo feliz, seus pés aos amigos, induzindo-os a fazer o mesmo. A educada Nelita sabe aonde o marido quer chegar. Ferve por dentro. Barrouh o acompanha: tira sapatos e meias também. Zequinha, a princípio em dúvida, os segue. Nelita não se mexe. De repente, começa a chorar. ''Vamos, mostre os seus'', Barrouh pede. ''Certamente serão os mais bonitos.'' A delicada Nelita age como uma menina — aliás, como a menina que é. Tem vergonha dos próprios pés e não se dispõe, por nada desse mundo, a exibi-los. Os pés de Vinicius são eleitos, então, ''os mais belos da noite''. Barrouh e Zequinha participaram da pequena maldade do poeta como coadjuvantes inocentes.

É bom ressaltar que, nesses anos que antecedem ao ato institucional nº 5, não só Minas, mas o Brasil inteiro, namora Vinicius de Moraes. Em 1966, o prefeito Faria Lima, de São Paulo, decide levar a música popular para dentro do Teatro Municipal. A idéia é aproveitar para homenagear Vinicius de Moraes. Concebe, então, o espetáculo *Vinicius, poesia e canção* e pede a Zequinha Marques da Costa que convença o poeta a dele participar. ''Só se você dirigir'', o poeta determina. O jovem maestro Edgar Possas, sobrinho de Zequinha, é convidado para assessorá-lo. Há enorme resistência entre os músicos da orquestra do teatro. Devem subir à cena, pela primeira vez em suas vidas, não para interpretar Wagner ou Brahms, mas para acompanhar um baterista chamado Milton Banana, um contrabaixista chamado Azeitona e o pianista César Camargo Mariano.

O prefeito, quando recebe as notícias a respeito do mau humor de seus músicos, lhes manda um recado: ''Quem não quiser, está demitido''. Na véspera da estréia, Vinicius e Zequinha encontram um Possas descontrolado no hall de entrada do Municipal. ''O que houve?'', Zequinha quer saber. Possas é curto e grosso: ''É que isso não vai dar certo''. Nos bastidores, há um clima próximo da revolta. Abrir o Municipal nos anos 60 para homenagear um poeta de boate parece, à vista desses músicos conservadores, um sacrilégio. Pixinguinha, convocado para o espetáculo, não pode ir: um infarto o derruba. Mesmo assim, quer ir de qualquer modo. ''Você não pode ir, senão vai morrer'', o médico encerra a conversa. Ele telefona para Vinicius inteiramente constrangido. ''Meu amigo, espero que você um dia me perdoe. Mas não vou poder ir ao seu show.'' O poeta pergunta por quê. ''Tive um probleminha'', diz. Vinicius, intrigado, insiste: ''Mas que probleminha, meu Pixinguinha?''. E, estarrecido, ouve: ''Não foi nada. Só um infarto. Mas o médico não me deixa ir''. A partir desse dia, sempre que lhe perguntam que homem conheceu mais próximo da perfeição, ele responde sem pensar duas vezes: ''Pixinguinha. É o melhor homem que já conheci''.

É a primeira vez, depois de dez anos de amizade intensa, que a relação com Tom Jobim sofre a primeira mácula. Tom comunica que, infelizmente, não poderá estar em São Paulo. Vinicius se intriga. No dia seguinte, Zequinha lhe telefona: ''Não tenho coragem de lhe dizer por que o Tom não vem''. O poeta insiste: ''Você vai me contar. Não pode me negar isso''. Zequinha resume tudo a uma palavra: ''Dinheiro''. Vinicius é um homem generoso, que sabe sempre arrumar uma razão para perdoar as pessoas que ama. Ouve e, de imediato, esquece. Mas, no íntimo, guardará essa mágoa para sempre. Zequinha ainda procura puxar por sua memória. ''Lembra qual foi a primeira pergunta que o Tom te fez quando você o convidou para musicar o *Orfeu*? Pois é bom, agora, lembrar.'' Impossível esquecer a reação daquele rapaz belo e atrapalhado: ''Tem um dinheirinho nisso?''.

Em 1968, Vinicius se separa de Nelita de Abreu Rocha. Resolve, mais uma vez, curtir sua perda em Minas. Chega à casa de Elói Lima vestido com uma calça preta e uma camisa de ban-lon. Traz outra camisa enrolada num saco plástico e uma escova de dentes envolvida por uma folha de jornal. Mais nada. Diz que está sem dinheiro e que deixou tudo com a ex-mulher: quadros, livros, automóvel, roupas. No dia seguinte, tentando não perder a pose, faz um show na cidade. Em seguida, convida o músico Tavito para

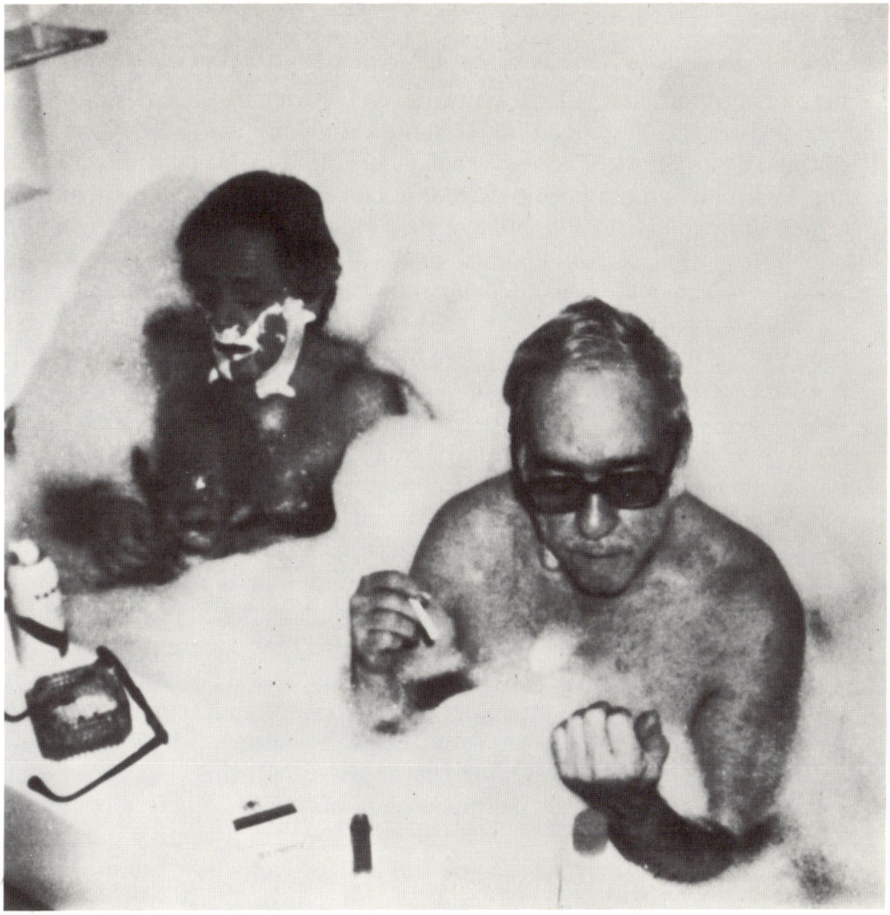

ÚNICA EXCEÇÃO

Vinicius só permitia que um homem dividisse com ele a mesma banheira: o empresário paulista Zequinha Marques da Costa.

uma rápida viagem a Ouro Preto. Sempre que chega a Minas, Vinicius faz um mesmo pedido: ''Tavito e uísque. Pela ordem''. A companhia do jovem músico o estimula. Tavito se sente valorizado com a piada. Sabe que é sincera.

Leva consigo um pacote de dinheiro — tudo o que recebeu pelo show — envolto por elásticos. Em Ouro Preto, começa com Tavito a ronda dos bares. Em todos, coloca o pacote sobre a mesa e se cerca de seresteiros e boêmios. Canta e toca violão e abre o pacote — como se carregasse alguma quinquilharia inútil — toda vez que pede uma nova rodada de bebida. Em cada bar, reúne em torno de si pelo menos meia dúzia de estranhos. Sempre paga a conta de todo o grupo. Lá pelo terceiro ou quarto bar, é convencido por Tavito a seguir para o Pouso do Chico Rey. Resiste mais algum tempo em sua ronda. Vai dormir, já quase ao amanhecer, com a alma limpa. Nelita, de alguma forma, já faz parte do passado.

Minas será sempre um território privilegiado na vida de Vinicius. Uma espécie de Éden caseiro — com sua melancolia barroca, sua cozinha farta, suas personagens lentas e sempre cheias de histórias para contar — onde ele se refugiará muitas vezes. Em 71, já em pleno casamento com a baiana Gesse Gessy, Vinicius faz um show no Teatro Marília, em Belo Horizonte, acompanhado por Marilia Medalha. No domingo, está programada uma matinê às dezoito horas. Faltam quinze minutos para o show começar e Vinicius não chega. Seis da tarde em ponto: nada. Seis e meia: o público começa a urrar e bater com os pés. Quinze para as sete: Vinicius chega aos bastidores inteiramente de porre. ''Vinicius, o público está uma fera com você'', Marilia diz. ''Vamos logo, eles já vão se acalmar.'' A cantora quer saber o que houve: ''Eu estava na casa de um amigo. Comemos muito, bebemos muito, choramos muito''. Marilia: ''E falaram de quê?''. Vinicius: ''Do Brasil! Da ditadura!''. O show começa com o poeta e Toquinho sozinhos no palco. Marilia só entra na terceira música: ''Como dizia o poeta''. Toquinho começa a dedilhar seu violão. Marilia entra no palco e depara com Vinicius todo de preto, mal-ajambrado, patético. O script diz que ele deve se sentar em sua mesinha e se servir de uísque.

Em vez de começar a cantar, Vinicius primeiro acende um cigarro. Toquinho tenta disfarçar e faz improvisos sobre o tema da música no violão. Marilia já pensa em ela própria começar a cantar, quando Vinicius abre a boca e começa a berrar: ''É foda! É foda!''. Repete o mesmo grito várias vezes. A platéia está muda. Faz umas pausas terríveis entre cada imprecação. O silêncio, a cada uma dessas pausas, vai se tornando cada vez mais constrangedor. Até que, erguendo-se da cadeira, Vinicius estufa o peito e grita: ''A tradicional família mineira que vá pra puta que o pariu!''. O teatro vem abaixo em aplausos. A platéia inteira está de pé, batendo palmas com euforia, como se o show já tivesse terminado. Ao fim do espetáculo, Vinicius é carregado em triunfo. A multidão grita: ''Vinicius! Vinicius!''. O sucesso, tantas vezes, vem de onde menos se espera. No caso de Vinicius de Moraes, então, é melhor nem esperar. Até porque, raramente, ele costuma faltar.

Uma última história mineira, passada já em meados dos anos 70 — portanto, em plena ''fase baiana'' —, ilustra as dimensões às vezes enigmáticas, quase fantásticas, desse sucesso. A presença de Vinicius na casa de Elói Lima, em Belo Horizonte, sempre altera a rotina da casa. O entra-e-sai, algumas vezes, se torna insuportável. Vinicius, dessa vez, se recuperava de um princípio de pneumonia. Minas lhe parece o cenário perfeito não só para recompor os males do coração, como os da saúde. Uma tarde, ele recebe a visita de uma mulher que aparenta, no máximo, uns trinta anos. Elói, Heloísa e os filhos não estão em casa. A moça, muito elegante, bonita e bem vestida, se dirige a uma das empregadas da casa e diz: ''O dr. Vinicius está me esperando. Em que quarto ele está?''. A empregada hesita, mas, diante de uma apresentação tão firme, nem sequer pergunta seu nome. Antes de entrar no quarto do poeta, a moça pede um gole de café. Acompanha a empregada até a cozinha e puxa conversa.

Vinicius, como de hábito, dorme inteiramente nu. A moça entra no quarto, o poeta ronca. Ela começa a alisar-lhe o corpo. Ele não se move. Alguns minutos depois, quando a moça, tranqüilamente, já foi embora, o empregado Antonio ouve gritos no quarto de Vinicius. O poeta grita e, não satisfeito, toca insistentemente a campanhia colocada na cabeceira. Antonio, ao entrar, depara com um Vinicius nervoso, ofegante, fora de si. ''Quem esteve aqui no quarto?'', pergunta aos gritos. ''Vamos, eu quero saber! Quem esteve aqui?'' Só depois do prazer inesperado, ele se dá conta do insólito da situação. O período de convalescença se prorroga. Vinicius piora, e bastante, da pneumonia. Jamais descobriu a identidade da doce invasora.

O casamento com Nelita se esgota — e acaba — na sombra de aventuras tão insólitas quanto essa. Ela sempre temeu, ao longo de toda a relação, que a diferença de idade terminasse por tornar o amor entre eles impossível. Sempre gostava de repetir: ''Eu sou uma menina, Vinicius, e você tem a idade das pirâmides''. Reclama que o poeta não vai à praia, não freqüenta piscinas, não gosta de exibir o corpo. ''Eu te acho lindo'', sempre diz, ''mas você se vê como um velho.'' Nelita tem, também, cada vez mais dificuldades de conviver com a complicada relação de Vinicius com o álcool. As melhores fases do casamento são aquelas em que ele pára de beber por uns tempos e passa as noites em casa, a seu lado, devorando cada um dos volumes da coleção *Os melhores contos de horror*, uma preciosidade editada duas décadas antes. Por várias vezes, Nelita quer dar o casamento por terminado, mas o poeta reage sempre intempestivamente. ''Vou me matar'', ele repete, aos prantos. Nelita, assustada, cede. Pelo menos três vezes, Vinicius chega a telefonar de madrugada para os pais de Nelita, desesperado, pedindo que eles convençam a filha a não abandoná-lo. Mas o casamento acaba.

CRISTINA

O casamento com Cristina Gurjão
foi breve e tumultuado. Legou ao poeta a filha Maria e as cicatrizes
de uma batalha sangrenta.

PARTE 7

A GUERRA DOS CASTIÇAIS

PELA LUZ DOS OLHOS TEUS

Vinicius de Moraes

Quando a luz dos olhos meus
E a luz dos olhos teus
Resolvem se encontrar
Ai, que bom que isso é, meu Deus
Que frio que me dá
O encontro desse olhar

Mas se a luz dos olhos teus
Resiste aos olhos meus
Só pra me provocar
Meu amor, juro por Deus
Me sinto incendiar

Meu amor, juro por Deus
Que a luz dos olhos meus
Já não pode esperar
Quero a luz dos olhos meus
Na luz dos olhos teus
Sem mais lararará

Pela luz dos olhos teus
Eu acho, meu amor
E só se pode achar
Que a luz dos olhos meus
Precisa se casar

1

O ano de 1968 não começa nada bem. A mãe de Vinicius, d. Lídia, morre no dia 25 de fevereiro. Há uma coincidência que deixa o poeta assustado: sempre que está no Rio, Vinicius costuma visitá-la aos domingos, para o almoço. D. Lídia morre num domingo, às catorze horas. Horário exato em que o poeta tem o hábito de chegar. Vinicius se sente intrigado e confuso com a coincidência. Ele a toma como um sinal de mau agouro. Dirá, anos depois, que 68 marca o início de sua mais grave "fase má". Estará inteiramente correto. Essa temporada pessimista e infeliz se estenderá, na verdade, até o segundo semestre de 1969. Vinicius chega a delimitar, mais tarde, o momento exato de seu fim: a hora em que, num show para estudantes em Salvador, no dia 6 de setembro de 1969, ele e Toquinho começam a cantar "Tarde em Itapuã" — e a platéia enlouquece. Relatará: "Conforme fomos cantando, e os meninos deliravam, fui tomado por um tipo de calor interno, que era a volta de alguma coisa que não sei dizer o que é. Entrei num transe e, quando terminamos a música, senti que a alegria me tinha voltado".

Atravessa um cipoal de agruras até chegar a esse momento de iluminação. Cristina Gurjão, 26 anos mais moça que ele, com seu ar de matrona camponesa e seu espírito voluntarioso, é apenas a síntese, encarnada numa mulher, dessa travessia. Os dois levam mais de vinte anos para se aproximar. Conhecem-se em 1956, quando Vinicius já é um quarentão e ela tem apenas dezoito anos. Ela é uma estudante encabulada, ele é um poeta famoso. Tornam-se amigos. Um dia, aproveitando que Cristina está sozinha em casa, o poeta — atiçado por sua juventude e num ato de risco — tenta seduzi-la no banheiro de empregada. Leva uma guarda-chuvada na cabeça e cai em si. A amizade continua e o tempo passa. No dia da estréia do *Orfeu da Conceição* no Teatro Municipal, Cristina é escalada para trabalhar numa barraquinha montada à entrada do teatro, como vendedora da edição de luxo da peça. Seu pai morre subitamente, horas antes do espetáculo, e ela não pode ir. Em contrapartida, Vinicius aparece no velório já de madrugada, ainda metido num black-tie. Dá mais uma prova de afeto. Semanas depois, Cristina tem programada sua festa de formatura do curso clássico no tradicional Colégio Andrews. Na ausência do pai morto, o poeta se oferece para dançar com ela a valsa de honra programada para os salões do Clube Ginástico. Ela aceita.

Em 1957, Cristina Gurjão se casa com o arquiteto Luís Carlos Niemeyer, que lhe dará dois filhos: Clóvis e Luís Carlos. Vinicius se casa no ano seguinte com Lucinha Proença e circula entre o Rio e Petrópolis enfiado numa Mercedes branca. Numa madrugada, Cristina o encontra num botequim do final de Copacabana. Bebem juntos. Ele se oferece para levá-la até em casa. Tenta, novamente, saltar os limites da amizade. Ela se nega, mas de alguma forma o provoca. Mais uma vez se evidencia uma atração quase irresistível entre ambos. O tempo continua a passar. Um dia, Cristina recebe emprestada de um amigo recém-chegado de Nova York a fita do primeiro disco gravado por Tom Jobim com Frank Sinatra, que acaba de chegar às lojas americanas. A primeira coisa que lhe vem à cabeça: ''Como o Vinicius ia gostar de ouvir!''. Não se controla e pega o telefone. ''Traz, por favor'', ele implora. ''Só se for agora. Eu jurei que vou devolver hoje à noite.'' O poeta ouve todo o primeiro lado da fita em silêncio absoluto. No fim, diz: ''Sou muito mais o meu parceirinho que esse Sinatra''. Cristina pensa: ''Que pretensão!''. Mas se mantém calada. Continuam, os dois, envoltos em paradoxos.

Voltamos a 1968. Vinicius está casado com Nelita, sua ex-mulher Lila Boscoli atravessa uma fase pessoal tumultuada e Cristina Gurjão a convida para passar uma temporada em seu apartamento, em Ipanema. Lila vai com Georgiana e passa a dividir a casa com Cristina — que, a essa altura, mora com seu terceiro filho, Fernando, e uma filha de criação. Um dia, Lila vai a São Paulo com sua amiga Jerusa — dona da Future Maman, primeira butique para grávidas da cidade — fazer compras. Convida a amiga para ir junto. Cristina aceita. Vão no trem noturno das onze horas. Na plataforma de embarque, mal chega à estação, Cristina depara com Vinicius, que está acompanhado por Pablo Neruda e Matilde, Irineu García e Rubem Braga. Vão a São Paulo para a inauguração de um busto de Federico García Lorca. Tomam todos, já em ritmo de festa, o mesmo trem.

Cristina está instalada numa dessas apertadas cabines individuais, em que para usar o vaso sanitário é preciso, primeiro, desmontar a cama — que fica sobre ele. Sente-se sufocada. Não consegue se acomodar e vai para o vagão-bar, a essa altura já tomado pelos amigos. Bebem muito. A noite passa. Todos vão dormir, menos Rubem Braga, Cristina e Vinicius. Rubem logo percebe as atenções com que o poeta cerca a amiga. Toma um último uísque e diz: ''Vinicius, eu vou dormir. Mas cuide direito da Cristininha''. Cristina Gurjão já sabe o que vai acontecer. E já se prepara para repelir os avanços de Vinicius com o bordão de sempre: ''Desiste, poeta. Desiste dessa!''. O destino, porém, age por sua conta: Vinicius está instalado numa cabine individual que fica exatamente em frente à de Cristina. Agora é ela quem não resiste mais. Bate na cabine do poeta e diz: ''Você tem certeza de que vai dormir aí?''. Num tom absolutamente tranqüilo, Vinicius responde: ''Vou sim. E boa noite''. Ela sabe o que o entrava: apesar da desenvoltura com que sempre tenta se aproximar, teme na verdade pela reação de Lila Boscoli, mãe de suas duas filhas mais novas — que está, inevitavelmente, entre os dois. Cristina volta para sua cabine, escova os dentes e se prepara para deitar. Não resiste. Abre novamente a porta e vê, então, a porta da cabine de Vinicius entreaberta. Empurra devagar. Depara com o poeta em sono profundo. Diz para as paredes: ''Mas que diabo de interesse é esse?''. Os dois amanhecem juntos. A noite é inesquecível. Não há mais retorno.

Naquela noite, todos se encontram na casa do advogado Luís Lopes Coelho. Vinicius se aproveita de um momento mais reservado com Cristina, pega o violão e canta ''Pela luz dos olhos teus''. Cristina, que nunca a tinha ouvido, fica com a impressão de que ele a compõe ali, na sua frente, unicamente para ela. Quando Vinicius termina de cantar, não resiste e pergunta: ''O que é isso? Um pedido de casamento?''. O poeta se limita a repetir, várias vezes, o último verso da canção: ''Precisa se casar/ Precisa se casar/ Precisa se casar...''. Cristina o ouve, até que ele se cansa. Olham-se. ''Está bem, Vinicius. Você venceu'', ela diz, por fim. ''Mas não vai ser nada fácil. Eu tenho três filhos e você é um homem casado.'' O poeta sabe que, desde muito, ela também o deseja. A resistência é, há séculos, uma das mais eficazes armas femininas na luta amorosa. Pensa nisso e sorri. Voltam para o Rio de ônibus, seis horas de mãos dadas, como dois adolescentes. Voltam, cada um, para sua casa.

O tempo passa. Há uma festa na casa de Chico Buarque. Cristina vai e depara com Vinicius acompanhado por Nelita. Sente-se mal e se refugia no terraço. Minutos depois, Nelita se aproxima. Cristina pensa: ''É agora! Lá vem bomba!''. Nelita, porém, não perde a elegância. ''Como você está, Cristina?'' Tensa, Cristina responde: ''Estou bem. E você?''. Nelita mantém o mesmo ritmo manso de falar: ''Eu estou ótima''. E completa: ''Estou me separando de Vinicius''. Como Cristina não consegue dizer mais nada, a própria Nelita se encarrega de completar: ''Ele vai a Lisboa com o Baden para um show e, quando voltar, não estaremos mais juntos''. Só agora Cristina Gurjão compreende, de todo, um apelido maldoso que alguns amigos, há tempos, emprestam a Nelita: ''Trinta e três rotações''. Horas depois, relatará a Vinicius: ''Agora entendi tudo. Ela fala sempre devagar, mas não é nada boba''.

Estamos em dezembro de 1968. Vinicius toma seu navio rumo a Lisboa. Horas depois, Cristina recebe um telegrama despachado de alto-mar: ''Pegue um helicóptero e venha se encontrar comigo''. Já tinha deixado uma companhia aérea encarregada de avisá-la que havia à sua disposição um bilhete Rio—Lisboa. Cristina viaja a seu encontro. O poeta se instala no Hotel Tivoli. O show, em que ele e Baden são acompanhados pela cantora Márcia, estréia na noite do dia 11. Dois dias depois, exausto das pompas da estréia, o poeta chega ao hotel já quase ao amanhecer e deixa uma ordem na recepção: "Por favor, pretendo dormir o dia inteiro. Não quero ser acordado por ninguém, nem que o mundo venha abaixo". Mal sabe ele do que está falando. No meio da manhã, o telefone de seu quarto toca com insistência. Procura ignorá-lo, mas por fim atende. "Sr. Moraes? A imprensa portuguesa está toda no hall do hotel. Desejam que o senhor desça imediatamente." Vinicius, sem conseguir abrir os olhos, dispara seu mau humor: "Eu não falei que não estou para ninguém?". A voz insiste: "Mas dizem que é algo muito importante". Ele fala mais grosso: "Como pode ser tão importante? Meu show estreou há três dias. Já dei todas as entrevistas que tinha que dar...". O recepcionista, mesmo constrangido, não cede: "Me desculpe, mas a entrevista que desejam não é a seu respeito. Parece que aconteceu algo de muito grave em seu país".

Estamos em 13 de dezembro de 1968, dia em que é decretado o ato institucional nº 5, medida extrema do regime militar que vem lançar o país numa longa noite espiritual. Vinicius, sem entender o que se passa, mas já assustado, se veste correndo. Cristina o segue. Os repórteres portugueses, embaralhando nomes e informações, conseguem lhe dizer o essencial. Gela. Quando consegue falar, se vira para Cristina e diz: "Meu amor, e o Rubem Braga?". Larga os repórteres no saguão e corre para um telefone. No Rio, a empregada informa apenas que Rubem Braga "viajou". Desliga, sem saber o que pensar. Otto Lara Resende, a essa altura, ocupa o posto de adido cultural em Lisboa. Vinicius pensa imediatamente nele e conjetura: "Coitado. Agora está num beco sem saída". Não consegue falar com o amigo naquele momento.

À noite, mesmo abatido, vai cumprir seu papel no teatro. Encontra a cantora Márcia muito assustada. Ele a encara e diz: "Não fique assim. Não adianta". O show deve terminar, como sempre, com o "Canto de Ossanha", uma das músicas mais famosas que compôs com Baden Powell. Portugal ainda está sob o regime férreo de Marcelo Caetano. A Rádio e Televisão Portuguesa, sem poder escapar do tema "Brasil", manda uma equipe para o teatro para fazer um tape do show. Vinicius não se intimida. Antes de começar o "Canto de Ossanha", interrompe o show: "Eu hoje gostaria de dizer a vocês umas palavras de muita tristeza", começa. "No meu país foi instaurado, hoje, o ato institucional nº 5. Pessoas estão sendo perseguidas, assassinadas, torturadas. Por isso, quero ler um poema." Abre um exemplar de sua *Antologia poética*, guardado sob a garrafa de uísque e, enquanto Baden Powell começa a dedilhar o Hino Nacional Brasileiro, lê: "A minha pátria é como se não fosse, é íntima/ Doçura e vontade de chorar;

ENTRE AMIGOS

Na cobertura de Rubem Braga (sentado a sua frente), ao lado de
Paulo Mendes Campos, Carlinhos de Oliveira,
Sérgio Porto e Fernando Sabino.

uma criança dormindo/ É minha pátria. Por isso, no exílio/ Assistindo dormir meu filho/ Choro de saudades de minha pátria''. Trata-se do magnífico ''Pátria minha'', um dos mais belos poemas escritos por Vinicius de Moraes. A platéia se extasia diante de versos como esses: ''Não te direi o nome, pátria minha/ Teu nome é pátria amada, é patriazinha/ Não rima com mãe gentil/ Vives em mim como uma filha, que és/ Uma ilha de ternura: a Ilha/ Brasil, talvez''. A leitura de ''Pátria minha'' ficará na memória dos portugueses como uma das mais bem-acabadas expressões que puderam conhecer do amor à liberdade. Na noite seguinte à Revolução dos Cravos, alguns anos depois, a Rádio e Televisão Portuguesa, tomada pela euforia, retirará o tape de seus arquivos e o reprisará.

Nos bastidores, o poeta reage com dramaticidade e fúria às novas notícias que não param de chegar. Quando lhe avisam que talvez não possa voltar ao Brasil, começa a urrar: ''Eu me mato! Eu me mato!''. Baden, mais controlado, lhe diz: ''Vinicius, se matar para quê, pelo amor de Deus!''. Muito sério, prossegue em seu desfiar de imprecações: ''Vou voltar de qualquer jeito. E, se me prenderem, se quiserem me mandar para fora, eu me mato!''. Diante do silêncio assustado do parceiro, baixa o tom de voz e tenta uma explicação sensata: ''Eles sabem que eu tenho que usar óculos, senão não vejo nada. Podem me prender, mas vão ter que me prender de óculos. Muito simples: eu quebro as lentes e corto os pulsos!''. Baden o conhece bem. Sabe que, tantas vezes, a única maneira com que o poeta consegue enfrentar o insuportável é se infantilizar. Está fora de si, mas isso logo passará. Baden Powell faz o que é possível fazer: se aproxima e dá um abraço no amigo...

À saída do hotel, ainda por cima, tem que enfrentar uma pequena, mas barulhenta, manifestação de salazaristas indignados com seus discursos contra os horrores da ditadura. Os manifestantes fecham a saída dos fundos do teatro. Vinicius chega à porta e os encara. Alguém lhe sussurra o óbvio: ''Vamos voltar e sair por um outro lado''. O poeta responde em tom seco: ''Não''. Fica em silêncio mais algum tempo e depois, erguendo a voz e ainda encarando o pequeno grupo de direitistas, começa a recitar: ''De manhã escureço/ De dia tardo/ De tarde anoiteço/ De noite ardo''. São os versos de seu primoroso ''Poética (I)'', pequena jóia que escreveu no distante ano de 1950, em Nova York. Vai prosseguir, quando um sotaque brasileiro, escondido por detrás dos manifestantes — estudantes muito jovens e enraivecidos, a essa altura tontos com sua reação —, prossegue: ''A oeste a morte/ Contra quem vivo/ Do sul cativo/ O este é meu norte''. Aquele estudante brasileiro, solitário em sua revolta, o salva. Os jovens salazaristas portugueses cedem à força da poesia. Os manifestantes, agora, já não conseguem mais gritar. Um ou outro tenta ainda emitir uma palavra de ordem sem sentido, mas a maioria silencia para ouvi-lo terminar: ''Outros que contem/ Passo por passo:/ Eu morro ontem/ Nasço amanhã''. E, elevando a voz ao máximo, Vinicius conclui: ''Ando onde há espaço:/ — Meu tempo é quando''. Um primeiro rapaz, mais corajoso, tira o casaco e o lança no chão, diante do poeta. Outros, logo, o imitam. Vinicius sai de cabeça erguida — e coração estraçalhado — sobre aquele tapete de paletós e sobretudos. Os estudantes reacionários e o poeta revoltado, agora, estão igualados pela poesia.

Vinicius de Moraes tem que enfrentar, a partir daí, o doloroso processo de seu afastamento do Itamaraty. Mesmo antes do AI-5, ele já sabe que o governo militar não tolera mais vê-lo no posto de diplomata. Numa nota seca e grosseira despachada ao chanceler Magalhães Pinto, o presidente Costa e Silva — indisposto com a dupla vida de diplomata e showman de que o poeta se recusa a abrir mão — determina: ''Demita-se esse vagabundo''. A ordem está dada, só falta ser cumprida. Depois de retornar do posto diplomático em Paris, já em 1964, o poeta — a seu pedido — é requisitado pelo governador de Minas, Israel Pinheiro, para ficar à disposição da Fundação Ouro Preto, dirigida pelo escritor Murilo Rubião. Em 1967, já esgotada a requisição, é lançado, sem qualquer piedade, numa espécie de inferno astral. Visita por várias vezes o secretário-geral do Itamaraty, embaixador Manoel Pio Corrêa, à espera de sua designação para novas funções diplomáticas. Não obtém, jamais, qualquer resposta.

A irmã Laetitia, que freqüenta o meio diplomático por causa do marido, Arnaldo, que é embaixador, um dia lhe pergunta: ''Por que você não aparece mais no palácio?''. Vinicius exibe sua mágoa: ''Eu me recuso a ficar andando pelos corredores sem nada para fazer. Não tenho sequer uma mesa e uma cadeira para mim''. A situação é constrangedora, porque os relatórios internos do Itamaraty, apesar das restrições que fazem ao poeta no que diz respeito a seu estilo de vida pessoal e a seu comportamento desinibido, estão repletos de elogios a seu desempenho nos postos que ocupou, em particular quando tratam das atividades do campo cultural. O ministro Magalhães Pinto chega a comandar uma reunião de cúpula no palácio só para discutir o caso Vinicius de Moraes. Está decidido a seguir à risca a ordem do presidente da República, mas a maioria dos participantes do encontro é contrária à punição.

Magalhães Pinto, embaraçado e sem argumentos, sugere a transferência de Vinicius para o Ministério da Educação e Cultura. Os outros aceitam. Retorna ao gabinete de Costa e Silva com a idéia. O presidente, mais uma vez, é duro: ''Você tem que aposentar o Vinicius como aposentou os outros''. E se recusa a continuar o assunto. Na verdade, o processo de caça às bruxas disparado dentro do Itamaraty pelo AI-5 não tem, somente, conotação política. A idéia é aproveitar os tempos de exceção para afastar também profissionais classificados em duas categorias que os militares julgam incompatíveis com o decoro diplomático: os alcoólatras — entre os quais Vi-

DUPLO VALOR

A rotina diplomática obrigava Vinicius a passar longas horas perdido nos labirintos de Estado. Mas lhe proporcionava momentos estimulantes, como os que desfrutou ao lado do também diplomata e poeta João Cabral de Mello Neto.

RTE DO PRAZER

'aminhando, sorridente,
or uma rua de Paris, parando para
onversar com Baden Powell, Armando
trozenberg e Celina Luz, ou divertindo-se
om Lauro Escorel, o poeta soube tirar o
elhor de sua carreira.

nicius é enquadrado — e os homossexuais. A vida de cantor de boate e showman parece, ao governo militar, intolerável para um diplomata, sobretudo num regime forte. A garrafa de uísque sempre à mão, o indicador girando as pedras de gelo entre uma canção e outra, as piadas provocantes compõem um quadro que, aos militares, parece obsceno. Em março de 1969, a Comissão Câmara Canto (criada pelo AI-5), um grupo secreto constituído por diplomatas e chefiado pelo embaixador que lhe dá o nome, passa a trabalhar expressamente no expurgo de ''subversivos, corruptos, alcoólatras e homossexuais'' do ministério. Ela volta a sugerir, num ato de duvidosa benevolência, a transferência de Vinicius de Moraes para o MEC. Um problema burocrático — não há coincidência entre os cargos e funções do MEC e do Itamaraty — é usado como álibi para derrubar a idéia. Nada mais resta a fazer. Em maio de 69, por fim, Vinicius de Moraes é aposentado compulsoriamente da carreira diplomática.

O célebre bilhete de Costa e Silva a Magalhães Pinto desaparece. Não resta qualquer ordem por escrito do presidente pedindo a exclusão. Mas, é certo, é uma decisão que vem de cima. Vinicius recebe uma carta-telegrama com o comunicado da aposentadoria compulsória. A correspondência chega às suas mãos na casa da irmã Lygia. Ela o pega mergulhado em sua banheira. Fica arrasado, mas não deixa escorrer uma só lágrima. Os documentos que restam a respeito do processo de aposentadoria compulsória de diplomatas pelo AI-5 permanecem guardados a sete chaves nos arquivos do Itamaraty, em Brasília. Há um calhamaço de papéis exclusivamente sobre o ''caso Vinicius''. Neles, não aparece qualquer referência a questões ideológicas ou políticas. As ressalvas ao poeta são, exclusivamente, de ordem comportamental. Há, surpreendentemente, longos elogios à qualidade de sua poesia.

Deprimido pela perseguição política, Vinicius se refugia no projeto de mais uma coletânea de poemas inéditos. O livro se chamaria *Poemas sem tempo*, seria editado pela Sabiá e pretendia refletir o desânimo do poeta com o andar vacilante da história e com as restrições impostas pela passagem acelerada do tempo. Vinicius de Moraes nunca concluiu esse livro, nem deixou dele qualquer manuscrito organizado. Passa um longo período marcado pelo sentimento da paralisia intelectual. Nessa ''fase má'' só restará ao poeta o consolo, sempre incondicional, dos amigos. Desde ''Belo, forte, jovem'', caloroso ensaio sobre sua obra assinado pelo amigo Mário de Andrade no distante ano de 1939, Vinicius de Moraes nunca deixou de receber dos amigos substanciais reservas de coragem e de fibra. Manuel Bandeira — que definiu Vinicius, um dia, como ''um monstro de delicadeza'' —, a escritora argentina Maria Rosa Oliver, o professor português David Mourão Ferreira, Eduardo Portella e Antonio Candido são alguns desses intelectuais que, sem abrir mão do rigor crítico, puseram sua pena afiada a serviço do poeta. Ainda assim, Vinicius será ao longo de toda a vida um homem carente de afeto e de aprovação. Numa carta que lhe despachará de Lisboa, em agosto de 1969, o escritor Otto Lara Resende, depois de elogiar algumas crônicas que o poeta assina nesse período nas páginas do *Jornal do Brasil*, dirá: ''De onde é que você tirou a idéia, seu maroto, de que não gosto de suas colaborações no *JB*? Não foi o que eu disse. Quer elogios quentes, calorosos? Pois mando depois, pois agora vou ter que sair''. Vinicius, de fato, nunca está satisfeito e quer sempre mais.

2

Cristina Gurjão descobre, em 1969, que está grávida. Entra em pânico. Telefona para Vinicius e diz sem rodeios: ''Descobri que engravidei. O que faço?''. Vinicius tem um acesso de raiva. Grita: ''Como você me pergunta o que faz? É claro que vamos ter esse filho!''. Cristina também deseja a criança, mas conhece bem os perigos da vida ao lado do poeta. Procura ser prática e deixar tudo bem nítido aos olhos de Vinicius: ''Eu já tenho três filhos. Você se lembra disso?''. Por telefone, a conversa é impossível. Encontram-se. A mulher insiste com suas ponderações. Ele, depois de um acesso de fúria, blefa: ''Se você abortar, eu te dou um tiro!''. Diante daquela fanfarronada, Cristina entende o quanto o poeta também deseja aquele filho, que parece vir selar o casamento entre os dois. Ainda se faz, como sempre, de dura: ''Está bom. Vamos ter essa criança'', diz. Procura Otto Lara Resende em busca de conselhos. Quer ter certeza de que não está cometendo um erro. Otto sugere que, se ela também deseja a criança, siga a vontade de Vinicius. Sai decidida. A bela Maria Gurjão de Moraes começa a nascer.

Quando Cristina chega ao quinto mês de gravidez, Vinicius conhece a baiana Gesse Gessy — que será sua sétima mulher. Começa, então, para Cristina uma fase em que a agonia se apresenta como a forma mais agourenta da paixão. Vive nervosa e abandonada. Sempre foi uma mulher de atitudes radicais. Na juventude, foi uma das primeiras mulheres cariocas a freqüentar sozinha uma boate. Uma das primeiras a usar um maiô de duas peças. Uma das primeiras a usar um escandaloso ''vestido-saco'', que depois se tornaria uma regra nos salões chiques da cidade. Filha de uma holandesa com um brasileiro, Cristina recebeu uma educação vanguardista. Desde cedo, é dona de seu nariz. Vinicius, partido ao meio pela descoberta de Gesse, não sabe mais lidar com ela. Cristina é uma mulher decidida, sem papas na língua, capaz de tomar decisões com rapidez. O poeta tem com ela, desde o início, uma relação ambígua, em que o amor se confunde com o sentimento de proteção. E o prazer com angústia.

Quando Vinicius é aposentado compulsoriamente do Itamaraty, surgem os primeiros problemas financeiros. É Cristina Gurjão quem vai, sozinha, aos Estados Unidos, munida de uma procuração, pegar algum dinheiro que o poeta tem guardado no Chemical Bank, de Nova York. Os militares, por meio da censura à correspondência, descobrem a conta e o acusam de sonegação fiscal. Uma inverdade, pois o imposto devido era pago nos Estados Unidos. O poeta, mesmo assim, é convocado para depor no departamento de fiscalização do Ministério da Fazenda. ''Não vou'', diz para a mulher.''Não suporto polícia.'' Cristina já sabe que está grávida, anda nervosa, mas — sempre corajosa — decide que vai em seu lugar. Toma algumas instruções com um advogado e resolve o problema.

É uma mulher poderosa — e Vinicius se resigna diante desse poder. Num período em que se sente fraco, aquela ''holandesa'' — ele gosta de chamá-la assim, para homenagear sua vitalidade e sua independência — o protege. Não tem certeza se está apaixonado por ela, mas precisa dela. Com Cristina Gurjão, o amor se torna, pela primeira vez, uma forma explícita de dependência. Vinicius sabe que, com isso, desmente tudo o que sempre pensou — e sempre disse — a respeito da paixão. Mas não tem mais forças para ser coerente consigo mesmo. A luz que viu, certa vez, nos olhos de Cristina Gurjão não era, exatamente, uma manifestação de amor, mas uma espécie de hipnose. Não sabe se a ama, mas não pode resistir a ela. Vinicius, que, desde a forte Tati, sempre buscou mulheres mais novas e desprotegidas, agora inverte o jogo. Tudo o que deseja é um bom colo. Talvez haja, encarnado em Cristina, um retorno daquela mulher ideal, perfeita e superior que povoava, como um ser desejado mas inatingível, seus poemas de rapaz. Aquela mulher que massacrava a fragilidade masculina com seu poder e com sua suntuosidade. Aquela semideusa de carne que Tati de Moraes, com muito mais competência, chegou a representar.

É impossível, aqui, não recorrer ao lugar-comum e deixar de pensar na figura de Lidia, a mãe do poeta. Vinicius põe Cristina no lugar da mãe, que o protege e lhe serve de escudo contra a adversidade do mundo. Por isso, esse amor — e é preciso dar esse nome, porque, apesar de tudo, essa é uma forma de amor — o faz novamente prisioneiro. Só que, com Lucinha Proença, ele era um refém da beleza e do prazer. Agora, com Cristina Gurjão, se torna um refém de seu próprio desencanto. Experiência que, temperada pela sensualidade extremada da baiana Gesse Gessy e vivida em tom bem mais esfogueado, só se radicalizará em seu casamento seguinte.

A relação com Cristina Gurjão tem um contraponto, vivido ao abrigo das sombras: um amor secreto com a atriz Neusa Borges. Na época, Neusa é crooner da boate Quitandinha, em São Paulo. Numa noite de sexta-feira, Vinicius chega à boate acompanhado por Márcia Rodrigues e Edu Lobo. Entra no exato momento em que Neusa começa a cantar. Fica encantado. No intervalo, procura a cantora no camarim e, sem escolher muito as palavras, diz: ''Você é uma flor. Venha tomar uma taça de champanhe comigo depois do show''. Neusa, uma mulher sempre avoada, não o reconhece e reage de modo intempestivo: ''Sai daqui, por favor. Não venho a essa boate para beber com homens, mas para trabalhar''. O poeta sai, mas não desiste. Procura o gerente da casa e, cheio de empáfia, explica: ''Fui convidar a sua cantora para um champanhe, mas ela me tratou com grosseria. Por favor, explique à moça que eu sou o Vinicius de Moraes''. O gerente vai, assustado, aos camarins. ''Você está louca?'', começa, em tom de quem dá uma ordem. ''Louca por quê?'' O chefão faz cara de enfado: ''Então você não percebe que aquele homem que veio te convidar para um drinque se chama Vinicius de Moraes?''. Neusa não perde a pose. Encara o gerente e diz: ''Não sei quem é Vinicius de Moraes. E quero que ele se dane''.

O gerente sai do camarim completamente derrotado. Anda de um lado para outro pelos corredores, sem saber o que fazer. Neusa volta à cena e faz a sua parte. Mas Vinicius é um homem que não gosta de perder. E que é capaz dos gestos mais desvairados para conseguir o que deseja. Vai ao balcão e chama o gerente de novo: ''A partir de agora, toda a despesa da casa fica por minha conta. Pode servir uísque à vontade''. O gerente o olha como se encarasse um louco. Àquela altura da noite, a boate está tomada por pelo menos 150 pessoas! Aturdido pela decisão de Vinicius, ele corre para o camarim e espera o retorno da cantora. ''Que seja só uma tacinha de champanhe'', argumenta. ''Mas, por favor, atenda o pedido desse homem. Ele está doido por você e é capaz de cometer alguma loucura.'' Neusa, vendo o desespero do patrão, resolve ceder: ''Está bem. Só uma tacinha. Mas só vou tomar esse champanhe porque é uma ordem do chefe''.

Senta-se, minutos depois, à mesa do poeta. Não demora muito e já está encantada. Vinicius, apressado, decide convidá-la para jantar em outro lugar. ''Isso não'', diz. ''Nunca saí daqui com homem algum e essa não será a primeira vez.'' Acaba indo. Na entrada do restaurante, o poeta — cumprindo à risca o papel de grande amante latino, que sabe desempenhar com brilho sempre que quer — a enche de flores. Neusa toma, pela primeira vez na vida, uma dose de Campari. Adora. Terminam a madrugada numa larga cama de casal do Hotel Excelsior. De manhã, quando está pronta para sair, Vinicius lhe põe algo na mão. Antes que ela possa ver o que é, ele explica: ''Não se ofenda. É só um cheque para pagar o teu táxi''. Desconcertada, resolve não reagir, pensando em rasgar o cheque assim que chegar à calçada. Desce. Antes de rasgá-lo, não resiste e olha o valor: daria não apenas para pagar o táxi, mas para comprá-lo. Volta, irada, ao quarto. ''Olha aqui. Eu não sou uma prostituta!'', entra gritando. Vinicius não se abala. ''Nem eu julguei que fosse'', diz com absoluta calma. ''Só quis te dar um presente, porque desejo te ver muitas outras vezes.'' Neusa ainda está tonta: ''Você está doido! O que vou fazer com tanto dinheiro?''. E ele, impassível, ironiza: ''Compre um apartamento. Assim não precisaremos mais freqüentar hotéis''.

NEUSA

A paixão por Neusa Borges,
na época uma "crooner" da noite paulista,
levou o poeta a construir um mundo paralelo ao oficial.

Neusa dobra o cheque e o guarda na bolsa. Sabe que aquela noite não foi uma simples aventura. E sente que, mesmo escondido sob a roupagem do machão chantagista, Vinicius de fato a deseja. Com o dinheiro, ela compra móveis para a cozinha, uma geladeira, um fogão e muitas roupas. Durante um ano e oito meses, eles mantêm um namoro secreto — que serve para o poeta como contraponto para a relação áspera com Cristina Gurjão. O poeta se impressiona, antes de tudo, com a sensualidade e a doçura de Neusa — em tudo, o oposto do temperamento explosivo e metódico de Cristina. Passa a chamá-la de Neusinha Mosquitinha Elétrica. Sempre que pode, dá uma escapada até São Paulo para visitá-la. Ajuda no sustento de seu apartamento. Trata-a como a segunda mulher. Rompem o namoro no primeiro semestre de 1969 — quando a relação do poeta com Cristina Gurjão já não vai nada bem, e Gesse Gessy já desponta em sua vida.

Neusa Borges entra para o elenco da montagem paulista do musical *Hair*. Uma noite, no intervalo do espetáculo, o ator Armando Bógus lhe avisa que Vinicius de Moraes está na platéia. Não consegue mais se concentrar no que faz. Quando sai de cena, no fim da peça, cai desmaiada. Vinicius vai procurá-la nos camarins. Ela já voltou a si. Os dois se abraçam e Neusa tem uma crise convulsiva de choro. O poeta já está acompanhado por Gesse Gessy que, sempre prevenida, prefere esperá-lo no corredor. Dias depois, Neusa recortará de uma revista uma foto de Vinicius abraçado a Gesse e a colará em seu espelho de maquiagem. Um colega, vendo a fotografia, lhe pergunta: ''Para que isso? Só para sofrer?''. Ela responde: ''Para sofrer, não. É só para chorar''. Vinicius passa a ser, para ela, a imagem do amor quase perfeito. Consola-se: a perfeição não existe mesmo. Isso ela aprendeu.

O poeta guarda como herança dessa relação, além do sabor exótico conferido por um amor vivido nas sombras, o reforço de uma velha amizade: com seu maior amigo paulista, o empresário Zequinha Marques da Costa. Vale a pena falar mais um pouco a seu respeito. É um homem de palavras empoladas, sempre metido em roupas finas, que tem negócios de família no ramo dos produtos químicos. Um industrial encantado pela cultura, que chega a dirigir atores como Lima Duarte e Anselmo Duarte em meia dúzia de sessões de teleteatro nos primórdios da TV Tupi. Não é essa, exatamente, sua melhor vocacão. Dirigindo *Crime e castigo*, de Dostoievski, para a primitiva Tupi, Zequinha, contra todas as indicações dadas, naquele tempo, pela precariedade da teledramaturgia, resolve colocar uma imensa carruagem em cena. A desengonçada diligência, trafegando sob o comando de um motorista de táxi pescado às pressas nas imediações do estúdio, não combina com as dimensões do cenário. E, num solavanco mais brusco, passa por cima do ator Sérgio Britto — que vive o angustiado Raskolnikof. O ator quebra a perna. Seqüelas da TV ao vivo: mesmo torturado pela dor, o corajoso Sérgio Britto leva a cena até o fim. Zequinha Marques da Costa vê, ali, seu espírito aventureiro de homem de negócios posto à prova pela realidade crua da televisão. Mas não desiste da carreira.

Zequinha é um anti-Vinicius, por seus modos chiques, sua fala pausada, sua ironia interminável, o que torna o imenso amor fraterno que os une ainda mais forte. Lidera — com seu irmão Joca e seu primo Américo — o grupo de amigos paulistas do poeta, que inclui o pintor Clóvis Graciano, a escritora Lygia Fagundes Telles, o delegado de polícia João Leite, o jornalista Flávio Porto (irmão de Sérgio Porto, o Stanislaw Ponte Preta) e o advogado Luís Lopes Coelho. Reúnem-se, religiosamente, num velho bar da rua Sete de Abril, que batizam de Clubinho dos Artistas. Bebem, riem até se fartar e jogam muita conversa fora. Vinicius, cada vez que vai visitar Neusa Borges, dá um jeito de se unir a eles. É nesse bar que o poeta, numa noite mais exaltada, destila a sua célebre máxima: ''São Paulo é o túmulo do samba'', diz, indignado com a sofisticação, para ele esnobe, do gosto musical dos amigos. Depois, bem-educado, tentará sempre desmentir o que disse. As testemunhas, para protegê-lo, silenciarão. Mas todos o ouviram muito bem.

Na verdade, o poeta está apenas se repetindo. Em fins dos anos 50, logo depois do sucesso do *Orfeu da Conceição*, Vinicius começa, pela primeira vez, a freqüentar São Paulo com assiduidade. Gosta de ir a uma boate chamada Câve, para ouvir as melodias de Boker Pitmann, o pai da cantora Eliana Pitmann. O bar é estranho: fica nos fundos de um velho casarão e, para alcançá-lo, é preciso atravessar um sufocante corredor, comprimido por um teto excessivamente baixo, que se alonga por mais de dez metros. Uma tortura. Vinicius odeia atravessá-lo. Diz que o corredor o deixa nervoso, sem ar, e que o faz se sentir na entrada de um mausoléu, e não de um nightclub. Uma noite, não se contém e declara em alto e bom som: ''Isso aqui é o túmulo do samba''. Refere-se à Câve, mas Boker Pitmann, ao ouvi-lo, prefere tomar a frase como uma ofensa a São Paulo. Vinicius, sempre atento aos efeitos que as palavras, à sua revelia, conseguem produzir, delicia-se com o susto do amigo — e não se desmente. ''Essa cidade parece um túmulo, sim'', diz. ''Aqui eu me sinto sempre meio emparedado.'' Mais tarde, também para irritar Boker Pitmann, cunha outra sentença célebre a respeito da cidade: ''Eu gosto muito de São Paulo'', explica. ''O único defeito dessa cidade é que você anda, anda, anda e nunca chega a Ipanema.'' Agora, o amigo não agüenta e se esbalda de tanto rir.

A primeira vez em que se encontra mais longamente com Zequinha Marques da Costa é numa feijoada que o empresário oferece a amigos, ainda antes da estréia do *Orfeu*, em plenos anos 50. Vinicius vai com Lila Boscoli. A feijoada está marcada para as catorze horas de um sábado. Chegam, esbaforidos, com duas ou três horas de atraso. Não perdem nada: a feijoada só termina às oito horas da noite — de domingo! O poeta se liga, cada vez mais, aos amigos paulistas. Depois de alguns uísques, confessa para Zequinha: ''Gosto de São Paulo porque, no Rio, estou cheio de amigos intelectuais. Aqui estou cheio de amigos-amigos''. Comete uma série de pequenas loucuras em nome dessas amizades-amizades. Várias vezes, pega um táxi em Ipanema e, serenamente, pede: ''Você me leva a São Paulo, por favor?''. Depois de uma negociação rápida com o motorista, quase sempre consegue convencê-lo a fazer a corrida. ''Se quiser, pode passar em casa antes para avisar a mulher e pegar uma escova de dentes'', apressa-se a dizer. Fala sério.

Com seus amigos paulistas, se permite certos tipos de confidência que, no Rio, são impensáveis. Zequinha ouve dele um desabafo como esse: ''Cansei de falar para o Drummond que ele tem que se aproximar mais da vida'', lamenta. ''Eu sei que ele inveja esse meu lado mais promíscuo com a realidade. Mas não consegue sair de seu casulo.'' Carlos Drummond de Andrade, poucas semanas depois, como que respondendo ao amigo, declara mais uma vez: ''Eu invejo o Vinicius porque ele vive em estado permanente de poesia''. Outros poetas de grande prestígio sabem manifestar, a seu tempo, sentimentos muito parecidos. No início dos anos 70, o chileno Pablo Neruda faz uma visita a São Paulo e se encontra com Vinicius num almoço. Lá estão Rubem Braga e Toquinho como testemunhas. Depois de alguns drinques, Toquinho acompanha Vinicius ao violão. Neruda, num rasgo de sinceridade, confessa: ''Não tive a coragem do Vinicius. Era o que eu mais gostaria de ter feito: letras de música. Mas tive medo de que me desprezassem''. Vinicius não consegue esconder sua emoção, pois sempre considerou Pablo Neruda o maior poeta vivo de nossa época.

É de Zequinha Marques da Costa, também, que Vinicius tem que ouvir algumas das mais duras lições que já recebeu na vida. Quando o poeta se separa de Cristina Gurjão para viver com Gesse Gessy, o empresário — sem entrar no mérito da escolha — lhe diz: ''Não acredito tanto assim nas coisas que você escreve sobre o amor, Vinicius''. O poeta se choca. ''Como não? Eu vivo para amar!'' O sábio Zequinha prossegue: ''É verdade. Mas não sei se devemos chamar isso de amor. Quem troca tanto de mulher, é porque não pode amar nenhuma. Você tem paixão, entusiasmo. Amor, não sei se tem''. Zequinha sempre reclama, também, de suas tiradas supostamente ousadas, mas certamente grosseiras, a respeito da própria intimidade sexual. Há uma máxima de Vinicius de Moraes, cunhada já perto da morte e motivada pelo fantasma da impotência — uma seqüela clássica do diabetes avançado, que o amedronta —, que deixa o empresário particularmente horrorizado: ''Enquanto eu tiver língua e dedo, mulher alguma me mete medo''. Zequinha está, nesse caso, cheio de razão. Vinicius, com seu ar blasé, passa a repetir a terrível sentença em rodas de amigos e — o mais desagradável — durante seus shows. Zequinha o aconselha: ''Você se expõe demais. Medos são coisas que devemos guardar conosco. Depois, essa frase, você me desculpe, é uma grosseria''. Certamente é. Mas o medo da decadência física leva o poeta a se descontrolar. O poeta do amor não poderia, de fato, conceber um espectro mais apavorante. Zequinha — prova definitiva da amizade especial que os une — é o único homem, ao longo de toda a vida, que o poeta aceita a seu lado em sua banheira. Chega a se deixar, um dia, fotografar nesse banho a dois, amigos felizes afundados, sem qualquer pudor, na mesma delícia de espumas. Ali, naquela vagabundagem viril, se tornam irmãos.

3

O amor secreto com Neusa Borges não é uma novidade em sua vida. Afora as escapadas ocasionais para satisfazer a fome da carne, as quais Vinicius — como qualquer homem de sua formação — sempre se permite, ele tem ao longo de seus casamentos outros surtos, rápidos mas agudos, de paixonite. Um dos mais ardentes se deu, nos anos 50, com a escritora Hilda Hilst. Encontram-se, acidentalmente, entre as prateleiras da Livraria Jaraguá, em São Paulo, no ano de 1953. O amigo Almeida Salles apresenta a escritora, com uma frase inquietante: ''Essa mulher é um impacto em minha vida. Você precisa conhecê-la''. Na mesma noite, Vinicius e Hilda saem para jantar, escoltados por Millôr Fernandes e Aracy de Almeida. O poeta é um homem bem casado. Faz outras viagens ''de trabalho'' a São Paulo só para encontrá-la. Hilda começa a se apaixonar e, um dia, entrega uma confissão a Almeida Salles: ''Eu o acho irresistível. Ele é um homem muito romântico''.

Vinicius talvez tenha desejado levar mais longe a aventura com Hilda, mas tropeça em si mesmo. O fecho da relação é emblemático. O casal vai a um restaurante rústico, à beira da estrada, para almoçar. Sentam-se no fundo do salão, perto de uma porta que dá para o quintal da casa. Há um carneiro amarrado a uma árvore, esperando seu momento de morrer. O animal não pára de gritar. Vinicius pede o cardápio. Hilda não consegue se livrar do choro dissonante do animal. ''Vinicius, vamos embora daqui. O choro desse bichinho está me agoniando'', pede. O poeta a olha com ar indisposto e diz: ''Mas que bobagem! Vamos almoçar aqui mesmo''. Hilda fica abatida. Pensa: ''Eu sempre achei que ele era um homem sensível. É um poeta, mas não consegue entender o que estou sentindo...''. A relação de amor desanda. Hilda ainda recebe uns perfumes que Vinicius lhe manda de presente por intermédio de um seu amigo, o diplomata Roberto Assunção. Ela e Roberto acabam se tornando, por breve tempo, namorados. Ela aprende a respeitar as armadilhas do mundo. Roberto Assunção sabe muitos e muitos poemas de Vinicius de Moraes de cor e os recita, para uma Hilda emocionada, em plena cama. Ela pensa: ''Esse homem, sim, é poeta. O outro não sabe se emocionar nem com o choro de um cordeiro''. Passa a encarar Vinicius como um duplo, um homem escondido dentro de outro homem — que, ainda assim, é ele mesmo.

Hilda talvez tenha decifrado uma parte importante dos truques do poeta. Talvez tenha descoberto um Vinicius desagradável e frio. Mas continua a haver um grande poeta guardado ali dentro. Vinicius de Moraes tem, mais que nunca, a alma carregada de poesia. Uma música deixada pelo violonista Garoto, morto de um ataque cardíaco em maio de 1955, aos quarenta anos, uma melodia ainda sem letra, é retomada por ele, em 68, como mais uma prova. Escreve, sobre ela, a deliciosa "Gente humilde", que abre com os clássicos versos: "Tem certos dias em que eu penso em minha gente/ E sinto assim todo o meu peito se apertar/ Porque parece que acontece de repente/ Como um desejo de eu viver sem me notar". Vinicius, satisfeito consigo mesmo, exibe a letra, praticamente pronta, para Chico Buarque. O compositor não esconde seu entusiasmo. "É perfeita. Parece que vocês fizeram juntos", diz. Vinicius, sempre generoso, retribui: "Põe dois versos a mais, nela, que eu te dou parceria". Chico, a princípio encabulado, acaba aceitando o presente do poeta. São deles — apenas — o 11º e o 12º versos: "Pela varanda, flores tristes e baldias/ Como a alegria que não tem onde encostar". O resto é, unicamente, de Vinicius. A experiência, mesmo assim, serve para dar início à parceria entre os dois, que renderá pequenas obras-primas como "Valsinha" e "Olha, Maria", esta última uma parceria na letra, com música de Tom Jobim.

Chico Buarque, mais tarde, retribui a gentileza de Vinicius lhe oferecendo parceria em duas músicas em que o poeta praticamente não mexe: o "Samba de Orly" e "Desalento". Nem sempre, porém, os dois parceiros se afinam. Em 70, o poeta lhe dá de presente a melodia que resultaria em "Valsinha". Chico coloca a letra ("Um dia ele chegou tão diferente do seu jeito de sempre chegar/ Olhou-a dum jeito muito mais quente do que sempre costumava olhar..."). Vinicius a aprova por completo, mas insiste em um título que Chico rejeita: "Valsa hippie". "Não tem nada de hippie nessa letra", o compositor argumenta. Vinicius, o rei dos diminutivos, acha "Valsinha" adocicado demais. Perde. Meses antes, Chico Buarque passa uma temporada com o poeta em Roma, e depois em Lisboa — e aprende a compreendê-lo melhor.

Na Itália, almoçam no restaurante Moro, onde quase sempre dividem uma mesa com o poeta Giuseppe Ungaretti. Os três passam horas juntos bebendo e trocando idéias no bar do Hotel Rafael, perto da piazza Navona. Ungaretti, a essa altura, já tem seus oitenta anos, mas continua — dentro dos limites impostos pela saúde — a ser um boêmio. Tem uma namorada croata, que pode ser sua neta. E só fala de mulher. Chico, espantado com a vitalidade de Ungaretti, consegue apenas comentar no ouvido de Vinicius: "Mas como ele agüenta?". Não é uma amizade nova. Vinicius o conhece desde os anos 30, quando ainda era um rapazote. Entre 1936 e 1943,

HILDA

O poeta viveu outro amor secreto com a escritora Hilda Hilst. Conheceram-se numa livraria e romperam melancolicamente, num restaurante de beira de estrada.

GENEROSIDADE

Chico Buarque — posando, jovem e feliz, ao lado de Tom Jobim, Vinicius e Manuel Bandeira — tornou-se parceiro do poeta em uma letra para uma melodia inédita do violonista Garoto (ao lado). Vinicius tinha a letra praticamente pronta e propôs a Chico: "Põe dois versos aí que eu te dou parceria".

Giuseppe Ungaretti — que nasceu, na verdade, em Alexandria, no Egito, em 1888 — morou em São Paulo, dando aulas de literatura italiana na USP. Depois disso, traduziu poemas de Vinicius para o italiano.

Agora, em Lisboa, Vinicius e Chico circulam com os muitos amigos que Vinicius coleciona na capital portuguesa — o ator Nicolau Breyner, a cantora Amália Rodrigues, o poeta O'Neill e o empresário Infante da Câmara, dono do Hotel do Império, onde o poeta sempre se hospeda. Vinicius, a essa altura, já é tratado em Portugal como um pop star. Num único momento dessa turnê, quase põe tudo a perder. Ao final de um show em Coimbra, Vinicius, empolgado, grita, numa daquelas bravatas bem a seu estilo: ''Viva a mocidade portuguesa!''. No lugar dos aplausos que esperava receber, vem um silêncio constrangedor. Toma um susto. Faz mais duas ou três saudações diferentes, aplaudidas sem grande entusiasmo, e se retira do palco. Nos bastidores, um dos empresários lhe diz: ''Vinicius, o que deu em você? Tornou-se um fascista?''. A Mocidade Portuguesa, no catálogo do salazarismo, é uma entidade inspirada na Juventude Hitlerista. A platéia julgara que, num ato de loucura, o poeta do amor e da liberdade tivesse decidido fazer uma homenagem a Salazar.

Ainda nessa viagem, Chico Buarque o procura para mostrar o rascunho de uma nova música. ''Não tenho certeza se está boa'', diz o rapaz. ''Acho que, na dúvida, é melhor jogar fora.'' Ao invés de dar uma resposta comum, Vinicius começa a recitar a si mesmo: ''Homem sou belo/ Macho sou forte, poeta sou altíssimo/ E só a pureza me ama...''. Os versos, tirados do ''Poema para todas as mulheres'' (de *Novos poemas*, livro que publicou em 1959), foram depois ironizados por Mário de Andrade, que só os recitava assim: ''Homem sou belo/ Macho sou forte, pretensioso sou altíssimo...''. Vinicius ri sempre que recorda a maldade de Mário. Nunca se furta à autoironia, faxina interior que pratica com freqüência e entusiasmo. Mas, ao recitar aqueles versos para o jovem Chico, quer lhe dizer uma coisa: que seja pretensioso sim, porque a pretensão é a marca da juventude. Não é um homem de dar conselhos. Mas, quando lhe pedem, jamais fornece respostas que preguem a moderação e a contenção. ''Vá em frente. Nunca jogue nada fora'', diz finalmente. Adotará a mesma política generosa, sempre, em relação a si mesmo. Ao morrer, muitos anos depois, deixará um imenso arquivo pessoal que mescla pequenas preciosidades com quilos de rascunhos, exercícios incompletos e outras ninharias.

Vinicius de Moraes é uma figura decisiva na vida de Chico Buarque. Quando seu pai, o historiador Sérgio Buarque de Holanda, passa dois anos na Itália lecionando na Universidade de Roma, no início dos anos 50, o pequeno Chico — com oito ou nove anos de idade — aprende a ver o poeta como um mito. Imagem que, ao longo da vida, mesmo com o ceticismo imposto pela maturidade, jamais será destruída. Mas só em 1962 toma coragem e mostra seus primeiros rascunhos de composições ao poeta. Vinicius está internado na Clínica São Vicente para uma de suas temporadas de "lavagem do fígado". Chico, por coincidência, vai visitar um tio (José Augusto Cesário Alvim, amigo de Vinicius) que está internado na mesma clínica. O tio o incentiva: "Pega o violão e vai mostrar uma música ao Vinicius. Ele está aí no quarto ao lado e precisa de alguma coisa para se distrair". O rapaz toma coragem. Para aumentar seu medo, Baden Powell está visitando o parceiro. Dedilha uma canção. Vinicius enfatiza seu entusiasmo e, depois, pede a Baden que mostre uma música que os dois acabam de compor. O violonista canta, então, "Pra que chorar", uma música simples armada sobre uma letra despretensiosa que mais parece uma lição de otimismo. Enquanto Baden canta, o poeta chama Chico à sua cabeceira e confidencia: "Tem um velho agonizando aí no quarto ao lado. Ele chora a noite toda, é horrível. Fiz essa letra pensando no velho, mas o Baden não pode saber, senão vai me odiar". O velho anônimo certamente morreu sem tomar conhecimento da homenagem.

Chico Buarque num extremo e Giuseppe Ungaretti no outro sinalizam o amplo espectro de amizades que Vinicius de Moraes, a essa altura um homem que já caminha para seus sessenta anos, é capaz de colecionar. Fascina outros grandes poetas, como o chileno Pablo Neruda, que para ele escreve, em 1968, durante uma temporada em Ouro Preto, um "Soneto para Vinicius de Moraes". Na confusão da viagem, Neruda o perde. Só consegue recordar o primeiro quarteto, que diz: "No dejaste deberes sin cumplir/ Tu tarea de amor fué la primera/ Jugaste con el mar como um delfín/ Y perteneces a la primavera". Aborrecido, Pablo Neruda decide esquecer esses primeiros — e belos — versos e recomeçar do zero um "Soneto para Vinicius de Moraes, reconstruyendo un soneto extrabiado habiendo sido este nuevo soneto escrito en Ouro Preto, en septiembre de 1968" — título felizmente reduzido, depois, para "Soneto a Vinicius". O novo poema começa assim: "Vinicius, como el animal herido/ Vuelve a buscar su origen, su vertiente,/ Este soneto que creí perdido/ Vuelve a tocar tu pecho transparente". Nele, a emoção, esgarçada ao limite, se transforma em homenagem. Também é o transbordamento da emoção, e não o pano de fundo politizado e esquerdizante, o que mais seduz Vinicius em Neruda. São dois exagerados — um tomado pela euforia da paixão, outro pela euforia da política — e se orgulham disso. Parecem saber que, no fundo, o derramamento é mais importante que o poema derramado.

No início de 69, Vinicius faz uma viagem à Europa com Cristina Gurjão. Leva, consigo, a filha Georgiana. Vão primeiro à Itália, e depois o poeta leva Georgiana até a Inglaterra, onde ela vai se matricular na Hatchlands School, uma escola de elite em East Clandon, onde estudará por sete meses. Em princípio, Georgiana, que está com quinze anos, se mostra satisfeita: é, como todas as jovens de sua idade, beatlemaníaca e uma temporadana Inglaterra ganha um colorido especial. Acaba sofrendo, mais uma vez, as conseqüências de um mal de que ela e seus irmãos sofrerão sempre: a síndrome do pai ausente. Vinicius sempre repete uma frase de efeito: ''Crianças? Deveriam nascer aos quinze anos!''. Uma variação sobre si mesmo, calcada sobre os célebres versos do ''Poema enjoadinho'', escrito nos tempos em que era um paizão de duas crianças em Los Angeles: ''Filhos... Filhos?/ Melhor não tê-los!/ Mas se não os temos/ Como sabê-lo?''. Georgiana chegou à idade prometida, mas a distância paterna continua a torturá-la. Os cinco filhos sempre o amaram — e é justamente aqui que os problemas começam. Em sete meses de temporada inglesa, Georgiana engorda mais de dez quilos. Atribui o peso ao excesso de chocolates ingleses. Maria, a filha de Vinicius e Cristina Gurjão, nasceu em março de 1970. Pela última vez, o poeta se torna novamente pai.

4

Uma mulher — que os amigos, às vezes, tratam como deusa e os inimigos como bruxa, sempre por força de sua aparência exótica e de seu espírito misterioso — aparece para abalar a já precária união com Cristina Gurjão. O destino lhe prepara um susto. Cristina, grávida de Maria, precisa ir a Portugal para receber direitos autorais em nome do marido. Estamos no segundo semestre de 1969. Quando volta, descobre que Vinicius está apaixonado por outra mulher. A rival se chama Gesse Gessy. É baiana, tem ligações com o candomblé — alguns lhe dizem que se trata de uma "bruxa" — e é, lamentam informar, mais bonita que ela. Cristina se tranca em sua dor e espera. Dias depois, aproveita uma visita que Pedrinho de Moraes faz ao pai e, no tom de quem faz o comentário mais trivial do mundo, pergunta ao rapaz: "Soube que você está namorando uma moça chamada Gesse. Como ela é?". Pedrinho se surpreende: "Gesse? Não conheço ninguém com esse nome... Você está fazendo alguma confusão". Cristina encara Vinicius e vê que ele começa a suar frio. Aquilo basta. O rapaz vai embora. Cristina o leva até o elevador e, na volta, sem esperar mais nada, diz: "Olha, poeta, sei que você está namorando uma moça chamada Gesse. Só quero saber uma coisa: ela é mesmo importante para você?". Vinicius não consegue encará-la. A tempestade se arma e tudo depende, agora, apenas de uma resposta. O poeta se enche de coragem e diz: "É". Não vai adiante. Agora é Cristina quem não consegue mexer um único músculo da face, de tal modo o soco da resposta a paralisa. Vinicius se levanta e, inquieto, começa a andar pela sala. Dá voltas e mais voltas sobre seu medo. Até que chega perto dela e, num tom subitamente paternal, completa: "Cristininha, não liga não. A vida é assim mesmo".

Cristina Gurjão se transtorna. "Você é um canalha!", grita. "Um grande canalha!" Os dois começam a ficar fora de si. A mulher desfia seu sermão: "E não me venha falar mais no filhinho que nós vamos ter. Você e seus diminutivos! Pois saiba que eu odeio diminutivos!". Cristina sabe que, àquela altura da gravidez, já bastante adiantada, não pode mais desistir do filho. E deseja aquele filho. Sente-se paralisada pela situação em que se meteu. A respiração acelera. Tem medo de passar mal. Continua a gritar, buscan-

AMOR PATERNO

Mesmo nas horas em que se reunia com seus parceiros para trabalhar (na foto, numa cena doméstica com Tom Jobim), o poeta não dispensava carinho à pequena Maria.

do um alívio no desvario: ''Agora, você vai ter que pagar pelo que fez! Ah, vai pagar, sim!''. O poeta se esforça para acalmá-la: ''Mas pagar, como? De que jeito se paga por um filho?''. Está com o rosto vermelho. Bufa. Não consegue ficar parado, dá voltas e mais voltas em torno da mulher e, depois, caminha em sua direção. Sua face é a de um homem ao mesmo tempo transtornado e desamparado. A combinação desses dois sentimentos, Cristina sabe, costuma ser letal. Entra em pânico. Levanta-se, dá alguns passos para trás, quer sair dali. Tonta de nervoso, esbarra na mesa de jantar. Seus olhos batem, então, em dois enormes castiçais de estanho que decoram a mesa. Não pensa: pega o primeiro castiçal e avança sobre Vinicius. Quebra-lhe o castiçal na cabeça.

Vinicius, apavorado, recua. Fica grudado contra uma parede, como se se protegesse de um furacão. Cristina Gurjão, de fato, está fora de si. A mulher pega o segundo castiçal e continua seu ataque. Vinicius, tomado pelo medo, se retrai mais ainda. Ela não o poupa. Bate firme novamente, dessa vez tentando atingi-lo na virilha. Vinicius grita de dor. Há sangue espalhado pelo chão da sala. Desorientada com o próprio descontrole, a mulher tropeça numa almofada e cai ao chão. Pensa, de imediato, no filho que carrega dentro de si. Ainda grita: ''Eu vou te matar! Vou pegar uma vassoura e vou te matar!''. Vinicius sai do apartamento em disparada. Ela tenta agarrá-lo pelas pernas. Na fuga, o poeta tropeça em Cristina. Nada de mais grave, para sorte dos dois, acontece. Mesmo zonza, a mulher ainda consegue forças para se erguer. Tenta segui-lo, mas o perde de vista. Não pode mais. O poeta fica, por um longo tempo, agachado e trêmulo, metido num vão da escada de serviço. Não sabe o que fez, não sabe o que fazer de si. Depois, desce os degraus aos saltos, sai em disparada pela portaria e pega um táxi. O motorista o olha assombrado. Vinicius diz: ''Por favor, Clínica São Vicente''. Assustado com o sangue que escorre pelo rosto de seu passageiro, ele arranca em disparada rumo à Gávea.

Quatro dias depois, Vinicius viaja com Gesse Gessy para Montevidéu. Antes disso, exibe para amigos as seqüelas que a Guerra dos Castiçais — como passa a chamar o episódio — deixou em seu corpo. Faz questão de deixar com a ex-mulher todos os dólares que ela trouxera para ele do exterior. Dá a relação por encerrada. Cristina, depois de procurar um médico, se recolhe em seu luto. O tempo passa. Às vésperas do parto, Cristina Gurjão recebe um recado de Vinicius por intermédio de uma amiga. ''Ele manda te perguntar se está tudo bem.'' Cristina, tentando ser civilizada, man-

SENTIMENTO AMBÍGUO

Vinicius recebeu sua aposentadoria compulsória do Itamaraty sem grandes ressentimentos. De algum modo, a desejava. ▶

da avisar que a cesariana está marcada para o dia 10 de março. No dia seguinte, recebe um telegrama de Montevidéu: ''Favor esperar parto. Volto dia 12. Vinicius''. Vinicius de Moraes não pode controlar, ainda, sua onipotência. Aquele telegrama árido, em tom de ordem, dá prova disso. Ela o ignora. Maria nasce no dia 10 de março de 1970, um mês antes do tempo, com apenas 1,9 quilos e 46 centímetros. Passa toda uma semana numa incubadeira. Torna-se um bebê saudável. Na manhã seguinte ao parto, Vinicius — um homem que sempre esquece o passado com rapidez — chega à Clínica São Bento, em Botafogo, para visitar a filha. Entra no quarto, sorridente, carregando uma braçada de rosas para a ex-mulher. Cristina o encara e, reunindo toda a frieza de que consegue dispor, se limita a dizer: ''Você sai daqui agora, ou te jogo o telefone na cabeça''. O poeta sabe que ela não está blefando. Dá meia-volta e deixa as flores nos braços da primeira enfermeira com que cruza no corredor. ''Feliz aniversário!'', diz, para desconcerto da moça. Consegue rir até nos piores momentos, o que é seu sintoma mais precioso de saúde.

Quando volta para casa com o bebê, Cristina Gurjão recebe uma visita de Nana Caymmi. A cantora resolve passar uma temporada com a amiga para ajudá-la a cuidar de Maria e a superar o baque causado pela separação. Nana leva a menina para passear todas as manhãs e, um dia, decide, por conta própria, que é hora de apresentá-la ao pai. Vinicius está ansioso, mas deseja um ''campo neutro'' para o encontro. O amigo Manolo lhe oferece seu bar, o Antonio's, que no final da manhã está tomado, apenas, por garçons em mangas de camisa perdidos entre cadeiras e mesas reviradas, baldes e vassouras espalhadas pelo chão. Nana Caymmi se sente um tanto esquisita ao entrar, às onze da manhã, naquele mundo de pernas para o ar. Empurra o carrinho de Maria e, na outra mão, arrasta pela coleira o cachorro Picolino, um animal preto, manso, com um olhar carente estampado entre duas orelhas caídas. Entre latidos e alguma choradeira, Vinicius conhece sua filha caçula. A visita se repete várias vezes. Vinicius sempre as espera, ansioso, na varanda do Antonio's. Passa todo o tempo com Maria no colo, embevecido, enquanto Picolino — um cão de temperamento derramado — lambe o rosto do poeta.

Tempos depois, encerrada a tempestade, a própria Cristina passa a levar Maria para ver o pai. Um dia, recém-chegada de uma viagem, entrega uma caixa de bombons para que a filha presenteie Vinicius. Gesse, antes que o poeta pegue a caixa, se antecipa e a esconde. Na saída, Cristina vê seu presente depositado aos pés de uma enorme imagem de Exu que vigia a entrada da casa. Aquilo pode não significar coisa alguma, mas o amargor — e o medo que ele produz — faz Cristina Gurjão enxergar no gesto de Gesse Gessy uma vingança.

A transição entre Cristina Gurjão e Gesse Gessy está pontuada por sinais explícitos de mau agouro. O poeta, de fato, não atravessa uma fase nada favorável. A realidade parece quase sempre conspirar contra ele. Primeiro, se instala no apartamento de Georgiana que, aos dezesseis anos, vai viver com o ator Claudio Marzo. Dorme numa apertada cama de armar. Procura se virar. Ainda em 1969, Vinicius viaja a Lisboa acompanhado do cineasta Luís Fernando Goulart — o diretor de *Marília e Marina*. São convidados para uma reunião na Academia Lusitana de Letras. Estranhamente, os participantes — sem exceção — só se comunicam em francês. Vinicius, que anda com a sensibilidade à flor da pele, fica chocado e diz para Goulart: ''Não abro mão do português. Estou ou não estou em Portugal?''. O amigo o acompanha na decisão. Fingem não ouvir o francês dos interlocutores. Instala-se, por conta disso, um grande mal-estar. O cineasta vai direto para o Hotel do Reino, onde estão hospedados, mas Vinicius prefere esticar a noite em um bar. Já de madrugada, Goulart acorda com as janelas do quarto estalando, as paredes sacudindo e a cidade sem luz. É um terremoto. Corre para o meio da rua. Há atropelos e pânico. O tremor, por fim, estanca.

Instantes depois, Vinicius chega em um automóvel dirigido pelo amigo Luís Stau Monteiro. Está visivelmente alcoolizado. Quando entra no saguão do hotel, diante dos hóspedes ainda apavorados, metidos em camisolas e pijamas, o poeta se encontra com Goulart. Sem que o outro tenha tempo de fazer qualquer comentário a respeito do terremoto, Vinicius lhe diz: ''Esta é a cidade mais esburacada do mundo! O carro em que vim pulou que nem pipoca...''. E, olhando em torno aquele imenso grupo de hóspedes em trajes íntimos, completa: ''Eu posso saber o que está acontecendo?''. Ao entender o que se passou, não perde a linha. É um dos primeiros a subir para o quarto. Serve-se de mais uma dose de uísque, pega o violão e, com a porta do quarto aberta, improvisa um fado que batiza de ''Terremoto em Lisboa''. Alguns hóspedes se amontoam à entrada, boquiabertos. Os mais espertos talvez possam entender, ali, o que define um poeta: o primado da imaginação. Poeta é aquele sujeito que sabe tirar, mesmo do pior, algo a seu favor. Se a definição for essa, Vinicius é a sua mais perfeita encarnação.

GESSE

O casamento com a atriz baiana
Gesse Gessy arrastou o poeta para um mundo mágico,
regido pelo misticismo, pela cultura "hippie"
e pelos ritos do candomblé.

PARTE 8

NA KATMANDU DOS POBRES

SONETO DE LUZ E TREVA

Para a minha Gesse, e para que ilumine sempre a minha noite

Vinicius de Moraes

Ela tem uma graça de pantera
No andar bem-comportado de menina.
No molejo em que vem sempre se espera
Que de repente ela lhe salte em cima.

Mas súbito renega a bela e a fera
Prende o cabelo, vai para a cozinha
E de um ovo estrelado na panela
Ela com clara e gema faz o dia.

Ela é de capricórnio, eu sou de libra
Eu sou Oxalá velho, ela é Iansã
A mim me enerva o ardor com que ela vibra

E que a motiva desde de manhã.
— Como é que pode, digo-me com espanto
A luz e a treva se quererem tanto...

1

Chegamos a 1970, ano em que dois sonhos — o do "Brasil grande" e o da Utopia Hippie — estão, entre nós, em seu apogeu. Faltam poucos minutos para a meia-noite. A atriz baiana Nilda Spencer, escalada para o papel de sacerdotisa, toma seu lugar diante de um altar coberto por flores brancas. Veste uma saia longa e reluzente, uma bata branca, tem as mãos vazias e o olhar solene, tramado por seus quase vinte anos de palco. Naquela noite, Vinicius comemora com amigos, em sua casa em Itapuã, seus sessenta anos. A festa de aniversário foi, à sua revelia, transformada em cerimônia de casamento.

O poeta sentiu, durante todo o dia, movimentos estranhos pelos quatro cantos da casa, que denunciavam preparativos de uma surpresa. Sentiu e, num exercício de amor, fingiu que não sentiu. Horas antes, indecisa quanto à identidade do papel que lhe cabia representar, Nilda Spencer perguntara à noiva: "Mas será uma cerimônia de candomblé ou um casamento cigano?". O roteiro previa que, em vez da tradicional troca de alianças, o casal, no desfecho do rito, cortaria os pulsos para unir seu sangue. Aquilo parecia a Nilda, com razão, mais próximo da tradição cigana que da africana. Mas a Gesse importava, antes, um certo efeito dramático — arte com que sempre saberá manobrar o suscetível Vinicius.

Gesse Gessy, a noiva, embora criada no candomblé e feita filha-de-santo no terreiro de Mãe Menininha do Gantois, não estava preocupada com tais delimitações. Seu sonho era ter Olga de Alaketo, a filha e herdeira de Menininha, para oficiar o culto. Como não pôde contar com ela, optou por um ritual híbrido e teatralizado e escalou a colega de profissão Nilda Spencer — pois Gesse também é atriz — para o papel de sacerdotisa. Como boa baiana, Gesse investia no sincretismo — já que o que lhe interessava era mais o efeito que o conteúdo.

O cortejo se aproxima do altar, conduzido pelos dois casais de padrinhos: Jorge Amado e Zélia Gattai e o artista plástico Calazans Neto com sua mulher Auta Rosa. Todos seguem uma única regra ditada expressamente pela noiva: vestem-se de branco. Duas filas, os homens de um lado e as mulheres de outro, formam o corredor energético que os noivos devem atravessar. São perto de trezentos convidados, que se acotovelam no quintal. Vinicius e Gesse vêm com as cabeças cobertas por coroas de flores brancas, metidos em batas esvoaçantes e com um lírio — escolhido como símbolo da pureza — nas mãos.

Atabaques, em toques secos, soam ao fundo. O casal atravessa o corredor de convidados a passos lentos. Vinicius parece feliz, mas não esconde que está assustado, ou pelo menos muito inquieto. Entre os convidados, amigos inseparáveis: Sônia Gantois ao lado do marido Édio, o artista plástico Carlos Bastos, o médico Trípole Gaudenzi, o escritor James Amado, o parceiro Toquinho. A casa alugada em que o casal vive transitoriamente na estrada do Farol, em Itapuã, é apertada. Um sentimento de sufoco se mistura à estranheza provocada pelo ritual.

Ao ver Vinicius se aproximar do altar metido em uma bata branca que lhe trouxera de presente da África, a cabeça coberta por um colar de flores como um hippie tardio, o porte de um querubim velho, o escritor Jorge Amado não controla seu mau humor e cochicha ao ouvido de Calazans Neto: ''A que nos conduz uma amizade...''. Não se pode acusar o escritor, um marxista sempre fascinado pelo misticismo afro-brasileiro, de preconceito. O que o irrita é outra coisa: sabe que Vinicius está sendo carregado pela paixão, que aquele não é, nem jamais será, o seu mundo, e que o poeta se submete a ele, docemente, guiado pela mais irracional das razões: a do amor. Depois do ritual, Amado ouviria do amigo Carybé a seguinte reflexão: ''Agora não é mais Vinicius quem se casa com as mulheres. São elas que se casam com ele''. Carybé só vê um paradigma para o amigo: o pintor Di Cavalcanti, outro colecionador de amores, que em 79 anos de vida teve quatro casamentos.

Os atabaques silenciam. Nilda Spencer, visivelmente insegura em seu papel de sacerdotisa, dá início à cerimônia: ''Estou aqui para celebrar o casamento de Vinicius de Moraes com Gesse de Jesus...'', anuncia. O ''de Jesus'' sai vacilante, quase aos tropeções. Gesse Gessy empalidece, Nilda fica paralisada. ''Gesse de Jesus uma porra!'', ouve-se o vozeirão da noiva ecoar por todo o quintal. ''Meu nome é Gesse de Deus.'' Um raio de calafrios atravessa o corpo de Nilda Spencer. Jorge Amado, esquecendo a posição solene que ocupa no ritual, é o primeiro a rir, puxando um coro incontrolável. A cerimônia prossegue numa mistura de estupor e mal-estar. Os atabaques retomam seu ritmo e Vinicius, conforme o desfecho se aproxima, parece mais assustado. Está assustado. Gesse custou a convencê-lo a se submeter à cerimônia do corte de pulsos. O poeta sempre teve medo de sangue, o que é apenas mais uma metáfora, ingênua, de seu medo da morte. Depois que se descobriu diabético, esse medo se transformou em pavor. Agora ele está diante de seu pavor.

Gesse Gessy é uma mulher valente, de raciocínio breve mas enfático, e de posições precisas. A delicadeza de Vinicius no trato com as mulheres

EM NOME DA AMIZADE

Jorge Amado se tornou padrinho de casamento de Vinicius, em cerimônia híbrida que misturou a tradição africana com a cigana e incluiu pulsos cortados

só exacerba esse estilo determinado. Gesse usa, com desenvoltura, sua força de filha-de-santo, trabalhada no terreiro de Mãe Menininha do Gantois. É filha de Iansã, deusa do fogo, dos trovões e das tempestades, e de Oxóssi, índio guerreiro e malandro. Genealogia espiritual que, por si, resume traços essenciais de sua alma. Vinicius não pode recuar. O corte que Gesse lhe faz no pulso com uma faca é suavíssimo. Mesmo assim, ele parece prestes a perder os sentidos. Juntam os pulsos e misturam o sangue. Estão casados. O pintor Carlos Bastos, que é vizinho do casal, se retira por volta das três da manhã. Não consegue pegar no sono, pois a festa se estende até o meio-dia. Só o sol pesado faz o poeta da noite adormecer.

No dia seguinte, atrasados para a festa, chegam Paulo Tapajós e sua mulher, Norma, que desembarcam do Rio. Os dois lamentam o atraso, mas se mostram encantados com a casa de Vinicius em Itapuã. Com uma única exceção: o banheiro de Gesse. Vinicius tem seu próprio banheiro, com sua banheira imensa, isolada de tudo para suas meditações. O de Gesse fica ao lado. Norma Tapajós, acompanhada da filha Dorinha, já fica um pouco assustada quando vê a enorme canga de boi que ornamenta a cabeceira da cama do casal. Mas a experiência mais inusitada aconteceu no toalete. Por um descuido, Gesse deixa que Norma entre com Dorinha em seu banheiro privado. ''Não, Dorinha. Não deixe sua mãe ver essas coisas'', ainda tenta alertar quando Norma já entrou.

A estética erótico-cafona de Gesse Gessy deixa a convidada absolutamente constrangida. A tampa do vaso sanitário tem o formato de uma bunda em acrílico, na cor de carne humana queimada de sol. Em cima da pia de mármore, vários objetos de utilidade natural — como saboneteiras, porta-escovas, porta-pentes, pasta dental — apresentam, no entanto, formatos inusitados, totalmente ''sexualizados'', como a vítima define depois para o marido. Próxima à parede lateral, uma mesa sustenta um acervo de objetos eróticos, feitos em cerâmica, madeira e tecido. Alguns parecem improvisos ''de vanguarda'', ícones da Katmandu baiana, provavelmente com a assinatura da dona da casa. Confusa e aturdida, Norma olha assustada para a filha, enquanto Gesse se apressa em chamá-las para conhecer o banheiro de Vinicius. Este, com a famosa banheira com vista para o mar, é decorado por borboletas acrílicas e flores estampadas pela parede. Um ambiente ameno e, para a austera visitante, tranqüilizador. Ao notar o disparate, Norma comentou com Dorinha: ''Minha filha, não trocamos o banheiro, não? Este é que me parece ser o feminino...''. Esquecem imediatamente o que viram. Lembram-se de que estão, ainda, numa festa de casamento.

2

A paixão do poeta por Gesse Gessy começa em outubro de 1969. Vinicius de Moraes vai ao bar Pizzaiolo, na rua Montenegro, em Ipanema, tradicional reduto da comunidade lésbica carioca, para inaugurar a ''calçada da fama''. É o primeiro convidado de uma série que, para a glória futura, deixará a marca das mãos impressa numa camada de cimento que reveste parte do chão. Depois dele, esse gesto será repetido por personalidades como Chacrinha, Gal Costa, Leila Diniz e Garrincha.

Entre os convidados famosos dessa noite, está a cantora baiana Maria Bethania, que chega acompanhada de uma moça desconhecida e enigmática de olhos grandes, cabelos longos, pele ensolarada e andar altivo. Lembra uma índia — na verdade, tem sangue indígena. Chama-se Gesse, é baiana, tem trinta anos — 26 menos do que Vinicius — e parece muito tímida. Em visita ao Rio, sente-se assustada. Horas antes, Bethania teve que se desdobrar em argumentos para convencê-la a ir à festa para Vinicius no Pizzaiolo. ''Não conheço ninguém'', argumentou Gesse. ''Vai estar cheio de intelectuais e eu não me sinto bem ao lado deles. Não sei do que falam.''

Maria Bethania e Gesse Gessy são amigas desde a adolescência. Aos quinze anos, já cantavam juntas em festas populares no Farol da Barra, em Salvador. Chegaram a criar uma dupla, que nunca vingou. Gesse, na verdade, começou na frente. Antes de Bethania pensar em se tornar cantora profissional, a sétima mulher de Vinicius gravou um compacto simples num precário estúdio de Salvador. Cantava ''Ouça'', de Maysa, e era acompanhada no violão por um rapaz gorducho chamado Gilberto Gil. Bethania, por sua vez, fez sua estréia artística cantando numa montagem baiana de *Boca de Ouro*, de Nelson Rodrigues — em que Gesse atuava como atriz e produtora. Ela sempre guardou esse laço com Maria Bethania com orgulho. A paixão pela amiga será abalada no dia em que Vinicius, curioso para conhecer seus dotes vocais, lhe pedir para cantar alguma coisa. Ela se nega, mas semanas depois volta atrás e, enfrentando a timidez, se tranca no quarto diante de um gravador e canta uma música de Toquinho. Quando, por fim, toma coragem e mostra a fita a Vinicius, ele — para sua decepção — diz: ''Mas claro que sei quem está cantando. É Bethania''.

A tímida Gesse Gessy acaba cedendo aos apelos da amiga Maria Bethania. Vai à festa para Vinicius no Pizzaiolo. Assim que a vê, o poeta não consegue mais olhar em outra direção. Gesse não pode deixar de notar, mas o ignora. ''Ele já se casou muitas vezes. Está só querendo faturar mais uma'', pensa. ''Deve achar que sou uma dessas mocinhas tolas e provincianas, que se deslumbram com o sucesso dos outros.'' Vinicius não desiste. Na primeira oportunidade, pede licença ao grupo de amigos uruguaios que o acompanha e se dirige à mesa de Bethania. Parece hipnotizado — e se entrega, sem qualquer resistência, ao impulso hipnótico. ''São esses olhos'', procura entender. ''Ela tem honestidade nos olhos.''

Mas, numa hora assim, raciocínios não servem para nada. ''Muito prazer'', dirige-se a Gesse em tom formal, quase indiferente, depois de cumprimentar Bethania com euforia. Recebe uma resposta ainda mais protocolar. Trocam meia dúzia de frases banais, mais nada. Mas o poeta sabe esperar. Horas depois, já mais desinibido, Vinicius convence Gesse a dar um pulo com ele na boate Flag. ''É só uma passadinha'', argumenta. Desdobra-se em gracinhas, acaba dando canjas no microfone, parece um menino bobo. Ao amanhecer, caminham de mãos dadas pela praia de Copacabana. Conseguiu.

Gesse é mais uma conquista essencial em um ano em que tudo parece dar certo para Vinicius. Uma conquista que, aos olhos de muitos, parece estranha e até descabida. O colunista social Daniel Más, conhecido por seu estilo ferino, passa a chamá-la de Gessy Lever — talvez ameaçado por seu sorriso escorregadio, entre o sensual e o dominador. Vinicius não se deixa abalar por essas reações. Vive um ano dourado. Um ano de grandes viradas, entre as quais o encontro com Gesse é a mais visível. A exoneração da carreira diplomática, apesar de executada com violência e provocar dor, lhe tira um imenso peso das costas. Havia muito tempo ele sabia que o Itamaraty não combinava mais com seu projeto de vida. O fim do intenso mas turbulento casamento com Cristina Gurjão aumenta o sentimento de independência. A pequena e bela Maria resta, solitária, como testemunha adorável de um tempo que ele, agora, deseja apenas esquecer. Gesse parece perfeita para um momento regido pela obstinação em mudar. Estranha, quase exótica com seu ar de índia perdida na crueldade da civilização, ela exala mistério com sua personalidade voltada para os segredos e para o silêncio. Pelo menos é assim que Vinicius, no início, a vê. O que mais pode querer um poeta de seu talhe, para quem a poesia deve estar não só nos livros, mas materializada em objetos e personagens da vida real? O casamento musical com Antonio Pecci Filho, o Toquinho, um rapaz de 23 anos que podia ser seu neto, o revitaliza e rejuvenesce. Amigos mais dogmáticos e rabugentos encaram o novo parceiro com má vontade, e julgam que a opção por um parceiro tão jovem é apenas sintoma de senilidade.

Depois de se separar de Cristina Gurjão, uma longa viagem à Europa é vivida como uma iniciação. Vinicius, já acompanhado por Gesse Gessy, parte para uma temporada de rupturas que são tomadas como sinais de decadência, de isolamento tido como esquisitice, de revitalização vista como decrepitude. Nenhum desses enganos o impressiona, nem o faz mudar seu rumo. Vinicius desarruma todos os clichês a respeito da arte de envelhecer. Serenidade, introspecção, ponderação, equilíbrio, prudência, bom senso, enfim, atributos clássicos de um envelhecimento saudável, não o seduzem. Mais do que nunca, ele deseja agarrar a vida, enfrentá-la, e isso significa optar pelo inesperado, pelo estranho, pelo descabido. Isso choca — e muitos amigos conservadores se melindram. Gesse é estranha, aquele menino magrelo chamado Toquinho, montado num violão e posto ao seu lado, é estranhíssimo, aquela nova vida metida numa bata branca e envolvida por cordões místicos, sessões espíritas no candomblé de Mãe Menininha, a companhia de garotos mal saídos da adolescência, shows em diretórios acadêmicos perseguidos pela ditadura militar, e descaso, quase desprezo pela poesia erudita, tudo isso é extravagante e muito, muito estranho. Mas é justamente estranhamento, surpresa, espanto que ele passa a desejar.

Ninguém pode acusá-lo de decadência, pois Vinicius trabalha mais do que nunca. Em março, na Itália, grava com o cantor Sergio Endrigo e o poeta Giuseppe Ungaretti o célebre *La vita, amico, é l'arte dell'encontro*, disco que mistura música com poesia. A parceria com Ungaretti, 25 anos mais velho que ele, aumenta seu prestígio na Europa. Giuseppe Ungaretti, nascido em 1888 no Egito, e formado em Paris sob a influência de Mallarmé e Baudelaire — dois espelhos de juventude para Vinicius —, apesar de freqüentemente criticado por seu hermetismo e esoterismo, é o poeta mais popular da Itália. Talvez tenham se cruzado, acidentalmente, no passado. Em 1936, quando Vinicius tinha 26 anos, Ungaretti desembarcou em São Paulo para uma temporada de sete anos como professor de literatura italiana na USP. Tinha uma alma nômade como a de Vinicius: com seu duplo estigma de emigrante — do Egito e, depois, da França —, ele nunca se livrou da imagem de ser um estrangeiro em seu próprio país. Teve também uma juventude de inclinações direitistas. Convocado para lutar na guerra, em 1915, o teimoso Giuseppe Ungaretti imprimiu sessenta exemplares de seu primeiro livro, *Il porto sepolto*, em plena zona de operações. Na primeira edição comercial, de 1923, quando Vinicius era apenas um moleque de dez anos, *Il porto sepolto* teve um prefácio assinado por Benito Mussolini, ousadia que nos serões metafísicos de Itatiaia, uma década depois, deve ter feito muito sucesso.

As portas da Europa se abrem com a parceria com Ungaretti e Endrigo. Duas temporadas em Lisboa, uma para shows ao lado de Baden Powell e da cantora Márcia, outra para gravar com a fadista portuguesa Amália Rodrigues o elepê *Amália recebe Vinicius*, o entregam em definitivo às platéias internacionais. No disco com Amália Rodrigues pode ser ouvida uma senha preciosa dessa virada: o fado ''Saudades do Brasil e Portugal'', composto nas tascas de Lisboa, entre goles dramáticos de vinho e pratos de alhei-

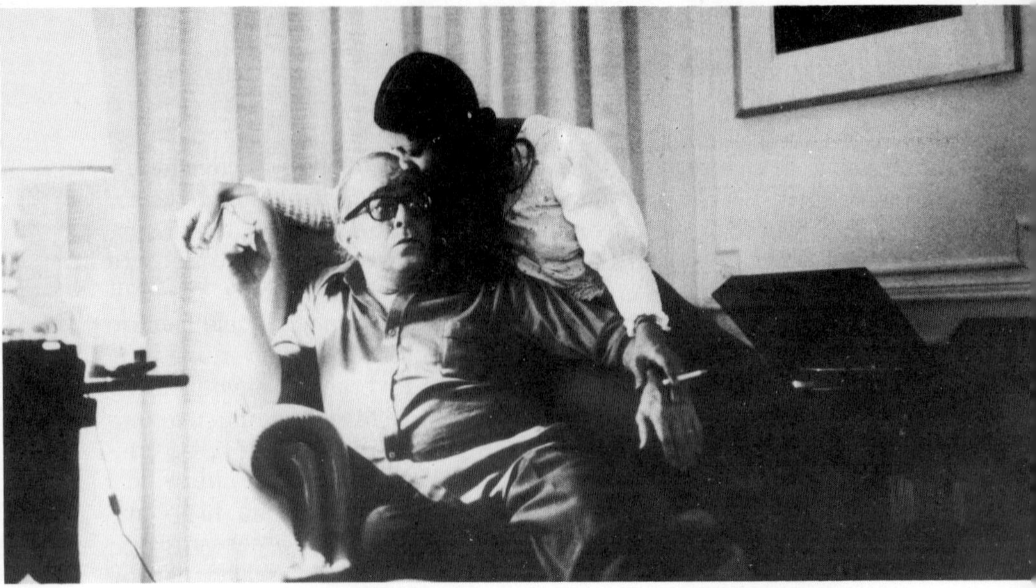

ANOS 70

Gesse Gessy, mulher exuberante e sem preconceitos, organizou a vida de Vinicius e o conduziu a uma rotina de magia e de liberdade sexual

ras e chouriços. Na mesma época, chega às livrarias a primeira edição de sua *Antologia portuguesa*. Portugal o devora. O salto para fora se dá num momento estratégico: afundado no inferno noturno do ato institucional nº 5, o Brasil oficial não suporta mais a exuberância de Vinicius. Gesse Gessy, de espírito livre como uma cigana, extravagante e mística, parece sintetizar, num corpo feminino, tudo aquilo que ele precisa encontrar.

Com seu comportamento livre, seu estilo despojado, sua vida de atriz marginal, sua sensualidade sem travas, Gesse corresponde ao estilo do bom selvagem em vigor que, então, parece se materializar, melhor que em qualquer outro lugar, nas dunas de Itapuã e na imagem difusa, quase onírica, de Arembepe, fronteiras extremas, no Brasil, do território mítico do sonho hippie. A Bahia, vale dizer, já seduz Vinicius há muito tempo. Nos anos 50, quando desembarca em Salvador ao lado de Alex Viany, Alberto Cavalcanti e Luís Alípio de Barros para sentar-se no júri de um festival de cinema, o poeta toma o primeiro choque de sedução. É nessa ocasião que conhece o músico baiano Carlos Coqueijo Costa, juiz do Trabalho, professor na Faculdade de Direito da Bahia — entre seus melhores alunos ele teria, anos mais tarde, um certo Gilberto Gil —, diretor da penitenciária estadual e presidente do festival. Nos anos 50, ser intelectual na Bahia — e no Brasil — é praticamente um atestado de simpatias esquerdistas; Coqueijo, porém, é um liberal clássico, com leves colorações idealistas de esquerda. É um romântico, um excelente violonista e toca piano de ouvido. Vinicius logo se encanta com ele. No fim dos anos 60, Coqueijo escreverá um musical chamado *Flor dos Vinicius e Mello Moraes também* para retribuir esse encantamento.

Num dos intervalos do festival, Carlos Coqueijo, acompanhado do médico baiano Edson Diniz Gonçalves — que mais tarde se tornará clínico de Vinicius —, o leva a uma sessão no candomblé de Mãe Senhora, o Axé-Opô-Afonjá, que fica no bairro do Cabula, na época um imenso matagal. A visita marcará intensamente o poeta, tanto que o fará cantar no futuro em seu "Samba da bênção", composto em parceria com Baden Powell: "A bênção, mãe Senhora, maior ialorixá da Bahia". Depois do candomblé, os três amigos decidem atravessar a noite numa birosca. "Estou começando a trabalhar num musical sobre o mito de Orfeu", o poeta comunica orgulhoso ao dr. Diniz. "Estou compondo com um rapaz chamado Antonio Carlos Jobim." O médico, surpreso, pergunta: "Nunca ouvi falar dele, quem é?". E Vinicius, que mal começara a trabalhar com Tom e tinha mais entusiasmo que convicção a respeito de seu novo parceiro, assim o define: "É um pianista. Um pianista gaúcho". O erro é imperdoável. Tom Jobim nasceu às 23h15 de 25 de janeiro de 1927 na rua Conde de Bonfim, na Tijuca, Rio, nas mãos de uma velha parteira, que o apelidou de Tontom. Com menos de um ano, o "gaúcho" mudou-se com a família para a rua Barão da Torre, em Ipanema. Mas devemos ser complacentes com os poetas: seus erros são, quase sempre, deslizes em seu esforço para poetizar o planeta. Vinicius, nessa arte, parece insuperável.

Alguns anos depois, o poeta retorna a Salvador a bordo do navio francês *Provence*. Vem acompanhado de uma moça branca, de pescoço longo como as mulheres pintadas por Amedeo Modigliani, com pose de princesa. A Bahia está sendo apresentada a Lucinha Proença. Uma noite, o casal vai a uma festa na casa de Plínio Diniz Gonçalves, irmão mais sedutor do dr. Diniz. Plínio, com uma libido indomável, não esconde seu entusiasmo por Lucinha, que o ignora. Vinicius faz que não percebe até que, inquieto, vira-se para ela e se queixa: ''Não sei por que você não me dá atenção''. Lucinha, irritada com as renitentes crises de ciúme do marido, perde a linha: ''Deixa de ser chato, Vinicius''. Ele a abraça, um abraço incômodo que mais parece um golpe que um carinho, enquanto Coqueijo se encarrega de sugerir que o galã baiano dê uma voltinha na rua para espairecer.

A insegurança e a timidez de Vinicius passam a impressionar o dr. Diniz. São pequenos acontecimentos, quase desprezíveis, que somados vão se encarregando de desmentir a imagem do diplomata desembaraçado e cheio de si, o astuto camaleão que se fez poeta e depois, não satisfeito, se transmutou em ídolo da música popular. Numa tarde, reunido na casa de amigos para um drinque informal, Vinicius ouve o pedido de que diga alguns poemas num gravador. Primeiro, resiste, à beira da irritação. Por fim, cede, mas sob duas condições: que lhe arranjem emprestado um par de óculos escuros sob os quais deve se esconder durante a leitura e que permitam que ele se acomode, gravador em punho, voltado para a parede — como uma criança de castigo. A cena, à primeira vista apenas uma excentricidade que beira a piada, diz muito ao dr. Diniz a respeito da alma de Vinicius.

Ele não parece combinar nem um pouco com a exuberância baiana. A Bahia, porém, não sabe o que a espera. O slogan que Vinicius mais tarde gravaria a seu próprio respeito — ''O branco mais preto do Brasil'' — passa a ser também conjugado assim: ''O carioca mais baiano do Brasil''. É um exagero, mas Vinicius, justamente por isso, vibra.

3

Vinicius encontra no casamento com Gesse Gessy não apenas uma nova paixão, mas a oportunidade de se transportar para novas atmosferas. O paletó e a gravata estão aposentados para sempre. A rotina boêmia no eixo Rio—São Paulo, com seus bares, suas festas, seus intelectuais de plantão, a solicitação da imprensa, a presença tantas vezes sufocante do séquito de amigos e admiradores — tudo fica um pouco para trás. Não é que o poeta os renegue. Mas, com a mudança para a Bahia, ele toma distância em relação ao passado. Recolhe-se. Inicia-se a grande metamorfose. O ''branco mais preto do Brasil'' encontra em Salvador um pedaço da África. A paixão pela Bahia está inscrita no sangue. O avô materno, que era doceiro, tornou-se famoso na vizinhança por causa de seus quindins e seus bons-bocados. Contava ao menino Vinicius histórias de Feira de Santana, onde vivera, como se falasse de uma terra encantada. Magia que se exacerbava quando estava na companhia do amigo Dorival Caymmi. Vinicius conservou, desde criança, marcas dessa paixão. Terra morena, águas quentes, verão de doze meses, uma cidade envolvida em misticismo, deuses sensuais e rituais mágicos. Tudo parece perfeito não apenas como cenário de uma paixão exótica e meio incompreensível — haverá algo que mais estimule a paixão que um enigma a decifrar? —, mas adequado e perfeito para uma mudança radical.

Todo dia, no fim da manhã, como um sacerdote que cumpre seu rito, Vinicius chega à casa do artista plástico Calazans Neto, seu vizinho em Itapuã e que se tornará seu maior amigo baiano. O ateliê de Calazans fica nos fundos do quintal de sua bela casa, na rua da Amoreira, uma transversal da ladeira do Abaeté. Chega às onze, meio-dia e já se serve do primeiro copo de uísque, dissolvido em muita água. Os dois amigos ficam ali, sentados diante do sol, abrigados pelos bons ventos do Principado Livre de Itapuã, conforme batizaram o bairro. Calazans chegou a desenhar uma bandeira para o principado, uma alegoria em torno de uma baleia, que é hasteada solenemente todas as manhãs assim que o poeta bate à porta. Nem sempre têm o que conversar, de tanto se verem. O silêncio, tantas vezes, basta. Senão, falam como que carregados pelas palavras, num livre trançar de idéias lentas e desconexas que o temperamento baiano freqüentemente estimula. O encontro costuma durar duas, três horas. Não mais. Termina com o almoço, momento em que se une a eles a mulher do pintor, Auta Rosa, e em que Vinicius elogia, sempre como se o provasse pela primeira vez, o purê de batatas da empregada do casal. "Com pratos tão variados, o senhor só elogia o purê?", a empregada se cansa de perguntar. Nunca se dá ao trabalho de explicar. Talvez cisme com o purê para não se dar sequer ao trabalho de definir seu gosto, de eleger temperos prediletos, de escolher. Vinicius é assim, e está cada vez mais assim: não gosta de contrariar ninguém, de ferir ninguém, de excluir nada ou ninguém. O elogio do purê é o elogio do neutro. Um louvor que não fere, nem pode contrariar. Um efeito de sua delicadeza.

No Rio, Vinicius conserva uma pequena casa assobradada, toda pintada de branco, na rua Frederico Eyer, na Gávea. O interior é tomado por guias de candomblé, pencas de fruta de prata, discos de ponto de macumba, sombras remotas de uma cultura negra e mística que começa a tomá-lo. Seu destino só pode ser um: Salvador. Muda-se aos poucos. Em Itapuã, o casal se instala primeiro numa casa alugada na estrada do Farol, que depois se tornaria um restaurante italiano. O tráfego barulhento o aborrece. Muda-se para uma segunda casa, mais confortável, comprada de uma irmã do educador Anísio Teixeira e fincada diante do Colégio Lomanto Júnior. Crianças nunca foram seu forte, elas o atordoam com sua dispersão feliz e isso é insuportável para alguém que sorve a felicidade como um tônico concentrado. Decide construir, bem diante da praia, a casa definitiva — que lhe renderá até um pequeno livro, *A casa*, editado pela Edições Macunaíma, de Salvador, em pequena tiragem de trezentos exemplares — e vende a antiga para a cantora Maria Bethania. Muda-se em 1974. Encontra seu lugar. Não foi um amor à primeira vista. Na primeira visita que faz à casa pronta, depois de examiná-la meticulosamente, diz: "Essa não é a minha casa". Reclama que a construção tem um formato triangular que o perturba. O banheiro, peça nobre na arquitetura interior do poeta, tem também a forma de um triângulo. "Não consigo me sentar no vaso sem bater com a perna na pia", passa a reclamar. No fundo, o que o irrita é a aparência "moderna" emprestada pelos arquitetos Silvio Robatto e Jamison Pedro, que assinam a planta. A casa é toda angular, seguindo uma estética mais voltada para a nobreza da arquitetura do que para o conforto do morador. Mas Vinicius é desses homens que aprendem a amar mesmo aquilo que não amam. Torna-se, então, possessivo — e o poema à casa de Itapuã é um exercício de possessividade. Não satisfeito, usa a planta da casa que tanto o incomoda como ilustração do poema.

Não é por outra razão que, ao adotar logo depois um são-bernardo, o batiza de Meu. O nome é, também, uma homenagem ao papagaio Mio, do cantor italiano Sergio Endrigo. O imenso cachorro, inadaptado à atmosfera tropical de Salvador, passa os dias dentro da piscina. Gesse reclama porque o animal vive sujo e infestado de pulgas, mas tem de suportar. Vinicius não aceita que o amor — que seja o afeto de um homem por seu cão — seja relativizado pelo bom senso. Num último recurso, manda instalar um condicionador de ar na casinhola do cachorro, que só assim se esquece da piscina. Projeta no pobre cão sua própria personalidade fragmentada. Um dia, quando o escritor Ricardo Ramos, filho de Graciliano Ramos, vai a Itapuã visitá-lo, é recebido primeiro pelo imenso animal, que não pára de latir. "Já para dentro, Graciliano!", o poeta chega gritando. O cachorro se afasta. Ricardo, intrigado, pergunta: "Mas ele não se chamava Meu? Por que você mudou agora para Graciliano?". Vinicius ri: "Resolvi mudar. Não esqueça que ele é, antes de tudo, um são-bernardo...".

A Bahia o torna ainda mais jocoso e sentimental. E, sobretudo, frágil para enfrentar situações-limite. Vinicius, que sempre se separou das mulheres deixando tudo para trás, terá enormes dificuldades na hora de abandonar Gesse Gessy. Depois de iniciar a contragosto uma batalha judicial, conseguirá recuperar seu retrato assinado por Cândido Portinari e se dará por satisfeito. A briga jurídica se acirrará porque Vinicius, num golpe de humor negro, um dia oferecerá a Gesse Gessy uma "doação" por escrito da casa de Itapuã. Só de volta a Salvador ela descobrirá que, naquele gesto magnânimo, Vinicius estava lhe doando, na verdade, a casa do caseiro...

Mas por enquanto o amor vigora a pleno vapor. O banheiro — cômodo nobre da casa — tem vista para o mar. "Quero me sentir na banheira como se estivesse a bordo de um navio", ele pediu aos arquitetos. Uma parede de vidro colocada bem diante da banheira permite que ele faça suas imersões em água quente simulando o papel de navegador — estranho marinheiro, postado em sua banheira-jangada, à deriva em seus pensamentos, semicoberto pelo calor das águas que uma empregada solícita e assexuada vem, de tempos em tempos, renovar. Pois ele não pode abandonar aquele estado de lassidão poética nem mesmo para acender o gás. A construção, nesse ponto, é impecável: a banheira parece flutuar no Atlântico. Deitado nela, os olhos do poeta batem direto na linha do horizonte. Na parte traseira da casa há, outro acerto, um magnífico vitrô ilustrado com cabras, baleias, aves, formando um cenário adequado à contemplação. Vinicius é também o poeta do tédio e da prostração, o que soa depreciativo, e até indigno, na pressa compulsiva que agita o "Brasil grande".

Não é que se isole. No outono europeu de 1974, Calazans Neto tem viagem marcada para Londres. Jorge Amado vai lançar a edição inglesa de *Teresa Batista cansada de guerra*, ilustrada por Calazans. Haverá, simultaneamente, uma exposição dos originais que o gravador fez para o livro. Vinicius tem que ir à Itália na mesma época para gravações com o compositor e cantor Sergio Endrigo e o arranjador Sergio Bardotti. Decidem viajar juntos. O poeta reclama que, acostumado às batas esvoaçantes e calças largas

PORTINARI

Quando se separava, Vinicius deixava tudo para trás.
Saía de casa, como ele mesmo dizia, só com a escova de dentes.
Fazia questão de levar, apenas, seu retrato pintado por Portinari.

de linho que dominam sua indumentária baiana, está sem roupa para enfrentar o frio. Calazans, comovido, convoca o alfaiate Samuel Pitanga, treinado no estilo inglês, que veste todo o seu círculo de amigos, do pintor Carlos Bastos ao escritor Jorge Amado. Chega com Pitanga, de surpresa, à casa de Vinicius para a tomada de suas medidas. Em pouco tempo, o alfaiate retorna com dois primorosos ternos em alpaca italiana, três calças de lã e dois paletós para inverno.

Vinicius, encantado com a gentileza de Calazans, decide acompanhá-lo primeiro na viagem à Inglaterra e só depois seguir para Roma. No lançamento da edição inglesa de *Teresa Batista* e no vernissage de Calazans Neto em Londres, poderá estrear os ternos novos. Na hora de fazer as malas do marido, porém, a emotiva Gesse decide que não suportará se privar, por pouco tempo que seja, de refeições temperadas a azeite-de-dendê. Depois, será exótico e elegante oferecer a Jorge Amado e Zélia Gattai um almoço com cardápio baiano. Duas garrafas de dendê são acomodadas, à última hora, na mala do poeta ao lado de pacotes de farinha, de coco ralado e camarão seco. As rolhas não suportam a pressão e se rompem durante o vôo. Baianidade e corte inglês demonstram ser atributos incompatíveis.

Calazans Neto, paciente, continua sua saga. Com o escritor Antônio Olinto, que ocupa o posto de adido cultural na Inglaterra, pega o endereço da melhor lavanderia da cidade. Naquele mesmo dia, as roupas de Vinicius são despachadas para a lavagem. No dia seguinte, o pintor recebe um telefonema do desolado gerente da loja: ''Desculpe, mas não poderemos lavar sua roupa'', diz. ''Mas por que não?'', Calazans protesta, temendo outro desastre. ''Depois de todos os testes, concluímos que a lavagem é impossível'', justifica. ''Elas estão manchadas por um tipo de óleo que não conseguimos identificar.''

O poeta é obrigado a comprar roupas novas. O guarda-roupa costurado por Samuel Pitanga tem como nobre destino um saco plástico para lixo, que é rigidamente lacrado. Vinicius prefere se livrar das roupas, mas Gesse as carrega para a Itália e, de lá, as traz de volta para o Brasil. Ela sabe o que fazer e sabe onde falhou. A empregada do casal resolve o problema em uma tarde. A fórmula desconhecida pelos ingleses para restaurar as roupas manchadas é uma prosaica barra de sabão de coco, peça fundamental da cultura baiana que faltou na mala do casal. A vitória do sabão de coco sobre as modernas técnicas inglesas de lavagem reforça no poeta o sentimento de que a Bahia se basta a si mesma. O resto do mundo, muitas vezes, só atrapalha. O poeta se torna baiano de vez.

Vinicius está cada vez mais feliz em sua casa de Itapuã. Quando em 1975 decide transformar o poema ''A casa'' num pequeno livro, só pensa numa coisa: deixar registrada essa felicidade. A pequena edição de *A casa* reflete o espírito artesanal das Edições Macunaíma, fundada nos anos 50 — os ''anos dourados'' da cultura baiana — por Calazans Neto, pelo cineasta

HOMENAGEM

Em 1974, Vinicius publicou pelas Edições Macunaíma, de Salvador, a *História natural de Pablo Neruda*. Eram apenas 60 exemplares.

Paulo Gil Soares, pelo poeta Fernando da Rocha Peres e por Glauber Rocha, e dirigida pela poetisa Miriam Fraga. É contemporânea da lendária revista *Mapa*, que Glauber dirigiu com seu estilo caótico-vanguardista e que durou apenas quatro edições. Na mesma editora, Vinicius de Moraes publicara, em 1974, numa edição de apenas sessenta exemplares, a *História natural de Pablo Neruda*, longo, às vezes belo, mas apressado poema escrito para celebrar sua desmedida amizade pelo poeta chileno. O poema guarda os traços convulsos e nervosos, a estrutura ilógica e a sofreguidão das cartas de amor. Mas é amor o que sente por Neruda — Vinicius nunca se nega a usar esse nome quando se trata de nomear a amizade viril. Depois de se mudar para a Bahia, ele perde os últimos traços de paciência para com a elaboração intelectual e renega, em definitivo, as qualidades do refinamento e da contenção. Dá às coisas, mais que nunca, o nome que elas têm.

O lançamento da *História natural de Pablo Neruda* deu motivo — o poeta nunca precisa de motivos quando quer festejar seu arrebatamento pela vida, mas quase sempre inventa um a posteriori para dar racionalidade a eles — para uma festa que reúne parte importante de seus amigos baianos. A presença da imprensa é inevitável. Ele está cada vez mais desinteressado em dar entrevistas, mas não pode negar acolhida a dois ou três repórteres. O país atravessa o governo militar do general Emílio Garrastazu Médici e a liberdade, ou a ausência de liberdade, é tema recorrente nas entrelinhas de qualquer reportagem. Como o país não pode, ou não consegue, dizer o que pensa, invoca a voz de seus artistas. Ele sabe que não tem o direito de fugir desse papel.

Uma jornalista de Salvador, uma dessas repórteres esforçadas mas perdidas, tenta dar conta daqueles tempos cinzentos. A entrevista é enfadonha. A certo momento, sem rumo, a moça arrisca uma pergunta "profunda": "Como o senhor, que é um poeta romântico, define a liberdade?". Vinicius faz uma pausa. Parece ruminar alguma resposta difícil, quem sabe uma declaração política sobre a ausência de liberdade, quem sabe um verso. Por fim, diz: "Liberdade é poder cagar de porta aberta". Os apressados tomam esses improvisos como prova de decadência. Querem petrificar Vinicius na figura de um velho de mente suja e dignidade esgarçada. Não podem entender o quanto o poeta continua a exibir vitalidade: com essas performances de mau humor, que a repórter de fato não é obrigada a tolerar, ele aponta para o vazio da imprensa em tempos sombrios, quando entrevistas, mais que nunca, se tornam um macaquear de lugares-comuns. Sua resposta, estúpida e grosseira, está à altura da estupidez — e por que não da grosseria implícita? — da pergunta. A moça, ofendida, dá a entrevista por terminada.

4

Os baianos, que sempre amaram Gregório de Mattos — um filho de senhor de engenho nascido em Salvador em 1633 que se tornou doutor em Coimbra, retornou a Salvador como tesoureiro da Igreja católica, para depois cair na gandaia e se transmutar em grande poeta satírico e popular —, parecem ver em Vinicius de Moraes, quatro séculos depois, sua sombra tardia. Vinicius não era filho de um senhor de engenho, mas cresceu no ambiente ambicioso da classe média do Rio de Janeiro. Não se formou em Coimbra, mas estudou em Oxford. Não ocupou cargos eclesiásticos, mas teve importantes postos diplomáticos em três continentes. Ambos preferiram, em determinado momento de suas vidas, a claridade das ruas à sombra pernóstica dos salões. A Bahia quer ver Gregório de Mattos em Vinicius de Moraes.

Em Itapuã, o mito do "poetinha" se reforça. O diminutivo não é pejorativo, é carinhoso — mas traz algo de corrosivo e muito ruim. Ajuda a configurar o retrato do bonachão decaído, do homem ingênuo de retórica fácil e caráter pastoso, do bon vivant a um passo do declínio. Reforça um gênero que Vinicius desempenha cada vez com mais determinação, já que percebe que é o que dele desejam. Mas um gênero que não o alcança. Ou mais, que o diminui. Fica difícil aceitar, em contraponto com esse mito, que Vinicius se sentisse tantas vezes lento demais, introvertido demais, solitário demais diante da nova atmosfera baiana. Mas se sente.

A imagem do "poetinha" é uma redoma que o protege das ingerências externas, das cobranças, que o adocica e o populariza. Mas toda redoma, se protege, também prende. Angustia. O artista plástico Carlos Bastos, que nesse início dos anos 70 é um ouriçado quarentão, recebe muitas vezes um Vinicius amuado e deprimido em sua casa, na rua do Lagarto Azul, em um condomínio na fronteira da praia. "Você parece um jovem apaixonado", não se cansa de repetir. "Não pode viver assim." O pintor se refere à maneira desprotegida, sem armas, com que o amigo entra em cada uma de suas relações. Diante das mulheres, a redoma se estilhaça e surge outro Vinicius. Carlos Bastos sabe que elas, só elas, o conhecem. E, em contrapartida, o quanto ele se torna dependente. Foi assim desde Tati. Nada, em essência, mudou. Com Gesse Gessy, no bojo de uma paixão misteriosa, à beira do endeusamento — e o clima mágico que o cerca na Bahia apenas potencializa o feitiço —, ele parece se superar na arte da entrega absoluta. Não tem medo do sofrimento. Melhor: parece incluir o sofrimento como parte essencial do amor. Aquele menino de dezesseis, dezessete anos encarnado num senhor de sessenta que Carlos Bastos tem na sua frente o deixa comovido mas preocupado. Vê aquela obstinação em se entregar cegamente, em se imolar pela mulher eleita, como uma herança disfarçada da formação cristã. Pensa que tudo aquilo — amor e angústia intensos entrelaçados como um só sentimento — começou nas salas severas e nos bancos dos jesuítas. Carlos diz ao amigo: "O cristianismo também prega o amor a qualquer preço". Não está pondo em questão a religião, assunto de foro íntimo, muito menos a relação de amor com Gesse — que, inclusive, é sua amiga particular. Questiona uma confusão que, a seu ver, faz o poeta viver a religiosidade com erotismo — não é de outro cunho, para falar claramente, sua relação com o candomblé — e viver o amor como uma religião. Pede, apenas, que o poeta se proteja, se fortaleça, se distancie um pouco para amar melhor.

Vinicius não pode escutá-lo — ou não seria Vinicius. Vai à casa de Carlos Bastos buscar carinho, companhia, não conselhos. A surdez ativa fortalece seus sentimentos. Sabe o quanto Carlos Bastos o estima. Na Bahia, o poeta compra um jipe, que o leva pelos quatro cantos de Salvador. Muitas madrugadas, depois de ultrapassar a cota sensata de uísque, esquece o jipe — ou já não pode guiá-lo. Na manhã seguinte, Carlos Bastos ou seu companheiro, o artista plástico Altamir Galimberti, invariavelmente chefiam o resgate do carro. Carlos é um amigo paciente. Vinicius passa longo tempo admirando seus quadros, mas não ousa fazer comentários, pois considera as artes plásticas um território que não lhe pertence. Um dia, Carlos Bastos, a pedido do poeta, pinta o retrato do casal. Vinicius faz questão de posar colocando uma aliança no dedo da mulher. Trata-a como uma dama introvertida e enigmática, enquanto a Bahia tem de sua mulher a imagem de uma vedete carismática e exuberante. A contradição não o incomoda; ao contrário, o estimula, pois exacerba o mistério em que envolve Gesse Gessy. Amigos que não podem conter a ironia, como o artista plástico Carybé, a tratam pelo apelido impiedoso de Gesse James, numa alusão ao matador e assaltante de trens Jesse James, que infernizou o Missouri na virada do século passado. A bela Gesse, de fato, é uma mulher forte, que sabe defender o que é seu. Pode-se não gostar de seu temperamento explosivo, mas Vinicius a ama. Pode-se acusá-la de possessividade e destempero, mas ela sabe organizar a vida prática do poeta com um rigor sem precedentes. Sai em luta pela cobrança dos direitos autorais que lhe cabem e pelos quais ele raramente batalha. Organiza suas finanças sempre caóticas. Estimula-o a construir a bela mansão diante da praia de Itapuã. Guarda-o a sete chaves com o zelo de uma grande mãe. Vinicius, enfraquecido pelos reveses no amor e também pelo sucesso talvez excessivo para seu temperamento frágil, precisa exatamente disso. Sempre buscou a mulher absoluta — alguém que sintetize todos os papéis que a cultura leva as mulheres a assumir. Sempre buscou na mulher a plenitude. Gesse Gessy, uma atriz de segunda categoria festejada mais por seu carisma que por seus dotes artísticos, desempenha ao lado de Vinicius o grande papel de sua vida. O poeta está certo de que encontrou a mulher de sua vida.

Os amigos, sem a mesma convicção, mas igualmente magnetizados pela magia da atriz, não se cansam de render homenagens ao casal. Por encomenda do governador Antônio Carlos Magalhães, o pintor Carlos Bastos se põe a trabalhar num imenso mural de dezesseis metros de altura por dez de largura no plenário da Assembléia Legislativa da Bahia. Imagina uma cena marítima paradisíaca, uma espécie de éden baiano, habitado por 143 personagens: no céu estão os orixás, nas barcas os cantores, poetas e políticos e nas águas pontificam quatro sereias, compondo um painel híbrido que mescla misticismo e pragmatismo. As musas que inspiram as duas sereias de água salgada são as ex-misses Martha Rocha e Marta Vasconcellos. A manequim Luana — uma negra escultural que mais tarde se mudaria para Paris e viraria condessa — e Gesse Gessy personificam as sereias de água doce. Gesse representa Naná Bonocô, a mais velha das quatro, uma entidade do candomblé que habita as lagoas. Antônio Carlos Magalhães, desnecessário dizer, ocupa o ponto central da obra, no papel de grande líder. Carlos Bastos decide que Vinicius aparecerá em seu mural, mas não pode contrariar as ordens do governador que, ao fazer a encomenda, impõe uma única regra: só baianos, mais ninguém. O pintor sabe que Vinicius, depois de se mudar para Itapuã, tornou-se mais baiano que boa parte dos baianos legítimos. Encontra uma solução genial, a um só tempo inatacável e carregada de simbolismo: coloca nas mãos da sereia Naná Bonocô — isto é, de Gesse — um espelho em que ela se mira. A imagem refletida no espelho, porém, não é a de Gesse — é a de Vinicius.

Quatro anos depois, já no governo Roberto Santos, um inimigo político de Antônio Carlos Magalhães, um incêndio de cinco minutos destrói o mural. A versão oficial diz que o fogo se iniciou na cozinha da Assembléia, no andar de cima, mas a versão sentimental afirma ter sido um incêndio criminoso — um lance de dados sujo da política. Já não importa, o mural se perdeu para sempre. A imagem de Vinicius, porém, sobreviveu em outro mural — inacabado — assinado por Carlos Bastos nas paredes da capela do Parque da Cidade, no Rio de Janeiro. É uma obra inspirada na vida de são João Batista. O pintor, outra vez, injeta a realidade em sua arte: os santos têm seus rostos calcados nas feições de celebridades como Pelé, Caetano Veloso, Maria Bethania, Jorge Amado e até o colunista social Ibrahim Sued... Com isso, além do prazer estético, Carlos Bastos imagina criar um tipo secundário de deleite para os visitantes: a distração em identificar, nas personagens retratadas, musos e musas inspiradores.

Estamos, porém, em pleno governo Médici, e os problemas começam a surgir. Primeiro, o artista é proibido de se inspirar na pintora Djanira para compor a imagem de Nossa Senhora, porque, embora ela tenha se tornado freira, sofre a acusação de ter administrado uma casa suspeita na juventude. Pelé, o deus do futebol, não pode aparecer como anjo, porque, raciocinam os censores, um anjo negro só pode simbolizar Satanás. O empresário Adolfo Bloch também não pode aparecer, porque é judeu. Jorge Amado também não, porque é comunista. A cantora Gal Costa também está proibida, porque tem o hábito perigoso de exibir os ombros desnudos no palco. Tentando conciliar-se com os censores, Carlos Bastos aceita apagar as figuras representadas por Djanira e Caetano Veloso — tido como um revoltado sem causa —, mas conserva as demais. A personagem inspirada em Vinicius de Moraes sobrevive. Um dia, porém, o diretor do Museu Histórico da Cidade, sem explicações, lhe tira as chaves da capela. Bastos ainda tenta um último recurso: envia um telegrama pessoal ao presidente Emílio Médici, pedindo compreensão. Recebe de Médici, dias depois, um telegrama nos seguintes termos: "Seu projeto não tem nada de mais. Pode continuar seu trabalho". Nunca mais recebe de volta as chaves da capela.

Vinicius se conserva, durante todo o tempo, indiferente a tais celebrações. Está num período de despojamento, em que deseja se livrar de ornamentos e honrarias, para ser apenas um homem. Itapuã — pensemos, novamente, no espelho de Arthur Rimbaud, o poeta que abandonou a poesia para se tornar traficante de armas na Abissínia — é a sua África. Só que, ao invés de se tornar mercenário, ele negocia com outros valores: a vaidade e a fama são trocadas, com prazer, pelo exílio. Nesse início dos anos 70, a música pop internacional invade, com força total, o cenário musical brasileiro. A MPB atravessa, por culpa também da perseguição imposta a seus grandes ídolos pelo regime militar, uma fase de relativo descrédito. Também as platéias jovens começam a desprezar Vinicius, situação que só se reverterá com o início dos circuitos universitários, em que ele e Toquinho passarão a lotar teatros e até ginásios, em shows promovidos pelos diretórios acadêmicos — estratégia light de sobrevivência do movimento estudantil.

Solitário — nos últimos anos da fase baiana terá a filha Luciana, já adolescente, a seu lado —, ele circula por Arembepe, que se converteu numa Katmandu dos pobres. Exibe sem pudor sua barriga imensa, seus pneus de gordura, sua falta de pose e de zelo. Aquilo, porém, é um estilo, não uma desistência. A cultura da contracultura invade o país. Todos os *drop-out*, hippies e assemelhados fazem, pelo menos uma vez, sua peregrinação mágica a Arembepe, o santuário nacional do desbunde. Deitados em plena areia sobre os ponchos bolivianos trazidos das viagens no Trem da Morte — o velho expresso que faz a linha São Paulo—Santa Cruz de la Sierra —,

DESBUNDE

A adolescente Luciana se entregava à festa contínua da Katmandu tropical. O pai Vinicius, liberal mas zeloso, a vigiava à distância.

fumam longos cigarros de maconha, vivem viagens de ácido e mescalina, ouvem Janes Joplin, Jimmy Hendrix e Rolling Stones, lêem Allan Ginsberg, Jack Kerouac e às vezes fingem que lêem Herbert Marcuse e Wilhelm Reich. Pregam a paz com veemência, como se estivessem à beira da convocação para o Vietnã, defendem o tropicalismo e odeiam o "sistema" — seja ele o que for. Vinicius, instalado no coração do desbunde, não pode ficar imune a ele. Os cabelos crescem, a indumentária se torna mais estranha e relaxada, a impaciência para com o Brasil oficial aumenta. Mais uma vez, se deixa envolver como um trânsfuga, um homem-esponja a sugar, avidamente e sem qualquer esforço, aquilo que o cerca. Mas não é nos anos 70 que se recita, de boca cheia, o chavão de que o artista é a antena da raça?

Carybé, ilustrador oficial dos best-sellers de Jorge Amado, que mora na ladeira dos Galés, do outro lado da cidade, está acostumado a receber telefonemas de seus amigos do sul pedindo que resgatem seus filhos perdidos nas dunas do desbunde. Usa, freqüentemente, Vinicius como espião. O poeta já se acostumou a receber telefonemas de Carybé que começam assim: "Você viu a filha do Sabino por aí?". Quase sempre tem pistas a dar. Carybé, eternamente intrigado com a metamorfose do diplomata em bardo, o tem como um sensitivo. Sabe que o poeta não é um sanguessuga senil. Que sua doença não é a senilidade, mas a paixão. Os dois se conhece-

MAIS PÚBLICO

Clara Nunes foi uma das cantoras que passou a acompanhar Vinicius em sua luta para conquistar novas platéias no exterior.

ram muito tempo atrás, numa festa em Ipanema, quando Vinicius ainda era diplomata e a atriz Tônia Carrero ainda era a socialite Mariinha Thiré. Carybé é doutor em Vinicius e se orgulha disso.

Uma noite, o poeta, Toquinho e a cantora Clara Nunes, depois de um show no teatro Castro Alves, se refugiam no bar Samburá, na praia de Amaralina. As instalações são rústicas, beirando o precário, mas o Vinicius baiano busca justamente o oposto da obscuridade e da afetação que o encantam, no Rio, em lugares como o bar-escritório Antonio's no Leblon. Já passa de meia-noite e os três, estimulados pela bebida, falam alto e logo começam a cantar. Um garçom metódico e dessincronizado com o espírito da época pede que moderem sua alegria. ''Meu patrão não gosta de esculhambação'', argumenta. O bar todo se revolta, Toquinho e Clara Nunes à frente. Vinicius se levanta e vai embora sozinho. Não diz uma só palavra.

Muitas vezes, cansa-se de ser o centro das atenções. Seu narcisismo se esfarela e tem, então, vontade de se tornar transparente, ou de desaparecer. A Bahia lhe serve como abrigo, mas agora nem Itapuã, com seu silêncio cheio de murmúrios misteriosos, parece ser boa o bastante como esconderijo. Já quando se trata dos amigos Vinicius não se furta, quase nunca, a marcar presença. Nesse início dos anos 70, o cantor Raimundo Fagner, ainda em início de carreira, tem as portas das gravadoras fechadas para si.

Brigou com a Philips — que passou a julgá-lo um cantor brega e ultrapassado — e está sem poder gravar. Vinicius vai a uma festa em Ondina. O apresentador, metido a engraçadinho e querendo agradar o público, começa — gratuitamente — a achincalhar Fagner. Seu azar é que Vinicius não gosta nem um pouco de suas piadinhas. E o mais incrível: traz um disco de Fagner em sua bolsa. O poeta, indignado, sobe numa cadeira e ergue o disco com as duas mãos, imitando o gesto triunfal de um atleta que recebe o troféu de campeão. A atitude de Vinicius causa estranheza. O poeta é contestado por uns e aplaudido por outros. Mas não dá a menor importância às repercussões que provoca. Continua na mesma posição, solene, debochando dos que o contestam e ironizando o apresentador.

Raimundo Fagner viria a musicar dois poemas de Vinicius: ''O leão'' e ''Soneto de Marta''. O primeiro a convite do produtor Fernando Faro, de *Arca de Noé*. Quanto ao ''Soneto de Marta'' — dedicado à sua oitava mulher, a argentina Marta Rodriguez —, o próprio Vinicius o entrega a Fagner, anos mais tarde, pedindo que faça uma música. Seria um presente para sua nova mulher. A parceria rendeu mais uma música: ''Um amor que é só meu''. Dessa vez, Vinicius colocou letra na música já preparada por Fagner.

Talvez se fosse um ''Soneto para Gesse'', Fagner não aceitasse com tanta rapidez. Presencia cenas estranhas desse casamento hippie que o poeta, já no caminho da velhice, decide viver. Numa visita a Vinicius, assim que se aproxima da casa, ouve uma enorme gritaria. Preocupado, empurra de leve a porta e vê uma cena inesquecível. Gesse corre, de tamancos nas mãos, atrás do marido. Vinicius tenta se proteger atrás de uma escada. Gesse repete: ''Eu pego esse velho! Eu pego esse velho!''. Nem a chegada de Fagner aplaca a fúria da mulher. Não há nenhuma dúvida de que Vinicius ama Gesse Gessy intensamente. Devemos, mais uma vez, ceder ao lugar-comum: o amor é o território do desconhecimento. Gessy é uma prova cabal disso. Por isso mesmo Vinicius se tornou poeta.

5

A Bahia lhe traz, de fato, muitos sonhos de juventude. Um dia, decide comprar uma bicicleta para pedalar pela orla de Itapuã. Os amigos se surpreendem, mas o estimulam. Na estréia, pedala pelos dois quilômetros que separam sua casa, no farol de Itapuã, da casa de Calazans Neto. ''E então, Vina, você gostou?'', o pintor pergunta a um ciclista ofegante. ''Achei muito chato'', diz sem rodeios. Telefona para casa de imediato e pede que o motorista venha apanhá-lo. A bicicleta vai no porta-malas do carro. Outra vez, resolve comprar uma moto. Agora os amigos protestam, pois acham perigoso. Ele insiste. Só Jorge Amado não se abala: ''Essa eu quero ver'', diz quando ouve a idéia. ''Vou esperar sentado.'' A idéia não o abandona, mas alguma coisa impede que ele a concretize. Um dia, encabulado, confessa a Calazans Neto: ''Na verdade, não estou muito interessado na moto''. O amigo não entende: ''Mas por que, então, você fala tanto dela?''. Sem qualquer constrangimento, justifica: ''O que eu quero mesmo é usar aquela roupa de motoqueiro, toda preta, e ter um capacete cintilante''. Jorge Amado tinha razão: a Vinicius interessa, na maior parte das vezes, a fantasia pura, e não sua realização.

Agora que está bem de dinheiro, não sabe como gastá-lo. Em tempos de vacas magras, enfrentou tarefas estúpidas e até constrangedoras, como o dia em que ele e Antonio Maria, cheios de dívidas, aceitaram a encomenda feita por uma agência de publicidade de um jingle para a campanha de lançamento de um regulador feminino. Atravessaram uma noite juntos experimentando bordões, rimas, refrãos, sem resultado. Ao amanhecer, já estavam para desistir quando surge no bar a cantora Aracy de Almeida. Expõem o seu drama: ''Oh, Araça'', Vinicius se lamenta, ''passamos a noite brigando com as palavras e não chegamos a lugar algum. Quem sabe você que é mulher não dá um jeito?''. Aracy, sem perder a chance de exercitar seu humor cáustico, afirma: ''Calma que eu já tenho um''. Tomando emprestado o samba ''O orvalho vem caindo'', de Noel Rosa, gravado por Almirante, cantarola: ''O ovário vem caindo...''. O poeta se diverte. É um mestre da alegria.

Gesse Gessy sabe acompanhar sua agitação mental. Mais que isso: sabe tirar partido dela. É uma mulher direta, franca, atributos que muitos tomam como próximos demais da grosseria. Isso não a atinge. É engraçada, sabe fazer esplêndidas imitações de amigos e pessoas públicas, é uma comediante. Não provoca simpatias medianas: ou desperta amor, ou horror. Não faz gênero nem tem medo de parecer inconveniente. Numa viagem a Londres em que o casal está acompanhado por amigos do meio diplomático, faz questão absoluta de visitar uma sex shop, comércio impensável no Brasil do regime militar. Volta com um embrulho, que abre sem qualquer constrangimento numa mesa de bar: trata-se de um peixe longo, com a bocarra aberta e movido a pilha, próprio para a prática do onanismo. Vinicius ri convulsivamente — e os acompanhantes riem amarelo. O respaldo da mulher o protege. Sente-se capaz de tudo.

Ela o leva de vez para o candomblé. Na época da parceria com Baden Powell, o poeta já tinha namorado a religião negra, o sincretismo, mas conservara os olhos recatados de pesquisador. Agora não: ele entra em luta consigo mesmo e busca uma conversão impossível. Vinicius se sente atraído, em particular, por dois aspectos do candomblé: a exuberância dos deuses e dos ritos e a ausência das noções de culpa e de pecado. No candomblé não existe inferno, ausência que parece irresistível para um homem acorrentado, desde a juventude, ao medo da morte. A liberdade é o valor absoluto, o que contrasta com as normas severas da educação jesuíta. A submissão voluntária aos protocolos do candomblé lhe traz uma terceira vantagem, mais sutil: o apequena. Vinicius sempre se subestimou, sempre foi severo e áspero consigo mesmo. Como esquecer a paixão fundamental por Manuel Bandeira, "poeta, pai, áspero irmão"? Depois de se engrandecer publicamente com o sucesso, precisa de um período de recolhimento — e de acolhimento. A religião serve para isso.

Quando chega a Salvador de carro, em 1970, para o show *A bênção, Bahia* e já pensando em planejar sua mudança, traz o diagnóstico de um diabetes muito brando, facilmente controlável com uma dieta. Hospeda-se com Marilia Medalha e Toquinho no Hotel Casa Grande e convoca um médico laboratorista, o dr. Trípole Gaudenzi, para exames de rotina. Quando o médico lhe traz os resultados, guarda o envelope no bolso, desinteressado, e diz sem sequer o olhar: "Quanto devo?". O dr. Gaudenzi, que há muito admira seus poemas, é enfático: "Nada. Não cobro de poetas". Tornam-se amigos. Depois, Vinicius se muda do hotel para a casa de Sônia e Édio Gantois, na rua Princesa Leopoldina, na Barra Avenida, onde ganha uma suíte com banheira e permanece por três meses. Lá, seu lugar favorito é a copa, que tem uma magnífica vista para o mar. Transforma-a em seu escritório. É na copa da família Gantois que recebe, quase todas as noites, a visita de Carlos Coqueijo Costa — e varam a noite conversando. A família Gantois tem uma segunda casa, em um condomínio isolado no bairro da Federação, também com vista para o oceano. Nessa casa, Toquinho e Vinicius compõem "Tarde em Itapuã".

Sônia Gantois o apresenta a Mãe Menininha do Gantois — que, ao contrário do que pensa meia Salvador, não é sua parente. Ocorre que o terreiro de Mãe Menininha fica no Alto do Gantois, em terras que pertenceram ao belga Édouard Gantois, avô de seu marido Édio. Vinicius, a princípio, não quer ir ao terreiro da mãe-de-santo. Está com medo. Sônia serve-se de argumentos genéricos: ''É para que ela ponha uma luz no teu caminho''. Gesse Gessy, mais escolada no trato com o poeta, exibe argumentos pragmáticos: ''Ela vai acabar com esse teu medo de avião''. Vinicius logo se convence. Sônia, antes que ele volte atrás, pega o telefone e liga para Mãe Creusa — que seria, mais tarde, a herdeira espiritual de Menininha. Ela consegue uma entrevista para o dia seguinte, o que Sônia interpreta como bom agouro. Não é um encontro privado, como Vinicius espera. Gesse Gessy, Sônia, Édio, Mãe Creusa e sua irmã Neném são convidados a permanecer na sala. Assim que a ialorixá começa a falar, ele não pode controlar um choro convulsivo. Mãe Menininha diz que ele pode ficar quieto, que não se preocupe com o choro porque ela falará por ele. Descreve sua juventude ''bonita, mas sofrida'', fala de uma vida ''de muitos amores, mas amores sempre interrompidos'' e, o que parece ao poeta uma prova definitiva de seu poder mágico, lhe relata o desastre a bordo do hidroavião francês Lionel de Marmier, no remoto ano de 1945. ''Meu filho, você já sofreu muito. Já esteve muito próximo do outro lado'', conclui Menininha. ''Mas não tenha medo, de avião você não morre, isso eu posso te garantir.'' Só depois dessa sentença, o poeta consegue falar de seu medo de avião. A mãe-de-santo lhe explica que ele é filho de Oxalá, o pai dos orixás que, no sincretismo, se transformou no Senhor do Bonfim. ''Isso significa muito poder'', descreve, ''mas significa também que você carrega todas as mágoas, todo o sofrimento do mundo.'' É por suportar tanto peso que Oxalá, no ritual do candomblé, dança todo curvado. ''Com você ainda é pior, porque você na verdade é Oxalufã.'' Explique-se: Oxalufã é o Oxalá velho, que suporta por conta da idade um sofrimento ainda maior, e que dança ainda mais curvado.

Sônia leva consigo um pequeno gravador, em que registra toda a conversa. Um dia, empresta a fita ao Museu da Imagem e do Som, do Rio de Janeiro, e nunca mais a recupera. Mas, para Vinicius, mais preocupado com as marcas que aquele encontro deixa em sua alma, a gravação é o que menos importa. Sai tão impressionado do terreiro de Menininha e tão curioso a respeito do candomblé que, assim que chega em casa, pede a Sônia Gantois que promova uma reunião com mães e pais-de-santo em sua casa. Não quer perder o que conseguiu naquele dia, embora não saiba definir muito bem o que conseguiu. ''Vou fazer uma decoração especial na sala'', ela se anima. ''Na sala, não'', Vinicius pede, ''eu quero que o encontro seja na copa.'' Seu desejo se cumpre. Algumas noites depois, a família Gantois abre as portas de sua casa para a elite do candomblé baiano. Mãe Menininha, adoentada, não pode ir. Mas lá estão ialorixás famosas como Mãe Creusa

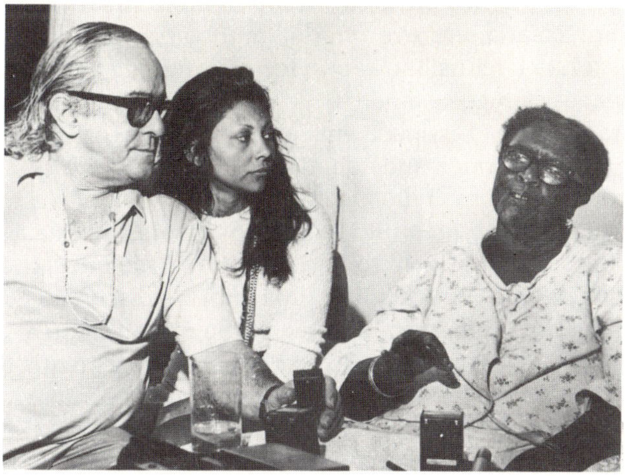

GURU

Mãe Menininha do Gantois se tornou a guia espiritual do poeta. Seus ensinamentos levaram Vinicius a perder o medo de avião.

e Olga de Alaketo e babalorixás da estirpe de Eduardo Bate Folha e Camafeu de Oxóssi. Talvez em nenhum outro momento de sua temporada baiana Vinicius tenha se sentido tão respeitado e reconhecido.

Retorna por fim ao Rio, onde passa uma temporada até alugar sua própria casa em Itapuã. Feita a mudança para a estrada do Farol, habitua-se a hospedar gente famosa: Clara Nunes, Marilia Medalha, Toquinho, até mesmo o cantor francês de origem grega Moustaki, que gorjeia seu repertório romântico-modernoso debruçado na varanda. Mas não sofre mais o assédio daquele séquito voraz de amigos distantes, conhecidos e admiradores.

Sônia e Édio Gantois se tornam uma referência decisiva para Vinicius em Salvador. O primeiro presente que Sônia recebeu de Édio, quando ainda eram namorados, foi um exemplar da *Antologia poética*. Tempos depois, após um show de Vinicius com Edu Lobo e Vanda Sá no Rio, o casal decide ir aos camarins. Encantam-se. Na primeira noite que Vinicius passa na residência dos Gantois, na Barra Avenida, ao entrar no quarto para dormir depara com uma surpresa: sua cama está coberta por pétalas de rosas. "Isso é digno de reis", é só o que consegue dizer. Sônia fizera teatro amador e a idéia veio de um grupo de atores amigos que convidou para uma festa de recepção ao poeta. A amizade se estreita. Vinicius se liga também a Rosa, copeira de confiança do casal, que ganha de presente, tempos depois, um samba — o "Samba da Rosa". Em setembro, quando Soninha, a filha do casal, aniversaria, escreve um dos muitos poemas delicados e simplórios, de absoluta circunstância, que fez ao longo da vida mais interessado em homenagear amigos e amantes do que em acrescentar algo de útil a sua obra. "Para Soninha", assinado em Salvador a 25 de setembro de 70, quando a menina comemora dez anos de idade, termina com o desejo de "Muito amigo verdadeiro/ Como Édio Gantois/ Muito livro, muito estudo/ Muita vela pra soprar/ Muita vida, muito tudo/ São os votos de Oxalá/ E do tio Vinicius". Os votos de "muito livro, muito estudo" são um cacoete de circunstância. Anos depois, Vinicius tem uma enorme discussão com Sônia, que cobra da filha mais aplicação nas aulas. "Se não se esforçar, ela não entra para a faculdade", argumenta. "Deixa a menina fazer o que ela quiser. Como é uma menina inteligente, vai aprender muito mais com a vida", o poeta a contradiz.

Está em plena lua-de-mel com a vida. Vinicius se sente repleto de energia e aceita todo tipo de aventura. Nem o irresistível torpor baiano o faz parar. Nesse início dos anos 70, o prefeito Jaime Lerner o convida para uma viagem a Curitiba como convidado de honra na festa de inauguração do teatro do Paiol. O poeta, acompanhado por Marilia Medalha e Toquinho, é a estrela do show de abertura. O espetáculo termina ficando uma semana em cartaz. Vinicius se torna amigo de Lerner e volta muitas vezes à cidade. Numa dessas visitas, o prefeito o convida para jantar em sua casa. Depois do cafezinho, partem para os inevitáveis improvisos ao violão. Vinicius descobre, então, os dotes musicais de Jaime Lerner — que é parceiro do compositor paranaense Valmilor Rodrigues, o "Lápis", no sambinha "Ora siglas", uma música de protesto contra os excessos do IPTU. O poeta se empolga com a descoberta e propõe ao prefeito: "Escute, então, essa aqui. Comecei a fazer com o Azeitona, mas não terminamos a letra. Não quer ajudar?". Atravessam a noite cantando e, por fim, têm pronta a canção "Malandro de araque", assinada por Vinicius, Azeitona e Jaime Lerner. Graças a esse improviso, o prefeito entra para a galeria dos parceiros célebres do poeta.

Mas a Bahia é sempre o centro de seu mundo. Para lá convergem todas as suas expectativas de felicidade. Os baianos o reverenciam. Uma noite, em Salvador, João Gilberto — que, para Vinicius, desde cedo, é mais um mito que um homem de carne e osso — tem um show programado para o Teatro Castro Alves. Está quase uma hora atrasado. Vinicius, ele também um pouco atrasado, encontra o teatro em pé de guerra. Atua como bombeiro: sobe no palco e pede calma à platéia, argumenta que João já está nos bastidores se concentrando. Recebe, a princípio, vaias estrondosas, que depois se convertem em aplausos. Tornou-se um mestre da sedução. Mas isso cansa. Quando João Gilberto finalmente entra em cena, Vinicius se vira para os amigos que o acompanham e diz: "Vou embora. Não fico aqui nem mais um minuto". Vai jantar no Chez Bernard, na Gamboa, e depois toma um uísque num barzinho discreto chamado Kirimurê, um de seus esconderijos prediletos. O dr. Gaudenzi, que também desistiu do show e o acompanha, lamenta a noite perdida. Vinicius não. Sabe que nem uma performance genial diminuiria sua irritação com João Gilberto. Fez a sua parte e foi aplaudido por isso. Basta.

A essa altura, as platéias baianas tratam Vinicius como um íntimo, como alguém de casa. O poeta, grato, não limita suas performances aos grandes espetáculos do teatro Castro Alves. Apresenta-se com freqüência no teatro Vila Velha, usina de uma geração de atores nativos de qualidade, que produziu profissionais do porte de um Othon Bastos. Monta, com Gesse Gessy, num imenso galpão abandonado na rua Banco dos Ingleses, uma versão para teatro de "O operário em construção". Não pára.

Gesse Gessy, mulher de temperamento obstinado, administra os negócios de Vinicius, produz seus shows, divulga seus espetáculos, planeja adaptações para o teatro, organiza sua vida financeira. Esse é o período em que o poeta fica mais distante da família, em particular da irmã Lygia. Excluídos os anos de casamento com Gesse, Lygia de Moraes será, ao longo de toda a sua existência, uma espécie de governanta zelosa e secretária incansável a comandar a vida prática do irmão. Vinicius nunca teve, nem terá, nenhuma paciência com as miudezas do cotidiano. Em quase todos os períodos de crise, de turbulência íntima ou de solidão, é com Lygia também que ele se refugia. Gesse vem abalar essa aliança entre os dois irmãos — e por isso ela e Lygia sempre se odiarão. O casamento com Gesse Gessy, para o bem ou para o mal, é o que mais radicalmente revira o cotidiano do poeta. As modificações atingem, também com força brutal, sua vida de artista.

6

Em 1969, ao romper o casamento com Cristina Gurjão, sua aventura amorosa mais fugaz — mal sobreviveu um ano —, o poeta deixa para trás, em definitivo, os últimos traços de sua "fase erudita", como ele gosta de chamar. O encontro com Antonio Pecci Filho, o Toquinho — um menino de 22 anos que conhecia de vista das domingueiras na casa de Sérgio Buarque de Holanda —, inaugura um vôo acelerado para a frente. Muitos preferirão vê-lo, movidos pelo preconceito ou pelo ressentimento, como um vôo para trás. Vinicius, certo de que chegou a hora do grande salto, não se deixa abater. E se lança, por inteiro, em outra aventura de vida radical.

O ingênuo Toquinho, filho de uma violinista, pertence à geração do pós-guerra, marcada pela Coca-Cola, pelo violão e pelo bambolê. É um rapaz metódico, quase simplório em sua maneira de se apegar aos horários e à disciplina com que dá conta de si. Começou a estudar violão aos treze anos com Paulinho Nogueira. Estudou música clássica com Isaías Sávio, harmonia musical com Oscar Castro Neves, teoria musical com Edgar Janulo e orquestração com Léo Perachi. Aos dezessete anos, já acompanha — escondido atrás de seu violão — jovens artistas brilhantes como Tuca, Taiguara e Chico Buarque. Começa sua carreira de compositor quatro anos antes, aos dezoito, com "Lua cheia", uma parceria com seu amigo de infância Chico Buarque, música eliminada sumariamente na primeira triagem do Festival da Record de 1966. No mesmo ano, grava seu primeiro disco, *O violão de Toquinho*, e ainda se apresenta ao público como um instrumentista sem veleidades de compositor.

Depois de ensaiar algumas composições, em 67, com Paulo Vanzolini, Toquinho conhece o sucesso pela primeira vez em 68, graças à popular "Que maravilha", uma parceria com Jorge Ben. Em 69, parte para a Itália, mas ainda é apenas o diretor musical de um elepê que Chico Buarque se prepara para gravar em Roma — primeiro efeito do sucesso da versão italiana de "A banda", na voz de Mina. Chico desembarca na Itália levado pelo produtor musical e compositor Sergio Bardotti, que logo se torna o grande mestre-de-cerimônias da MPB em seu país. A música brasileira ganha prestígio, também, com o sucesso recente de Roberto Carlos no Festival de Música de San Remo, interpretando a melodramática ''Canzione per te'', de Bardotti. Chico Buarque, despachado para o exterior pelos maus agouros da ditadura militar, acaba se instalando na capital italiana, já como exilado político. Toquinho se hospeda com ele por quase um ano.

É na casa de Chico que Vinicius se reencontra com Toquinho. Na verdade, conhece-o muito pouco. Chico Buarque convida o poeta para ouvir uma canção que acaba de compor e pede que Toquinho o acompanhe no violão. O desajeitado Toquinho, para quem Vinicius é antes de tudo um mito, sente-se inseguro e, a princípio, se recusa. ''Quero que você me acompanhe, senão vou desafinar'', Chico argumenta. ''Sozinho, não dou conta do recado.'' Consegue, por fim, convencer o amigo. O que Chico Buarque não sabe é que Vinicius está, naqueles dias, em busca de um solista para acompanhá-lo, em substituição a Dori Caymmi, numa temporada programada para Buenos Aires. Depois de ouvir o violão afinado do rapaz, não tem mais dúvidas: achou o músico que desejava encontrar. ''Quer fazer uma viagem comigo?'', pergunta, em seu estilo sem rodeios. Toquinho, 34 anos mais novo que o poeta e ainda muito inseguro, emudece. Mas aceita.

Começam a trabalhar ali mesmo. Os novos parceiros, tomados por uma paixão compulsiva que caracterizará sua relação até o desfecho, isolam-se dias depois numa casa que Sergio Bardotti ergueu sobre uma colina de Mentana, um *paese* a 25 quilômetros de Roma. Recebem visitas ilustres, como o compositor Enio Moriconi, o maestro Luis Enrique Bacalov (o primo de Lalo Schiffrin, que logo depois substituirá Nino Rota na feitura da trilha sonora dos filmes de Federico Fellini) e o cantor Sergio Endrigo. Vivem 24 horas por dia exclusivamente de música. Bardotti faz, logo depois, a versão italiana de ''A casa'' (''Era una casa/ molto carina...''), que, contrariando a má vontade dos italianos para com as assim chamadas ''músicas infantis'', estoura nas paradas de sucesso na voz de Sergio Endrigo. É Sergio Bardotti quem, diante disso, convence Vinicius a produzir mais músicas para crianças. O poeta guarda consigo um velho livro, batizado *A arca de Noé*, que escreveu para o filho Pedrinho quando este ainda era menino. Convencido pelo amigo italiano, decide tirá-lo do baú e transformá-lo em disco. *A arca de Noé* é lançado, primeiro, em Roma, como *L'Arca*, em 1970. Só depois teria suas duas versões brasileiras.

Não é simples coincidência que Vinicius e Toquinho comecem sua parceria pelas crianças. Há, certamente, algo de infantil na relação entre os dois. Vivem às turras, envolvidos em intermináveis brincadeiras, como dois moleques que não se poupam, mas também não se largam. Com elas, Vinicius remoça e Toquinho cresce. Um repórter italiano, certa vez, pergunta ao poeta: ''Não lhe parece estranho que o poeta das mulheres e das grandes paixões agora se dedique a cantar focas, pingüins e patos?''. Vinicius, irritado, não o poupa: ''Você esqueceu que as crianças adoram matar passarinhos,

VINICIUS

Mais do que um parceiro maduro que o conduziu
ao sucesso, o poeta foi para Toquinho o amigo com quem
dividia o cotidiano de igual para igual.

TOQUINHO

Ao contrário do que indicava a enorme
diferença de idade, era Toquinho quem impunha limites à alma
tumultuada e juvenil de Vinicius.

enterrar gatos vivos e espetar baratas com pregos?''. E, dando a pergunta por respondida, encerra com uma declaração provocativa: ''Além do quê, parece que você não entende nada de mulheres''.

Vinicius e Toquinho não se largam mais. Quando voltam juntos para o Brasil, em junho de 1970, já se tornaram parceiros. Trazem dois discos gravados em italiano: o já citado elepê com o poeta italiano Giuseppe Ungaretti e com Sergio Endrigo — disco, na verdade, de poetas, em que Toquinho e Endrigo dão apenas o alinhavo musical; e outro ao lado da grande dama da música popular italiana Ornella Vanoni, que estoura graças a um samba batizado com o título improvável, mas intrigante, de ''La vòglia, la pazzìa, l'inconcienza e l'allegria'' (A vontade, a loucura, a inconsciência e a alegria), quatro sentimentos radicais reduzidos infelizmente, no Brasil, a uma condição de porta de motel: ''Se ela quisesse''.

Quando os dois parceiros retornam ao Brasil, o tropicalismo — com Gal Costa enrolada em panos esvoaçantes, com sua cabeleira de leoa e coberta por espelhos, Gilberto Gil saltitando já mais magro e Caetano Veloso a desafiar o senso comum da esquerda com seus discursos corajosos — está em seu apogeu. A Bossa Nova, ao contrário, está em baixa. É tratada quase como uma relíquia. Vinicius recebe, no máximo, respeitosas reverências. A MPB, perseguida pela censura, sofre a concorrência revitalizante, mas desleal, da música pop internacional que invade as rádios FM. Vinicius e Toquinho, vistos como sentimentais e descartáveis pela nova lógica tropicalista, e como comunistas perigosos pela burrice dos generais, nadam contra a corrente. Mas não fraquejam. Nem se importam com o rótulo sarcástico de ''easy music'', que logo será colado em suas músicas pelos críticos apressadinhos. Os tropicalistas, com sua ousadia, são uma última franja de criatividade num país dominado pela apatia e pela repetição. Estamos no país da maquiagem e do disfarce. Enquanto a classe média consome compulsivamente, não importando o quê, as oposições são caçadas e torturadas na obscuridade. Os tropicalistas, com sua coragem aguda, sua determinação em pensar fora da norma, passam a ser tratados pelo senso comum como ''loucos''. Às vezes divertidos, quase sempre inoportunos, mas doidos de pedra.

Vinicius e Toquinho entram no Brasil pela Bahia. Para exibir o novo ''casamento musical'', se apresentam — amparados pela voz rouca e bela de Marilia Medalha — numa temporada de três dias no teatro Castro Alves, em Salvador. A platéia, a princípio desconfiada, termina a noite enlouquecida. No auge do tropicalismo, Vinicius e Toquinho fogem da moda, cantando composições dissonantes como ''A tonga da mironga do cabuletê'', um refrão que Gesse Gessy lhes dá de presente, garantindo que em nagô significa ''O pêlo do cu da mãe''. Vinicius se diverte com o presente: julga que é uma forma de xingar os militares sem que eles tenham consciência disso. ''Te garanto que na Escola Superior de Guerra não tem um milico

BAIANOS

Cercado por Gilberto Gil, Maria Bethania (de costas), Caetano Veloso, Torquato Neto e Nelson Xavier, Vinicius se integrou rapidamente ao cenário cultural baiano. Apesar do abismo que, para os especialistas, separava sua "easy music", como diziam, do Tropicalismo.

que saiba falar nagô'', justifica-se com Toquinho. Gesse aproveita a estadia em Salvador e leva o poeta para conhecer seus pais. Teme pela reação deles diante daquele senhor de cabeleira branca e barriga enorme. A visita é feita em tom bastante formal. O pai de Gesse não tira os olhos um só minuto de Vinicius que, por fim, tenta aliviá-lo de suas preocupações: ''O senhor não deve ficar assim, preocupado'', diz. ''Sua filha, comigo, está protegida.'' Quando saem, Gesse comenta: ''Puxa, fiquei impressionada com o modo que papai te olhava. Você notou?''. Vinicius, calmamente, a corrige: ''Ele não me olhou. Ele me hipnotizou''.

O Brasil descobrirá a dupla Vinicius e Toquinho não sob os jatos de luzes oficiais, ou diante das câmeras amestradas da TV Globo, mas na penumbra dos DCEs — os diretórios centrais de estudantes, frágeis focos de resistência nas universidades contra a insensatez do regime militar. Nascem os ''circuitos universitários'', maratonas de precários mas agitados shows pelo interior do país a expensas de centros estudantis e diretórios acadêmicos. Os shows de Vinicius e Toquinho passam a ser vendidos por estudantes indignados e raivosos como uma reação de esquerda à onda tropicalista e à invasão do pop internacional. A cantora Marilia Medalha os acompanha em seu primeiro circuito universitário pelo interior de São Paulo. Viajam por 45 dias e fazem shows em trinta cidades. Estão escoltados pelo Trio Mocotó, composto pelo percussionista João Paraíba (sobrinho do futuro senador Severo Gomes), por Fritz Escovão (um mulato que toca cuíca e tamborim e que, conta a lenda, foi o introdutor do corte de cabelo punk no país) e pelo pandeirista Nereu (que é, de certa forma, a estrela do grupo). O extemporâneo Nereu tem uma enorme coleção de calças, todas bem justas e boca-de-sino, e quase todas na cor rosa-choque. Vinicius não o perdoa: sempre que a platéia universitária se entusiasma mais um pouco, obriga o pobre Nereu — um negão de quase dois metros de altura — a tirar as calças em pleno palco. Para delírio geral. Toquinho, nessa fase inicial dos circuitos universitários, é um rapaz cabeludo, de bigodão e sempre elegante em sua camisa social. Com seu estilo bem-comportado de garotão da classe média, no apogeu do modelo hippie, é a exceção e não a regra.

Em 72, de volta a Roma, Vinicius e Toquinho gravam o elepê *Per vivere un grande amore*. Com Marilia Medalha, e depois com Maria Creusa, se apresentam no teatro Sistina, temporada que se estende ao teatro Lírico de Milão. De volta ao Brasil, é a hora de gravar *São demais os perigos desta vida*. A música que dá título ao disco foi composta sobre o ''Soneto do corifeu'', primeira fala do primeiro ato do *Orfeu da Conceição*, que começa assim: ''São demais os perigos desta vida/ Para quem tem paixão, principalmente/ Quando uma Lua surge de repente/ E se deixa no céu, como esquecida''. O poeta não pode acreditar quando o parceiro lhe mostra aquela música suave erguida sobre um soneto tão dilacerante. ''Nunca pensei

CANTORAS

Marilia Medalha (ao lado de Angela Maria, acima) e Maria Creuza (abaixo, de franja) tornaram-se as principais aliadas de Vinicius na conquista do mercado argentino.

que isso pudesse ser musicado'', diz. ''Pois eu fiz'', diz um Toquinho orgulhoso de si.

Os métodos da parceria quase sempre se baseiam no improviso absoluto. São, como Vinicius define certa vez, ''músicas em trânsito'', quer dizer, músicas compostas em plena pressão do cotidiano, sem qualquer tipo de conceito anterior a lhes impor um destino. ''O poeta aprendiz'' (''Ele era um menino/ Valente e caprino/ Um pequeno infante/ Sadio e grimpante...''), por exemplo, é inspirada durante uma conversa em que Vinicius, mergulhado em sua banheira de espuma, sente saudade de um garoto inquieto, levado mas simpático que infernizou sua infância na ilha do Governador. ''O filho que eu quero ter'' (''É comum a gente sonhar, eu sei/ Quando vem o entardecer/ Pois eu também dei de sonhar/ Um sonho lindo de morrer...'') evoca uma conversa que os dois parceiros travam durante uma caminhada noturna ao longo da praia da Boa Viagem, em Recife. ''Quero ter um filho, mas tenho medo'', lhe diz o parceiro. ''E por que não?'', Vinicius o contesta. ''Filhos nos assustam, dão um enorme trabalho. Mas trazem a felicidade. Bobagem ter medo.'' O conselho, logo depois, se transfigura em canção. Anos mais tarde, Toquinho o transformará, de fato, em filhos.

''Carta ao Tom'' (''Rua Nascimento e Silva 107/ Você ensinando pra Elizeth/ As canções de *Canção do amor demais*...'') surge a muitos quilômetros de Ipanema, durante uma caminhada por uma praia de Natal, provavelmente disparada pela nostalgia. Vinicius gosta de viajar, mas o excesso de compromissos em lugares diferentes às vezes o incomoda. Algumas composições, como ''Sei lá... A vida tem sempre razão'' (''Sei lá, sei lá/ A vida é uma grande ilusão/ Sei lá, sei lá/ Só sei que ela está com a razão...''), causam a princípio um estranho desconforto no poeta. ''Não gosto dessa música'', ele diz um dia a Toquinho. ''Por quê?'' Vinicius silencia e, logo, começa a cantar: ''Sei lá, sei lá...''. Conclui que, mesmo a contragosto, deve aceitá-la. E que a pergunta do amigo lhe deu o título que não conseguia formular. Talvez ela o irrite porque afirma a força do imponderável — e ele sempre se acostumou a se ver como dono absoluto de seu próprio nariz. Passa, tempos depois, a dizer que ela é uma de suas composições preferidas. Quando lhe perguntam a razão, responde: ''Sei lá''. E ri.

O primeiro circuito, pelo interior de São Paulo, é feito na companhia de Marilia Medalha e do Trio Mocotó. Os jovens lotam as platéias e, depois, tomam os camarins de assalto. Vinicius, já incentivado pela companhia de um rapaz tão jovem, atua como alguém movido por um elixir do rejuvenescimento. Dormem em conventos, fazendas, motéis à beira da estrada. Atuam em palcos precários, armados sobre quadras de vôlei, pistas de atletismo e piscinas. Lidam com equipamentos de som lamentáveis. Enfrentam platéias delirantes, que os recebem como deuses. Deixam o cabelo crescer. Vinicius, estimulado por Gesse Gessy e pelo esoterismo baiano, adota em definitivo como uniforme de campanha macacões surrados, batas esvoaçantes, desbotadas camisas pretas.

E são vigiados de perto pelos senhores da censura. Num show em Brasília, o auditório lotado por burocratas do Estado e filhas de militares, Vinicius choca a platéia com meia dúzia de palavrões. Os militares não gostam do que ouvem. A temporada prossegue em Recife — mas Vinicius recebe a proibição formal de pisar no teatro. A agenda, os censores determinam, deve ser cumprida apenas por Toquinho e pelo Quarteto em Cy. Às escondidas, o poeta é levado até as coxias do teatro. Quando as meninas do quarteto começam a cantar a primeira música, ao invés de encararem a platéia, viram-se para o lado e cantam para Vinicius, que se esconde ao lado do palco. A platéia explode em aplausos. Terminado o espetáculo, o poeta é carregado em triunfo, como um herói, pelas ruas da capital pernambucana.

Não gosta, porém, quando os estudantes começam a tratá-lo como um "poeta político". Numa entrevista, explica: "Não adianta você querer fazer poesia política de propósito. O poema tem de nascer da tua revolta". Num momento em que está mais exaltado, reclama: "Não vou fazer como o Drummond, que leva os poemas dos comunistas para casa e os corrige, para que fiquem mais bonitinhos. Não sou revisor de comunista". E, quase aos berros, revela: "Eu fiz muita poesia política e rasguei tudo depois. Vi que elas não tinham verdade nenhuma, eram só artifício". Quando lhe perguntam sobre "O operário em construção", poema radical concluído em Paris, em 1955, depois de três anos de trabalho, que chegaria depois a ser lido como homília numa missa dos metalúrgicos petistas do ABC paulista, explica: "Esse não é um poema político, é um poema visceral. Poema político é aquele que você faz de encomenda". E, já tomado pelo mau humor, arremata: "A razão pode ser a mais digna possível, mas não me peçam isso. Não faço poemas para fora".

Mas é preciso sobreviver. Para horror tanto de tropicalistas e desbundados quanto de intelectuais engajados, passam a produzir trilhas musicais para telenovelas. Começam na TV Tupi com *Nossa filha Gabriela* e, no ano seguinte, numa atitude que parece imperdoável à esquerda mais radical, já estão na TV Globo, musicando *O bem-amado,* a primeira novela em cores da história da TV brasileira. Assinam, a pedido de Daniel Filho, a trilha completa de doze músicas. O tema principal, embora traga a assinatura de Vinicius, tem letra e música de Toquinho. "Eu não agüento mais", o poeta reclama antes de começar a fazê-lo. "Deixa comigo", Toquinho garante. Compõem, por fim, a trilha de *Fogo sobre terra*.

Em 75, voltam a gravar dois discos na Itália: *Toquinho, Vinicius de Moraes e Ornella Vanoni* e *Vinicius e Toquinho, o poeta e o violão*. No ano seguinte, depois do sexto circuito universitário, retornam à Argentina para uma série de shows com o Quarteto em Cy. Em 77, chegam às paradas francesas depois de gravar, em Paris, o elepê *The best of Toquinho e Vinicius*. A Europa está conquistada. Nesse mesmo ano, ao lado de Tom Jobim e de Miucha, se apresentam durante sete meses no Canecão, num show que será peça importante na história da MPB. E que se torna um disco best-seller. Em 1979, por fim, gravam seu 19º elepê, que é simultaneamente uma comemoração: *Dez Anos de Toquinho e Vinicius*. Formam um casal estável, já tendo gerado um repertório de perto de 120 músicas. Um show para comemorar os dez anos de carreira começa com a projeção de slides que, no estilo de um telejornal retrospectivo, rememoram alguns dos melhores momentos da década: a escolha de Vera Fischer como Miss Brasil, o milésimo gol de Pelé, e John Lennon abraçado a Yoko Ono na cama. Na segunda parte, batizada de "hora do sarro", Vinicius — tomado pelos ventos de liberalização política que finalmente afrouxam o cotidiano do país — chama Lula de "herói" e o brinda com um copo de uísque importado. Traz a estréia do trio feminino As Moendas — formado pelas sergipanas Lina, Adi e Dina, que Vinicius descobre como crooners do restaurante Moenda, que sempre freqüenta em Salvador. Quando começam a cantar no restaurante, trazem o nome lamentável de Instant 4 — porque havia mais uma moça, Bell, que depois larga a música por um marido. "Só tem uma condição", o poeta as adverte, "se adotarem agora o nome Instant 3, eu desisto do convite." Mudam na hora. Vinicius sabe que tem uma imagem a zelar. Nesse mesmo ano de 1979, "Garota de Ipanema" contabiliza dezessete gravações diferentes só nos Estados Unidos, na voz de artistas do porte de Frank Sinatra, Ella Fitzgerald e Astrud Gilberto.

O sucesso definitivo da dupla não combina com o humor da crítica que, ao contrário, está cada vez mais azeda e mal-humorada. Alguns críticos ainda não perdoam Vinicius por ele ter descido de seu pedestal de poeta para uma vida, como definem, mais "comercial". Críticos de esquerda lamentam que, em pleno desfecho da noite militar, o poeta se dedique à "música fácil" e lhe cobram, com os dedos em riste, um engajamento político. Reconhecem seu sucesso — mas o sucesso, na época, não é bem-visto. Teóricos da perseguição, num período da história brasileira em que os artistas se orgulham de ser censurados e exibem com altivez estadias atrás das grades e seqüelas de violência, só o fracasso lhes proporciona prazer. As rádios, durante o governo Médici, afora a presença compacta da música internacional, preferem o sambão. A dupla Antonio Carlos e Jocafi é satanizada como símbolo do artista "oficial". Os críticos se esforçam para alçar — ou melhor, rebaixar — Toquinho e Vinicius ao mesmo patamar de mediocridade e bom-mocismo. O crítico paulista Maurício Kuhauski, conhecido pela escrita cáustica que o levou, por exemplo, a chamar Ernesto Nazareth de "nosso Chopin falido", toma a dianteira ao adotar a expressão "easy music" para definir Toquinho e Vinicius. O crítico, ao confundir ''música simples'' com ''música fácil'', agrada ao espírito rebelde da época — mas comete uma brutal injustiça. Age movido mais por preconceito contra um gênero, que por uma avaliação objetiva. No entanto, não é bem a verdade que interessa àqueles críticos inflados pela imagem de justiceiros.

Vinicius se irrita, mas reverte o ataque. Passa a apresentar seus shows pelos quatro cantos do país, invariavelmente, como ''uma homenagem à easy music''. As platéias o aplaudem e isso lhe basta. Sempre se desdobra quando se trata de enfrentar aqueles críticos com alma de patrulheiros. Aqueles ''vigilantes rodoviários'', como define uma vez, numa alusão ao seriado que inaugurou a teledramaturgia no Brasil. Esses críticos-patrulheiros pertenceriam, segundo uma classificação criada anos antes pelo poeta, à categoria dos Chatos-que-Fazem-Calor. A citação mostra que o poeta jamais se esquecerá de Jayme Ovalle, o amigo que lhe ensinou que, quanto mais adverso o mundo se mostra, mais devemos rir dele. Ele cumpre à risca a lição ovalliana.

Isso não significa dizer que com o tempo Vinicius esteja perdendo o senso crítico. Sempre que deseja marcar uma posição, se enfurece — mas a sustenta. Nos últimos meses do casamento com Gesse, durante uma festa em Paris, Vinicius e Toquinho discutem asperamente. A festa é na casa de uma brasileira, Mary, repórter da revista *Vogue*, e comemora a estréia de um show de brasileiros no Olympia. Vinicius está de boné e terno de veludo, seu traje oficial no inverno europeu, de gosto bastante discutível. Ele e Toquinho gesticulam. Discutem, engalfinham-se, mas continuam a sorver uma garrafa de uísque. Muitas pessoas não viram nem ouviram a discussão. O músico Mutinho, de longe, observa. Está boquiaberto, pois nunca viu — nem imaginou que pudesse ver — os dois parceiros brigarem daquele modo, ainda mais em público. A briga, cada vez mais feia, dura longos minutos. Por fim, esfriam a cabeça. Horas depois, Mutinho pergunta a Vinicius o que está havendo entre ele e Toquinho. ''Nada'', se limita a responder. E é verdade.

A briga acaba unindo, em definitivo, os dois parceiros. Depois da tempestade, saem da festa abraçados. Os dois choram copiosamente, como crianças. Fazem questão de ir caminhando, a sós, para o hotel. Dias depois, Vinicius pergunta a seu último parceiro: ''Por que será que eu ando triste de te adorar?''. Toquinho não consegue dar nenhuma resposta. A frase, com a aparência de charada, fica por longos dias reverberando em sua cabeça. Renderá aos dois uma bela música — ''Por que será'' (''Por que será/ Que eu ando triste de te adorar?...''), feita em trio com Carlinhos Vergueiro. Mas, na verdade, jamais será respondida.

Vinicius é um homem que ama as perguntas sem resposta. Ou, ao menos, que não dão a chance de respostas prontas. Sempre que pode, exercita

EM PARIS

A imagem de "show-man",
que levou o poeta
a se esmerar na afinação
da voz e no violão,
foi consagrada pelas
platéias parisienses.

FELICIDADE

O casamento com Gesse Gessy
transformou o poeta —
agora livre em definitivo
dos protocolos
de intelectual —
em um homem feliz

esse prazer. Numa manhã, em São Paulo, depois de passar a noite bebendo com o parceiro, resolve tomar o café da manhã no Hotel Hilton. Entram no SP-2 de Toquinho e tomam a Peixoto Gomide rumo ao hotel. São sete horas da manhã, o trânsito está carregado. Vinicius, enfastiado com o engarrafamento, a certa altura decide descer do carro para esticar as pernas. Depara, então, com aqueles senhores engravatados e cheirando a loção após-barba que esperam o momento de chegar ao escritório. Abaixa-se diante da primeira janela aberta e pergunta: ''Você ama a sua mulher?''. O motorista, desconcertado, apenas ri. Tenta no carro seguinte: ''Você ama a sua mulher?''. Recebe, agora, um olhar de mau humor. Sai perguntando, carro a carro, motorista a motorista, a mesma coisa: ''Você ama a sua mulher?''; ''E você, ama a sua mulher?''. Só recebe risos, muxoxos ou palavrões de volta. Retoma seu lugar no carro ao lado de Toquinho. Muito sério, comenta: ''Eta perguntinha difícil, não é?''. Vinicius, definitivamente em crise a essa altura com Gesse Gessy, seria obrigado — se a ele coubesse dar uma resposta — a dizer ''não''.

O amor às mulheres, apesar de tantas paixões e tantos casamentos, ainda é o enigma fundamental na vida de Vinicius. A relação com Gesse Gessy, mais do que qualquer outra, leva o poeta a repensar os limites do relacionamento amoroso. Ao lado de sua mulher baiana, todas as concepções que alimentou ao longo da vida a respeito da paixão são postas em xeque. Mais uma vez o amor deve ser repensado, mais uma vez se torna enigma e desafio — e é isso o que o fascina. Na Bahia, Vinicius vive, mais do que em qualquer outro momento de sua vida, dias de intensa liberdade sexual. Gesse Gessy é uma mulher sem preconceitos e de alma progressista e insaciável. Ela estimula o poeta a buscar parceiras eventuais e a quebrar tabus nos dogmas do casamento — contanto que ele não dê um só passo fora de seus domínios. Impõe uma atmosfera de intensa liberdade — vigiada. E não se furta a dividir com o marido essas experiências afetivas.

A casa de Salvador logo se torna cenário de festas íntimas, regadas a muita loucura e muita alegria. Os anos 70, nas areias de Itapuã, são uma farra. Gesse, no apogeu de sua sensualidade, pontifica. É uma mulher de alma polimorfa — uma camaleoa da paixão — que está sempre em busca de novas sensações. Uma mulher eternamente inquieta e insatisfeita. Uma mulher com alma em fogo. A seu lado, Vinicius se sente desafogado, pronto para novidades, livre dos freios e limites que o casamento habitualmente impõe. Mas sabe também que essa liberdade é, provavelmente, a mais requintada prisão que já habitou. Talvez nenhuma outra mulher tenha estimulado tanto a criatividade do poeta, tenha instigado tão fundo seu desejo de se superar. Mas certamente nenhuma outra o dominou com tanta competência.

Os amigos mais conservadores a vêem como uma feiticeira, armada de filtros mágicos e rituais hipnóticos, a conquistar a alma de Vinicius. Gesse

Gessy, de fato, é uma mulher intrigante e envolvente. Seus dotes de sedução, combinados com a aura de poder e mistério emprestada por suas relações íntimas com o candomblé, a tornam — aos olhos de grande parte dos amigos do casal — incompreensível, ameaçadora e até hostil. A família de Vinicius, muitas vezes, a vê como ''uma bruxa'', que teria roubado o espírito do poeta e o trancafiado em algum terreiro baiano. Seus amigos mais intelectualizados a encaram como ''uma primitiva'', que o teria arrastado para um mundo de superstições, orgias e decadência. Com sua personalidade exuberante e excessiva, Gesse consegue trazer todos os preconceitos à luz do sol.

Os parceiros e amigos mais jovens, ao contrário, se entregam embriagados às delícias daquela Katmandu dos pobres — a Itapuã dos anos do desbunde, uma república do prazer em que a cultura ''hippie'' e a estética lisérgica se misturam com o misticismo afro, páginas de revolução sexual e rituais de magia. Vinicius vive, com Gesse Gessy, o seu tempo do ''é proibido proibir'' — para lembrar a máxima de Caetano Veloso. Tudo é permitido em Itapuã e o amor se torna uma grande festa. Até a feiticeira perder seu encanto, a alegria se converter em pesadelo e o sonho acabar.

MARTA

A argentina Marta Rodriguez,
que se aproximou de Vinicius como tiete
e podia ser sua neta, teve com ele um casamento marcado
pela doçura e pela leveza.

PARTE 9

UMA PAIXÃO DISTANTE

SONETO DE MARTA

Vinicius de Moraes

Teu rosto, amada minha, é tão perfeito
Tem uma luz tão cálida e divina
Que é lindo vê-lo quando se ilumina
Como se um círio ardesse no teu peito.

E é tão leve teu corpo de menina
Assim de amplos quadris e busto estreito
Que dir-se-ia uma jovem dançarina
De pele branca e fina, e olhar direito.

Deverias chamar-te claridade
Pelo modo espontâneo, franco e aberto
Com que encheste de cor meu mundo escuro

E sem olhar nem vida nem idade
Me deste de colher em tempo certo
Os frutos verdes deste amor maduro.

Ribeirão Preto, 5/6/1975

1

Marta Rodriguez Santamaria, a quem Vinicius de Moraes conhece em 1975 e com quem se casa um ano depois, é uma filha exemplar da classe média argentina. A pequena moça parece uma italiana com seus olhos imensos e a pele muito alva, rosto muito mais belo que o corpo. Não chega a ser gorda, mas tem os quadris excessivamente largos, em contraste com o busto estreito. Mora com os pais, estuda direito e escreve contos e poemas. Em 1975, Vinicius tem uma de suas temporadas programadas para Punta del Este, no Uruguai. Toquinho não pode acompanhá-lo e, para substituí-lo, ele busca uma cantora que também toque violão. Decide-se por Joyce. Viajam. No fim de um show de Vinicius e Joyce no La Fusa, Martita vai aos camarins e se apresenta ao poeta como "uma fã". Têm uma longa conversa, que se prolonga, depois, por meio de uma série de telefonemas internacionais. O poeta gasta uma fortuna para pagar essas ligações com que tenta, sem sucesso, seduzi-la. Joyce, vendo os dois envolvidos por aquela rede de palavras carinhosas e sabendo que a relação com Gesse Gessy já não anda nada bem, pensa: "Lá vai o Vinicius se apaixonar outra vez". Só não pode imaginar que seja por aquela menina gorducha e encabulada que invadiu o camarim.

A cantora aproveita algumas tardes livres para caminhar pelas praias ao lado do baixista Maurício Maestro e do baterista Rubinho Moreira. Atraem a atenção de muitas moças e rapazes, que se aproximam para pedir autógrafos e puxar conversa. Por isso, Joyce não dá grande importância quando uma moça de 23 anos, dizendo-se poetisa, lhe diz que gostaria de conhecer Vinicius. A cantora não a reconhece. Sugere, sem entusiasmo, que ela vá ao La Fusa e que, depois do show, procure Vinicius de Moraes nos bastidores. Martita sabe que terá que reprisar uma cena que já desempenhou, mas que agora deve ter uma performance mais exuberante, ou voltará mais uma vez ao zero. Segue os conselhos de Joyce, de quem logo se torna amiga. Esforça-se para perder a timidez. Começa, naquela noite mesmo, a namorar Vinicius.

Vinicius e Joyce retornam ao Brasil. Martita passa, então, a se corresponder com a cantora. Confessa-se, logo nas primeiras cartas, muito confusa. Teme estar enlouquecendo por escolher como namorado um homem tão mais velho. "Estou perplexa comigo mesmo", escreve, "não sei o que pensar de mim." Mas continua disposta a pagar para ver. Sempre que expõe essa perplexidade a Vinicius, ele lhe responde com uma lição: "Nós fomos enganados pelo tempo". Os quase quarenta anos de diferença, no entanto, não o amedrontam. O namoro é vivido como um segredo de Estado: Martita teme pela reação dos pais, e Vinicius, só de pensar no que Gesse será capaz de fazer se descobrir, gela. Joyce continua, por um tempo, a acompanhar o poeta em suas excursões ao Uruguai e à Argentina. Os jornais desses países passam a tratá-la como se fosse a mulher de Vinicius. Um colunista social que gosta de causar sensação, ao criticar um show de Vinicius em Buenos Aires, chega a escrever: "Esse velho está acabado. E só trouxe a mulher para disfarçar o seu fracasso".

Vinicius tem agendado um circuito universitário por dez cidades brasileiras. Telefona para Buenos Aires e convida Martita para vir ao Brasil e excursionarem juntos, ao lado de Toquinho. Ela, depois de enfrentar a proibição dos pais, aceita. Numa noite do mês de junho, após um show em Ribeirão Preto, Vinicius escreve o "Soneto de Marta"; a canção feita sobre o poema por Raimundo Fagner permanecerá inédita. Nele, o poeta celebra "os frutos verdes deste amor maduro" que o destino, já ultrapassada a barreira fatal dos sessenta anos de idade, ainda lhe permite saborear. Sente-se, ele também, diante de uma pequena flor. Mede, a toda hora, a imensa distância que os separa. Mas não pretende recuar.

Tempos depois, o poeta convoca Joyce para mais uma excursão ao exterior, dessa vez através da Itália e da França. Toquinho também viaja com eles. Na véspera do embarque para Roma, Joyce vai visitar Vinicius na casa de sua irmã Lygia. O poeta está animadíssimo: "A esta hora, Marta está no espaço vindo para cá", diz. Joyce se surpreende: "Ela já falou a seu respeito com a família?", pergunta. Vinicius dá seus risinhos. Quando o prazer de gargalhar diminui, diz: "Que nada! Ela inventou uma história para os pais e a história colou". O clima de namorico adolescente, com suas mentiras e suas pequenas fugas, mais uma vez o excita. Marta chega pouco depois e viaja com eles para a Itália. Gesse fica em definitivo para trás. A separação será difícil. Vinicius, mesmo deixando para ela a casa de Itapuã, terá de travar uma longa luta para convencê-la a devolver alguns pertences de estimação. Só depois de muito tempo a tempestade cessa.

Vinicius chega a Milão para gravar, com Toquinho, o disco *O poeta e o violão*. Próximo ao Duomo, um brasileiro — que se diz perseguido pela ditadura — o aborda e, de pronto, começa a cobrar dele posições políticas "mais nítidas". Vinícius desconversa e sai pela tangente. Estranha o interesse do desconhecido. Está, como quase todos os brasileiros que circulam pela Europa a esse tempo, paranóico — vê um olheiro da ditadura em cada esquina. Volta ao hotel, reúne o grupo de músicos que o acompanha e, depois de relatar o incidente, determina: ''Se vierem falar de política, ninguém diz uma palavra''. Tem medo. Sente, pela primeira vez, falta de Gesse com sua força de feiticeira.

O casal vai passar uns dias em Lisboa. Vinicius e Martita saem para uma caminhada. No bar do Hotel Tivoli, encontram-se casualmente com o editor brasileiro Ênio Silveira, o fundador da Editora Civilização Brasileira. Ênio os convida para que sentem à sua mesa. Aguarda o jornalista e produtor de discos Irineu Garcia, que trabalha como correspondente do *Jornal do Brasil* em Portugal e também é amigo de Vinicius. A coincidência parece perfeita. O poeta, antes da chegada de Irineu, o enche de elogios: ''É um sujeito esplêndido e misterioso'', diz. Faz uma pausa, porém, e pondera: ''Mas é sovina, avaro como o diabo!''. Ênio sabe que isso é verdade. Os dois arquitetam, então, diante de uma Martita pasma, um plano sádico para se divertir com o amigo mão-fechada. Irineu Garcia aparece. Toma-se de entusiasmo ao encontrar Vinicius em plena Lisboa. O poeta o enche de afagos, mas começa a encenar seu script. Pede o cardápio e escolhe alguns dos vinhos mais caros da casa. Martita adora champanhe: ele encomenda o melhor champanhe francês. A noite transborda em felicidade e em fartura.

Quase de madrugada, o poeta se levanta e, dirigindo-se a Irineu Garcia, diz: ''Muito obrigado mesmo. Nunca esquecerei essa recepção que você me ofereceu''. Irineu embranquece. Vinicius, impassível, continua com seu desempenho de autêntico gentleman: ''Quando voltarmos ao Rio, eu e Martita fazemos questão de dar o troco. Faremos um grande jantar para você, não é, minha Martita?''. A mulher sorri amarelo. Ênio, a essa altura, já teme pelos nervos de Irineu, que, sem conter uma súbita gagueira, começa a reagir: ''Mas eu fui convidado pelo Ênio... Quem sabe outro dia...''. Como para atormentar o amigo, Vinicius decide jogar ainda mais duro. Entreabre um leve sorriso cínico e diz: ''Ora, não fique preocupado, Irineu. Você lançou um disco meu no Brasil e nunca me pagou pelos direitos autorais...''. A brincadeira pega, agora, mais pesado. O poeta pensa em *Canção do amor demais*, disco gravado por Elizeth Cardoso com parcerias suas com Tom Jobim e produzido por Irineu. De fato, não recebeu parte dos direitos autorais que lhe cabiam. Respira fundo e completa: ''No fundo, portanto, o credor aqui sou eu''.

Só depois, abre um largo, vastíssimo sorriso. E começa a gargalhar, para que a piada de mau gosto se explicite. Não se sabe como Irineu conseguiu sobreviver àquela noite. O esperto Vinicius, se fazendo passar por aproveitador e depois por brincalhão, deu seu recado. O poeta, como é de seu estilo, paga todas as despesas daquela noite, embora Ênio insista até o fim que deseja dividir a conta com ele.

A convivência com Vinicius leva Marta Rodriguez a exercitar, com mais ânimo, sua vocação para a poesia. Depois de muita luta, ela afirma seu amor perante a família. Já não tem mais medo de exibi-lo. Em 1975, ela escreve um primeiro poema dedicado ao novo namorado. Ele será publicado, em 76, em seu livro *La flor ilimitada*, que sai sob o selo da Édicion Dinamene, da Argentina, em tiragem limitadíssima de 150 exemplares e reúne poemas escritos entre Salvador e Buenos Aires. Trata-se de uma declaração direta, sem rodeios ou pudores, de absoluta paixão:

QUIERO

La luz
se transformó en tormenta
y la pasión encerrada
encarcelada
y sedienta
camina por los bordes
— límites —
de mi cuerpo.

Quiero
hundirme en tu mar
y sus instantes
quiero tu rayo en mi noche
tu lluvia y el cansancio
quiero la muerte
y el silencio
quiero la vida y la locura.

Quiero el cielo y el infierno.
Y tu ternura.

No dia 19 de outubro de 1977, quando Vinicius completa 64 anos de idade e a relação entre eles já se aproxima do ocaso, Marta Rodriguez escreve outro poema de amor, que lhe dá como presente de aniversário.

A VINICIUS

Te propongo caminar
Por el borde de la noche hasta el alba
Y alimentarnos de rosas y de estrellas, y adelgazar, adelgazar
Hasta volvernos invisibles y asi pasar desapercibidos
O entonces elevar un canto al sol
Hasta que tu, transformado en pájaro
Y yo en espacio azul
Podamos, tu pájaro, volar en mi

Yo, espacio azul, inundar tu corazón solitario
Hasta que los tiempos nos declaren vencidos.

Ela o entrega numa festinha íntima, no pequeno hotel onde vivem, na rua Charcas quase esquina com a calle Florida, no centro de Buenos Aires. Amigos brasileiros, como Fernando Sabino, Ferreira Gullar, Lygia Fagundes Telles e Rodolfo Sousa Dantas, estão presentes. Vinicius publica, um ano antes, o por um tempo quase desconhecido *Um signo, uma mulher* (relançado cinco anos depois no Brasil, pela Rocco, com o título de *A mulher e o signo*, com ilustrações de Otávio F. de Araújo). O livro reúne doze pequenos poemas, ilustrados por três gravuras de Aldary Toledo e por reproduções de xilogravuras do século XVI. Os poemas interpretam o temperamento amoroso das mulheres segundo cada signo do zodíaco, numa arriscada aplicação da astrologia à arte do amor.

São poemas de encomenda, escritos originalmente para a revista *Manchete* e num agrado ao empresário Adolfo Bloch, que os publicou no número do ano-novo de 1971. No fim de março de 1976, Vinicius procura o amigo e editor baiano Pedro Moacir Maia. "Quero dar um livro de poemas de presente para a Martita. Já tenho os poemas. Você consegue fazer o livro em um mês?", pergunta. O amigo consegue. Animado com o resultado, o poeta encomenda, tempos depois, ao mesmo Maia, uma edição artesanal de *Os elementos*, reunião de quatro poemas dedicados à terra, ao fogo, ao ar e à água. O livro mereceu outra festinha de lançamento, dessa vez no apartamento de Sousa Dantas, em Palermo Chico.

Em *Um signo, uma mulher*, o poema feito para Martita, que nasceu a 15 de junho de 1951 e, portanto, pertence ao signo de gêmeos, é significativo:

A mulher de gêmeos
Não sabe o que quer
Mas tirante isso
É boa mulher.

A mulher de gêmeos
Não sabe o que diz
Mas tirante isso
Faz o homem feliz.

A mulher de gêmeos
Não sabe o que faz
Mas por isso mesmo
É boa demais...

Uma mulher que não sabe o que quer, não sabe o que diz e não sabe o que faz não chega a ser o padrão feminino que se poderia imaginar para um mestre do amor. Vinicius de Moraes entrega nesses versos, provavelmente, alguns indícios das primeiras rachaduras em seu casamento com Marta Rodriguez. A enorme diferença de idade começa a pesar. Vinicius se aproxima da velhice e começa a sentir falta de uma mulher que o proteja. Martita, por mais que deseje isso, não pode ser essa mulher. O casamento do poeta com Marta Rodriguez não chega a ser um casamento clássico, mas apenas um longo namoro. Ela nem sempre pode estar com ele, nem sempre pode apoiá-lo, nem sempre sabe compreendê-lo. Gesse Gessy o massacrava. Martita o deixa solto no ar. Ela própria se sente incrédula em relação à vida — e talvez não possa acreditar nem mesmo no amor cigano que vive com Vinicius. Sempre foi uma menina desconfiada e cética. Em 72, quatro anos antes de conhecer o poeta, ela escreveu um soneto — ''La flor ilimitada'' — que termina com uma constatação desesperançada: ''Soñe que ya no había más mentiras./ Porque soñe tambien que no vivía''. A tentação da morte, de alguma forma, já ronda essa jovem mulher que Vinicius, aos 62 anos, escolhe como companheira.

2

Marta Rodriguez aparece na vida de Vinicius para selar uma conquista: a da Argentina. Desde o início dos anos 70, as platéias de Buenos Aires já são um território se não inteiramente conquistado, pelo menos encantado pela presença do poeta. Duas outras mulheres o acompanham, mais de perto, nessa aventura rumo ao sul do continente: Maria Creusa e Marilia Medalha. Cantoras de vozes roucas e estranhas, destoantes do bom gosto em vigor, mas de competência acima de qualquer questão. Elas se tornam figuras-chave na guerra de conquista da Argentina.

Maria Creusa conhece Vinicius de Moraes em 1968, em Salvador. Naquele ano, ela apresenta um programa de entrevistas na TV Itapuã, o *Encontro com Maria Creusa*. E estuda interpretação teatral no Teatro Vila Velha. Ainda não tem noção muito precisa do futuro. No Festival Universitário da TV Tupi, de 69, canta a alegrinha ''Mirante'', de Cesar Costa Filho e Aldir Blanc, um hino de louvor — de qualidade discutível — ao mirante de Amaralina. E se consagra. Vinicius está em casa assistindo ao festival pela TV. Quando a ouve cantar, pede a Cristina Gurjão, com quem ainda está casado: ''Arrume o telefone dessa moça para mim. Eu mal a conheço, mas quero trabalhar com ela''. Marcam um jantar num pequeno restaurante na Gávea. Maria Creusa chega nervosa. Vinicius é direto: ''Gostei muito de você. Quero fazer sucesso na Argentina e no Uruguai e você tem a voz de veludo que eu estava procurando''.

Viajam. Apresentam-se, primeiro, ao lado de Dori Caymmi, no La Fusa de Punta del Este, no Uruguai. O café-concerto vive lotado. Hospedam-se em Casapueblo, na bela casa de Carlos Paez Villaró, erguida sobre um promontório, a cavaleiro do mar. ''Essa casa parece um labirinto grego'', o poeta não se cansa de repetir. ''Nunca sei se estou entrando ou se estou saindo.'' Largos varandões cercam toda a construção. Passam noites a fio diante de uma garrafa de uísque, olhando o mar. Maria Creusa está casada com Antonio Carlos — o da dupla com Jocafi. O marido vai a seu encontro. Casapueblo, Vinicius tem razão, parece um labirinto extraído de um mito antigo. Não conseguem seguir viagem. Uma magia qualquer os prende ali.

No início de 1971, finalmente, o novo trio conquista Buenos Aires. Na sede da boate La Fusa, escondida numa galeria da avenida Santa Fé e dirigida pela empresária da noite Silvina Perez, Vinicius tem um show programado com Dori Caymmi e Maria Creusa. Está brigado com Dori que, na dolorosa separação de Cristina Gurjão, tomou as dores da ex-mulher. O poeta, magoado, convoca Toquinho para substituí-lo. A griffe Brasil, apesar da insânia do regime militar, está em alta. O país acaba de conquistar o tricampeonato mundial de futebol. Exporta a imagem de uma nação grande e vitoriosa. Vende. O show em Buenos Aires é transformado no disco *Vinicius, Toquinho e Maria Creusa em La Fusa*, um sucesso nas paradas argentinas. No Brasil, onde o nome do café-concerto nada significa, o disco é lançado, mais tarde, com outro título, que privilegia a cantora: *Maria Creusa/ Eu sei que vou te amar/ Com a participação especial de Vinicius de Moraes e Toquinho*. É o primeiro elepê dela lançado no Brasil.

Silvina Perez, empolgada, contrata o trio para uma temporada mais longa na sucursal da La Fusa, em Mar del Plata. Vinicius e Toquinho instalam-se, então, na casa que Silvina Perez tem na calle Alem, onde se hospedam por quase três meses. Um casarão com um imenso jardim na frente, uma arquitetura interior aconchegante e uma imensa banheira — em que o poeta passa horas mergulhado, rabiscando letras e meditando. Essa temporada de trabalho só pode ser comparada, em resultados, às semanas que passaram juntos na Itália, sob as asas de Sergio Bardotti. Agora é Silvina Perez quem os enche de cuidados: ela chega a se mudar por algumas semanas para a casa de um parente, decidida a protegê-los de estranhos — ainda que o estranho seja a dona da casa. Todas as noites, após o show, os dois se escondem no Cassino de Mar del Plata, onde atravessam a madrugada bebendo. Vinicius quase sempre volta para casa caminhando, pois se apaixona pelos tons que o céu platense toma ao alvorecer. Sintetiza o que vê, sem qualquer pudor, na expressão "rosa caralho", que passa a ser sua cor preferida no arco-íris. O alcoolismo, a essa altura, não é apenas o motor de boas piadas e farras divertidas. Já é uma doença — grave — que deprime o poeta cada vez mais e que lhe cria muitos problemas no dia-a-dia.

Numa dessas madrugadas, Vinicius, um eterno distraído — mal que o álcool torna patológico — decide voltar para casa mais cedo. Carrega consigo seu violão de estimação, um desgastado Giannini nacional, que trata como uma preciosidade. Ao chegar em casa, encosta o violão numa árvore para procurar a chave. Entra, dorme e, só na manhã seguinte, se dá conta de que o esqueceu do lado de fora. O violão desaparece e Vinicius passa dias se lamentando. Toquinho está acostumado a cenas como essa. Faz o que pode para ir recolhendo os objetos que o parceiro deixa para trás, mas nem sempre consegue estar por perto. O poeta, nesses momentos, apenas se repete.

Tempos mais tarde, no fim de uma turnê européia, a dupla faz escala

INÉDITO

Bethania gravou com Vinicius e Toquinho um disco ao vivo, na boate La Fusa, em Mar del Plata, inédito no Brasil

por alguns dias em Lisboa para descansar. Vinicius anda para cima e para baixo, feliz, com uma bolsa de couro do tipo capanga em que guarda todos os dólares ganhos na excursão. Uma noite, com o estímulo de boas doses de uísque, esquece a bolsa no bar do hotel e sobe para o quarto. Só na manhã seguinte se dá conta de que perdeu a bolsa e com ela todo o dinheiro acumulado durante a viagem. Após esses golpes, irritado consigo mesmo, Vinicius costuma evocar a presença de sua irmã mais velha: ''A Lygia é terrível!'', lamenta mais uma vez. ''E o que a pobre da Lygia tem a ver com isso?'', Toquinho a defende. ''Mas que falta eu sinto dela! Ela não podia me abandonar nessas horas!'', resmunga, com o ar velhaco de menino abandonado. Lygia, sempre orgulhosa de seu prestígio junto ao irmão, adoraria vê-lo nesses momentos em que a vaidade do adulto cede ao reconhecimento de uma dependência quase infantil dela.

Os parceiros fazem perto de cem shows em Mar del Plata, acompanhados depois por Maria Bethania — o encontro renderá outro disco magnífico no mercado argentino, igualmente inédito no Brasil, batizado *Bethania, Vinicius e Toquinho em La Fusa* —, mais tarde por Chico Buarque e, novamente, por Maria Creusa. Nessa casa de praia, eles compõem perto de 20% do repertório que assinarão em mais de dez anos de carreira. É uma verdadeira maratona. Num dia chuvoso, Vinicius resolve passar onze horas seguidas dentro de sua banheira, recorde que talvez nunca tenha superado. Toquinho, paciente, forra a tampa do vaso sanitário com uma almofada e se resigna. Fazem, naquele cenário azulejado, cheirando ao eucalipto dos desinfetantes, os rascunhos de pelo menos três músicas novas. O casamento se consuma.

Quanto a Maria Creusa, Vinicius passa a tratá-la como uma rainha. No início de 71, a cantora tem uma filha — Luana. Quinze dias depois, deve estar em Punta del Este para um show com o poeta, que já a espera. Desembarca no aeroporto de Ezeiza, em Buenos Aires, exausta. Pega um táxi para o aeroporto doméstico que, numa sexta-feira à tarde, está superlotado. Espera quase três horas por um lugar num vôo. Nada. Decide telefonar para Vinicius. ''Vai ser impossível. Não vou conseguir chegar'', diz. ''Fique calma'', ele pede. ''Volte a me telefonar em cinco minutos.'' Desanimada, conta os minutos no relógio. Telefona novamente. ''Pegue aí o número do vôo'', ele diz. ''É bom você correr. Sai em vinte minutos. E, de outra vez, aprenda a não esperar tanto até me pedir socorro.'' A Argentina, a essa altura, enquanto o ''Brasil grande'' o despreza, já se dobra aos pés de Vinicius de Moraes.

Mas Vinicius ainda não é deus. Maria Creusa enjoa durante o vôo, num avião pequeno e turbulento, e desembarca em Punta del Este direto para um hospital. O show é cancelado. Quando entra na clínica, o debochado Vinicius se vira para o médico e explica, com a maior seriedade: ''É um problema! Ela tem a mania de misturar uísque com água-de-coco e suco de abacaxi. Dá nisso...''. Maria Creusa ouve o que ele diz, mas se sente tão mal que não pode reagir. A cantora, quando está bem, tem uma risada farta e incontrolável. É impossível, ao ouvi-la rir, não rir também — seja do que for. No dia seguinte, quando vai visitá-la novamente e a encontra já recuperada, Vinicius se aproveita. Diante de duas enfermeiras argentinas, se dirige à cantora e diz: ''Viu, quem manda você ter 'aquilo' mal costurado? Não disse que não fizeram o parto da Luana direito?''. Maria Creusa tem um acesso de riso. As enfermeiras, sem entender o que se passa, são tomadas pelo chacoalhar de suas risadas e desandam a rir também. O médico entra no quarto. Não tem a menor idéia do que se passa, mas não se controla. Cai na gargalhada. O irônico Vinicius, agora, é o único que não ri. Sai do quarto fazendo um ar sério e blasé. Vai rir, morrer de rir, no corredor do hospital. É um homem que, em definitivo, sabe tirar partido, e rir muito, da fraqueza humana. Sabe gozar com a imperfeição.

As portas da Argentina se abrem, calorosas, para Vinicius de Moraes. Em junho, as Ediciones de la Flor, de Buenos Aires, entregam às livrarias a primeira edição de *Para una muchacha con una flor*, cartão de visitas destinado à elite intelectual portenha. Vinicius, que depois de separar-se de Cristina Gurjão se abrigou num pequeno apartamento emprestado pelo ator Cecil

BOM HUMOR

Maria Creusa não perdia uma oportunidade
de jogar com o humor intermitente
de Vinicius. Recebia sempre a resposta em dobro.

Thiré e precisou da ajuda de Tom Jobim para pagar as contas do fim do mês, começa a sair do negativo. Seu prestígio se espalha. Torna-se amigo de Astor Piazzolla e de Mercedes Sosa, àquela altura os dois ídolos máximos da música argentina. E de intelectuais do porte de Jorge Luis Borges, que a ele se referirá, um dia, como "aquele poeta alegre e gorducho". Em 1971, Vinicius troca La Fusa, que se torna pequena para suas platéias, por imensos teatros da capital. Descobre que o sucesso chegou, em definitivo, numa noite em que ele e Toquinho, apesar da chuva e do frio, lotam sozinhos um ginásio na cidade de Córdoba. "Acho que nos tornamos argentinos", comunica ao parceiro. "No Brasil, somos ultrapassados. Aqui, eles nos adoram." Está tudo dito.

Os artistas argentinos o tratam com reverência. Astor Piazzola, por exemplo, o convida para ser seu parceiro em um musical. Vinicius chega a redigir um imenso rascunho de *Maria de Buenos Aires*, e Piazzolla faz os primeiros rascunhos da música. Imaginam uma espécie de opereta barroca e popular, solene como as grandes óperas, mas sensual como os desfiles de escolas de samba. Vinicius — com uma viagem marcada para a Itália, onde tem compromissos com Ungaretti — acaba largando o trabalho pelo meio. O projeto rende, pelo menos, deliciosos jantares íntimos na casa de Piazzolla, na avenida Libertadores. O músico argentino se encanta com Maria Creusa, a quem passa a chamar de Mi dulce Maria e, mais tarde, de Maria de Bahia. Os rascunhos de *Maria de Buenos Aires* ficarão esquecidos — amarelados e com as pontas rotas — no fundo de uma gaveta de Gesse Gessy, em Salvador.

Em Buenos Aires, tem novamente a companhia de Rodolfo Sousa Dantas, que ocupa o posto de cônsul do Brasil. Anda sempre com o crítico de arte e poeta Ferreira Gullar, que é refugiado político, com a poetisa argentina Rosa Maria Oliver e, naturalmente, com Astor Piazzolla. Seu parceiro argentino faz grandes — e estranhas — descobertas com Vinicius. Certa noite, está dando um show com seu bandônion, sem saber que Vinicius está na platéia. O teatro o ouve naquele silêncio mortal com que os argentinos, tantas vezes, expressam seu prazer. Só alguém, de vez em quando, quebra esse silêncio repetindo uma mesma expressão que soa absolutamente inconveniente: "Filho de uma puta! Filho da puta!". Piazzolla não consegue perceber que aquela forma inusitada de entusiasmo é emitida por Vinicius. Só compreende quando, depois do show, o poeta entra em seu camarim repetindo, cheio de entusiasmo, o mesmo bordão. Percebe, então, que para Vinicius o dito bordão é uma expressão de entusiasmo, um elogio, e não uma agressão. "Pensei que vocês só usassem essa expressão para xingar", Piazzolla diz, aliviado. "Para nós, argentinos, ao menos, ela só tem esse sentido agressivo." Os dois passam, a partir dali, a usar a expressão como forma de cumprimento. Muitas vezes serão mal compreendidos.

Sua paixão pelo Uruguai, em particular por Punta del Este, também se torna irreversível. Chega a construir uma casa no balneário uruguaio — pequena, branca, com um jardim florido na frente —, que batiza, seguindo uma tradição local de dar nomes às casas como se fossem humanas, de La Casa de Romeo. Martita, que a herdará depois da separação, é a sua Julieta. Vinicius, em definitivo, perde todo o medo do lugar-comum e da breguice. Sente-se, por completo, dono de si.

Marilia Medalha é outra mulher que ajuda o poeta a abrir as portas da Argentina. Fazem juntos sua primeira excursão a Buenos Aires em 1970, poucos meses depois de se conhecer em Salvador. Tornam-se amigos íntimos. Marilia começa a acompanhar o poeta em seus circuitos universitários. Mas é na Argentina que, de fato, eles se consagram. Fazem também paradas obrigatórias em Montevidéu. No início dos anos 70, Laetitia, a irmã mais nova de Vinicius, mora na capital uruguaia, onde seu marido é embaixador no lugar de Aloísio Dias Gomide — o diplomata brasileiro seqüestrado pelos Tupamaros. O clima em Montevidéu é tenso. Quando o poeta, Marilia Medalha e Toquinho desembarcam, Laetitia os recebe com uma instrução: ''Vocês dois seguem para o hotel. Vinicius fica na embaixada''. Obedecem cegamente.

No caminho do porto para o hotel, Marilia e Toquinho têm seu táxi parado pelo Exército. Fazem uma revista rigorosa do automóvel, abrem uma a uma as malas, examinam objetos de uso pessoal. Vinicius, em seu caminho rumo à embaixada, tem um percurso menos tenso. Mas o pior ainda o aguarda. No prédio da embaixada brasileira, a mulher do embaixador Gomide o espera. ''Vim fazer um pedido'', diz.''Quero que o senhor, que é uma estrela da música popular, faça um apelo público pela libertação de meu marido.'' Vinicius a olha constrangido. Não sabe o que dizer. Ela eleva o tom de voz: ''Como é que, com o Gomide preso nas mãos dos guerrilheiros, vocês têm a coragem de vir fazer um show aqui?''. Vinicius, agora, já parece irritado. Ela continua a falar. O poeta resolve, finalmente, interrompê-la: ''Minha senhora, eu vim ao Uruguai fazer o meu trabalho. Boa noite''. Decide não fazer declaração pública alguma.

Fazem três noites no teatro Solis, em Montevidéu. Depois, partem para uma temporada mais longa em Buenos Aires, primeiro no teatro del Globo, depois em La Fusa. Voltam ao Brasil. O marido da cantora, Isaías Almada, guerrilheiro da Vanguarda Popular Revolucionária, é preso. Marilia está grávida de sua primeira filha, que nasce prematura e morre dois dias depois. Nada vai bem na vida da cantora, que passa a freqüentar o DOPS em busca de notícias de Isaías. O delegado Celso Telles, um convidado habitual do programa de Hebe Camargo na TV, é quem a recebe — e não poupa sua vocação para a ironia. Uma vez, se vira para a cantora e diz: ''Você é mesmo persistente. Para que levar essa vida? Por que não vai cantar na Argélia?''.

Quem acolhe seus desabafos é, sempre, Vinicius. Chega a acompanhá-la, algumas vezes, até as imediações do presídio. Não a abandona.

A recíproca é verdadeira. Um dia, Marilia chega em casa e encontra o poeta chorando convulsivamente em sua sala. Senta na sua frente e se mantém calada. Vinicius resolve falar: ''Olha, Marilinha... Eu tenho uma pena das pessoas!''. A amiga não o entende: ''Pena de quem, Vinicius?''. Ele insiste: ''Das pessoas. De todas as pessoas''. Marilia, ainda desconcertada, insiste: ''E é por isso que você está chorando?''. O poeta se choca: ''E não basta?''. Surpreende-se, ou se incomoda, com sutilezas que, às vezes, passam despercebidas. Uma noite, em Córdoba, passa o show inteiro com ar enfezado. Marilia pergunta a Toquinho se sabe o que está acontecendo. O compositor nem desconfia. Intrigam-se. No fim do espetáculo, continua emburrado. ''Você está tão zangado assim por quê?'', Marilia resolve perguntar. Vinicius descarrega sua irritação para cima da cantora: ''E você, então, não viu a faixa lá fora?'', reclama. A cantora vai à sacada do teatro. Só então consegue ver o que está lá, por sobre a fachada do prédio, o tempo todo: uma imensa faixa verde e amarela, com que a embaixada do Brasil resolveu adornar o teatro para o show. Quando ela volta da sacada, já menos introvertido, pergunta: ''E você não acha que eles estão me usando?''. Vinicius não gosta de sentir-se manipulado. Quando esse sentimento é detonado por um ato de um governo militar que o despreza e o persegue, seu mau humor só pode mesmo ficar pior. ''Da próxima vez, só canto depois que tirarem a faixa'', banca o durão.

Marilia Medalha grava dois discos com Vinicius de Moraes: *Como dizia o poeta* e *A canção e a voz*. Num dos intervalos da gravação do primeiro elepê, depois de elogiar a performance da cantora, diz: ''Sabe o que eu descobri? Que meu pai tinha uma amante''. Marilia não entende por que aquele assunto naquela hora. ''E daí, Vinicius? Todos os homens sérios fazem das suas às escondidas...'' Vinicius não desanima: ''Mas meu pai era especial. A amante dele era uma cantora!''. Marilia insiste com a mesma resposta: ''E daí? Aonde você quer chegar?''. O poeta diz: ''Uma cantora... Você não acha isso genial?''. Diante do silêncio de Marilia, prossegue: ''O que você acha? Será que ele foi feliz?''. À saída do teatro, param num bar para tomar um rápido café. Uma mulher muito feia se instala a seu lado. Marilia começa a observar, distraída, como aquela mulher horrorosa se enfeia, mais ainda, com seu estilo de vestir, sua maquiagem carregada, sua pose desengonçada de camponesa. Vinicius vê que a amiga a examina de alto a baixo e diz: ''Mas que mulher linda!''. O comentário deixa a cantora em estado de choque. Sussurra: ''Você não está falando sério...''. E ele: ''Mas é claro que estou. Sei o que você está pensando e quero te dizer que, para mim, todas as mulheres são lindas''.

Nos shows em Buenos Aires, por várias vezes, uma dama ilustre e imensa chamada Mercedes Sosa faz questão de assistir ao show das coxias. Astor Piazzolla está, ao contrário, freqüentemente aboletado nas primeiras filas. Uma noite, num intervalo, Vinicius recebe um telefonema inesperado de Pablo Neruda, que fala de Santiago do Chile. ''Falo da primeira República Socialista da América do Sul!'', gaba-se, ainda sob o governo de Salvador Allende. Vinicius passa o resto da noite impressionadíssimo. Repete: ''Puxa, a primeira República Socialista. Nunca tinha pensado nisso''. Os anos se acumulam, mas ele continua a ser um homem que jamais se cansa de se assombrar com a vida.

3

Numa noite, o crítico de arte e poeta Ferreira Gullar, que está exilado em Buenos Aires desde 1974, convida Vinicius e Martita para irem à casa do dramaturgo Augusto Boal, que também está refugiado na capital argentina. ''Você anda escrevendo?'', Vinicius lhe pergunta no caminho. Ferreira Gullar está trabalhando num livro, quase pronto, chamado *Poema sujo*. Vinicius, entusiasmado, convence Boal a marcar um novo encontro para a noite seguinte, quando Gullar deve ler o seu inédito. O dramaturgo aceita. Na noite seguinte, estão todos a postos na casa de Boal. Em meio à leitura, Vinicius se emociona e, descontrolado, desanda a chorar. Depois, exige que o amigo grave o poema numa fita cassete, que traz, como uma relíquia da liberdade, para o Rio. Promove várias sessões de ''escuta poética'' em sua casa, escreve uma entrevista com Ferreira Gullar para a revista *Manchete*, apadrinha o *Poema sujo* — versos marcados pelo espírito amargo e revoltado da época, que Vinicus passa a mimar como um bebê risonho. Eles parecem a Vinicius, um homem sempre pródigo em generosidade, apontar uma saída literária para a tragédia à qual o Brasil está confinado.

O poeta entra numa fase compulsiva de politização. Simpatizante do Partido Comunista Brasileiro desde o tempo em que estava casado com Tati, Vinicius nunca chegou, porém, a se filiar a ele. Tenta discutir o assunto várias vezes com sua primeira mulher. ''Por que você não entende que eu quero?'', pergunta. Ela lhe responde sempre com sua tradicional franqueza: ''O partido é muito metódico, muito cheio de regras. Você jamais vai conseguir se sujeitar a tantas restrições''. Uma vez, durante o casamento com Lila Boscoli, ele chega em casa e diz: ''Pronto, hoje eu fiz''. Lila, sem entender do que ele fala, pergunta: ''Fez o quê, Vinicius?''. Ele, já tomado pelo estilo paranóico que caracteriza os comunistas brasileiros, limita-se a dizer: ''Me filiei''. Lila entende que ele se refere ao Partidão, mas não ousa conferir. Aceita o jogo.

Vinicius jamais combinaria, de fato, com o espírito dogmático e conspiratório dos comunistas. Tem, no máximo, o coração tomado por uma vaga revolta romântica — difusa, sem objeto preciso, idealista — que o pragmatismo e o sectarismo dos militantes da esquerda, como Gullar, nunca poderia acolher. É bom que se diga ainda: sob a ditadura dos militares, quem — com um mínimo de lucidez e de autonomia — não acaba visto como ''de esquerda''? A ditadura, quanto mais cega se torna, mais empurra todo o país também para a cegueira. Matizes muito diversos da mesma cor, do rosa-bebê ao vermelho-sangue, se confundem, quando não se igualam, aos olhos de quase todo mundo. Vinicius não é, em definitivo, um comunista. Mas, de alguma forma, os inveja. Age, sem dúvida, movido mais pela culpa do que pela consciência. Continua a ser, antes de tudo, um intuitivo. Um homem que não suporta tutelas e paisagens conspiratórias — peças de resistência do espírito amargo do Partidão.

Sua politização começou com a viagem, ao lado de Waldo Frank, pelo Nordeste brasileiro. Acentua-se, mais tarde, com a convivência íntima com o cronista Rubem Braga, que — é bom enfatizar — nunca foi um comunista de carteirinha. É, apenas, um simpatizante da esquerda. Quando Rubem Braga lança seu livro *Morro do Livramento*, em 1944, está vivendo na Itália. O jornalista e amigo Joel Silveira consegue levar um exemplar até ele, em Roma — já com três ou quatro páginas arrancadas pela censura... Rubem Braga se torna, então, diante dos olhos apressados da opinião pública, sempre disposta a devorar explicações fáceis, um ''esquerdista''. Não se livrará, por longo tempo, dessa imagem — que lhe traz, por certo, algumas vantagens. Nessa época, Rubem Braga e Vinicius já são amigos. Braga é também amigo íntimo do jornalista Samuel Wainer — na época, um protótipo exemplar do intelectual raivoso. Um dia, convida-o para jantar. Diz sem rodeios e com toda a franqueza: ''Estou jantando hoje com você para dizer que estou apaixonado por sua mulher''. Wainer, um homem que nunca perde o controle sobre as situações, responde simplesmente: ''E daí?''. Rubem Braga tem horror a duas coisas: não gosta de se abrir e nutre verdadeiro nojo de mentiras. Pode-se imaginar o esforço que fez nessa conversa com Wainer... Seu apartamento de cobertura na rua Barão da Torre, em Ipanema, se torna, nos anos 50, um viveiro de intelectuais brilhantes. Vinicius de Moraes é um deles. O cronista comprou a cobertura graças a uma pechincha oferecida pelo fazendeiro pernambucano Juca Chaves, que é dono do resto do prédio. Além de proprietário do Hotel Ambassador, na Senador Dantas, onde fica o Juca's Bar, outro ponto de encontro obrigatório dos intelectuais na época.

Pablo Neruda, Gabriel García Márquez, Dorival Caymmi, Di Cavalcanti, Antonio Maria são alguns dos freqüentadores obrigatórios desses ''jardins suspensos'' — como Vinicius os define — sempre que estão no Rio. É uma cobertura, no mínimo, exótica: tem um cajueiro e, até, um pé de café. Já é, a essa altura, um apartamento de solteirão. Rubem Braga teve um único casamento, com Zora Braga — que, depois, o abandonou para se casar com o escritor Antônio Olinto. Quando ela o procura para comunicar a separação, Braga não perde a pose: "Pode ser, até, que ele seja melhor marido. Mas, como escritor, é muito pior do que eu", limita-se a dizer.

Rubem Braga, homem duro, não é de dar conselhos. Ouve pacientemente os amigos, mas, depois, o mais comum é ouvi-lo dizer: "Você faz o que achar melhor". É, também, um homem mais de falar do que de ler. Um dia, Joel Silveira lhe dá de presente *O vermelho e o negro*, de Stendhal. Semanas depois, pergunta: "Então, você terminou o livro?". Braga, muito calmo, explica: "Não, só fui até a página 100. Tem personagens demais. Não suportei o entra-e-sai". É esse homem de alma desordenada, um improvisador por excelência — Vinicius diz, certa vez, que na alma de Braga toca, eternamente, um disco de jazz —, que faz a cabeça do poeta para a política. Pode-se ver aonde isso chegará.

É esse Vinicius, apenas medianamente politizado, que enfrenta sua primeira grande charada política na Argentina. Ele e Ferreira Gullar estão trabalhando, em ritmo intensivo, em 1976, num livro sobre o Rio de Janeiro. Um livro a quatro mãos, que sai no formato das "edições de luxo" que os turistas compram para decorar suas estantes. Chama-se, simplesmente, *Rio*, é ilustrado por fotografias de Bernard Hermann e editado pelas Éditions du Pacifique. No Brasil, é distribuído depois pela Record. Traz seis textos sobre o Rio: a introdução e os capítulos "Deuses e demônios" e "Rio, a síntese do Brasil" são, na verdade, escritos apenas por Ferreira Gullar — embora todos os textos levem as duas assinaturas. Vinicius escreve sozinho os capítulos "As praias cariocas" e "Uma cidade difícil". Os dois amigos escrevem a quatro mãos, na verdade, apenas o capítulo batizado "Carnaval".

Estão recolhidos no apartamento de Gullar, trabalhando em ritmo intensivo, quando o pianista Tenório Júnior — que acompanha o poeta em seus shows — desaparece. É um caso rumoroso e misterioso. Tenório Júnior é tido como um rapaz desligado, até alienado, metido em jeans surrados, tênis rotos e escondido sob cabelos grandes, barba e bigode, um tipo doce e inofensivo. A Argentina, porém, atravessa momentos difíceis. Um golpe militar acaba de derrubar a presidente Isabelita Perón e de entronar o general Videla. Assustado, Ferreira Gullar queima os originais de um livro que acaba de escrever sobre o Chile de Salvador Allende — defendendo a tese, ousada para a época, de que não foi a CIA que derrubou Allende, mas seu próprio descrédito junto ao povo chileno. Vinicius procura seu amigo Rodolfo Sousa Dantas, que é embaixador do Brasil na Argentina, para pedir ajuda na busca de seu pianista. Toquinho passa a procurá-lo em hospitais, delegacias de polícia e serviços de estrangeiros. É uma história de absoluto nonsense. Às três horas da manhã, Francisco Tenório Cerqueira Júnior desce de seu quarto de hotel, no centro de Buenos Aires, para comprar cigarros. Nunca mais aparece. Vinicius, em pânico, pega o telefone e liga para o pai do pianista no Brasil. ''Não vou fazer nada por ele'', ouve. ''Não me dou com filho viciado.'' O poeta desliga. Entende, entretanto, que só a dor de um pai amargurado pode reduzir o caso a um envolvimento com tóxicos. Ainda mais naquela Argentina... O velho senhor, que também é policial, desmente seu rompante e chega a Buenos Aires para ajudar nas buscas. Nada consegue.

Por coincidência, Ferreira Gullar também está com um filho — Paulo — desaparecido na capital argentina. No desespero, põe seu materialismo de lado e decide aceitar a sugestão de uma visita a uma vidente. Trata-se de uma senhora gorda e suarenta, que mora na periferia da cidade. Seu método espiritual é tosco: ela acende um charuto, dá umas tragadas, espalha as cinzas sobre um pedaço de papelão e depois as interpreta. Antes de visitar a vidente, Gullar a procura por telefone. ''Como é o nome dele?'', ela se limita a perguntar. Ferreira Gullar responde. Num átimo, a paranormal muda de voz — que agora engrossa e ronca — e prossegue: ''Ele teve uma amnésia, mas está vivo. Procure logo que puder a embaixada do Brasil''. O conselho, aparentemente prático, é bastante complicado para um exilado político. Gullar prefere voltar para casa. Mal fecha a porta, o telefone toca. É uma voz avisando que seu filho está recolhido na polícia de Buenos Aires.

Ferreira Gullar corre para contar a história a Vinicius. ''Quem sabe não é ela quem vai nos ajudar?'' Vinicius determina: ''Eu topo. Detetives, radioamadores, videntes, quem você quiser''. Gullar marca um encontro com Martita e com Maria Julieta — a filha do poeta Carlos Drummond de Andrade. Preferem agir, primeiro, sem Vinicius, que está emocionado demais. Telefonam para a vidente e relatam o caso. Ela pede um minuto, dá algumas baforadas e diz: ''É tóxico''. Faz uma pausa e pergunta: ''E não tem duas moças aí do seu lado?''. Gullar, pasmo, responde que sim. ''Diga que elas caiam fora disso. Rápido. Tentei contato com o rapaz, mas ele não responde. Isso quer dizer que ele está inconsciente.'' Ferreira Gullar procura Vinicius e relata o caso. O poeta insiste que ele volte a procurar a vidente para obter mais detalhes. Gullar o satisfaz. A senhora, agora, é ainda mais direta: ''Esse seu amigo está inconsciente porque, na verdade, está morto. Foi morto a pauladas. Houve muita pancadaria e, depois, a casa em que ele estava foi cercada pela polícia''.

Tenório Júnior, sabe-se mais tarde, foi preso na esquina da rua Rodriguez Peña com a avenida Corrientes unicamente porque a polícia argentina suspeitou de seu tipo hippie. Foi levado para a delegacia Comissaria 5A, na rua Lavalle, onde foi interrogado. Contou que era apenas um músico que acompanhava Vinicius de Moraes em seus shows, o que só aumentou a insânia dos policiais — que consideravam o poeta um ''artista comunista''. De lá, foi levado para a Escola Mecânica da Armada e interrogado novamente. Foi encapuzado e morto com um tiro na cabeça, em sua cela.

Vinicius, sem qualquer notícia mais precisa a respeito de seu pianista, decide voltar para o Rio. Sente-se desgastado. Traz Martita com ele. O trabalho o espera: tem seu sexto circuito universitário pela frente. Consola-se com a juventude da mulher e daqueles rapazes e moças apaixonados pela vida que lotam suas platéias. A relação com Martita, entretanto, entra em um período de turbulência. Ele a deseja mais perto, ela continua dividida entre o amor pelo poeta e a dívida para com a família. Ainda é, de algum modo, uma adolescente em crise. Com ela, Vinicius busca a novidade absoluta — uma vida sem limites. Começa a desconfiar que isso não existe.

4

Os circuitos universitários ao lado de Toquinho são, de fato, sua última reserva de vitalidade. É recebido como um mito, reverenciado como um deus e se sente, contra todas as evidências que a realidade lhe apresenta, um homem todo-poderoso. Os estudantes transformam o palco onde pisa num altar, reverenciando um homem que — em tempos duros — simboliza a liberdade de espírito e a posse absoluta de si mesmo. Em Alfenas, no interior de Minas, Vinicius se apresenta na quadra de esportes do Tiro-de-Guerra. O poeta ainda está no hotel, minutos antes do início do espetáculo, quando uma moça invade o palco. Um grupo, liderado pelo empresário Fredy Rossi, logo trata de arrastá-la dali. A moça protesta e, nariz empinado, exibe uma carteira de policial. Sai, mas volta minutos depois, agora escoltada pelo delegado de polícia de Alfenas. Faltam apenas parcos cinco minutos para o show começar. O assistente de produção Carlos Alberto de Oliveira tenta expulsar os incômodos visitantes. É preso e levado para o xadrez municipal. Ninguém sabe que atitude tomar. Fredy Rossi vai atrás de Vinicius no hotel. ''Diga aos menininhos para esperarem mais um pouco, que eu já chego'', pede a Fredy. Vai direto para a delegacia da cidade. Apresenta-se. É recebido por um policial alto e musculoso, que o trata como uma dama. Cita, inclusive, suas músicas favoritas no repertório do poeta. O assistente é logo solto. O delegado desaparece. ''Vocês viram? Basta ser educado...'', repreende seus companheiros de viagem. Um deles sussurra: ''Que delicado, que nada... Basta ser Vinicius de Moraes''. O poeta, na maior parte do tempo, se esquece de quem é. Basta lembrar seu velho sonho, expresso em versos: ''Ser apenas Moraes, sem ser Vinicius...''.

Sai de Alfenas bastante gripado. Os amigos tentam animá-lo com brincadeiras de mau gosto — um de seus esportes favoritos. Vinicius não pode se esquecer de uma das melhores delas, de que foi vítima, uma vez, no início dos anos 70. Passa-se num circuito universitário pelo interior paulista e traz a assinatura do produtor Fernando Faro. Nos bastidores de um ginásio, Faro o provoca: ''Sabe, Vinicius, eu andei pensando. Você não acha o Chico Buarque um péssimo violonista?''. Diante do ar pasmo do poeta, ele completa: "Em compensação, ele faz letras ótimas...". A provocação está feita. Vinicius a compra: "Você acha isso mesmo?". Faro a sustenta: "É claro que acho. E você sabe do que mais? Já ouvi dizer que as letras do Chico são boas porque uma parte delas foi feita pelo pai...". Vinicius está tonto, pois Fernando Faro faz seu teatro a sério — e em grande estilo. Sabe que aquilo é uma piada, mas se perturba com a gravidade do produtor. Faro continua: "Coitado do Sérgio Buarque. Ouvi dizer que, em certa época da vida, ele deu até para beber. Queria tanto ver o Chico arquiteto...". Vinicius já não sabe mais como reagir, pois o produtor continua seu relato em tom moderado e voz compungida. Faro arremata: "Me disseram até que, um dia, o pobre do Sérgio bebeu tanto de desgosto que chegou a cair de uma escada e se quebrou todo!". Vinicius suporta, até o final, exibir a aparência de tolo. Faz, ele também, apesar de muito impressionado com a frieza do amigo, seu papel de platéia.

Na noite seguinte, dá um show no TUCA, em São Paulo. Para surpresa de Fernando Faro, numa das longas pausas que sempre faz entre as músicas para contar casos e comentar a vida dos outros, Vinicius repete a mesma história que ouviu de seu produtor — e no mesmo tom de seriedade. A platéia o ouve em silêncio. Talvez tonta, talvez constrangida. Já no fim do relato, uma gargalhada explode, solitária, mas sonora, na platéia. É Sérgio Buarque de Holanda que, sentado numa das primeiras filas, se dobra de rir.

Em Lavras, antes do show seguinte, Vinicius já pede comprimidos para enxaqueca. Em Três Corações, passa a não comer com muito apetite. Chega a Belo Horizonte, destino final da excursão, muito abatido. "Fredinho, me leva para a casa do Elói?", pede. Toda vez que Vinicius vai a Belo Horizonte, hospeda-se com o casal Elói e Heloísa Lima. Avisados de sua chegada, eles se apressam a convocar uma velha empregada da casa, Maria do Rosário, para lhe dar assistência exclusiva. Esse ritual se repete há mais de dez anos. Maria do Rosário, sem ter qualquer outra tarefa a cumprir na casa, age como uma grande mãe: enche o poeta de mimos e se levanta a qualquer hora da noite para lhe servir vitaminas reforçadas, café ou mingau. Vinicius, perto dela, fica cheio de vontades.

Não é difícil entender seu prazer. Nesse ano de 77, Martita começa a trabalhar num livro que se chamaria *Vinicius e as mulheres*. Seria uma seleção de entrevistas com o poeta feitas exclusivamente por repórteres do sexo feminino. Martita é a primeira entrevistadora. Têm uma conversa mineira diante de um gravador que, depois de transcrita pela mulher, recebe o título de "Um gato chamado Vinicius". A longa entrevista, iniciada em Buenos Aires e concluída no Rio, permanece como um registro coloquial e caseiro, mas primoroso, do oitavo casamento de Vinicius de Moraes. E de seu estado de espírito nos últimos anos de vida. De saída, Martita lhe pergunta: "Qual é o seu bicho?". Vinicius responde: "Eu acho que sou um desses gatos de rua, boêmios e noturnos, que ficam passeando pelos telhados das casas''. ''E eu?'', ela quer saber. O poeta dá um feio escorregão: ''Se pombo não fosse um bicho tão burro, eu diria que você parece uma pombinha''. A repórter muda de assunto.

Martita, uma mulher atraída pelo esoterismo, envereda por caminhos mais imprecisos. ''Você já viu algum duende?'', pergunta. Vinicius cita vários: João Gilberto, o artista plástico argentino Jorge Bonino, Zequinha Marques da Costa, o contrabaixista Azeitona. A mulher quer incluir mais um nome na lista: ''E Jayme Ovalle?''. Vinicius é taxativo: ''Não, Ovalle não é um duende. Ovalle é um místico''. Vinicius, sem conseguir esconder o abatimento que começa a tomá-lo, revela sua frustração por não conseguir retomar seu caminho de poeta. Sonha em escrever ''um poema que inicie todo um novo ciclo da poesia'', como o ''Bateau ivre'', de Rimbaud, ''The waste land'', de Eliot, ou os ''Cantos'', de Ezra Pound. Exibe, com essas comparações sufocantes para qualquer um, seu sentimento de fracasso. Dá algumas respostas imprevisíveis. Quanto Martita lhe pergunta para que servem os poetas, responde: ''Para não serem presidentes da República''. Quando quer saber o que são as lágrimas, surge em cena o ''dr.'' Vinicius: ''Parece que uma mistura de água e cloreto de sódio''. Martita lhe pergunta se amar é uma forma de se destruir ou de se entregar. Ele responde: ''Parece que as duas coisas''.

Relembra situações inquietantes, como o dia em que, caminhando por uma rua de Munique, Alemanha, teve a sensação de ter esquecido sua alma em alguma esquina — como, distraidamente, esquecemos um guarda-chuva num balcão. ''Depois a encontrei'', enfatiza, ''ela voltou e se incorporou ao meu corpo.'' Acha que a alma tem cores: ela se torna negra na traição, vermelha no sexo, verde no amor e, finalmente, branca na morte. Quando Martita lhe pergunta se já resolveu o problema da morte, diz que sim. ''Eu optei pelo forno crematório'', limita-se a dizer, exibindo seu gosto pelo humor negro. Ela lhe pergunta, ainda, que tipo de mulher gostaria de ser: ''Eu não seria uma mulatinha assanhada, como o Caymmi'', descreve. E dá sua última, e irrepreensível, receita de mulher: ''Acho que seria uma mistura de Leila Diniz com Regina Rosemburgo e Marilyn Monroe''. Por fim, uma confissão: seu gosto pelos longos banhos de banheira esconde, na verdade, uma nostalgia não da morte, mas de um tempo anterior à vida. ''O banho de banheira morno é, para mim, uma volta ao útero materno'', diz.

Nesses últimos anos de vida, Vinicius passa a tomar banhos cada vez mais longos. Fica quatro, cinco, seis horas por dia mergulhado em sua banheira. Uma prancheta na sua frente, onde instala a máquina de escrever portátil, um telefone de fio longo, a garrafa de uísque, um balde de gelo. Do que mais precisa? Essas imersões o levam a regredir a um vazio primordial. Significam, é claro, uma fuga. O poeta da vida e da paixão confessa

COMPANHEIROS

Miucha (acima, ao lado de
Tom Jobim, Aloisio de Oliveira,
Toquinho e Edson Frederico),
Francis Hime (com Susana, ao lado)
e Jards Macalé (abaixo):
estilos diferentes que Vinicius sabia admirar.

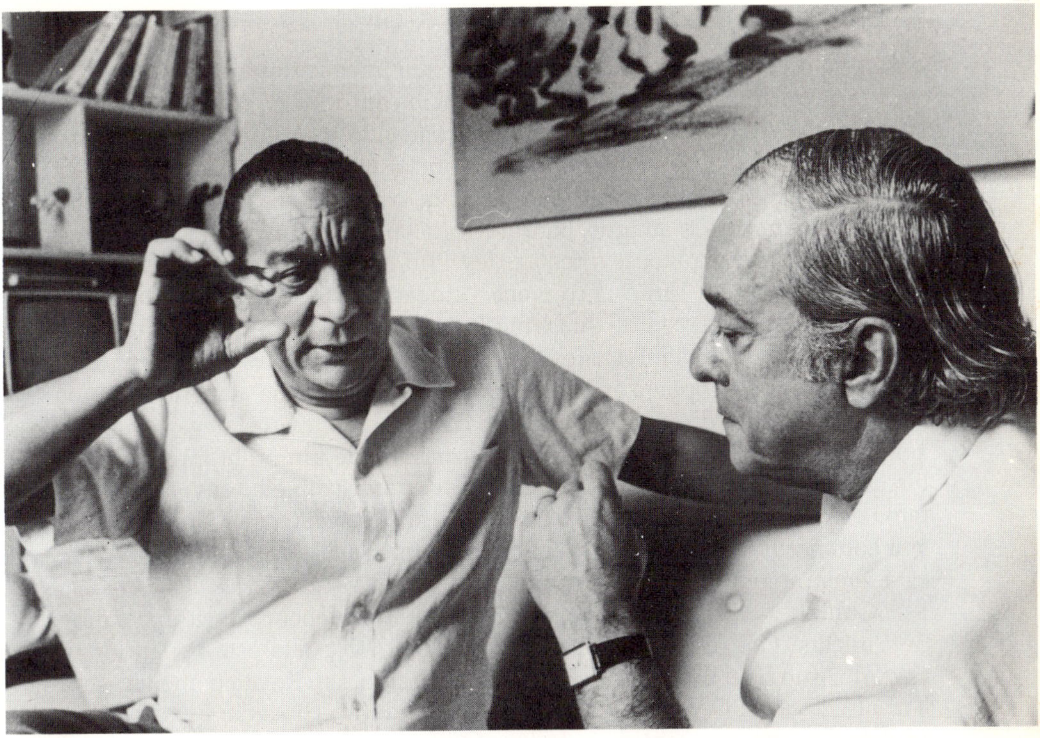

EXTREMOS

Capaz de conciliar extremos
— da velha guarda de Ciro Monteiro
à juventude de Edu Lobo
— o poeta sempre se comportou como
um camaleão. Um homem capaz
de tirar o melhor de
cada pedaço da vida.

à própria mulher, nessa longa entrevista, seu imenso desencanto. Esses sinais cada vez mais evidentes de decadência confundem, também, os amigos. Há um Vinicius de Moraes dark, entristecido, pessimista, desalentado que, aos poucos, o Vinicius de Moraes oficial não pode mais esconder. O mito fácil do "poetinha" mostra, a cada dia, o quanto é frágil. Não só frágil — mas mentiroso. Os amigos, confusos, gastam seu tempo a levantar hipóteses, a conjeturar razões, a tentar desvendar a tristeza do poeta.

Ainda em 1977, Vinicius convoca o cineasta Luís Fernando Goulart para um encontro na casa de sua irmã Lygia, na rua das Acácias. Quer lhe passar alguns dólares referentes aos direitos do filme *Marília e Marina*, que acaba de receber. O poeta arruma as malas para mais uma viagem a Buenos Aires ao encontro de Martita. No meio da conversa, Lygia chega à sala trazendo um pacote com mais ou menos um quilo de um pó branco. Não sabia que Goulart estava com o irmão. Ao deparar com ele, envergonhada, tenta esconder o pacote. Mas percebe que é impossível recuar. Vinicius tenta agir com naturalidade e enfia o embrulho numa sacola de viagem. Também está constrangido.

Goulart sai, minutos depois, extremamente preocupado com a saúde de Vinicius. Chega a pensar consigo mesmo: "O poeta está mesmo mal. Coitado, que final trágico! Deve ter enlouquecido...". Relata o que viu para a mulher, a atriz Denise Bandeira, que também fica chocada. Ele diz: "Puxa, Denise, aquela quantidade toda... O pior é que a gente não pode fazer nada. Ele está se acabando". Quando Vinicius de Moraes morrer, em 1980, Luís Goulart estará em Portugal. Ao saber da morte do poeta, lamenta com a mulher: "Também com aquele vício em overdose, não podia viver muito mesmo". Os dois combinam que jamais falarão sobre o assunto com quem quer que seja. Goulart acha que o segredo fica entre ele, sua mulher e "a pobre" Lygia. Só muito tempo depois, assistindo a um especial sobre Vinicius de Moraes na TV, o cineasta ouvirá de sua filha, Luciana de Moraes, o relato de que o pai, instruído por Mãe Menininha do Gantois, jamais pegava um avião sem, antes, se trancar no banheiro do aeroporto e untar o corpo todo com farinha de trigo. Respira aliviado.

A confusão, lamentável, serve para provar o quanto Vinicius não controla, a partir de certo momento da vida, os efeitos de seu sofrimento. Já passa, à sua revelia, a imagem de um homem de quem se deve esperar, antes de tudo, o pior. Martita simboliza um esforço supremo, desesperado, que faz para se manter conectado ao mundo. Outras vezes, apega-se a atitudes inexplicáveis, que são tomadas como pura grosseria. O baterista Mutinho — sobrinho de Lupicínio Rodrigues, de quem herdou também o nome, do qual se esconde sob o doce apelido —, após um show em Montevidéu, ouve de Vinicius uma proposta: "Vamos fazer um bolero para Martita?". Em poucos dias, o bolero "Amigo porteño" está pronto. O poeta, ainda apaixonado, não pára de cantá-lo: "Amigo porteño si ves por la calle/ Una chica morena/ Con ojos ardientes/ Y un aire de alguien/ Que quiere volar/ Parala y decile/ Que existe un poeta/ Que muere de velos...''. É uma letra dramática, as cores carregadas por um espírito patético: ''Busca convencerla/ Que tengo mi pecho de amor tan herido/ Que sin su mirada/ Mi siento perdido...''. Vinicius está inseguro, tem medo de perder Martita e o bolero é uma dramatização desse temor.

''Amigo porteño'' estoura nas paradas de Buenos Aires, onde os parceiros começam agora mais uma turnê. No espetáculo de estréia, é Mutinho quem o canta. A platéia pede bis. Na noite seguinte, um Vinicius irritado, ignorando Mutinho, se dirige a Toquinho: ''Quem canta o bolero, a partir de hoje, sou eu''. Mutinho, que vê Vinicius quase como um deus, enrubesce. Depois, puxa Toquinho a um canto e diz: ''Puxa, ele é um cara tão grande! Como pode se apequenar desse modo?''. Mutinho, é claro, o perdoa. Só uma coisa passa a perturbá-lo: que Vinicius jamais tenha entendido o que fez.

Vinicius continua, apesar de tudo, a ser um guia para os amigos. O ano de 1977 é profissionalmente luminoso, marcado sobretudo pelo famoso show ao lado de Tom Jobim, Toquinho e Miucha, que lota, durante sete meses, o Canecão do Rio, e depois prossegue uma agenda vitoriosa em São Paulo e no exterior. Vinicius faz um último esforço para exibir uma imagem robusta e rebelde. O espetáculo se torna uma das marcas do apogeu do poeta e dele resulta o disco *Tom, Vinicius, Toquinho e Miucha*, gravado ao vivo. Outra marca definitiva será o disco *Dez anos de Toquinho e Vinicius* — o 19º elepê da dupla.

Continua, apesar da tristeza que o corrói, a fascinar os amigos. Não que seja dado a ministrar grandes lições. Ouve mais do que fala. Mas acolhe. A produtora musical Marilda Pedroso o procura, uma manhã, para dar uma boa notícia: ''Conheci o homem com quem vou me casar!''. Ele se espanta. Tem um ensaio marcado para aquela tarde, mas diz: ''Antes quero que você venha aqui em casa me contar essa história direito''. Pouco depois, Marilda está na rua Frederico Eyer. O poeta serve uma vodca e pergunta: ''E quem é o tal cara?''. Marilda, empolgada, responde: ''É um estudante de medicina''. Ele, muito sério, e como se Marilda fosse uma ficção, a interrompe: ''Mas você vai se casar com uma criança?''. A amiga tenta argumentar: ''Não é uma criança, Vinicius. Ele é engenheiro formado e faz agora a segunda faculdade...''. O poeta pára um pouco e depois sussurra: ''Você já foi para a cama com ele?''. Ela: ''Mas é claro! O que você esperava?''. Ele: ''Foi bom?''. Ela: ''Foi. Ótimo''. Parecendo aliviado, Vinicius arremata: ''Então esqueça tudo o que eu te disse antes. Pode casar!''. Naquela noite, Vinicius, Marilda Pedroso e o futuro psicanalista — e marido — Sérgio Machado tomam um bom uísque juntos. O poeta, mais uma vez, serve como sacerdote.

GILDA

Gilda Mattoso foi a última musa do poeta.
Teve que enfrentar sua decadência física, sua melancolia
e nem assim perdeu o sentido da paixão.

P A R T E 10

A ÚLTIMA MUSA

GILDA

Vinicius de Moraes

Nos abismos do infinito
Uma estrela apareceu
E da terra ouviu-se um grito
Gilda, Gilda
Era eu, maravilhado
Ante a sua aparição
Que aos poucos fui levado
Nos véus de um bailado
Pela imensidão
Aos caprichos do seu rastro
Como um pobre astro
Morto de paixão

Gilda, Gilda
Gilda e eu

E depois nós dois unidos
Como Eurídice e Orfeu
Fomos sendo conduzidos
Gilda e eu
Pelas mágicas esferas
Que se perdem pelo céu
Em demanda de outras eras
Velhas primaveras
Que o tempo esqueceu
Pelo espaço que nos leva
Pela imensa treva
Para as mãos de Deus

Gilda, Gilda
Gilda e eu

1

O poeta se encontra pela primeira vez com sua última musa: Gilda Mattoso. O cenário não poderia ser mais confuso. Estudantes nervosos sacodem com seus gritos o ginásio da Universidade Federal Fluminense, em Niterói, onde Vinicius de Moraes, acompanhado de Toquinho e de Marilia Medalha, recebe os aplausos após um show promovido pelo DCE. O poeta é cercado para as reverências finais. Com sua fome insaciável de ídolos, num país devastado pela tristeza e pela desconfiança, os estudantes tentam sugar sua alma. O poeta retribui, mas está cansado. A alguns metros dele, uma moça, pequena e intimidada em seus dezenove anos, traz um livro de poemas nas mãos e está hesitante. Mesmo assim, persiste. Não se afasta. Só consegue acesso aos camarins porque é amiga de Chico Medalha, o irmão mais novo de Marilia. ''Queria pedir um autógrafo'', balbucia ao ver o poeta passar. Vinicius, a princípio, nem a olha. Assina o livro e oferece um sorriso burocrático. Está casado e completamente apaixonado por Gesse Gessy, que dirige seu destino com rédeas curtas.

Estamos em 1972. Gilda de Queirós Mattoso, o livro nas mãos iluminado pelo autógrafo que acaba de conseguir, fica parada a um canto. Não consegue se mover, tomada pela emoção. O poeta se prepara para pegar o carro em direção à casa da família Medalha, onde é o convidado especial para um jantar. Num relance, como se a conhecesse há longo tempo, ele se vira para Gilda e pergunta: ''Você não quer ir também?''. A moça sente um golpe que a imobiliza por completo. Não consegue sequer articular uma resposta. Quer dizer que sim, mas as palavras não acompanham seu desejo. Falham.

Leva uma vida de menina. Até pouco tempo atrás, estava nas salas do Centro Educacional de Niterói, um colégio de métodos avançados para tempos obscuros como aqueles, acossada por namoradinhos tolos. Agora estuda letras na UFF. Tem mais um namoradinho, menos tolo. Ouve Bossa Nova. É uma moça comum. Chegou ao show do Diretório Central dos Estudantes acompanhada pela amiga Ruth Washington, que agora a pajeia no jantar. Durante toda a noite, observa Vinicius à distância. As palavras lhe faltam. Nas despedidas, Ruth oferece uma carona a Vinicius e Gesse até a estação das barcas. O casal aceita. Gilda é a quarta pessoa no carro. Não cabe dentro de si.

A aproximação de Vinicius de Moraes com sua última musa será lenta, tortuosa, pontuada por desencontros e pequenas peças do destino. Servirá ao poeta como a confirmação derradeira de que o amor não se costura em linha reta, mas a saltos cegos, num cenário repleto de situações de dupla mensagem e de arabescos. Vinicius, a essa altura, não tem pressa alguma. É um homem sereno, que sabe que a vida se trama, quase sempre, à nossa revelia. Que conhece o tamanho do homem. Vale a pena acompanhar o casal, passo a passo, em seu labirinto.

Na semana seguinte, Vinicius e Toquinho iniciam uma temporada no Teatro da Praia, em Copacabana. Gilda vai quatro ou cinco vezes ao show, mas não ousa repetir a visita aos camarins. Estamos agora numa noite especial. Após o show no teatro, Vinicius oferece um vatapá em sua casa, na rua Frederico Eyer, na Gávea — uma delicada casinha de vila, a de número 3, que acolherá seus últimos dias. Marilia Medalha a vê na platéia e a convida para acompanhá-la ao jantar. A moça chega, novamente, assustada. A casa está decorada por personagens desinibidas e famosas. A atriz Leila Diniz aplica beijos exuberantes em Toquinho, com quem está namorando. O cronista Rubem Braga resmunga histórias picantes, para ela indecifráveis, que fazem o humor de Vinicius subir alguns decibéis. O poeta dá seus risinhos, Gesse dá suas imensas gargalhadas. O ator Claudio Marzo abraça a mulher Georgiana, a filha de Vinicius. Há um excesso de estrelas e um brilho capaz de fazer cegar. Gilda, ainda sem saber que já sente ciúmes, se impressiona com os carinhos intensivos com que Vinicius cerca sua mulher, Gesse Gessy. De novo, nada acontece.

Em junho de 1973, uma triste Gilda Mattoso se muda para Barrow-in-Furness, no Norte da Inglaterra. Acaba de perder o pai. Seus dois irmãos, quase vinte anos mais velhos, moram na Grã-Bretanha: Luís Antonio, que serve na Comissão Naval do Brasil na Europa, em Furness; Paulo, gerente-adjunto do Banco do Brasil, em Londres. O destino a leva à Europa. Gilda viaja de início com o pretexto sensato de acompanhar sua mãe, Liddy Kerr de Queirós Mattoso, que vai desfiar seu luto amparada pelos filhos homens. A moça termina ficando em Furness. Em meados de 74, quando Liddy retorna ao Brasil, Gilda decide permanecer. Muda-se para Londres. Para sobreviver, arranja um emprego de balconista em horário integral numa lojinha de presentes na Bond Street. À noite, estuda inglês em um curso ligado à Universidade de Cambridge. Luta.

O leitor deve se recordar da viagem que Vinicius de Moraes fez a Londres em 1974, acompanhado por Gesse Gessy e por Calazans Neto. Voltemos a ela. O adido cultural do Brasil em Londres, Antônio Olinto, é muito amigo de Paulo de Queirós Mattoso, o irmão de Gilda que mora na capital inglesa. Olinto, que é também um romancista de segundo escalão, prepara um coquetel em homenagem a Vinicius de Moraes e Jorge Amado na embaixada brasileira e inclui Paulo Mattoso na seleta lista de convidados. ''Põe na lista, também, o nome de minha irmã, senão ela me mata'', o rapaz o adverte. Antônio Olinto cumpre seu desejo. Durante o coquetel, pela primeira vez, Gilda e Vinicius começam a conversar. No dia seguinte, ela comenta com o irmão: ''Eu pensava que essas pessoas famosas não tinham interesse no próximo. Pois estava errada. O Vinicius, ontem, só quis falar de mim. Nenhum outro assunto o interessou''.

No fim da noite, o poeta pede a Gilda que acompanhe Gesse Gessy às compras. ''Não tenho paciência para isso, mas não gosto que ela vá sozinha'', argumenta. Gilda a acompanha pelo menos duas tardes em passeios pelo sofisticado comércio londrino. Antes de retornar ao Brasil, o casal a convida para um jantar de despedida. Vinicius lhe dá de presente um baralho com o nome Gilda impresso em cada uma das cartas. Gesse a presenteia com uma caixa de papéis de carta japoneses. Depois da sobremesa, Vinicius lhe dá seu endereço e telefone em Salvador. Tudo parece muito fraterno.

Duas ou três semanas depois da partida de Vinicius, ela — fascinada pela idéia de ter se tornado sua amiga — despacha uma carta afetuosa para a Bahia. Não recebe resposta. Resigna-se. No Natal de 74, viaja com os irmãos para Salice d'Ulzio, uma estação de esqui nos Alpes italianos. Na temporada de férias, começa a namorar o mecânico italiano Paolo Pitaresi, por quem não se apaixona, mas que a leva a se apaixonar pela Itália. De volta à Inglaterra, continua a trabalhar na Bond Street, mas, à noite, troca as aulas de inglês por lições de italiano. Em 1976, sem nenhum ânimo para retornar ao Brasil, e com Vinicius já meio esquecido em algum desvão de sua cabeça, Gilda se muda para a Itália, onde se matricula num curso intensivo de língua e literatura na Universidade de Perugia, a meio caminho entre Roma e Florença. Procura alguma coisa que não sabe o que é.

Quando encerra o curso, a Itália está em crise. Estamos no auge dos ataques das Brigadas Vermelhas contra o governo do primeiro-ministro Aldo Moro. O país está em pé de guerra. Lembra-se, então, de um nome: Franco Fontana, um grande empresário italiano que, tempos antes, produzira uma apresentação de Maria Bethania e Jorge Ben em Londres. Em janeiro de 1977, Gilda toma coragem e vai procurá-lo com uma carta de apresentação de um amigo inglês. ''Piacere'', começa, exibindo seu italiano a essa altura impecável. ''Muito prazer. Você é brasileira, não é?'' Para sua decepção, Fontana fala um português fluente. O pequeno show que a aplicada aluna de italiano preparou com tanto esmero perde o sentido.

Mas Fontana a contrata. Gilda tem mais sorte do que pode imaginar. A agenda de Franco Fontana prevê, para dali a três meses, uma turnê de Vinicius de Moraes, acompanhado por Toquinho e Maria Creusa, através da Itália. Gilda parece ser a divulgadora perfeita. Ela aceita. Os convidados brasileiros desembarcam em Roma em abril. A estréia é um sucesso. Até Vitorio Gassmann, o ator canastrão, aparece nos camarins do Teatro Sistina para cumprimentar o poeta. Após o espetáculo, Vinicius — a essa época casado com Martita, que não pode viajar com ele — procura Gilda Mattoso na porta do teatro para elogiar seu trabalho. A tímida Gilda, tonta pelos elogios, pensa: "Puxa, o Vinicius gosta muito mesmo de mim". Não ousa ir além disso. O poeta parte, com sua comitiva, para Paris. Tem doze espetáculos agendados no Teatro Ranelagh. Dois dias depois, o telefone toca no quarto de Maria Creusa. "Você nem imagina a saudade que estou sentindo de vocês", ela ouve Gilda Mattoso dizer. Maria Creusa é dessas mulheres que gosta de resolver as coisas de uma vez — ou esquecê-las para sempre. "E por que você não pede ao Fontana para vir?", sugere.

Gilda prefere telefonar, direto, para Vinicius. O poeta, já encantado com ela, a convida para acompanhá-lo na parte francesa da turnê. Gilda não tem dinheiro para a viagem; ele se oferece para pagar. Não tem coragem de dizer sim; ele praticamente diz por ela. Gilda procura então facilitar as coisas: "Basta o avião. Em Paris, posso me hospedar na casa de uma prima" (pensa em Otilie Kerr Pinheiro, sobrinha de sua mãe). Passa a primeira noite com a prima. No dia seguinte, Maria Creusa a convida para se hospedar com o grupo no Hotel Scribe, a dois passos do Olympia. Conhece, então, Martita, que desembarca para acompanhar o marido na turnê francesa. Não se abala com sua presença. Não sabe bem aonde vai chegar, mas pressente que vai chegar.

Jantam sempre no Chez Guy, restaurante da atriz brasileira Cléa de Oliveira, que atuou no *Orfeu* de Marcel Camus e, depois, se mudou para Paris. Encontram-se lá, quase todas as noites, com Lurdes de Oliveira, outra estrela do *Orfeu* que se instalou na França e acabou se casando com Marcel Camus. Divertem-se. Superlotam o Teatro Ranelagh. Uma noite, Martita se levanta no meio de uma música para ir ao banheiro. Ao atravessar o hall completamente vazio, depara com a moça do bar que arruma garrafas de Perrier e acompanha, em português castiço, uma das letras de Vinicius. "Você fala português?", pergunta, espantada. "Pas un mot", a moça responde. Ocupa-se novamente com suas garrafas e continua a cantar. Vinicius, está mais que provado, se tornou uma vedete em Paris. A força de suas músicas já ultrapassa as fronteiras da língua. Na noite seguinte, está no Canal Dois, como entrevistado do programa de Jean-Pierre Cassel. Dias depois, é o cantor Georges Moustaki que, eufórico, não se controla e sobe ao palco para abraçá-lo ao fim de uma música. Tornam-se amigos. Na noite de despedida no Teatro Ranelagh, o poeta convida Moustaki para assistir ao show instalado em pleno palco, sentado a seu lado, diante de sua garrafa de uísque. Georges Moustaki toma um porre de felicidade.

Martita e Gilda, sem grandes intimidades, se tratam sempre muito bem. Dissimulam. Vinicius, pouco depois, retorna ao Brasil. Gilda se instala em

Paris para estudar em Vincènnes — estudar italiano, não francês. Instala-se num estúdio minúsculo, quarto para empregados do apartamento de uma tradutora boliviana. Em troca, cuida da filha de dois anos da proprietária. Para poder comer, dá aulas de português para executivos da Rhodia. Sobrevive. Tempos depois, passa a dividir um apartamento um pouco mais espaçoso com sua amiga Ruth Washington, que se instala na França para uma especialização em medicina. Entre 77 e 78, aproveitando a febre dos telefones públicos piratas, Gilda faz muitas ligações clandestinas para Vinicius. Os dois se aproximam. Ainda são apenas amigos.

Em agosto de 1978, finalmente, Vinicius retorna a Paris. Já não é mais o mesmo homem. A relação com Martita azedou; vem sozinho. Gilda trabalha como cicerone, há alguns dias, para Tom Jobim e sua mulher, Ana. O destino move, mais uma vez, seus peões. Aninha é amiga íntima de Ruth Washington. O triângulo se fecha: ela e Gilda logo se tornam também muito próximas. Quando Gilda Mattoso depara com Vinicius na sala de desembarque, acompanhado da filha Georgiana — que trabalha agora nos shows do pai como percussionista —, logo percebe mudanças. Para pior. O poeta trata de se explicar: sua saúde não vai nada bem. O diabetes complicou e ele é obrigado a se auto-aplicar, diariamente, doses regulares de insulina. Tenta se submeter, com imensas dificuldades, a uma dieta. Sente-se infeliz com o cerco de tantas restrições. Sente-se mais fraco e também mais dependente. Tudo isso o irrita.

No ônibus que os conduz ao hotel, o poeta faz questão de sentar ao lado de Gilda — e logo os dois estão de mãos dadas. Georgiana, rápida, sussurra ao ouvido da moça, fazendo-se de vítima: ''Estou doida para que papai arranje logo uma namorada para não me alugar mais''. A senha, finalmente, está dada. Dias depois, na estréia no Olympia, Vinicius insiste para que Gilda fique com ele nos bastidores. O show começa com um solo de Tom Jobim ao piano; Vinicius só entra algumas músicas depois. O poeta pede que Gilda o conduza, com uma pequena lanterna na mão, até a boca de cena, pois não se sente muito seguro e tem medo de tropeçar. Tom toca à meia-luz. O casal, postado à entrada do palco, espera. Aproveitando o cenário obscuro, Vinicius aproxima seu rosto de Gilda e lhe diz: ''Acho que estou ficando apaixonado por você''. Não diz mais nada. Vinicius entra em cena e Gilda entra em pânico. Nos bastidores, procura o empresário Franco Fontana e comunica: ''Acho que estou passando mal. Vou para casa''. Ao chegar ao apartamento que divide com Ruth Washington, a amiga ainda está acordada. Gilda desfia seu susto. Ruth, objetiva, não esconde sua decepção: ''Mas, Gilda, não era isso que você queria?''. A moça não responde. Talvez quisesse mas não soubesse disso. Não se dá sequer ao trabalho de desmarcar o encontro que tinha com Vinicius, horas depois, para jantar. Vai direto para a cama.

Na manhã seguinte, Gilda deve apanhar Vinicius no hotel para acompanhá-lo até um estúdio de TV, onde gravará uma entrevista. Não conseguirá atravessar aquele dia sem receber explicações a respeito do que ou-

CÃO ENGARRAFADO

O uísque foi, mesmo nos últimos anos,
o parceiro mais fiel do poeta.
Ele o definiu certa vez como o "cão engarrafado".

RESISTÊNCIA

Os cabelos brancos, o olhar incapaz de dissimular o desgosto: mesmo assim Vinicius permaneceu, enquanto pôde, no palco.

viu na noite anterior, mas não sabe por onde começar. Por fim, entra no assunto: ''É verdade o que você me disse ontem?''. Vinicius a encara. ''É, sim.'' Faz uma longa pausa e, mudando o tom de voz, prossegue: ''Mas eu não te aconselho a ficar comigo. Eu bebo muito, estou velho, meio doente. Não vale a pena. Esqueça''. Gilda, aliviada, apenas ri. Já sabe que não pode mais recuar. Que não quer mais recuar.

Vinicius tem uma apresentação programada para Londres. Gilda não está escalada para essa viagem, mas o acompanha. Quando Franco Fontana depara com ela no hall do hotel, surpreso, pergunta: ''O que você está fazendo aqui? Não reservamos nem mesmo um quarto para você...''. Muito tranqüila, ela comunica pela primeira vez seu amor publicamente: ''Não tem importância. Vou ficar no quarto do Vinicius''. O grupo tem, em seguida, uma longa turnê através da Itália. São muitas cidades e todos logo se cansam. Um dia, ao desembarcar numa plataforma ferroviária, um Toquinho esgotado se vira para Gilda e pergunta: ''Pelo amor de Deus, onde afinal nós estamos agora?''. A cansativa excursão se encerra em Florença. O grupo retorna ao Brasil, mas Vinicius segue com Gilda para Paris. Instala-se, primeiro, num hotel onde se hospeda também o empresário Zequinha Marques da Costa. Os três têm programada uma viagem curta a Nova York. O poeta, simulando frieza, se despede de Gilda e parte com o casal Marques da Costa. Gilda, um pouco sem saber o que pensar, retorna ao apartamento que divide com Ruth Washington. ''Então, você não foi?'', ouve de uma amiga espantada. Não sabe responder.

No dia seguinte, Gilda está em casa um tanto desolada quando o telefone toca. O escritório francês da Varig informa que há uma passagem Paris—Nova York—Paris em seu nome, com embarque marcado para aquela noite. ''Eu não comprei passagem alguma'', ela se surpreende. ''Claro que não'', responde o funcionário. ''Foi comprada, ontem, pelo sr. Vinicius de Moraes.'' Ruth, ao ouvir o relato da conversa, olha para a amiga um tanto atônita. ''Por que ele faz coisas assim? Por que gosta de provocar tanto mistério?'', pergunta. Gilda descobre que, para Vinicius, o amor não merece esse nome se não oferece um lastro de suspense. Se não produz calafrios. O poeta gosta de dirigir o amor como um diretor de cinema postado em sua cadeirinha diante do setting de filmagem. Gilda — como boa apaixonada — só consegue rir da perplexidade da amiga.

Na volta de Nova York, os dois se instalam no apartamento que Gilda divide com Ruth. O poeta se submete, então, a um rígido tratamento para controle do diabetes. Consegue se livrar, temporariamente, da insulina. No apartamento ao lado, vivem duas amigas que Gilda conhece desde o tempo de Niterói. Vinicius se delicia: ''Sinto-me um sultão cercado de mulheres'', não se cansa de dizer. Recebem a visita de Baden Powell acompanhado por sua mulher, Silvia. Atravessam noites a fio debruçados no violão. Numa delas, nasce a famosa ''Queixa'', com uma letra impregnada de nostalgia de casa. ''Cavaco, pandeiro, cuíca/ Ganzá, tamborim, violão/ E o samba, que coisa mais rica/ E o surdo batendo no coração'', cantam, num simulacro sonoro do Brasil. O poeta sente vontade de voltar, mas, como tantas vezes acontece, precisa primeiro escrever alguns versos para, só depois, descobrir o que está sentindo.

Fim de novembro: Vinicius retorna ao Rio para cuidar das obras em sua casa da Gávea. Gilda permanece em Paris para preparar o retorno definitivo. Teme a reação de sua família diante do casamento com um homem tão mais velho. Decide escrever uma longa carta para a mãe anunciando o casamento. Não consegue ir ao correio. Despacha a carta, por fim, para o escritório da irmã. ''Tenho medo que ela a leia sozinha e tenha um ataque cardíaco'', confidencia a Ruth.

Mães — são todas iguais. D. Liddy recebe a carta da filha, estremece diante da notícia do casamento, mas mesmo assim prepara um quarto em sua casa para hospedá-la, como se nada estivesse acontecendo. No último telefonema para Vinicius de Paris, Gilda pede que ele não vá ao Galeão esperá-la. Está certa. Mesmo sem o poeta, o desembarque de Gilda Mattoso parece um capítulo de novela mexicana, com choro convulsivo e expressões de desespero. Zequinha Marques da Costa e a mulher, Regina, preparam um cozido na casa de Vinicius para recebê-la, mas Gilda — sábia — prefere sair para almoçar a sós com a mãe. ''Minha filha, ele é um grande poeta. Mas é um louco. Um destruidor de lares'', pondera d. Liddy. Ela ouve a mãe em silêncio. Respeita seu horror.

As obras na casa do poeta terminam, mas Gilda continua sem coragem de se mudar. Até que, numa tarde, recebe a visita de velhos amigos dos tempos de Niterói. Expõe seu drama. ''Pois você vai sair daqui agora'', um deles determina. ''Pegue suas coisas. Nós a levamos de carro.'' Ela não sabe, mas está caindo numa armadilha. Na casa da Gávea, Vinicius a recebe com uma chuva de arroz. Depois, diz: ''Agora vá até a entrada da casa. Seu presente de casamento está estacionado na rua''. Gilda encontra um Fiat bege, zero-quilômetro, bem diante da entrada. Há alguma coisa grande e colorida no interior do carro, ela percebe de longe. Aproxima-se. Rosas, margaridas, crisântemos saem por todas as janelas. O carro transborda de flores. Vinicius, o poeta da ênfase e do exagero, seduz sua última musa.

O encontro com Gilda serve a Vinicius como prova final de que o amor não tem qualquer relação com a experiência, com a competência ou com a performance. Até o amor derradeiro, surgido numa época em que o poeta se supõe maduro e calejado, e às vezes se sente gasto e esgotado, vem por linhas tortas. Vem aos sustos. Vinicius se sente recompensado pelo destino. Tudo aquilo em que sempre acreditou, tudo o que sempre desejou dizer a respeito das armadilhas impostas pelos sentimentos está mais uma vez confirmado pelos fatos. Fatos nos dizem as coisas em silêncio. Não precisamos sequer ouvir — basta aceitar. O poeta começa sua última travessia.

2

Ao longo de quase toda a vida, Vinicius teve como médico preferido o futuro escritor Pedro Nava. A relação entre ambos misturou sempre doses sensatas de trato profissional e amizade profunda. Nava desdobrava-se para compreender as manias do amigo, em particular sua vocação para a hipocondria. Um episódio é emblemático: uma tarde, o poeta lhe telefona com voz ansiosa. ''Preciso vê-lo com urgência'', implora. Nava, que está com a agenda cheia, oferece a melhor alternativa disponível: ''Que tal amanhã à tarde?''. Mas Vinicius é insistente: ''Não, não. Tem que ser hoje''. Pedro Nava, a essa altura já preocupado, diz que está saindo naquele momento para atender um paciente grave na rua Paula Freitas, em Copacabana. ''Que tal nos encontrarmos por dez minutos na esquina da Paula Freitas com a Barata Ribeiro?'', sugere. ''Tomamos um cafezinho e conversamos. Eu passo um medicamento que te segure até amanhã. Depois tratamos direito.''

Quando o médico desembarca do táxi, Vinicius já está postado na esquina, o ar apreensivo. Entram num bar e Nava pede dois cafés. ''Afinal, o que você está sentindo?'', pergunta. ''Esse é o problema, Nava. Estou muito preocupado porque há muito tempo não me sinto tão bem.'' O médico, confuso, engole em seco. Temendo não ter entendido direito, insiste: ''É só isso?''. Vinicius expõe seu medo: ''E você acha pouco? Para mim, isso é o prenúncio de alguma coisa muito ruim. Por favor, preciso que você me sugira alguma coisa''. Nava dá outro gole no café. Um tanto assustado, ainda insiste: ''Alguma coisa de que tipo?''. Vinicius é definitivo: ''Alguma coisa que impeça que eu fique doente''.

O doce Nava, resignado e atrasado, prescreve prosaicas vitaminas. ''Só isso?'', o poeta se decepciona. ''Isso basta por enquanto. Amanhã passe no consultório para um exame mais apurado''. Contém o riso, para não permitir que a máscara médica despenque. Sabe, perfeitamente, com que tipo de ''doente'' está lidando. Ainda o provoca, pensando em *O doente imaginário*, clássico do teatro francês escrito três séculos antes: ''Você tem relido Molière?''. Vinicius faz cara feia. Sente-se ofendido, pois não gosta de ser tratado como um lunático. Não está blefando: leva suas intuições médicas a sério. Nava se cala. Despedem-se.

Os dois se conheceram no início dos anos 60, na época do nascimento da Bossa Nova. Vinicius depositou, a partir dali, toda a sua confiança em Pedro Nava, que, em contrapartida, se acostumou com suas esquisitices. Uma vez, o médico, tentando enfrentar os surtos de hipocondria do amigo, lhe disse claramente: ''Não entendo essa sua preocupação excessiva com a saúde. É um paradoxo, porque você é um dos meus clientes que mais a desperdiça''. Mas a bebida, para seu ''doente'', é um tema tabu. Ele sabe o mal que ela lhe provoca, mas acha que tem esse mal sob controle. Nega-se a entrar no assunto.

Vinicius, um médico frustrado que sempre se dedicou à arte perigosa da automedicação, cultiva desde cedo uma relação bastante particular com seus médicos. Nava se acostumou aos telefonemas em que ele, ao invés de colocar dúvidas e questões próprias a um paciente, invertia as posições e simplesmente anunciava: ''Não estou nada bem. Quero ser internado imediatamente''. Nessas horas, já trazia o diagnóstico e o método de tratamento, o médico servindo apenas como avalista. Muitas vezes, no entanto, Vinicius tinha alguma razão em seu pedido. Sabia quando estava bebendo demais e, num movimento de autodefesa, sabia também que só com uma internação poria um freio naquilo. Que, sozinho, não conseguiria. Mudava-se, então, de armas e bagagens para a Clínica São Vicente, na Gávea, uma casa de saúde cardiológica que se especializou no tratamento de doenças nervosas por meio de hipnose e sonoterapia, seguindo um método desenvolvido por seu diretor, o dr. Aluísio Marques. A clínica, naquele tempo, vivia sempre lotada de celebridades em busca de uma cura para os excessos provocados pela fama. O ator Grande Otelo chegou a ter por muitos anos um quarto só para ele — jamais ocupado por qualquer outro paciente —, guardando zelosamente sua chave.

A partir dessas internações, o poeta substituiu Nava, de quem continuou a ser amigo, pelo clínico Clementino Fraga Filho. A verdade é que Nava já sentia sua autoridade médica fraquejar diante daquele paciente excessivamente íntimo. Um dia, confessou claramente para Vinicius, o qual — melindrado — tomou como uma ofensa: ''Amizade e medicina não combinam''. Idéia que o médico amadureceu depois do dia em que, preocupado com os excessos do poeta, convidou-o para uma conversa franca e definitiva sobre sua saúde. ''Precisamos conversar. Vou ao lugar que você marcar. É só você escolher'', intima-o. Vinicius não perde tempo: ''Conheço um barzinho em Copacabana que é uma delícia''. Pedro Nava, cumprindo o que prometera, vai encontrá-lo no bar. Chega escoltado pelo amigo comum e médico Marcelo Garcia, pronto para um bombardeio de argumentos irrecusáveis contra os males do álcool. O encontro leva quatro horas. Os dois médicos, afinal, não têm pressa e estão dispostos a tudo para dobrar a teimosia do amigo.

Aceitam, inclusive, alguns drinques que podem ajudar a relaxar e a quebrar as resistências de Vinicius. Não puderam prever os limites de sua própria resistência: os três terminam a noite de porre. ''Acho que dessa vez eu os convenci de que o álcool é o melhor amigo do homem'', Vinicius tripudia enquanto o garçom traz a conta. Nava retorna para casa arrasado.

O dr. Clementino acompanha pelo menos uma dúzia de internações do poeta na Clínica São Vicente. Os exames, em geral, apontam crises hepáticas mais ou menos agudas, sempre provocadas pelos excessos de álcool. Vinicius está inchado, intoxicado, enjoado, com vertigens e sem forças. Não leva para a clínica, no entanto, nenhuma intenção de combate ao alcoolismo. Interna-se para se recompor — e começar a beber novamente. Gosta do ambiente descontraído que reina na São Vicente, clínica instalada num recanto bucólico, onde tantas vezes se hospeda em quartos vizinhos ao de amigos do peito — ou melhor, do fígado — como Dorival Caymmi, Ronaldo Boscoli e Grande Otelo.

Numa conversa preliminar a uma dessa internações, o dr. Clementino pondera: ''Mas, Vinicius, até nos shows você não pára de beber...''. O poeta, com o ar sério, protesta: ''Aquilo não é uísque, não. É chá preto que tomo com gelo só para manter a pose''. Qualquer conversa mais franca quase sempre é impossível. Vinicius vive acima do peso ideal e, o mais grave, passa a sofrer de diabetes. Leva uma vida sedentária e se diz, sem qualquer constrangimento, o inimigo número um de exercícios físicos. Brinca com os colegas de internação: ''Vim fazer uma plástica no fígado''. Tripudia sobre a própria doença.

Clementino Fraga ainda tenta: ''Pelo menos uma caminhada seria bom, Vinicius''. O poeta argumenta, então, que não pode romper um pacto que fez no início dos anos 60 com o compositor Antonio Maria. Relata as circunstâncias. Os dois atravessam a noite bebendo num bar de Copacabana e, ao raiar do dia, vão ver o nascer do dia na calçada da praia. Deparam, então, com um grupo melancólico de senhores em idade avançada, espremidos em calções patéticos e coloridos, que esboçam — sem muito sucesso e com grande ridículo — alguns exercícios de ginástica sob a regência de um professor barrigudo. Vinicius se vira para Maria e diz: ''Chegou a hora de fazermos um pacto''. Antonio Maria, um homem crédulo que sempre embarca nas preleções do amigo, responde: ''Vinicius, isso não é hora para pactos. Estou morrendo de sono''. O poeta aponta aquele grupo de velhos a se contorcer na areia. ''Veja como eles são ridículos'', diz. Maria não pode deixar de pensar que o amigo tem toda a razão. ''Quero fazer contigo o pacto de que, daqui para a frente, jamais faremos qualquer tipo de esforço inútil'', Vinicius prossegue. Voltam a se arrastar, a passos lentos, pela calçada da praia.

Muitas noites, Vinicius — sentindo-se aprisionado — escapa da Clínica São Vicente para, como ele mesmo descreve, ''sessões de reaclimatação''.

Esconde-se, então, no último lugar em que os médicos iriam procurá-lo: na casa do dr. Clementino Fraga, localizada algumas ruas abaixo. O médico logo se acostuma a abrigá-lo. Sabe que faz uso, nessas horas, de um procedimento um tanto heterodoxo, mas prefere que Vinicius fuja para beber em sua casa, onde pode vigiar seus excessos, que para algum lugar onde o perca de vista. A casa do dr. Fraga se transforma, aos poucos, num ponto de encontro de artistas famosos, como Carlinhos Lyra, Baden Powell e Milton Nascimento, que nela atravessam as noites em deliciosas serenatas — sob vigilância médica. Chegam de surpresa e vêm carregados de tietes. Um dia, o cantor Milton Nascimento aparece com uma amiga, Doris, recém-formada em cirurgia plástica. Ao esbarrar com Clementino Fraga, a moça se surpreende: ''Puxa, doutor, até o senhor por aqui?''. A fama dessas noitadas se espalha e o dr. Clementino Fraga é obrigado, algumas vezes, a ouvir delicadas ressalvas sussurradas por colegas do meio médico.

Além de médico brilhante, o dr. Fraga é também um interessado na alma humana. Não concebe seus pacientes como homens sem espírito, programados unicamente pela anatomia. ''O Vinicius é um homem especial e deve, por isso, ser tratado de modo especial'', argumenta sempre. Aos que o criticam por compactuar com os excessos de seu paciente, responde com sabedoria: ''Ele é um homem de paixões, e a paixão é sempre saudável''. Alguém pondera, um dia, que nesse caminho Vinicius jamais chegará ao peso ideal, nem terá uma saúde equilibrada. ''Nunca imaginei que ele possa se tornar um sujeito magrinho, com as taxas de açúcar controladas, sem uma gota de álcool na boca. Se eu pudesse deixá-lo assim, ele não seria mais o Vinicius de Moraes.'' O poeta tem sorte até com seus médicos.

O neurocirurgião Paulo Niemeyer, um grande amigo que passa a tratar dele, também, depois que a doença avança, logo se torna outro especialista no trato das particularidades e manias do poeta. Vinicius se interna uma semana na Clínica São Vicente por causa de uma depressão. Niemeyer vai visitá-lo. ''Oh, Paulinho. Isso aqui está muito chato!'', começa logo com a reclamação. ''Por que não vamos para a sua casa?'' Médico de formação humanista, o dr. Niemeyer sabe que, muitas vezes, o melhor tratamento não é aquele prescrito pelas normas rígidas dos manuais. Aceita a provocação de Vinicius e o carrega para sua casa, onde passam a noite juntos, bebendo e cantando até a madrugada. No dia seguinte, o poeta acorda muito mais bem-disposto. Subverte, com isso, alguns dos principais dogmas da medicina. Dá provas de que a saúde não se relaciona, unicamente, com bons resultados nos boletins de laboratório, mas também com a alegria.

3

Tudo se torna mais difícil em outubro de 1979. Sentindo-se esgotado, Vinicius pega Gilda e decide fazer uma viagem de carro de Paris até Atenas. Têm a companhia de Ruth Washington, que é médica, embora não exerça a profissão, e se reveza com Gilda ao volante. No Sul da França, logo nos primeiros dias de uma viagem tão sonhada, o poeta começa a ter os primeiros sintomas do desfecho. Cansa-se com rapidez, sofre de uma desagradável incontinência urinária, sente vergonha de si mesmo. Gilda tenta animá-lo e programa uma partida imediata para Perugia, onde tem amigos e poderão receber ajuda. Quando se aproximam da cidade, Vinicius começa a dar os primeiros sinais de confusão mental. "Onde estamos mesmo?", pergunta à mulher. "Essa não parece ser uma cidade francesa." Gilda explica que já estão há algum tempo na Itália, muda de assunto, mas se inquieta.

Em Perugia, o amigo que a hospeda, Augusto Luchiani, que é farmacêutico, providencia uma consulta imediata no hospital municipal. Vinicius é atendido por um neurologista inexperiente, que não diz muita coisa mas aconselha a busca de melhores recursos em Roma. Por telefone, o amigo Sergio Bardotti é, discretamente, avisado do estado de saúde do poeta. Toma suas providências. Um especialista romano, depois de examinar Vinicius com mais apuro, fala vagamente em "problemas neurológicos", e prescreve um retorno imediato ao Brasil. Gilda entrega, então, o carro alugado a Bardotti, que cuidará da devolução à locadora, e toma com o marido um avião para Paris. Consegue, com a ajuda da embaixada, dois lugares no vôo de carreira da Varig para três dias depois. Recolhem-se ao apartamento de Ruth Washington, que passa a noite de plantão zelando pelo poeta.

Nesse meio tempo, o jornalista Roberto d'Ávilla está na França gravando entrevistas para seu programa na TV Bandeirantes. Decide entrevistar Vinicius. O poeta está visivelmente incomodado e nervoso. A entrevista transcorre tensa. Em alguns momentos, Vinicius quase agride d'Ávilla — por nada. Anos depois, numa entrevista a Marília Gabriela, Roberto d'Ávilla confessará: "Aquela foi a pior entrevista que já fiz. A mais lastimável de minha carreira". A doença, ampliada pelo fantasma da morte, vem apenas tornar mais evidente uma face dark de Vinicius, que ele sempre procurou dissimular e que suas imensas platéias sempre se apressaram em negar. Lado sombrio, tenso, triste, cheio de aspectos obscuros e de negativismo. Esse Vinicius dark apareceu muitas vezes, ao longo da vida, para quem desejou ver: no rapaz introvertido que freqüentava as sacristias do Colégio Santo Inácio, no estudante dilacerado por dúvidas cruéis que se escondia no sítio de Octavio de Faria, no homem que quase enlouqueceu quando Nelita de Abreu decidiu abandoná-lo, no senhor cético e entristecido que vestiu uma bata branca, agarrou-se ao misticismo e se exilou em Itapuã. Basta querer ver, para ver. Mas, quanto a Vinicius, se preferiu quase sempre o mito — e não o homem. E ele, verdade seja dita, sempre deu tudo de si para corresponder a esse desejo.

Nos dias seguintes, enquanto esperam a hora do embarque para o Rio, Vinicius está ainda mais estranho. Anda com extrema dificuldade, embora continue absolutamente lúcido. Está de mau humor. Quando chegam ao aeroporto, sua irritação aumenta: não consegue acompanhar direito os passos da mulher. Uma funcionária da Varig, usando de toda a delicadeza, oferece uma cadeira de rodas. Ele se ofende. "Não preciso disso. Essa mulher está doida!" Devem atravessar longos saguões e corredores até o portão de embarque. Não consegue andar. Por fim, humilhado, os olhos a essa altura fixados nas próprias pernas — como se perguntasse a elas, seguidamente, por que agem daquele modo —, Vinicius aceita a cadeira de rodas. A funcionária da companhia aérea ainda lhe faz um último afago: "Engraçado. Vão confundir o senhor com um doente...". Ele a olha com uma mistura de ódio e desdém.

Quando os drinques começam a ser servidos na primeira classe, Vinicius diz para Gilda: "Hoje vou tomar champanhe". A mulher sabe que ele não deve, mas sabe também que será imperdoável roubar do marido, a essa altura, essa última parcela de luxo. O poeta ergue a taça, mas não consegue levá-la à boca. Tenta de novo, erra novamente. Gilda pensa em ajudá-lo, mas pensa também que aquilo seria humilhá-lo demais. Contém-se. Ele acaba derramando a taça cheia sobre a camisa. Quando a aeromoça vem ajudá-lo a se secar, está furioso. Começa a ficar inquieto. De repente, diz: "Me ajude a tirar o cinto. Tenho que ir lá atrás". Gilda pergunta: "Fazer o quê?". Ele diz: "Acabei de fazer contato com um anjo. Ele me avisou que o Chico está no avião. Quero ir lá conversar com ele". Chico Buarque de

À ESPERA DA MORTE

Fraco e triste, pressentindo a morte,
Vinicius decide consultar uma mãe-de-santo.
"Claro que você não vai morrer", ela diz. "Você é imortal".
Aliviado, o poeta pede um último cálice de vinho. ▶

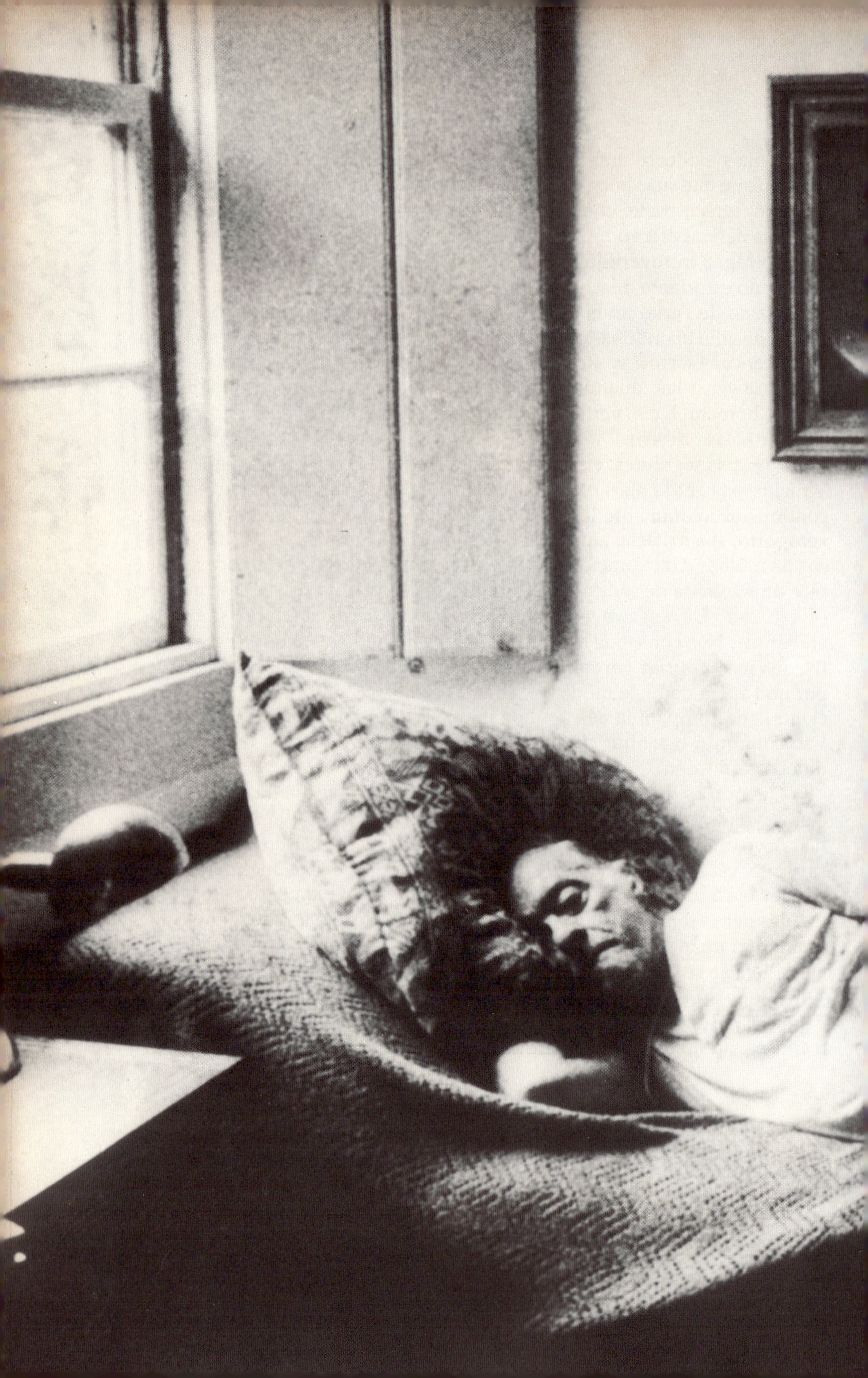

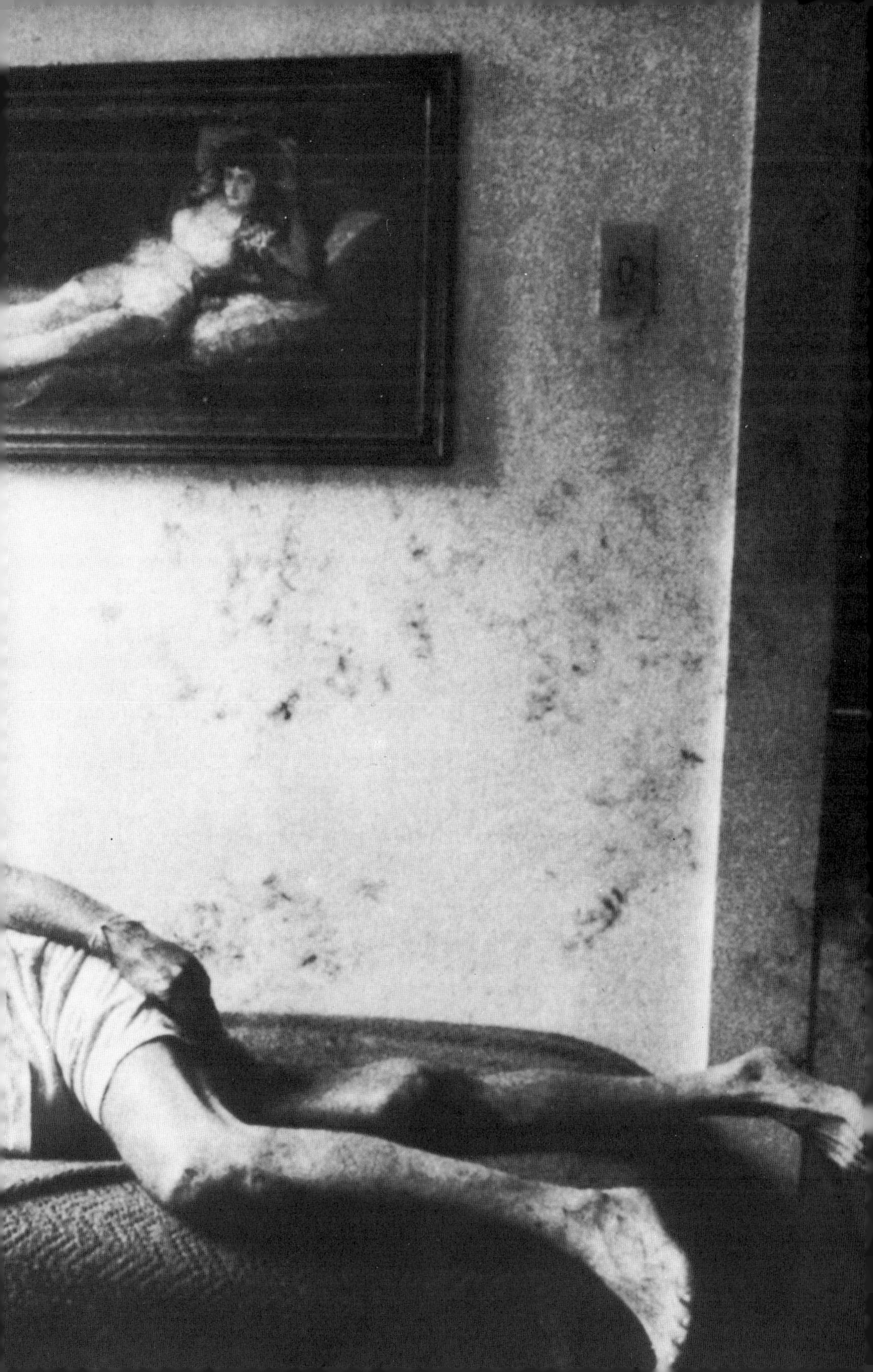

Holanda não está naquele vôo. Mesmo assim, Vinicius começa a gritar, insistindo que precisa levantar e ir falar com ele. Um comissário de bordo ajuda Gilda a contê-lo. Ela se vira, então, para o marido e vê o pior: repentinamente, seu rosto se entorta. A boca está repuxada e os olhos parecem perder a direção. Gilda sente um raio de gelo atravessá-la. Não sabe se poderá suportar aquela viagem até o fim.

Chama o chefe de cabine e pede que convoque um médico entre os passageiros. Um senhor muito solícito logo aparece. Faz os toques de praxe, duas ou três perguntas, e tira da maleta uma caixa de tranqüilizantes. "Isso bastará até o Rio", decreta. Gilda sabe que não bastará e, depois de fazer Vinicius engolir um comprimido, discretamente, engole mais dois. Precisará de forças de que não sabe se dispõe. Durante o jantar, os problemas se repetem. Vinicius insiste em comer sozinho, mas não consegue lidar com os talheres. Suja-se novamente, chega ao máximo da irritação e pede que a bandeja seja retirada de sua frente. Passageiros sentados nas poltronas vizinhas, já atraídos pela presença da única celebridade da noite na primeira classe, agora se desdobram em gentilezas. Gilda se sente um pouco mais protegida. Vinicius se sente ainda mais humilhado. Passa a se agitar ainda mais na poltrona, se contorce como se algum espírito maligno lhe torcesse a alma e passa a falar, com a língua enrolada, frases sem sentido. Parece enfeitiçado. Sai de si. "Vamos sair daqui", pede à mulher. "Não estou gostando nem um pouco desse lugar." Gilda se enche de coragem: "Mas, Vinicius, nós estamos num avião! Agora é impossível descer". O poeta se aquieta por alguns instantes, como se uma leve sombra de realidade novamente o invadisse, incorporada na voz suave de Gilda. É tudo muito rápido. Logo começa a se agitar outra vez.

O colunista social Giba Um, instalado algumas fileiras atrás, está presente naquele vôo para cumprir o triste papel de representante da podridão. Assiste a tudo em silêncio e, dias depois, dá uma nota na coluna social que assina numa revista de fofocas dizendo que Vinicius fez um escândalo no vôo Paris—Rio porque se embebedou a bordo. Passa por cima da verdade para tirar dos fatos os efeitos espetaculares que fazem o glamour de tantos jornalistas cínicos. Felizmente, o mundo não se reduz aos homens de espírito sarcástico e de mente obscena. Na cabine de comando, o comandante, cumprindo em silêncio seu pequeno papel, se mostra muito maior. Avisa ao piloto que será preciso pedir ao Galeão uma cadeira de rodas, porque o avião pousará trazendo um doente grave. Só descansa quando sua solicitação é confirmada pelo rádio.

Vinicius de Moraes chega à sala da alfândega do Galeão já instalado em sua cadeira de rodas. Na confusão da saída, Gilda esquece no bagageiro do avião uma velha bolsa de couro, dessas curtidas pelo sol do Nordeste, em que ele trazia nada menos que os originais definitivos do *Roteiro lírico e sentimental da cidade do Rio de Janeiro,* livro que se dedicava a escrever havia algumas décadas. Esses originais jamais serão resgatados. A irmã Lygia, mesmo avisada do que se passou durante a viagem, treme ao vê-lo chegar ao portão de desembarque. A seu lado estão Zequinha Marques da Costa e a mulher, Regina, que chegaram minutos antes da ponte São Paulo—Rio só para recebê-lo.

É levado direto para a Clínica São Vicente, onde o dr. Clementino Fraga o aguarda. Quando Vinicius entra na clínica, novamente a confusão se instala. Pensa que ainda está na Europa, fala coisas sem qualquer nexo e não reconhece os amigos. "Me tirem daqui", repete. "Quero voltar para o hotel." Alguém o convence de que a clínica "é" o hotel. Ele se acalma um pouco. Uma tomografia computadorizada revela que os diagnósticos trazidos da Europa são mesmo insuficientes. Os exames feitos no Rio apontam uma hidrocefalia de pressão normal — isto é, um aumento das cavidades cerebrais não acompanhado pelo aumento de pressão, mas que traz o risco de uma hipertensão intracraniana. Hipótese agravada pelo fato de Vinicius ser hipertenso. E mal causado, em última instância, pelo agravamento do diabetes. "É uma doença relativamente comum depois dos sessenta anos de idade", o dr. Niemeyer esclarece à mulher, procurando aparentar naturalidade. Mal de causa indefinida, ele provoca a compressão do cérebro e só pode ser enfrentado com a colocação de uma válvula cerebral, sistema que é uma novidade, a essa época, no meio médico brasileiro.

A cirurgia, por enquanto, é desaconselhada. Fica internado por alguns dias na clínica e depois, lentamente, inicia a recuperação. Faz fisioterapia, limita a bebida a duas doses canônicas de vinho branco seco, se poupa. Nem sempre. Uma noite, Gilda marca um jantar com Tom Jobim e sua mulher, Aninha, no restaurante Concorde, em Ipanema. Vinicius, para surpresa da mulher, insiste em chegar bem antes da hora combinada. Tomam uma mesa logo à entrada, ao lado do posto cativo do colunista social Ibrahim Sued. Mal se sentam, Vinicius diz: "Estou preocupado com o Tonzinho. Vou telefonar para saber se aconteceu alguma coisa". O telefone fica no bar e o poeta se demora um pouco. Na volta, explica: "Só dá ocupado". Nem dez minutos depois, repete: "Acho que vou tentar de novo". Gilda, só então, cai em si. Deixa passar um minuto, vai atrás dele e o encontra recostado ao bar, virando uma dose dupla de uísque — como um adolescente glutão sorvendo um milk-shake. "Vinicius, você não é mais criança", começa. A contragosto, volta para a mesa. Gilda o olha, amuado e triste, e tem uma súbita vontade de rir. Vem-lhe à cabeça uma frase que o marido repete toda vez que Mônica, a mulher de Toquinho, que não admite passar um dia sem pisar numa academia de ginástica, lhe sugere que dê umas caminhadas e se exercite um pouco. "Não dá", ele sempre repete. "Não me compare contigo. Você é a Mônica Biônica e eu sou o Vinicius de Todos os Vícios." Como não amolecer o coração diante de um modo tão doce de encarar o próprio desleixo?

Apesar do desânimo, o poeta melhora. Em março de 1980, Vinicius e Toquinho são os primeiros contratados da gravadora Ariola, que se instala no país. Uma grande festa, tendo Bob Marley como atração principal, é promovida no alto do Pão de Açúcar. Vinicius se recusa a ir. "Não ando nesse bondinho", se limita a explicar. Na semana seguinte, uma segunda festa é promovida no Gallery, em São Paulo. O casal vai de trem até a capital paulista e se instala na casa de Toquinho, na rua Peixoto Gomide. No dia da festa, no início da tarde, Ana Jobim passa para pegar Gilda para irem ao cabeleireiro. "Achei o Vinicius meio esquisito", Aninha comenta. "É verdade", Gilda admite. "Espero que sejam efeitos dos remédios." Quando voltam, o poeta está passando mal. Carregam-no às pressas para o Hospital Nove de Julho, onde é diagnosticado um segundo acidente vascular cerebral, semelhante ao sofrido durante o vôo Paris—Rio seis meses antes. O poeta passa alguns dias internado e, depois, é transportado para a Clínica São Vicente, no Rio. Volta a ter momentos de confusão. A atriz Denise Dumond está fazendo uma novela na TV; ele cisma que é sua filha Georgiana que se tornou atriz. Mistura os vivos com os mortos: reclama que Cyro Monteiro e Antonio Maria não o têm visitado.

A cirurgia para a instalação de uma válvula na cabeça é marcada. No dia 17 de abril de 1980, Vinicius de Moraes é operado, na Casa de Saúde São José, pelo neurocirurgião Paulo Niemeyer. O médico diz a Gilda que a operação, embora delicada, não oferece grandes riscos. Vinicius, horas antes de ir para a mesa de cirurgia, reclama com a mulher: "A vida assim é muito chata". Gilda sente, com toda a clareza, que ele carrega consigo, agora, a certeza — ou será o desejo? — de que vai morrer. Ela própria se inquieta. A cirurgia dura pouco mais de uma hora. Gilda passa essa hora, que lhe parece durar todo um dia, abraçada a Lygia numa sacada da clínica. Fuma sem parar e não consegue esconder seu desespero. A cirurgia, reconhecidas as condições precárias do paciente, é um sucesso.

A válvula ventrículo-peritoneal instalada por Paulo Niemeyer sai da cabeça e desce, sob a pele, até o peritônio — a membrana que recobre interiormente o abdômen. A hidrocefalia é a dificuldade de absorção do liquor, o líquido cefalorraquiano. A válvula drena o liquor até o peritônio, que o absorve, terminando com o problema. Basta, para isso, que o próprio Vinicius, algumas vezes por dia, a bombeie fazendo leves pressões com o polegar na parte posterior da cabeça.

Nos dias seguintes à cirurgia, Vinicius continua fora de si. Vira-se para Gilda e diz: "Tati, você sabe onde estão aqueles papéis do Itamaraty?". Gilda Mattoso é uma mulher sábia, que consegue manejar os próprios sentimentos. Mesmo constrangida, e talvez ferida, diz: "Não sou a Tati, sou a Gilda. E não trouxemos papel algum do Itamaraty para a clínica". Aos poucos, amparado pelo zelo da mulher, o poeta retoma o acesso ao mundo real. Menos de uma semana depois, já recomposto mentalmente, Vinicius volta para casa. Duas enfermeiras se revezam, noite e dia, ao lado de Gilda. Logo o poeta começa a dar pequenas caminhadas e a receber visitas. Três semanas depois, recomeça a trabalhar com Toquinho nas músicas para o elepê *Arca de Noé* — uma adaptação brasileira do disco lançado, tempos antes, com grande sucesso, na Itália.

Preocupada com a recuperação do irmão, a diligente Lygia decide procurar o psicanalista Antonio Younis, um paulistano seguidor das doutrinas de Heinz Kohut — famoso especialista no estudo das formas atípicas de doença mental — radicado no Rio de Janeiro. O dr. Younis conheceu Vinicius no início dos anos 70 por intermédio de Lila Boscoli e de seu segundo marido, Paulo Bertase. Nunca teve com ele uma relação profissional. Agora, Lygia decide que é hora de requisitar seus serviços. Pressente que, deprimido pelos efeitos da doença e pela agressão inevitável provocada pela cirurgia, o poeta precisa da assistência de um especialista que o ouça e o ajude a pensar. Vinicius começa, então, sem impor qualquer resistência, a se psicanalisar com Younis. O analista, contrariando a norma que determina que é o paciente quem deve visitar o médico em seu consultório, decide atendê-lo em casa, a princípio cinco vezes por semana.

Younis adverte Lygia de que seu irmão não necessita, naquele momento da vida, de uma psicanálise nos moldes clássicos, pois não apresenta sintomas neuróticos que a justifiquem, mas de uma assistência na linha da "análise existencial", ou seja, uma análise que não parte de sintomas definidos e que se oferece ao analisando mais como um processo de autoconhecimento do que como uma busca de cura. Em outras palavras, que não ousa expressar: se oferece para prepará-lo não para a vida, mas para a morte. Até começar a atender o poeta, o dr. Younis não se incluía no rol dos admiradores incondicionais de Vinicius de Moraes. Younis o vê, ao contrário, com muitas ressalvas. A imagem do boêmio, em particular, não o agrada. Poucas semanas depois do início do tratamento, o psicanalista altera seu ponto de vista. Vinicius viverá com ele, até poucos dias antes de morrer, em julho de 1980, um amplo processo de balanço de vida, que é impulsionado pela doença física que o lançou na ante-sala da morte.

O interesse de Antonio Younis pelas teorias de Heinz Kohut, psicanalista de Cleveland, Estados Unidos, que faleceu nos anos 80 de leucemia, é uma peça-chave nessa última viagem interior de Vinicius de Moraes. Grosso modo, a teoria kohutiana pode ser resumida assim: o narcisismo não é, ao contrário do que pensa o senso comum, uma doença — associada à vaidade, ao egoísmo e ao amor excessivo a si mesmo — que deve ser extirpada pelo psicanalista como um furúnculo ou um tumor. O narcisista não é, portanto — como diz o clichê do psicanalês —, aquele sujeito autocentrado que passa a vida mirando, fascinado, sua imagem no espelho. Ao contrário, o sintoma narcísico é peça essencial no detonar dos processos criativos. Só é capaz de viver um verdadeiro amor quem, com ele, satisfaz simultaneamente suas necessidades narcísicas. Kohut afirma a importância do sentimento de transitoriedade. O homem que sabe que vai morrer tende a valorizar muito mais cada detalhe de sua vida. A doença, no caso de Vinicius de Moraes, lhe serve como uma alavanca para um salto ainda mais radical rumo a si mesmo. O poeta, agora, defronta com o vazio — e, diante dele, a mais desprezível migalha de vida toma a forma de uma revelação. É o vazio, e não mais a vida, que se ergue diante de Vinicius. Ele sabe disso. Younis apenas o ajuda a suportar essa verdade. E, apesar de tudo, a ser capaz de poetizá-la.

Apesar da dedicação e do esforço para superar os próprios preconceitos, o dr. Younis não dará conta da alma do poeta. Não será uma exceção com seu fracasso, mas a regra. Envelhecido precocemente, abatido por uma vida de experiências radicais, doente, completamente triste, Vinicius passa a ser visto como um homem que se autodestruiu. Isso não deixa de ser verdade, mas estamos aqui apenas na metade do caminho. Há um reverso, uma perspectiva oposta que não pode ser perdida de vista: se Vinicius paga, agora, o preço de seus excessos e de seu desregramento, é porque optou sempre por se exceder e por se desregrar. O poeta jamais aceitou que a vida possa ter um *script* pronto, a ser recitado na ponta da língua. Ao contrário: apostou sempre na própria capacidade de se superar, de se surpreender consigo mesmo, de driblar os próprios medos e preconceitos — de se ultrapassar.

Viver intensamente tem seu preço e Vinicius agora o paga. É no mínimo perigoso, porém, encarar esse momento (como fazem muitos amigos mais contidos e escrupulosos) como a "decadência" do poeta. Vinicius, provavelmente, nunca se elevou tanto. É um homem para quem a vida deve ser usada, sorvida — com requinte e avidez — até a última gota: para quem a vida existe para queimar. Cumpriu essa crença à risca. Se agora parece esgotado, se agora paga o preço de sua determinação em não deixar a vida escapar, deve ser visto não como um homem decadente, falido, mas como um homem coerente e saciado. A morte — a "última musa" que ele persegue desde a juventude — se aproxima. Nem o medo da morte, porém, o leva a qualquer sentimento parecido com o remorso, a culpa ou o arrependimento. A proximidade da morte é, simplesmente, o sinal de que um destino se cumpriu. O poeta está em paz consigo mesmo. O dr. Younis, com sua formação profissional requintada e suas boas intenções, de fato, tem muito pouco a fazer. O generoso Vinicius, provavelmente, se apieda dele.

4

Vinicius se vira para Gilda e diz: "Quero agradecer a esses médicos que me curaram". A mulher não tem a mesma segurança, mas vê que, para o poeta, o pior já passou. No domingo, 6 de julho de 1980, ele convida seus médicos para um cozido em sua casa na Gávea. A cozinha é entregue a d. Geralda, uma velha banqueteira, insuperável em seus requintes à brasileira, descoberta por Baden Powell. O almoço é cercado de toda a pompa. Lá estão o chefe da equipe médica, Clementino Fraga Filho, o neurocirurgião Paulo Niemeyer, o neurologista Sérgio Novis e o psicanalista Antonio Younis, todos acompanhados das mulheres. Além de Toquinho com Mônica, Laetitia com o embaixador Arnaldo, acompanhado da mulher Ana Maria, a irmã Lygia, e, naturalmente, Gilda Mattoso. Os protagonistas dos últimos dias do poeta se encontram para celebrar a última alegria.

Vinicius está sereno e bem-disposto. Conversa com desenvoltura, canta acompanhando Toquinho ao violão e, no fim da tarde — como se comunicasse sua morte eminente, por ele mesmo desconhecida, por meio de um ritual inconsciente de despedida —, dá a cada um dos convidados um exemplar do elepê *Um pouco de ilusão*, que ele e seu último parceiro acabam de lançar. É o primeiro disco da Ariola no Brasil e traz um Vinicius já com a voz trêmula, um tanto fraca. Cada disco vem com uma dedicatória especial, em que o poeta faz uma última doação das muitas camadas de sua alma. A de Antonio Younis, evocando o homem que tomou a Bahia como exílio e o candomblé como tábua de salvação, diz, por exemplo: "Antonio, a bênção, saravá, hepa-rei, com muito amor, Vinicius". O dr. Younis, um homem metódico e citadino, pouco dado a manifestações místicas, a guardará para sempre como uma lição de respeito ao desconhecido. Com Vinicius ele aprende, em definitivo, que um psicanalista não tem o direito de se apegar a seu gosto pessoal e às suas antipatias na hora de se defrontar com a verdade.

A reunião vai até o fim da tarde. À saída, Sérgio Novis puxa Younis a um canto e sussurra: "Estou impressionado com a tranqüilidade do Vinicius. Será que ele está pressentindo a morte?". O dr. Younis, analista experiente que não se deixa impressionar pelos brilhos de superfície, responde:

''Não sei se ele sabe que vai morrer. Mas está certo de que tem seus dias contados''. Younis, anos mais tarde, terá o privilégio de assistir, em Boston, Estados Unidos, à última palestra dada, dias antes de sua morte, pelo psicanalista Heinz Kohut. O analista brasileiro deparará com um Kohut em estado terminal, mas sereno, dono de si, apaziguado como se todos os conflitos da vida tivessem, por fim, se fechado. Por instantes, verá um pouco de Vinicius em Kohut — e se surpreenderá com isso. Deixará Boston com uma pergunta na cabeça, que já é em si uma resposta: o que é a morte, senão essa serenidade definitiva?

Depois que os convidados se retiram, Vinicius parece se recolher em si mesmo. Gilda o olha à distância e recorda a noite que passaram juntos, três dias antes, quando um entusiasmado Tom Jobim levou o poeta para conhecer a Churrascaria Plataforma, inaugurada quatro meses antes, que ele acabara de descobrir. ''Ah, você vai adorar. Nunca vi churrascaria melhor'', vende. Paulo Mendes Campos, Tarso de Castro, Ronaldo Boscoli são alguns dos amigos já seduzidos pelo marketing de Tom. O proprietário, Alberico Campana, empresário esperto, logo se aproveita dessa paixão para transformar o restaurante num templo — esfumaçado — de artistas e intelectuais. Exulta quando Tom avisa que, nessa quinta, Vinicius virá. Os dois se conhecem desde os tempos do Beco das Garrafas. Sente, é verdade, um longínquo frio na espinha. No Beco das Garrafas, recorda, Vinicius tinha o hábito de interromper os shows quando não gostava das crooners. ''Que merda de show!'', gritou certa vez, irritando Sérgio Mendes, que não se controlou e respondeu: ''Senta aí e sossega, Vinicius!''. Miele e Boscoli, os produtores dos shows, sempre se preocupavam quando o poeta era visto na platéia, desenvolto entre convidados sempre ilustres como Elis Regina, Leny Andrade, Maysa, Darlene Glória e Chico Batera.

Vinicius vai almoçar com Tom Jobim na churrascaria na sua última quinta-feira de vida, acompanhado por Gilda, mas odeia o lugar. ''Não são ridículas essas árvores pintadas na parede, Tonzinho? Como você pode gostar disso?'', se choca. Reclama do barulho, do movimento excessivo e acaba batizando a Plataforma, para decepção de Tom, de ''o Maracanã das carnes''. Mesmo assim, voltaria ao restaurante duas noites antes de morrer. Senta-se na primeira mesa à direita — que depois se torna lugar cativo de Tom Jobim —, tomada por um grupo de amigos em que o mais falante é o jornalista Tarso de Castro. O poeta está introvertido. Quase não toca na picanha, que belisca, mas parece ter dificuldade de engolir. Bebe uma dose de uísque e sai mais cedo, dizendo-se bem-disposto, mas com sono.

Dias antes, recebe a última visita da filha Maria, que está com dez anos de idade. Quando volta para a casa da mãe, a pequena Maria procura Cristina Gurjão e lhe diz, intrigada: ''Sabe, mamãe, papai Vinicius, hoje, teve uma conversa esquisita comigo''. Cristina se intriga: ''Por que esquisita, minha filha?''. A menina parece realmente perturbada: ''Porque ele chorou''.

A mãe a incentiva a falar mais: ''E você, não chorou?''. ''Não'', ela responde, ''porque senti vergonha.'' Cristina, a essa altura, está inquieta. ''Vergonha de quê, minha filha?'' Maria, então, relata calmamente: ''Ele me disse que você é uma holandesa muito braba. Mas que você é braba assim porque gosta muito de mim. E depois chorou''. Esse foi, sem dúvida, o modo delicado que o poeta encontrou para anunciar sua morte à filha.

O produtor paulista Fernando Faro vem ao Rio passar dois ou três dias com ele. Vai dormir. No meio da noite, desce até a cozinha para pegar um copo de água. Depara com Vinicius, inteiramente nu, rondando pela sala. ''O que houve, Vinicius?'', se preocupa. O poeta lhe passa um calhamaço de originais. Na primeira página, em letras grandes, está escrito: *O deve e o haver*. Faro pensa: ''Então ele escreveu mesmo esse livro...''. Vinicius nem o deixa pensar mais. Diz, ou melhor, ordena: ''Agora sente aqui e leia''. Fernando Faro obedece. Quando termina, Vinicius está recostado, quase dormindo, no sofá. ''E então?'', o poeta pergunta, com a ansiedade de um rapaz que mostra a alguém seu primeiro livro. ''É quase você nos dizendo adeus'', o amigo confessa. Esses originais nunca mais serão vistos por ninguém.

Faro, para animá-lo, diz: ''Você melhorou bastante. Hoje me mostra poemas. Há um tempo atrás, na clínica, você se lembra o que fez?''. Vinicius sabe do que o amigo está falando. Depois de ser operado para a colocação da válvula na cabeça, Faro e Chico Buarque foram visitá-lo. Vinicius reconhece Chico. Não cumprimenta, porém, Fernando Faro. Gilda diz: ''Vinicius, olha o Faro aqui também!''. O poeta é direto: ''Seu filho da puta! Pensei que você não ia ter coragem de me visitar''. Desandam a rir e a dizer bobagens. Quando as enfermeiras entram no quarto, Vinicius começa a falar em francês. Diz coisas sem sentido, mas divertidas. Todos riem — inclusive as enfermeiras, mesmo sem compreender uma só palavra. Chico e Faro se despedem. No corredor, Faro encara Chico Buarque e diz: ''Acho que perdemos o Vinicius...''.

O poeta decide ir ao teatro da Galeria, no Flamengo, onde Toquinho, Francis Hime e Maria Creusa fazem um espetáculo, quase todo em seu louvor. Gilda o leva. Vinicius não quer ser visto tão envelhecido. Esperam que as luzes se apaguem para entrar na platéia. Sentam-se na última fila. Quando o show termina, depois que todos saem, Vinicius vai ao camarim da cantora. É recebido, primeiro, pela menina Luana. ''Como sua filha cresceu!'', se espanta. ''Será que ainda vou ver ela grande?'' Maria Creusa não sabe o que responder. ''Claro que você vai ver!'', diz, ligando o automático. E, olhando para Gilda, completa: ''Talvez algum poeta a rapte e a gente tenha que ir resgatar''. Vinicius e Maria Creusa se olham. Não têm mais nada a dizer um para o outro. Despedem-se para sempre.

A jornalista Thereza Cesário Alvim — tia de Chico Buarque e grande amiga de Gilda — vai visitá-lo. Nota uma sacola cheia de mangas na cozinha. Estranha. "Para que tanta manga nessa casa?", pergunta. "Coisas do Vinicius", Gilda se apressa em responder. O poeta abre o jogo: desde pequeno, ouvia o dito popular que diz que a mistura de manga com álcool resulta em morte. Sempre gostou de mangas, mas sempre preferiu o álcool. Agora, proibido pelos médicos de beber, aproveita para se fartar da fruta que o gosto pela bebida sempre lhe roubou. O poeta oferece um uísque a Thereza; ela, constrangida, diz que prefere um refrigerante. Ele quase se ofende: "Vou me sentir humilhado se você deixar de beber por minha causa", protesta. Thereza o agrada tomando uma boa dose.

Um dia depois, a amiga Marilda Pedroso telefona e em tom firme propõe: "Vamos almoçar no restaurante da Tia Palmira, em Barra de Guaratiba?". Já sem forças, Vinicius mesmo assim se anima: "Ah, vamos sim. Pode me pegar". Marilda aproveita e convida a mãe-de-santo Marcilene, que é sua amiga e dona do terreiro São Cipriano, em Campo Grande. Todos ocupam a mesma mesa. Quando Vinicius descobre que Marcilene é mãe-de-santo, fica encantado. Seu humor se altera e passa a rasgar elogios à restinga de Marambaia, que pode ser avistada da janela. Pedem pequenos pastéis de camarão como entrada e almoçam bobó de camarão, peixe cozido e lula. Vinicius se agasalha com um quepe de couro, camisa clara e um colete xadrez. Faz frio. Ele sente falta de um drinque, mas segue rigorosamente as ordens médicas e fica na água mineral.

No meio da conversa, o poeta pergunta à mãe-de-santo: "Mães-de-santo dizem sempre a verdade, não é?". Marcilene faz que sim com a cabeça. "Me diga a verdade, então: eu vou morrer?" Marilda se arrepia. Menos de um mês antes desse encontro, ela fora procurar a mãe-de-santo para saber as chances de seu pai, Manoel Moreira, que sofria de câncer. Aproveitou e perguntou também pela saúde de Vinicius. Recebeu uma resposta taxativa: "Seu pai está bem e ainda vai viver muitos anos. Mas, quanto a Vinicius, não tenho boas notícias. Acho que ele não sobrevive".

A mãe-de-santo, porém, traz a resposta na ponta da língua. "Claro que você não vai morrer, Vinicius. Você é imortal." Aliviado, o poeta se volta para Sérgio Machado, atual marido de Marilda, que é médico: "Serginho, a única coisa que falta para esta tarde ficar maravilhosa é eu poder tomar um copo de vinho", diz, simulando um comentário casual. Sérgio o surpreende: "Então tome, Vinicius. Um copo de vinho branco você pode tomar". Vinicius, que tem plena confiança no amigo, exulta. Após saborear o primeiro copo, tenta de novo: "Serginho, e o segundo?". Dessa vez, não tem sucesso. "O segundo não, Vinicius. Aí já é demais." O poeta se resigna: "Está bom demais, Serginho. Está bom demais".

Na terça-feira, 8 de julho, ele recebe a visita da produtora Eva Strauss, da Ariola, que acerta alguns detalhes para o lançamento do *Arca de Noé*. Passa o dia em casa sozinho com Gilda. Toquinho está em São Paulo, só volta na última ponte aérea. O poeta e a mulher jantam juntos, sozinhos, na mesa da copa. Vão se deitar cedo. De madrugada, Gilda acorda com um barulho vindo da cozinha. Vinicius não está a seu lado e ela, preocupada, resolve descer. Depara então com Toquinho, atrapalhado com uma escumadeira, fazendo ovos fritos, enquanto o poeta requenta o macarrão com frango desfiado da janta. "Vinicius, você vai comer de novo?", não se contém. Ele não responde. Vendo que Toquinho continua concentrado na frigideira, insiste: "Os médicos não disseram que você não pode engordar?". Vinicius, muito lentamente, se vira para ela. Parece humilhado com a atenção da mulher. Pede: "Me deixa, vai! Deixa eu fazer o que eu quero". Gilda não suporta sua tristeza e volta para o quarto. Pega no sono.

Um tempo depois, ele a acorda. Nunca fazia isso. Vinicius sempre sofreu de insônia. Numa época em que Gilda se matriculou numa academia de ginástica pela manhã, sempre desligava o despertador antes da hora, para vê-la continuar a dormir. Gilda sempre reclamava: "Então, pelo menos, você me acorda". Era obrigada a ouvir: "Não tenho coragem de acordar alguém que consegue dormir". Pela primeira vez, nessa madrugada ele a acorda. Ela se espanta. "Por favor, não briga comigo", ele pede. "Só estou tentando fazer o que quero. E é tão pouco o que posso tentar fazer..." Gilda o abraça. Esforça-se para dizer: "Está bom, Vinicius. É que fico tão preocupada com você!". O poeta insiste: "Eu sei disso. Mas, por favor, me deixa fazer o que eu gosto de fazer. Outros podem me impedir. Você, não". Ela o beija longamente e se deita. Vinicius volta para a cozinha mais tranqüilo.

Passa o resto da madrugada fazendo, com Toquinho, os últimos acertos em canções da *Arca*. Até que Vinicius decide: "Vou para a banheira. Vou tomar um longo banho". Toquinho, exausto, concorda: "Está certo, vou dormir". Trancado no quarto de hóspedes, o compositor pega o telefone para falar com a mulher Mônica, que ficou em São Paulo. Resmungam besteiras, carinhos de amor, quando Vinicius bate à porta. "Quem está aí com você?" E, antes de esperar a resposta do parceiro, emenda: "Você tem alguma coisa a me dizer?". É a derradeira cena de ciúme, sentimento traiçoeiro, disparado pelos detalhes mais insignificantes, que o poeta jamais se esforçou em controlar. Insiste, no tom ansioso de quem se julga no direito de uma explicação: "Você quer me dizer alguma coisa?". Toquinho dá uma resposta seca: "Não, Vinicius. Estou apenas conversando com minha mulher". Do outro lado da porta, o poeta — ainda enciumado — articula sua última mentira: "Ah, bom!". E se arrasta até a banheira que lhe servirá, logo depois, como leito de morte.

5

Pouco antes das sete horas da manhã, d. Rosinha, a empregada de Vinicius, bate no quarto de Toquinho. Tropeça nas palavras, mal consegue falar. Acaba de encontrar o poeta estirado em sua banheira, o corpo gélido e a respiração acelerada, completamente fora de si. "É melhor o senhor andar depressa!", grita. Enquanto Toquinho corre para o banheiro, a empregada bate no quarto do casal. "D. Gilda, é melhor a senhora levantar!", diz, tentando exibir um resto de serenidade que já não tem. Gilda desperta de um sono profundo como se saísse de um pesadelo para entrar em outro. Senta-se na cama e fica, por instantes, paralisada. Levanta-se. Quando chega ao banheiro, depara com Toquinho de joelhos, trêmulo, o corpo debruçado sobre a banheira como que atravessado por um furacão. O rapaz tenta reanimar Vinicius aplicando tapas seguidos em seu rosto. A respiração do poeta, a essa altura, está aceleradíssima. Nada mais se ouve além dela — e as bofetadas aplicadas por Toquinho, que estalam como vagidos. Gilda não suporta o que vê e se apega ao objetivo.

Corre para o telefone. Tenta encontrar o dr. Clementino Fraga, vizinho de rua, mas ele já saiu para suas aulas no campus da UFRJ, no Fundão. Nada mais lhe vem à cabeça. Agindo no automático, Gilda pega a lista telefônica e disca o número do Prontocor. Pede uma ambulância. "É urgente!", repete várias vezes, como se seu interlocutor fosse surdo. Volta ao banheiro. Nada mudou. Toquinho, agora, procura erguer um pouco mais a cabeça do amigo, enquanto d. Rosinha esvazia a banheira e o cobre com toalhas secas. Gilda, novamente, não suporta o que vê. Lembra-se de uma vizinha que é médica, mas não recorda o número da casa. Bate, então, na porta ao lado, onde vivem as irmãs árabes Ivone e Salua. Fala pedaços de frases sem sentido. As duas senhoras entendem que aquilo é um pedido de socorro. Quando elas voltam com a médica, Gilda já está ajoelhada diante da banheira, ao lado de Toquinho, assistindo-o no mesmo ritual absurdo: aplicam tapinhas no rosto de Vinicius e lhe jogam água fria. O poeta não reage.

A médica entra no banheiro. Gilda é tomada por um intenso pavor e se levanta. Vai em direção ao telefone, mas na verdade não há qualquer telefonema, naquele momento, a dar. Foge, trêmula, para fora da casa. Os pensamentos, ao invés de ajudar, a envolvem como serpentes venenosas. Procura se livrar deles e apenas sentir — mas é disso que tem mais medo. Instantes depois, Toquinho, com a face branca, a alcança: ''A médica diz que ele acabou de morrer'', balbucia. Não conseguem se olhar. Toquinho treme e ela sente um peso insuportável na cabeça, como se uma pedra a massacrasse. Os dois se abraçam e choram. Toquinho ainda tenta: ''Eu fiquei vigiando seu pulso até o final. Senti sua vida terminar''. Silenciam. As lágrimas escorrem numa velocidade incomum. Tremem ainda mais do que choram.

A ambulância chega, com seu barulho inútil. A essa altura, o carro branco e escandaloso, com aqueles homens empertigados como soldados, é um monstro pré-histórico diante da crueza dos fatos. A partir dali, a medicina faz seu teatro. Gilda sabe que, para continuar de pé, precisa se apegar a algo. Avisar os filhos: é claro, essa a primeira medida a ser tomada. Pensa, de imediato, em Susana, que está em São Paulo, trabalhando como assistente de Joaquim Pedro de Andrade nas filmagens de *O homem do pau-brasil*. Para chegar até ela, é preciso passar por Tati. Será talvez demais, mas vai fazer. Pega a agenda de Vinicius, chega à letra *t* e reúne toda a magra coragem de que ainda dispõe. ''Tati, aqui é Gilda. Tenho uma notícia horrível'', diz entre soluços. ''O que aconteceu com o Vinicius?'', Tati a corta. ''Tati, estou arrasada. Ele acaba de morrer.'' Um silêncio ensurdecedor se instala. Gilda pensa que não conseguirá ir adiante. Por fim, pede: ''Você avisa a Susana?''. A elegante Tati, envolta no latejar das próprias palavras, só pode dizer: ''Muito obrigada''.

Alguém deve avisar as irmãs. Mas por qual das duas começar? Lygia — que sempre seguiu Vinicius como seu anjo da guarda — deveria ser a primeira, mas Laetitia, além de ter o marido ao lado, sempre pareceu mais resistente aos baques do destino. Toquinho se lembra de Helius. Melhor começar por ele. Vai ao telefone e o avisa. Helius chega, logo depois, à Frederico Eyer. Passa alguns momentos encarando Vinicius, a face tesa, como se precisasse contrair os músculos para o rosto não despencar sobre o cadáver do irmão. Procura conter as lágrimas. Está decidido: ele dará a notícia às irmãs. Desce até a rua das Acácias. Bate primeiro na casa de Laetitia. ''Você aqui a essa hora?'', ela se espanta. Helius engole em seco e não espera mais nada: ''Laetitia, nosso irmão acaba de morrer''. Laetitia deixa cair a elegância austera com que sempre enfrentou, com altivez, o mundo e começa a gritar. Seus gritos rebatem nas paredes, que parecem insuficientes para acolher e reverberar tanta dor. Emite sons sem qualquer sentido, sem palavras — puro desespero. O marido e o irmão a abraçam, formando um cordão de afeto para comprimir seu desamparo. É sempre assim: para conter uma dor, nada mais eficaz do que lhe contrapor outra pior. Helius, atento a isso, encara a irmã e se apressa a dizer: ''Agora temos o mais difícil: avisar a Lygia''. E acentua cada sílaba: ''E você vai conosco''. Laetitia começa a se recompor.

Atravessam a rua, até a casa de Lygia. A empregada, d. Maria, atende a porta. É avisada. Ampara-se na parede e comunica: ''D. Lygia ainda está deitada''. Laetitia, já senhora de si, pede: ''Então você vai lá em cima acordá-la com toda a paciência e dizer, apenas, que desça porque estamos aqui''. D. Maria, que é empregada da família há muitos anos, nunca se deu ao trabalho de levar café na cama para a patroa. Chegou, infelizmente, o dia. Prepara uma boa bandeja com um bule de café preto, uma taça de leite e algumas torradas. Sobe. Entra no quarto. Coloca a bandeja a um canto e vai, com toda a delicadeza que suas grossas mãos lhe permitem, abrir as cortinas. Lygia acorda. ''O que você está fazendo aqui?'', pergunta. ''Por que essa luz toda em cima de mim?'' A empregada atua com a neutralidade de uma governanta de hotel: ''Vim trazer seu café da manhã''. Ainda sonolenta, mas já inquieta, Lygia aceita a bandeja e dá dois ou três goles no café. Não consegue dizer uma só palavra. D. Maria, por fim, toma coragem: ''Seu Helius está aí embaixo e pede que a senhora desça''. Lygia sente um baque. Ainda controla, como se engolisse cada palavra em seco, o tom de voz: ''Aconteceu alguma coisa com Laetitia?''. A empregada prossegue no mesmo ritmo, atriz severa a recitar em pleno setting sua fala de suspense: ''Não. D. Laetitia também está aí''. E, diante da mudez da patroa, completa: ''Os dois a esperam''.

A cabeça de Lygia entra em curto. Ela sabe que o pensamento seguinte a remete, obrigatoriamente, a Vinicius, mas não consegue articulá-lo. Já suando frio, veste um penhoar, arruma os cabelos com as mãos e desce correndo. Encontra os dois irmãos de pé, como dois estranhos aguardando uma gentileza devida que ainda não lhes foi prestada, no centro da sala. ''O que aconteceu?'', a voz já sai meio dissonante. Helius toma a palavra: ''É Vinicius''. Não precisa concluir. Lygia cai desmaiada sobre uma poltrona.

Quando volta a si, é tomada por um violento tremor, como se a morte do irmão a tivesse conectado a uma estranha descarga elétrica. Não consegue chorar, as lágrimas que deveriam emergir têm seu lugar tomado por bruscas sacudidelas, como num choque. Apenas treme. D. Maria traz um chá, mas ela mal pode segurar a xícara. Os três irmãos se abraçam. O afetuoso Vinicius bem que gostaria de estar ali, espremido, entre eles. Talvez esteja.

Logo que Helius sai de casa para dar a notícia às irmãs, o médico do Prontocor, com seu bom senso burocrático, se dirige a Gilda. ''Morreu há uns três minutos. Nada mais podemos fazer.'' Gilda não pode, ainda, olhar o marido morto. Chora um pouco, agarrada a uma vizinha, e volta ao telefone. Lembra-se então de que, antes de dormir, Vinicius falara alguma coisa a respeito de Fagner. Disca. ''Olha, Fagner, o Vinicius acabou de morrer'', começa, buscando qualquer coisa parecida com o que chamamos habitualmente de ''naturalidade''. Prossegue: ''Ontem à noite, ele estava falando em você''. Raimundo Fagner fizera sua última visita ao poeta uns dez dias antes. Saíra da Frederico Eyer transtornado com a aparência frágil, os ossos exibidos sob a cabeça ainda raspada, a face instável — atravessada por rachaduras de pura fadiga — do amigo. No dia seguinte, ao recordar a visita, admite: ''Eu custei a acreditar que era ele mesmo''. Talvez, assim, tenha sido mais fácil; ficou com a sensação incoerente, mas serena, de que a morte atingiu um outro Vinicius — e não aquele que se acostumou a amar.

O telefone toca seguidamente. Repórteres, parentes, amigos querem confirmar a notícia já dada nos noticiários radiofônicos da manhã. O telefone toca novamente. Gilda mais uma vez atende. ''Toquinho está?'', diz uma voz inconfundível, com seu sotaque arrastado e seu timbre forte. ''Não. Quem quer falar?'', Gilda espera que ela se identifique. ''É Gilda?'', a voz insiste. ''Sou eu, sim. Você já soube, Gesse?'' Durante o café da manhã em sua casa, em Salvador, Gesse Gessy ouve a notícia pelo rádio. Não conseguiria fazer mais nada se não a confirmasse. Chega o momento. Longos segundos se arrastam em branco. Nada mais há a dizer. Gesse, uma mulher sempre dona das situações, resolve encerrar aquela conversa desconfortável com uma frase difícil: ''Quero te dizer que, embora não pareça, eu sinto muito''. Desliga, sem esperar qualquer resposta. Quando volta, Toquinho telefona para Salvador. ''Quando nos casamos, ele me pediu para não ser enterrado. Queria ser cremado'', Gesse expõe, tentando dar a sua fala a frieza de um relatório. ''Eu jurei para ele que cumpriria seu pedido.'' Toquinho não lhe promete nada. Despedem-se.

Em outro ponto de Salvador, pouco depois, Mãe Menininha do Gantois recebe uma ligação de uma velha amiga. ''A senhora tem tido notícias de Vinicius?'', a amiga pergunta, encenando um ar casual. A ialorixá se retrai: ''Há um mês que não falo com ele. Mas, engraçado, essa noite sonhei que ele tinha morrido''. Quando acordou do pesadelo, Mãe Menininha resmungou consigo mesma: ''Mas que sonho mais ordinário!''. Voltou a dormir. A amiga, testando a força da velha mãe-de-santo, fala de outros assuntos, antes de retornar ao que, de fato, lhe interessa. Por fim, sem mais rodeios, diz: ''Menininha, acabei de saber que Vinicius nos deixou''. A mãe-de-santo silencia. Depois, sem mostrar desespero, mas espanto, diz: ''Deus lhe pague, viu? Deus lhe pague por ter me dado essa prova!''. Consegue, mais uma vez, transformar a desgraça em fé. Faz mais uma exibição, para aqueles que a puderem entender, de sua mestria.

Pedrinho de Moraes chega à casa do pai. Está completamente destruído. Fora de si. Gilda tenta falar com ele, mas qualquer comunicação é impossível. As palavras fracassam. A morte tem esse poder: transforma o sentido em um invólucro oco. Restam os atos. D. Ivone e d. Salua, sabendo disso, se oferecem para vestir Vinicius. D. Rosinha, a empregada, as ajuda. Gilda não tem coragem de assistir. Só consegue se aproximar da velha empregada e dizer: ''Não se esqueça do cordão''. D. Rosinha vai à gaveta do armário e retira o cordão de Oxalá que o poeta ganhou, um dia, de Mãe

Menininha do Gantois. ''Quando devo usá-lo?'', ele perguntou à mãe-de-santo. ''Sempre que achar que é preciso.'' Fez um silêncio e acrescentou: ''Um dia, você o usará para sempre. Mas ainda falta muito. Só quando você estiver morto''. A instrução, agora, se cumpre.

Tom Jobim recebe a notícia em casa. Cai de cama. Ana tenta consolá-lo, mas ele parece tomado por uma espécie de paralisia. Não tem forças sequer para se levantar. Chico Buarque ouve a notícia, acidentalmente, no rádio do automóvel. Vai direto ao cemitério, mas não consegue articular uma única frase. Sua cabeça fervilha. A notícia se espalha com rapidez. Parece não fazer sentido. Os amigos divagam. Vinicius de Moraes — morto durante o banho. Era o que ele desejava? A banheira, aquele barco de águas gélidas, como último leito. Nos tempos obscuros do catolicismo, santo Agostinho — um liberal — defendia, para horror dos que viam no ato de banhar-se uma forma de libertinagem, o direito a um banho quente uma vez por mês. O que pensaria de Vinicius, seis, oito horas por dia recostado em sua banheira espumante? A morte na banheira: como não lembrar de Marat, assassinado na sua? Só que, no caso de Vinicius, não existe assassino algum. Ou existe — e é ele mesmo.

Toquinho decide, também, cuidar de coisas práticas. Toma para si a administração do atestado de óbito. Vasculha o quarto em busca da carteira de identidade. Gilda, agora chorando sem parar, já não pode nem mesmo ouvi-lo, quanto mais ajudá-lo. Acha. Pega o carro, sobe até a Clínica São Vicente e traz de volta um médico da equipe de Clementino Fraga. O atestado é assinado. Quando leva o médico até a porta, depara com um imenso caminhão da TV Globo estacionado em frente da casa. Sente medo — como se a morte só se consumasse, de fato, quando se transmuta em notícia. Passa a chave na porta. Só depois que o corpo de Vinicius é levado para o cemitério, e os carros de reportagem evaporam como fantasmas que retornam ao além, Toquinho se prepara para sair. Faz tudo com a máxima lentidão, obrigando-se a não fugir do significado de cada pequeno gesto. Por fim, pega o carro e vai para o cemitério São João Batista. A capela está tumultuada. Muitas pessoas choram, outras simplesmente conversam. Há empurrões. Toquinho se sente mal. Procura Chico Buarque e diz: ''Vou até a esquina comer um pastel, senão desmaio''. Vai a um boteco e come o pastel, sem saber que recheio aquela massa dourada envolve. Sente náuseas. Joga o pastel fora. Não volta mais ao cemitério.

Agora é o momento de viver o rito. A hora em que a morte deixa de ser sofrimento para, sobre o vazio, se fazer teatro. Quando o caixão começa a descer à sepultura, o fotógrafo e amigo Mário Carneiro deixa de lado a timidez, sobe num túmulo vizinho e tenta quebrar um pouco o ritmo melancólico da cerimônia. E se contrapor ao tumulto, agressivo, produzido por fãs, fotógrafos e cinegrafistas, que, com seus empurrões e seus flashes, fazem a multidão ondular, como um mar agitado. Depois de se apoiar no embaixador Mário Vieira de Mello para escalar a sepultura, começa, em estranho tom professoral: "Vinicius marcou a passagem da grande poesia para a MPB". Não pode ir adiante. Aquelas palavras sensatas, ali, não fazem o menor sentido. Tenta mudar o rumo de sua fala: "Vamos ter calma e deixar o poeta descansar em paz!", pede, agora rebaixando-se ao papel de um inspetor de escola. Palavras que também não querem dizer absolutamente nada, porque ninguém as toma como um pedido, e sim como um vagido de dor. Mário, envergonhado com a própria impotência, desce para se dissolver de novo na multidão. Fez a sua parte.

À saída do cemitério, o cineasta Joaquim Pedro de Andrade o pega pelo braço e diz: "Você bem que tentou, Mário. Mas a vida não é uma poesia. Quanto mais a morte". Joaquim Pedro pensa no poema "A hora íntima", que Vinicius de Moraes escreveu em 1950. Seus primeiros versos, uma mensagem fúnebre destinada ao futuro que agora se faz presente, dizem: "Quem pagará o enterro e as flores/ Se eu me morrer de amores?/ Quem, dentre amigos, tão amigo/ Para estar no caixão comigo?/ Quem, em meio ao funeral/ Dirá de mim: — Nunca fez mal...". O cineasta sabe que Mário Carneiro, tentando o impossível que é a frieza quando o coração marcha aos saltos, buscou uma resposta tardia àqueles versos que o poeta morto legou — como um fardo — aos amigos. Não a encontrou. "Você foi o máximo", afirma o bom Joaquim Pedro, pensando mais no esforço que no resultado. E abraça o amigo.

Mais enfático, à beira do excessivo, é o gesto silencioso da atriz Camila Amado que, fria como se atuasse num clássico noir, se aproxima da sepultura já fechada com um copo de uísque na mão. Pára, esperando que a olhem. Por fim, ergue o copo — como se conduzisse um cálice sagrado — e, ato contínuo, o deposita sobre a laje. Algumas pessoas ensaiam uma vaia. Outras a aplaudem. A atriz não se abala. O último drinque do poeta está servido.

Gilda passa toda a cerimônia espremida a um canto, abraçada a Elis Regina. Choram. À saída, sua mãe quer levá-la consigo, mas ela sabe que o melhor é encarar, de uma vez, o vazio. Freida, uma amiga dos tempos de Niterói, a acompanha de volta até em casa. Abre a porta com o olhar erguido. Quase não consegue falar. Pede à amiga que passe aquela primeira noite com ela. Toquinho demora um pouco mais a chegar. Tenta, a princípio, simular que nada, de fato, aconteceu. Esforça-se para tratar a morte como ela, na verdade, é: nada. Só que não podemos adiar os sentimentos — e eles enchem a morte de murmúrios sombrios, fazem dela um cataclismo. Estaciona o carro. Diz para si mesmo que precisa estar sereno e mete a mão no bolso para apanhar a chave de casa. Antes de metê-la na fechadura, sente um calafrio. As luzes do quarto do casal — agora o quarto de Gilda — já estão apagadas. Era comum a mulher se deitar mais cedo e Vinicius ficar rondando pela casa, a sua espera. Pensa: "Meu Deus, se eu encontrar o Vinicius aqui, o que eu vou dizer a ele?''. Pára um pouco diante da porta ainda fechada. Conclui, por fim, que a um morto nada se deve dizer, porque todos morremos para o silêncio. Tranqüiliza-se.

Toquinho roda a maçaneta da porta de entrada e lhe volta a mesma sensação descabida: a de que Vinicius estará, como em tantas vezes, esticado no sofá da sala. O sofá está vazio. Tira a roupa — como que tentando se livrar do cheiro da morte — e se deita. Tudo está em seu lugar e, no entanto, tudo parece irreal. Pensa: ''Meu Deus, o Vinicius morreu, eu continuo aqui e nada mais está acontecendo''. A parceria, só agora, se quebra. Pela primeira vez, Toquinho tem a dimensão completa de tudo o que Vinicius lhe deu — e percebe que esse tudo agora é apenas seu. O poeta, repetindo um ritual que cumpriu, como uma praga, com todas as mulheres que abandonou, mais uma vez partiu sem nada levar. Lembra-se de que Vinicius sempre dizia: ''Saio de casa só com a escova de dentes''. Vai ao banheiro do andar de cima. A escova está em seu lugar. Sente partes imensas da alma do poeta grudadas à sua, e elas o incomodam, como se não as merecesse. Deita-se, ainda assustado. Por fim, dorme.

Dorme muito mal. Na manhã seguinte, decide arrumar suas coisas e se mudar, de imediato, para um hotel. Lembra-se, então, de que nas últimas semanas Vinicius lhe mostrou, várias vezes, os manuscritos de *O deve e o haver*, seu testamento poético, em que trabalhava fazia quase vinte anos. Envolvido com as músicas da *Arca de Noé*, não deu muita importância aos escritos. Arrepende-se. Revira a casa atrás desses originais. Nunca mais os encontrou.

As marcas deixadas pelo poeta tomam, nos dias seguintes, formas estranhas. Num show que dá noites depois, no Teatro Clara Nunes, o violonista Baden Powell tenta espantar a tristeza convidando a ex-mulher Heloísa Setta para a platéia. Ao fim do espetáculo, Heloísa vai aos camarins. Travam, então, um surpreendente diálogo. Baden, ao vê-la entrar, diz: ''Você é quem, mesmo? Eu estou te reconhecendo de algum lugar...''. Heloísa gela. ''Mas, Baden, sou eu, tua ex-mulher!'' Alterando subitamente o tom de voz, antes intrigado e agora quase desinteressado, ele diz: ''Ah sim, mas você não mudou nada. Como vão as coisas?''. Inquieta, Heloísa já não entende mais nada. Enfeza-se: ''Baden, por favor, se decida. Primeiro você não me reconhece. Agora, diz que continuo a mesma de sempre. Afinal, eu mudei ou não mudei?''. O violonista se cala. Heloísa vê uma garrafa de uísque, abaixo da metade, diante do espelho de maquiagem. Aquela garrafa, porém, não basta para explicar o que se passa. Pensa, por fim, em Vinicius. Julga ter entendido tudo.

A notícia produz seus efeitos muito além das fronteiras cariocas. Em Curitiba, abatido com a morte do amigo e parceiro, o prefeito Jaime Lerner manda rezar uma missa solene pela alma de Vinicius. Traz do Rio a cantora Carmen Costa que, com sua voz trêmula mas ainda magnífica, entoa spirituals dos negros americanos à beira do altar. A igreja, lotada, a ouve como se captasse um canto emitido dos céus. Como que hipnotizados por sua voz, um casal de bêbados posta-se ao lado da cantora e, sem qualquer timidez, começa a dançar. Dançam divinamente. Os coroinhas fazem os primeiros movimentos para fazê-los descer do altar. O padre, porém, os impede: "Deixe-os dançar", diz em voz baixa, mas segura. "Devem ter vindo a mando do Vinicius."

Recolhido a seu apartamento no Rio, abatido, o parceiro Carlos Lyra recorda o último encontro que teve com Vinicius, dias antes, no restaurante Barbas, de Nelson Rodrigues Filho, em Botafogo. Um repórter arrogante, de um pequeno jornal de oposição, interrompe o jantar dos parceiros e pede alguns minutos para uma entrevista. Vinicius, mesmo se sentindo perturbado, manda o rapaz sentar. Ele começa seu interrogatório com uma pergunta que será também a última: "Vinicius de Moraes, você está com medo da morte?". O poeta o olha como se o rapaz tivesse desaparecido. Como se houvesse apenas um imenso vazio diante dele, de que aquele rapazola seria, no máximo, a sombra. Coça o queixo, mais para ter certeza de que ele ainda está no lugar, e responde: "Não, meu filho. Eu não estou com medo da morte. Eu estou é com saudades da vida".

Numa carta ao amigo datada de setembro de 1968, Otto Lara Resende se permitiu imaginar Vinicius de Moraes morto, chegando aos céus para prestar suas últimas contas. "Você se conhece bem", diz, "a presunção da ignorância nunca será atenuante no seu juízo final." Imagina então o poeta perfilado diante de Deus, trazendo na ponta da língua a resposta a cada uma das perguntas finais. E sendo salvo nos piores momentos por Jayme Ovalle que, escondido atrás de uma nuvem, lhe sopra ao ouvido as respostas mais difíceis. Mesmo diante da solidão final, os amigos não conseguem imaginar Vinicius de Moraes desacompanhado. A morte — o desamparo extremo — sempre foi o grande medo de Vinicius de Moraes. Ele atravessou a vida lutando contra a sombra da morte.

Esse era, talvez, o seu segredo. Aquilo que o fez inundar seu corpo em álcool para poder chorar. Aquilo que o levou a se casar nove vezes, para não deixar escapar nenhuma gota do amor. Aquilo que o levou a viajar sem parar para não se tornar prisioneiro de lugar algum. De seu primeiro verso, em "Místico" — "O ar está cheio de murmúrios misteriosos" —, ao que pode ser considerado o último traço do poeta, conforme seu desejo, em "O deve e o haver" — "Ela virá me abrir a porta como uma velha amante/ Sem saber que é a minha mais nova namorada" —, é a morte, e não a vida, que está em ação. Vinicius de Moraes viveu, amou, escreveu, cantou, para fugir da morte. Para negá-la. Todos fazemos o mesmo. Mas só um de nós se chamou Vinicius de Moraes.

IMAGEM FINAL

Vinicius:
um homem para quem
o sofrimento era apenas um intervalo entre
duas felicidades.

AGRADECIMENTOS

Meus agradecimentos a Alberico Campana, Almir de Castro, Alzira Lima, Américo Jacobina Lacombe (in memoriam), Angelo Osvaldo, Antonio Carlos Jobim, Antônio Carlos Villaça, Antônio Houaiss, Antonio Younis, Ariovaldo Miranda Dumiense, Arnaldo Pederneiras, Ary Vasconcellos, Aurora Miranda, Baden Powell, Beatriz Folly, Cacá Diegues, Cacy Cordovil, Calazans Neto, Carlos Alberto Afonso, Carlos Bastos, Carlos Lyra, Carlos Scliar, Carybé, Cécil Thiré, Chico Buarque de Holanda, Cinésio Goes, Clementino Fraga Filho, Cristina Gurjão, Cynara, Cyva, Denis de Moraes, Edgar Possas, Édio Gantois, Edson Diniz Gonçalves, Edu Lobo, Eduardo Coutinho, Eliane Vascon-cellos Leitão, Elza Viany, Ênio Silveira, Fernando Faro, Fernando Moreira Salles, Ferreira Gullar, Francis Hime, Francisco Sales Castor, Frederico Rodrigues, Fredy Rossi, Georgiana de Moraes, Gerardo Mello Mourão, Gesse Gessy, Gilda de Queirós Mattoso, Givaldo Siqueira, Haroldo Costa, Helius de Moraes, Helô Pinheiro, Heloísa Lima, Heloísa Setta, Hilda Hilst, Humberto Werneck, Jael Coaracy, Jaime Lerner, Jairo Severiano, James Amado, Jards Macalé, Jean Gabriel Albicocco, Jeannette Alimonda, Jerusa Carvalho, João Araujo, João Bosco Rabello, João Cabral de Melo Neto, Joca Marques da Costa, Joel Silveira, Jorge Guinle, Joyce, Kate Lyra, Laetitia de Moraes, Lauro Escorel, Leny Andrade, Leny Cordeiro, Lila Boscoli, Lourdes Lessa, Luciana de Moraes, Lucinha Proença, Luis Fernando Goulart, Lygia de Moraes, Marcelo Camacho, Marcelo Carneiro, Márcia Moreira Borges, Márcia Rodrigues, Marcos Jaimovich, Maria Amélia Buarque de Holanda, Maria Clara Machado, Maria Creusa, Maria Eduarda Viana Lessa, Maria Fernanda, Maria Lúcia Godoy, Maria Lúcia Rangel, Marilda Pedroso, Marilia Medalha, Mário Carneiro, Mário Vieira de Mello, Maurício Roberto, Miguel Proença, Miriam Fraga, Miucha, Mozart Farani, Murilo Bastos Belchior, Mutinho, Nana Caymmi, Nelita Leclery, Neusa Borges, Newton Goldman, Nilda Spencer, Noelza Guimarães, Norma Bengell, Norma Tapajós, Oscar Niemeyer, Otto Lara Resende (in memoriam), Paulinho Soledade, Paulinho Tapajós, Paulo Marcelo Sampaio, Paulo Mendes Campos (in memoriam), Paulo Niemeyer, Pedro de Moraes, Pedro Dutra, Plinio Doyle, Raimundo Fagner, Ricardo Arnt, Ricardo Cravo Albim, Roberto Assunção, Rosângela Florido Rangel, Rubens Figueiredo, Santes Scaldaferri, Sérgio Cabral, Sérgio

Novis, Silvia Gandelman, Silvia Powell, Sônia Gantois, Stella Penido, Susana de Moraes, Suzanne Robell, Tânia Mara G. di Motta, Tânia Maria Ribeiro, Tati de Moraes, Thereza Cesário Alvim, Tônia Carrero, Toquinho, Trípole Gaudenzi, Vicente Chermont de Miranda e Wilson Coutinho.

Devo agradecer, para terminar, à Unicamp, na pessoa de seu reitor, prof. Carlos Vogt, que patrocinou a pesquisa que resultou nesta biografia.

José Castello

CRÉDITO DAS ILUSTRAÇÕES

Todos os esforços foram feitos para se determinar a origem e a autoria das fotos utilizadas neste livro. Nem sempre isso foi possível, principalmente no caso de fotos obtidas em acervos de parentes ou amigos do biografado. Teremos prazer em creditar esses fotógrafos caso se manifestem.

Abril Imagens: 248/249 (Joel Maia)
Agência Estado: 56, 115, 119, 127, 193, 199, 293, 300, 388b
Agência Globo: 157, 259, 323, 338, 389b
Agência Folha: 185, 222, 223, 353a
Agência JB: 242 (Gonzales), 358b (Teixeira)
Álbum da família: 31a, 31b, 35b, 37, 41, 49, 52, 53, 63, 93, 96, 132, 135, 150, 181, 202, 215, 234, 241, 247, 276, 362
Museu da Imagem e do Som: 301b
Paulo C. Garcez: 306, 329, 389a
Pedro de Moraes: 2/3, 8, 184, 229, 231, 251, 261, 266/267, 269, 283, 286, 287, 301a, 308/309, 312, 317, 322, 343, 351, 353b, 358/359, 359, 373, 375, 388c, 400, 401, 410/411, 430
Tyba: 6, 22, 35a, 105, 281, 323, 337, 388a, 392

Obras de Vinicius de Moraes publicadas pela Companhia das Letras

Livro de sonetos
Para viver um grande amor
A arca de Noé
O cinema de meus olhos
Livro de letras
Antologia poética
Para uma menina com uma flor
Roteiro lírico e sentimental da cidade do Rio de Janeiro:
e outros lugares por onde passou e se encantou o poeta
As coisas do alto: poemas de formação

ÍNDICE REMISSIVO

Os números em *grifo* remetem às páginas com ilustrações

ESTA OBRA FOI COMPOSTA PELA HELVÉTICA EDITORIAL EM PALÁCIO E IMPRESSA PELA GRÁFICA EDITORA HAMBURG EM OFF-SET PARA A EDITORA SCHWARCZ EM JUNHO DE 1994.